D0581100

Dictionnaire

FRANÇAIS • ESPAGNOL
ESPAGNOL • FRANÇAIS

FRANCÉS • ESPAÑOL
ESPAÑOL • FRANCÉS

Sommaire

ABRÉVIATIONS - ABREVIATURAS

adj.	adjectif	adjectivo
adv.	adverbe	adverbio
art.	article	artículo
compar.	comparatif	comparativo
compl.	complément	complemento
conj.	conjonction	conjunción
déf.	défini	definido
dém.	démonstratif	demostrativo
éco.	économie	economía
fam.	familier	familiar
f.	féminin	feminino
fig.	figuré	figurado
h. am.	hispano-américain	hispanoamericano
impers.	impersonnel	impersonal
indéf.	indéfini	indefinido
infin.	infinitif	infinitivo
interj.	interjection	interjección
interr.	interrogatif	interrogativo
inv.	invariable	invariable
loc.	locution	locución
loc. conj.	locution conjonctive	locución conjuntiva
mar.	maritime	marítimo
m.	masculin	masculino
math.	mathématiques	matemáticas
nf.	nom féminin	nombre feminino
nm.	nom masculin	nombre masculino
nm/f.	nom masculin et féminin	nombre masculino y feminino
n. prop.	nom propre	nombre propio
num.	numéral	numeral
pers.	personnel	personal
pl.	pluriel	plural
pos.	possessif	posesivo
prép.	préposition	preposición
pron.	pronom	pronombre
qqch.	quelque chose	algo
qqn.	quelqu'un	alguien
sing.	singulier	singular
suj.	sujet	sujeto
superl.	superlatif	superlativo
typo.	typographie	tipografía
v.	verbe	verbo
v. imp.	verbe impersonnel	verbo impersonal
v. intr.	verbe intransitif	verbo intransitivo
v. pr.	verbe pronominal	verbo pronominal
v. tr.	verbe transitif	verbo transitivo

Pour laisser la place au plus grand nombre possible d'entrées, n'apparaissent pas dans la partie français-espagnol :

– les participes passés réguliers utilisés comme adjectif quand ils n'ont pas d'autres sens que le verbe infinitif dont ils sont issus (ainsi figure *frit* **frito** du verbe **freír,** mais *froissé* ne figure pas puisqu'on le tire régulièrement de **arrugar → arrugado**) ;

– les verbes pronominaux qui ne sont que le verbe transitif ou intransitif accompagnés du pronom **se** (ainsi à *lever,* il y a **levantar,** mais pas **levantarse** ; en revanche, à *douter* **dudar**, il y a *se douter* **sospechar**) ;

– les adverbes régulièrement formés sur le féminin de l'adjectif (ainsi *aimablement*, **amablemente (amable + mente)** n'apparaît pas, mais *longtemps* figure puisqu'il se traduit par **mucho tiempo**).

FRANÇAIS ● ESPAGNOL
FRANCÉS ● ESPAÑOL

A

a *nm.* inv. a *nf.*
à *prép.* a ; con ; de ; en ; por
abaissement *nm.* (*prix*) baja *nf.* ; descenso ; reducción *nf.*
abaisser *v. tr.* bajar ; (*prix*) bajar, reducir ● *v. pr. (fig)* rebajarse
abandon *nm.* abandono ; (*fig*) renuncia *nf.*
abandonner *v. tr.* abandonar ; renunciar a ; (*négliger*) descuidar
abats *nmpl.* (*boucherie*) menudos ; (*volailles*) menudillos
abat-jour *nm. invar.* pantalla *nf.*
abattage *nm.* (*arbre*) tala *nf.* ; (*construction*) derribo ; (*animaux*) matanza *nf.* ; *(fig) avoir de l'abattage* tener arranque
abattement *nm.* abatimiento ; (*impôts*) deducción *nf.*
abattoir *nm.* matadero
abattre *v. tr.* derribar ; (*tuer*) matar : (*fig*) abatir, debilitar, desanimar
abbaye *nf.* abadía
a b c *nm.* abecé, abecedario
abcès *nm.* flemón
abdiquer *v. intr.* abdicar ; renunciar a
abdomen *nm.* abdomen
abécédaire *nm.* abecedario
abeille *nf.* abeja
aberration *nf.* aberración
abêtir *v. tr.* embrutecer, atontar
abîme *nm.* abismo
abîmer *v. tr.* estropear ● *v. pr.* estropearse ; *(s'enfoncer)* ; hundirse
abject,-e *adj.* abyecto(a)
abjurer *v. tr.* abjurar
ablution *nf.* ablución
abnégation *nf.* abnegación
aboiement *nm.* ladrido
abolir *v. tr.* abolir
abolition *nf.* abolición
abolitionniste *adj. et nm/f.* abolicionista
abondance *nf.* abundancia, profusión
abonder *v. intr.* (*nombre*) abundar ; (*accord*) estar conforme con
abonné,-e *adj. et nm/f.* abonado(a) ; (*journal*) suscriptor(ora)
abonnement *nm. (gaz, eau)* abono ; *(journal)* suscripción *nf.*
abonner *v. tr. (eau, gaz)* abonar ; *(journal)* suscribir ● *v. pr.* abonarse, suscribirse
abord *nm.* (*lieu*) acceso ; (*personne*) trato ● *nmpl.* inmediaciones *nfpl.*
aborder *v. tr.* (*bateau, personne*) abordar ; *(sujet, thème)* abordar, tratar, enfocar
aboutir *v. intr.* (*déboucher*) acabar en, llegar a ; (*réussir*) dar resultado, tener éxito
aboutissement *nm.* resultado, fin
aboyer *v. intr.* ladrar
abréger *v. tr.* abreviar, acortar ; compendiar, resumir
abreuver *v. tr.* abrevar, dar de beber ; (*fig*) colmar ● *v. pr.* beber
abreuvoir *nm.* abrevadero
abréviation *nf.* abreviatura
abri *nm.* (intempéries) abrigo, refugio, cobertizo ; (*militaire*) refugio ; (*fig*) amparo
abricot *nm.* albaricoque
abriter *v. tr.* abrigar ; (*fig*) amparar ; resguardar, proteger, ● *v. pr.* amparase, abrigarse, protegerse ; (*fig*) *(se retrancher)* escudarse
abrogation *nf.* abrogación
abrupt,-e *adj.* abrupto(a)
abrutir *v. tr.* embrutecer
abrutissement *nm.* embrutecimiento
absence *nf.* ausencia ; carencia ; *(manque)* ; *(de mémoire)* fallo *nm.* de memoria
absent,-e *adj.* ausente
absentéisme *nm.* absentismo
absentéiste *adj.* absentista
absenter (s') *v. pr.* ausentarse
absolu,-e *adj.* absoluto(a)
absorber *v. tr.* absorber ; *(avaler)* ; beber, tomar ; (*fig*) consumir, devorar
absorption *nf.* absorción
abstenir (s') *v. pr.* abstenerse

abstention *nf.* abstención
abstraction *nf.* abstracción
abstraire *v. tr.* abstraer
abstrait,-e *adj.* abstracto(a)
absurde *adj.* absurdo(a)
absurdité *nf.* absurdo *nm.*, absurdidad
abus *nm.* abuso
abuser *v. tr.* (*tromper*) engañar • *v. intr.* abusar, usar mal ; (*exagérer*) pasarse • *v. pr.* engañarse
abusif,-ive *adj.* abusivo(a)
acacia *nm.* acacia *nf.*
académicien,-ne *nm/f.* académico(a)
académie *nf.* academia
académisme *nm.* academismo
acajou *nm.* caoba nf
acariâtre *adj.* adusto(a)
accablement *nm.* agobio
accabler *v. tr.* abrumar, agobiar
accalmie *nf.* calma, tregua
accaparer *v. tr.* acaparar
accéder *v. intr.* entrar en, tener acceso a ; *(à un poste)* llegar ; *(à une demande)* acceder a, consentir en
accélérateur *nm.* acelerador
accélérer *v. tr.* acelerar ; *(fig)* agilizar
accent *nm.* acento ; *mettre l'accent sur* poner de relieve
accentuer *v. tr.* acentuar
accepter *v. tr.* aceptar
acception *nf.* acepción
accès *nm.* acceso ; (*fièvre*) ataque ; (*colère*) arrebato
accessible *adj.* accesible, asequible
accession *nf.* acceso *nm.*
accident *nm.* accidente
accidenté,-e *adj. et nm/f.* accidentado(a)
acclamation *nf.* aclamación
acclamer *v. tr.* aclamar
accolade *nf.* abrazo *nm.* ; *(typo)* llave
accoler *v. tr.* enlazar, juntar, unir
accommodant,-e *adj.* complaciente
accommoder *v. tr.* *(optique)* acomodar ; (*cuisine*) aderezar • *v. pr.* *(s'entendre avec)* arreglarse con ; (*accepter*) conformarse
accompagnateur,-trice *nm/f.* acompañante ; guía turístico *nm.*
accompagner *v. tr.* acompañar
accomplir *v. tr.* *(son devoir)* cumplir (con) ; (*mener à bien)* llevar a cabo ; *(exécuter)* ejecutar, efectuar, desempeñar • *v. pr.* realizarse, cumplirse, llevarse a cabo
accord *nm.* acuerdo ; (*contrat*) convenio ; *(autorisation)* aprobación *nf.* ; *(harmonie)* armonía *nf.* ; *(musique)* acorde
accordéon *nm.* acordeón
accorder *v. tr.* conceder, otorgar ; (*admettre*) admitir ; (*musique*) afinar • *v. pr.* ponerse de acuerdo ; *(s'entendre)* llevarse bien ; *(être harmonieux)* armonizarse
accouchement *nm.* parto, alumbramiento
accouder (s') *v. pr.* acodarse
accoupler *v. tr.* acoplar, emparejar • *v. pr.* acoplarse, emparejarse
accourir *v. intr.* acudir
accoutrement *nm.* atavío
accoutumance *nf.* costumbre ; *(dépendance)* adicción
accoutumer *v. tr.* acostumbrar • *v. pr.* acostumbrarse
accréditer *v. tr.* (*une personne)* ; acreditar ; (*une chose)* dar crédito a
accroc *nm.* *(déchirure)* desgarrón, siete ; *(fig)* obstáculo, dificultad *nf.*
accrochage *nm.* *(circulation*) choque ; *(dispute)* altercado ; *(militaire)* escaramuza *nf.*
accroche-cœur *nm.* caracol
accrocher *v. tr.* *(mettre bout à bout)* enganchar ; (*suspendre à*) colgar (de) ; (*heurter*) chocar con ; *(saisir)* agarrar ; (*attirer*) llamar la atención • *v. pr.* engancharse, colgarse, chocarse, agarrarse ; (*se disputer*) tener un altercado
accrocheur,-euse *adj.* llamativo(a)
accroissement *nm.* incremento, crecimiento, aumento
accroître *v. tr.* aumentar, incrementar
accroupir (s') *v. pr.* agacharse
accueil *nm.* acogida *nf.*, recepción *nf.*
accueillir *v. tr.* acoger, recibir
accumulation *nf.* acumulación
accusation *nf.* acusación

accuser *v. tr.* acusar, culpar
acerbe *adj.* acerbo(a)
acétate *nm.* acetato
acétone *nf.* acetona
acharné,-e *adj.* encarnizado(a)
acharnement *nm.* obstinación *nf.* ; (*cruauté*) encarnecimiento, ensañamiento
acharner (s') *v. pr.* empeñarse ; encarnizarse, ensañarse
achat *nm.* compra *nf.*
acheminement *nm.* envío, despacho
acheminer *v. tr. (courrier)* despachar ; (*transporter*) transportar
acheter *v. tr.* comprar ; *(corrompre)* sobornar
acheteur,-euse *nm/f.* comprador(a)
achèvement *nm.* teminación *nf.*
achever *v. tr.* acabar, terminar ; *(quelqu'un)* rematar ; *(fig)* acabar con
achopper *v. intr.* tropezar
acide *adj.* ácido (a) • *nm.* ácido
acidité *nf.* acidez
acier *nm.* acero
acné *nf.* acné
acompte *nm.* anticipo
à-côté *nm.* (*détails*) pormenores *nmpl.* ; (*argent*) extras *nmpl.*
acoustique *nf.* acústica
acquéreur *nm.* comprador, adquiridor,
acquérir *v. tr.* adquirir ; obtener, ganar, conseguir
acquiescer (à) *v. tr.* consentir en, asentir a
acquis *nm.* experiencia *nf.*
acquisition *nf.* adquisición
acquittement *nm.* pago ; (*justice*) absolución *nf.*
acquitter *v. tr.* (*dette*) satisfacer, pagar ; (*justice*) absolver ; (*obligation*) cumplir
âcre *adj.* acre
acrobate *nm/f.* acróbata
acrobatie *nf.* acrobacia
acrylique *adj.* acrílico(a)
acte *nm.* (*action*) acto ; (*relation écrite*) acta *nf.* ; (*baptême, décès, etc.*) partida *nf.* ; *(notarié)* escritura *nf.* ; (*théâtre*) acto
acteur,-trice *nm/f.* actor, actriz
actif,-ive *adj.* activo(a)
action *nf.* acción ; (*agissement*) actuación
actionnaire *nm/f.* accionista
actionner *v. tr.* accionar
activer *v. tr.* activar, acelerar • *v. pr.* activarse, acelerarse ; *(fig)* apresurarse, menearse
activité *nf.* actividad
actualité *nf.* actualidad *nf.*
actualiser *v. tr.* actualizar
acuité *nf.* acuidad, agudeza
adaptation *nf.* adaptación
adapter *v. tr.* adaptar
additif,-ive *adj.* aditivo(a) • *nm.* (*contrat*) cláusula adicional *nf.* ; *(aliment)* aditivo
addition *nf.* (*math.*) suma ; (*restaurant*) cuenta ; (*ajout*) adición
additionnel,-elle *adj.* adicional
additionner *v. tr.* sumar ; añadir, adicionar
adepte *nm/f.* adepto(a) ; seguidor(ora)
adéquat,-e *adj.* adecuado(a)
adhérence *nf.* adherencia ; agarre *nm.*
adhérer *v. intr.* adherir, afiliarse a
adhésion *nf.* adhesión, afiliación
adhésif,-ive *adj.* adhesivo(a) • *nm.* pegatina *nf.*
adieu *nm.* adiós, despedida *nf.*
adjectif *nm.* adjetivo
adjoint,-e *nm/f.* auxiliar, asistente
admettre *v. tr.* admitir
administrateur,-trice *nm/f.* administrador(a)
administration *nf.* administración
administrer *v. tr.* administrar ; (*remède*) suministrar
admiration *nf.* admiración
admirer *v. tr.* admirar
admis,-e *adj.* (*accepté*) admitido(a) ; (*examen*) aprobado(a) ; (*concours, hôpital*) ingresado(a)
admission *nf.* admisión ; *(examen)* aprobado *nm.* ; (*concours, hôpital)* ingreso *nm.*
adolescence *nf.* adolescencia
adolescent,-e *adj. et nm/f.* adolescente
adonner (s') *v. pr.* entregarse, dedicarse
adopter *v. tr.* adoptar
adoption *nf.* adopción ; aprobación

adorable *adj.* encantador(a)
adoration *nf.* adoración.
adorer *v. tr.* adorar ; (*plaire*) encantarle a uno
adosser *v. tr.* adosar • *v.* pr. respaldarse
adoucir *v. tr.* suavizar ; (*soulager*) aliviar • *v. pr* suavizarse, aliviarse
adoucissant,-e *adj. et nm.* suavizante
adresse *nf.* dirección, señas *nfpl.* ; (*habileté*) destreza, habilidad
adresser *v. tr. (la parole)* dirigir ; *(courrier)* enviar • *v. pr.* dirigirse, enviarse
adroit,-e *adj.* hábil, diestro(a)
aduler *v. tr.* adular
adultère *nm.* adulterio
advenir *v. impers.* ocurrir, suceder
adverbe *nm.* adverbio
adversaire *nm.* adversario
adversité *nf.* adversidad
aération *nf.* ventilación ; aeración
aérer *v. tr.* ventilar • *v. pr.* tomar el aire
aérien,-ienne *adj.* aéreo(a)
aérodrome *nm.* aeródromo
aérogare *nf.* terminal *nm.*
aéronaute *nm/f.* aeronauta
aérophagie *nf.* aerofagia
aéroport *nm.* aeropuerto
aérosol *nm.* aerosol
affabilité *nf.* afabilidad
affable *adj.* afable
affaiblir *v. tr.* debilitar, depreciar
affaiblissement *nm.* debilitación *nf.* ; (*monnaie*) depreciación *nf.*
affaire *nf.* (*problème*) asunto ; (*objet*) bártulos *nmpl.*, cosas *nfpl. ; (commerce)* negocio *nm.* ; (*justice, médias*) caso
affairer (s') *v. pr.* ajetrearse
affaisser *v. tr.* hundir • *v. pr.* hundirse, desplomarse
affaler (s') *v. pr.* desplomarse, dejarse caer
affamé,-e *adj.* hambriento(a)
affectation *nf. (pour le travail)* destino *nm.* ; *(finances)* asignación, imputación ; *(manières)* afectación, amaneramiento *nm.*
affecter *v. tr. (simuler)* fingir ; *(poste, fonction)* destinar ; (*émouvoir*) afectar
affection *nf.* cariño *nm.* ; *(maladie)* afección
affichage *nm.* (*sur écran*) visualización *nf.* ; (*publicité*) publicidad en vallas *nf.* ; (*action*) anuncio, fijación de carteles *nf.*
affiche *nf.* cartel *nm.* ; póster *nm.* ; ***être à l'affiche*** estar en cartelera
afficher *v. tr.* fijar carteles ; *(attitude)* exhibir, hacer alarde de
affiliation *nf.* afiliación
affinité *nf.* afinidad
affirmatif,-ive *adj.* afirmativo(a)
affirmation *nf.* afirmación, aseveración
affirmer *v. tr.* afirmar, aseverar
affliger *v. tr.* afligir
affluence *nf.* (*foule*) concurrencia ; (*biens*) abundancia *nf.* ; ***jour d'affluence***, día de afluencia
afflux *nm.* (*personnes*) afluencia *nf.* ; (*biens*) abundancia ; (*sang*) aflujo
affoler *v. tr.* enloquecer • *v. pr.* volverse loco, perder la cabeza
affranchi,-e *adj.* (*courrier*) franqueado(a) ; (*exempté*) exento(a)
affranchir *v. tr.* (*lettre*) franquear ; (*exempter*) exentar • *v. pr.* franquearse ; (*une personne*) emanciparse
affranchissement *nm. (courrier)* franqueo ; *(exemption)* exención *nf.*
affréter *v. tr.* fletar
affreux,-euse *adj.* horroroso(a) ; horrible
affront *nm.* afrenta nf
affronter *v. tr.* hacer frente ; enfrentar
affût *nm.* (*guet*) acecho
aficionado *nm.* aficionado
afin de *loc. prép.* con el fin (a fin) de
afin que *loc. conj.* con el fin (a fin) de que
africain,-e *adj. et nm/f.* africano(a)
agaçant,-e *adj.* molesto(a), irritante
agacer *v. tr.* fastidiar, poner nervioso(a)
agate *nf.* ágata
âge *nm.* edad *nf.*
agence *nf.* agencia
agencement *nm.* disposición *nf.*
agencer *v. tr.* disponer, arreglar
agenda *nm.* agenda *nf.*
agenouiller (s') *v. pr.* arrodillarse

agent *nm.* agente ; (*police*) policía, guardia
agglomération *nf. (ville)* población ; *(ensemble urbain)* ciudad y suburbios
aggravation *nf.* agravación
aggraver *v. tr.* agravar
agir *v. intr.* obrar, actuar • *v. pr. impers.* tratarse
agissement *nm.* actuación *nf.*
agitateur,-trice *nm/f.* agitador(a)
agiter *v. tr.* sacudir, agitar
agneau *nm.* cordero
agonie *nf.* agonía
agoniser *v. intr.* agonizar
agrafe *nf.* grapa
agrafer *v. tr.* (*vêtement*) abrochar ; *(documents)* coser con grapas
agrafeuse *nf.* grapadora
agrandir *v. tr.* agrandar, ampliar ; (*photo*) ampliar
agrandissement *nm.* ampliación *nf.*
agréable *adj.* agradable, grato(a)
agréer *v. tr.* admitir, aceptar • *v. intr.* (*plaire*) agradar, placer
agrément *nm.* consentimiento, aprobación *nf.* ; (*plaisir*) placer ; (*attrait*) atractivo, encanto
agrémenter *v. tr.* amenizar, adornar
agresser *v. tr.* agredir
agresseur *nm.* agresor, atracador
agression *nf.* agresión ; (*à main armée*) atraco *nm.*, agresión
agressivité *nf.* agresividad
agricole *adj.* agrícola, agropecuario(a)
agriculteur,-trice *nm/f.* agricultor(a)
agriculture *nf.* agricultura
agro-alimentaire *adj.* agroalimentario(a)
agronome *nm.* agrónomo
agronomie *nf.* agronomía
agrumes *nmpl.* agrios, cítricos
aguerrir *v. tr.* (*militaires*) aguerrir ; *(habituer)* avezar ; *(endurcir)* curtir, endurecer
aguets (aux) *loc. adv.* al acecho
aguichant,-e *adj.* provocativo(a)
ah ! *interj.* ¡ah!
aide *nf.* (*soutien*) ayuda ; *(encouragement)* fomento *nm.* ; (*financière*) subvención ; (*conseil*) asistencia
aider *v. tr.* ayudar ; fomentar ; subvencionar ; asistir ; (*secourir*) auxiliar • *v. pr.* (*se servir de*) valerse de
aïe ! *interj.* ¡huy!, ¡ay!
aïeul,-e *nm/f.* abuelo(a)
aïeux *nmpl.* antepasados
aigle *nm.* águila *nf.*
aiglon *nm.* aguilucho
aigre *adj.* agrio(a)
aigre-doux (douce) *adj.* agridulce
aigreur *nf. (estomac)* acedía, acidez ; *(âpreté)* acritud, lo agrio ; *(fig)* acritud, aspereza
aigrir *v. tr.* agriar ; *(fig)* amargar, volver amargo, agriar
aigu,-uë *adj.* agudo(a)
aiguille *nf.* aguja ; (*montre*) manecilla
aiguiller *v. tr.* orientar, encaminar
aiguilleur *nm.* guardagujas
aiguillon *nm.* aguijón
aiguiser *v. tr.* afilar ; *(fig)* agudizar
ail *nm.* ajo
aile *nf. (oiseau, avion)* ala ; (*moulin*) aspa
ailleurs *adv.* en (a, de, por)otra parte
aimable *adj.* amable
aimant *nm.* imán
aimant,-e *adj.* cariñoso(a)
aimer *v. tr.* (*sentiment*) querer, amar ; (*plaisir*) gustar ; *aimer mieux*, gustar más, preferir
aine *nf.* ingle
aîné,-e *adj. et nm/f.* primogénito(a), mayor
ainsi *adv.* así
air *nm.* aire ; *(aspect)* aire, semblante ; *(ressemblance)* parecido
aisance *nf. (grâce)* desenvoltura, soltura ; *(facilité)* holgura ; *(richesse)* desahogo *nm.*, acomodo *nm.*
aise *nf. (plaisir)* gusto *nm.*, contento *nm.* ; (*confort*) comodidad ; *(financière)* desahogo *nm.*
aisé,-e *adj.* (*facile*) sencillo(a), fácil ; *(riche)* desahogado(a)
aisément *adv.* fácilmente
aisselle *nf.* sobaco *nm.*
ajournement *nm. (report)* aplazamiento ; *(interruption)* suspensión *nf.*
ajouter *v. tr.* añadir

ajustement *nm.* ajuste
ajuster *v. tr.* ajustar ; (*vêtement*) ceñir
alarme *nf.* alarma
alarmer *v. tr.* alarmar
albâtre *nm.* alabastro
album *nm.* álbum ; (*disque*) elepé
albumine *nf.* albúmina
alcool *nm.* alcohol
alcoolémie *nf.* alcoholemia
alcoolique *adj.* alcohólico(a)
alcôve *nf.* alcoba
aléatoire *adj.* aleatorio(a)
alentours *nmpl.* los alrededores
alerte *nf.* alarma, alerta
algèbre *nf.* álgebra
algérien,-ne *adj. et nm/f.* argelino(a)
algue *nf.* alga
alibi *nm.* coartada *nf.*
aliénation *nf.* enajenación
aliéné,-e *nm/f.* loco(a)
alignement *nm. (file)* alineación ; (*prix*) ajuste
aligner *v. tr.* alinear, poner en línea ; (*prix*) ajustar
aliment *nm.* alimento
alimentaire *adj.* alimentario(a), alimenticio(a)
alimenter *v. tr.* alimentar, sustentar
aliter (s') *v. pr.* guardar cama
allaiter *v. tr.* amamantar
allécher *v. tr.* atraer, seducir
allée *nf.* alameda
allègement *nm.* alivio ; (*impôts*) desgravación *nf.*
alléger *v. tr.* aliviar ; (*impôts*) desgravar ; (*produits alimentaires*) desnatar
allégresse *nf.* júbilo *nm.*
alléguer *v. tr.* alegar
aller *v. intr.* (*se rendre*) ir ; (*santé*) estar ; (*être en accord*) sentar ; (*convenir*) convenir • *v. pr.* irse, marcharse.
aller *nm.* ida *nf.* ; *aller et retour* ida y vuelta
allergie *nf.* alergia
alliage *nm.* aleación *nf.*
alliance *nf.* (*politique, militaire*) acuerdo *nm.*, alianza ; (*par mariage*) enlace *nm.* ; (*anneau*) anillo *nm.*
allié,-e *adj. et nm/f.* aliado(a)
allier *v. tr.* aliar, unir
allo ! *(celui qui reçoit l'appel)* ¡diga !, ¡dígame ! ; *(celui qui appelle)* ¡oiga !
allocation *nf. (aide financière)* subsidio *nm.* ; *(attribution)* asignación
allocution *nf.* alocución
allongement *nm.* alargamiento ; prolongación *nf.*
allonger *v. tr. (rendre plus long)* alargar, prolongar ; *(un membre)* estirar, alargar, extender ; *(sauce)* aclarar ; *(fam.) (argent)* aflojar, *v. pr.* echarse, tumbarse
allouer *v. tr.* asignar
allumage *nm.* encendido
allumer *v. tr.* encender
allumette *nf.* cerilla ; fósforo *nm.*
allure *nf.* (*démarche*) paso *nm.*, marcha ; (*vitesse*) velocidad ; (*aspect*) pinta ; (*grâce*) garbo *nm.*
allusion *nf.* alusión
almanach *nm.* almanaque
alors *adv.* entonces ; ***alors que*** mientras (que)
alouette *nf.* alondra
alourdir *v. tr.* volver pesado, hacer pesado ; (*impôts, style*) recargar, sobrecargar
alphabet *nm.* alfabeto
alphabétisation *nf.* alfabetización
alpinisme *nm.* montañismo, alpinismo
alpiniste *nm/f.* montañista, alpinista
altération *nf.* alteración ; *(document)* falsificación ; *(produit)* adulteración
altercation *nf.* altercado *nm.*
altérer *v. tr.* alterar ; *(document)* falsificar ; *(produit)* adulterar
alternance *nf.* alternancia
alternatif,-ive *adj.* alternativo(a)
alterner *v. tr.* alternar
altier,-ière *adj.* altanero(a), altivo(a)
altimètre *nm.* altímetro
altitude *nf.* altura, altitud
altruiste *adj. et nm/f.* altruista
aluminium *nm.* aluminio
amabilité *nf.* amabilidad
amadouer *v. tr.* ablandar
amaigrir *v. tr.* enflaquecer
amaigrissement *nm.* adelgazamiento
amande *nf.* almendra
amandier *nm.* almendro
amant,-e *nm/f.* querido(a), amante

amarrer *v. tr.* amarrar
amas *nm.* pila *nf.*, montón
amasser *v. tr.* acumular, amontonar ; (*de l'argent*) atesorar
amateur *nm.* aficionado(a)
ambassade *nf.* embajada
ambassadeur,-drice *nm/f.* embajador(a)
ambiance *nf.* ambiente *nm.*
ambiguïté *nf.* ambigüedad
ambitieux,-euse *adj. et nm/f.* ambicioso(a)
ambition *nf.* ambición
ambivalent,-e *adj.* ambivalente
ambre *nm.* ámbar
ambulance *nf.* ambulancia
âme *nf.* alma ; espíritu *nm.*
amélioration *nf.* (*progrès*) mejora, mejoramiento *nm.* ; (*récupération*) mejoría
améliorer *v. tr.* mejorar
aménagement *nm.* acondicionamiento, arreglo, disposición *nf.* ; instalación *nf.* ; (*transformation*) habilitación *nf.* ; (*quartier, ville)* urbanización *nf.* ; (*territoire*) ordenación *nf.*
aménager *v. tr.* acondicionar, arreglar, disponer ; instalar ; (*transformer*) habilitar ; *(ville, quartier*) urbanizar
amende *nf.* multa
amender *v. tr.* enmendar
amener *v. tr.* traer ; (*causer*) provocar, ocasionar ; (*inciter*) inducir
amenuiser *v. tr.* disminuir, rebajar, mermar, reducir
amer,-ère *adj.* amargo(a)
américain,-e *adj. et nm/f.* americano(a)
Amérique *n. prop. f.* América
amertume *nf.* amargura
améthyste *nf.* amatista
ameublement *nm.* mobiliario
ami,-e *adj. et nm/f.* amigo(a)
amical,-ale *adj.* amistoso(a)
amincissement *nm.* adelgazamiento
amiral *nm.* almirante
amitié *nf.* amistad
ammoniac *nm.* amoniaco *nm.*
amnésie *nf.* amnesia
amnésique *adj.* amnésico(a)
amnistie *nf.* amnistía
amnistier *v. tr.* amnistiar
amoindrir *v. tr.* menguar, aminorar, disminuir
amonceler *v. tr.* acumular, amontonar
amont *nm.* río arriba
amorce *nf. (début)* principio *nm.* ; comienzo *nm.* ; inicio *nm.* ; *(appât)* cebo *nm.* ; (*ébauche*) esbozo *nm.*
amorcer *v. tr. (commencer)* comenzar, iniciar ; cebar
amorphe *adj.* amorfo(a)
amortir *v. tr.* amortiguar
amour *nm.* amor ; cariño, afecto
amoureux,-euse *adj. et nm/f.* enamorado(a)
amour-propre *nm.* amor propio
amovible *adj.* amovible
amphétamine *nf.* anfetamina
amphithéâtre *nm.* anfiteatro, aula *nf.*
amphore *nf.* ánfora
ample *adj.* amplio(a)
amplificateur *nm.* amplificador
amplification *nf.* amplificación
ampoule *nf.* (*électrique*) bombilla ; (*blessure*) ampolla
amputation *nf.* amputación ; *(fig)* reducción
amputer *v. tr.* amputar ; *(fig)* reducir
amulette *nf.* amuleto *nm.*
amusant,-e *adj.* entretenido(a), divertido(a)
amusement *nm.* entretenimiento
amuser *v. tr.* divertir, entretener
an *nm.* año
anachronisme *nm.* anacronismo
anagramme *nf.* anagrama *nm.*
analogie *nf.* analogía
analogique *adj.* analógico(a)
analphabète *adj. et nm/f.* analfabeto(a)
analphabétisme *nm.* analfabetismo
analyse *nf.* análisis *nm.*
analyser *v. tr.* analizar
ananas *nm.* piña *nf.*, ananás
anarchie *nm.* anarquía
anarchique *adj.* anárquico(a)
anarchisme *nm.* anarquismo
anarchiste *adj. et nm/f.* anarquista
anatomie *nf.* anatomía
ancestral,-e *adj.* ancestral

ancêtre *nm.* antepasado
anchois *nm.* (*frais*) boquerón ; (*conserve*) anchoa *nf.*
ancien,-ne *adj.* antiguo(a) ; (*fonction*) ex-
ancienneté *nf.* antigüedad
ancre *nf.* áncora, ancla
andalou,-se *adj.* et *nm/f.* andaluz(a)
âne *nm.* burro, borrico, asno
anéantir *v. tr.* aniquilar, anonadar
anéantissement *nm.* aniquilamiento
anecdote *nf.* anécdota
anecdotique *adj.* anecdótico(a)
anémie *nf.* anemia
anémique *adj.* anémico(a)
ânerie *nf.* tontería, burrada
anesthésie *nf.* anestesia
anesthésier *v. tr.* anestesiar
anesthésiste *nm/f.* anestesista
anfractuosité *nf.* anfractuosidad, cavidad
ange *nm.* ángel
angélique *adj.* angélico(a), angelical
angine *nf.* angina
anglais,-e *adj. et nm/f.* inglés(a)
angle *nm. (géom)* ángulo ; *(rue)* esquina *nf.*
anglo-saxon,-ne *adj.* et *nm/f.* anglosajón(ona)
angoissant,-e *adj.* angustioso(a)
angoisse *nf.* angustia
anguille *nf.* anguila
angulaire *adj.* angular
anguleux,-euse *adj.* anguloso(a)
animal,-e *adj.* animal • *nm.* animal
animateur,-trice *nm/f.* animador(a)
animation *nf.* animación
animer *v. tr.* animar
annales *nfpl.* anales *nmpl.*
anneau *nm. (bijou)* anillo ; *(rideaux)* anilla *nf.* ; *(sport)* anillas *nfpl.*
année *nf.* año *nm.* ; *(scolaire)* curso
annexe *adj.* adjunto(a), anejo(a), adjunto(a) • *nm.* anexo.
annihiler *v. tr.* aniquilar
anniversaire *nm. (d'une personne)* aniversario, cumpleaños ; *(d'un événement)* aniversario
annonce *nf.* anuncio *nm.*
annoncer *v. tr.* anunciar
annoter *v. tr.* anotar
annuaire *nm.* anuario ; *(téléphone)* guía telefónica *nf.*, listín
annuel,-elle *adj.* anual
annulation *nf.* cancelación, anulación
annuler *v. tr.* cancelar, anular
anodin,-e *adj.* anodino(a)
anomalie *nf.* anomalía
anonymat *nm.* anonimato
anonyme *adj.* anónimo(a)
anormal,-e *adj.* anormal
anse *nf. (tasse, panier)* asa ; *(mer)* ensenada
antécédent *nm.* antecedente
antenne *nf.* antena
antérieur,-e *adj.* anterior
anthologie *nf.* antología
anthropologie *nf.* antropología
anthropophage *nm/f.* antropófago(a)
antibiotique *nm.* antibiótico
antichambre *nf.* antecámara
anticipation *nf.* anticipación
anticiper *v. tr.* anticipar
anticléricalisme *nm.* anticlericalismo
anticonformisme *nm.* anticonformismo
anticorps *nm.* anticuerpo
anticyclone *nm.* anticiclón
antidépresseur *nm.* antidepresor
antidérapant,-e *adj.* antideslizante
antidote *nm.* antídoto
antigel *nm.* anticongelante
anti-inflammatoire *adj. et nm.* antiinflamatorio(a)
antilope *nf.* antílope *nm.*
antinucléaire *adj. et nm/f.* antinuclear
antipathie *nf.* antipatía
antipelliculaire *adj.* anticaspa
antiquaire *nm/f.* anticuario(a)
antiquité *nf.* antigüedad
antireflet *adj.* antirreflejo
antisémite *adj. et nm/f.* antisemita
antisémitisme *nm.* antisemitismo
antiseptique *adj. et nm.* antiséptico(a)
antivol *nm.* antirrobo
antre *nm.* antre
anus *nm.* ano
anxiété *nf.* ansiedad
anxieux,-euse *adj.* ansioso(a)
août *nm.* agosto

apaisant,-e *adj.* tranquilizador(a), sosegador(a)
apaisement *nm.* sosiego, apaciguamiento, aplacamiento
apaiser *v. tr.* sosegar, apaciguar, aplacar, tranquilizar, calmar
aparté *nm.* aparte
apathique *adj.* apático(a)
apatride *adj. et nm/f.* apátrida
apercevoir *v. tr.* distinguir, ver a lo lejos, ver de pronto, divisar • *v. pr.* darse cuenta, observar
aperçu *nm.* (*coup d'œil rapide*) ojeada *nf.* ; (*vue d'ensemble)* idea general *nf.* ; (*évaluation*) cálculo aproximado
apéritif *nm.* aperitivo
apesanteur *nf.* ingravidez
à-peu-près *nm.* aproximación *nf.*
à peu près *loc. adv.* más o menos, aproximadamente
apeurer *v. tr.* amedrentar, asustar
aphone *adj.* afónico(a)
aphrodisiaque *adj.* et *nm.* afrodisíaco(a)
aphte *nm.* afta *nf.*
apiculture *nf.* apicultura
apitoyer *v. tr.* dar lástima, apiadar
aplanir *v. tr.* aplanar, nivelar, allanar
aplatir *v. tr. (rendre plat)* achatar ; *(écraser)* aplastar ; *(fig)* apabullar • *v. pr.* achatarse ; aplastarse ; (s'abaisser) rebajarse
aplatissement *nm.* achatamiento, aplastamiento, apabullamiento
aplomb *nm.* verticalidad *nf.* ; *(culot)* aplomo, descaro, desfachatez *nf.*
apogée *nm.* apogeo *nm.*
apolitique *adj.* apolítico(a)
apologie *nf.* apología
apothéose *nf.* apoteosis
apôtre *nm.* apóstol
apparaître *v. intr. (surgir)* aparecer, surgir, manifestarse • *v. impers.* parecer
apparat *nm.* pompa *nf.*
appareil *nm.* aparato ; mecanismo, maquinaria *nf.*
appareillage *nm. (appareils)* equipo ; *(bateau)* maniobra de salida *nf.* ; *(médecine)* prótesis *nf.*
apparence *nf.* apariencia
apparenter (s') *v. pr. (s'allier)* emparentarse con, entroncar con ; *(ressembler)* parecerse
apparition *nf.* aparición
appartement *nm.* piso ; *(petit)* apartamento ; *(h. am.)* departamento
appartenance *nf.* pertenencia, propiedad ; *(à un parti)* afiliación
appartenir *v. intr.* pertenecer, ser de • *v. impers.* corresponder, tocar
appas *nmpl.* atractivos, encantos
appât *nm. (pêche)* cebo ; *(attraits)* atractivo, incentivo ; *(envie)* afán
appâter *v. tr. (poissons)* cebar ; *(attirer)* atraer, seducir
appauvrir *v. tr.* empobrecer
appel *nm.* llamamiento ; *(téléphonie)* llamada *nf.*
appeler *v. tr.* llamar
appellation *nf.* denominación
appendicite *nf.* apendicitis
appentis *nm.* cobertizo
appesantir *v. tr.* hacer más pesado(a)
appétissant,-e *adj.* apetitoso(a)
appétit *nm.* apetito
applaudir *v. tr.* aplaudir
applaudissement *nm.* aplauso
applicable *adj.* aplicable
appliquer *v. tr.* aplicar
appoint *nm. (aide)* ayuda *nf.* ; complemento ; *(monnaie)* suelto, moneda suel-ta
appointements *nmpl.* sueldo *nm.*
apport *nm.* aportación *nf.* ; *(versement initial)* entrada *nf.*
apporter *v. tr.* traer ; (soutien, preuves) aportar
apposer *v. tr.* colocar, fijar
apposition *nf.* colocación, fijación
appréciable *adj.* apreciable
appréciation *nf.* apreciación, valoración, evaluación
apprécier *v. tr. (estime)* apreciar ; *(estimation)* evaluar, valorar
appréhender *v. tr. (arrêter)* prender, *(il s'est fait appréhender dans la rue)* lo prendieron en la calle ; *(craindre)* temer
appréhension *nf.* temor *nm.* ; aprensión

apprendre *v. tr.* aprender, estudiar ; (*montrer*) enseñar ; (*s'informer*) enterarse de
apprenti,-e *nm/f.* aprendiz(a)
apprentissage *nm.* aprendizaje
apprêter (s') *v. pr.* prepararse ; disponerse a
apprivoiser *v. tr.* domesticar, amansar
approbation *nf.* *(jugement favorable)* aprobación ; *(accord)* visto bueno *nm.*
approche *nf.* aproximación, proximidad ; *(façon de voir)* enfoque *nm.*
approcher *v. tr.* aproximar, acercar ; *(considérer)* enfocar
approfondir *v. tr.* profundizar, ahondar ; intensificar
approfondissement *nm.* ahondamiento ; estudio profundo
appropriation *nf.* adaptación ; apropiación
approprier *v. tr.* adaptar ; apropiar • *v. pr.* adaptarse ; apropiarse ; *(s'emparer)* apoderarse, hacerse con
approuver *v. tr.* aprobar
approvisionnement *nm.* suministro, abastecimiento
approvisionner *v. tr.* suministrar, abastecer, proveer
approximatif,-ive *adj.* aproximado(a)
approximation *nf.* aproximación
appui *nm.* apoyo, sostén ; *(fig)* amparo, ayuda *nf.*, respaldo
appuyer *v. tr.* *(personne, demande)* apoyar, respaldar ; (*enfoncer*) (*avec la main*) apretar, pulsar ; *(avec le pied)* pisar ; *(fig)* basar, fundar
âpre *adj.* *(au toucher)* áspero(a) ; *(au gain)* ávido(a)
après *adv.* después, luego • *prép.* después de
après-demain *adv.* pasado mañana
après-guerre *nf.* posguerra
après-midi *nm.* tarde *nf.*
après-vente *adj. inv.* posventa
apte *adj.* apto(a) ; capacitado(a)
aptitude *nf.* aptitud, dote ; capacidad
aquarelle *nf.* acuarela
aquarium *nm.* acuario, pecera *nf.*
aquatique *adj.* acuático(a)
aqueduc *nm.* acueducto
arabesque *nf.* arabesco *nm.*
arachide *nf.* cacahuete *nm.* ; maní
araignée *nf.* araña
arbitraire *adj.* arbitrario(a) • *nm.* arbitrariedad *nf.*
arbitre *nm.* árbitro
arbitrer *v. tr.* arbitrar
arborer *v. tr.* *(lever haut)* enarbolar ; *vêtement)* ostentar, lucir
arboriculture *nf.* arboricultura
arbre *nm.* árbol
arc *nm.* arco
arcade *nf.* soportal *nm.*
arc-en-ciel *nm.* arco iris
archaïque *adj.* arcaico(a)
arche *nf.* arca
archéologie *nf.* arqueología
archéologue *nm/f.* arqueólogo, a
archevêque *nm.* arzobispo
archipel *nm.* archipiélago
architecte *nm/f.* arquitecto(a)
architecture *nf.* arquitectura
archiver *v. tr.* archivar
archives *nfpl.* archivo *nm. sing.*
ardent,-e *adj.* ardiente, abrasador(a)
ardeur *nf.* ardor *nm.*
ardoise *nf.* pizarra ; (*dette*) deuda
ardu,-e *adj.* arduo(a)
arène *nf.* ruedo *nm.* ; redondel *nm.* • *nfpl.* plaza de toros *nf.*
arête *nf.* (*poisson*) raspa, espina ; *(géom.)* arista ; (*montagne*) cresta *nf.* ; *(toit)* caballette ; (*du nez*) línea saliente *nf.*
argent *nm.* (*métal*) plata *nf.* ; (*monnaie*) dinero, (*h. am.*) plata *nf.*
argenté,-e *adj.* (*métal*) plateado(a) ; (*riche*) adinerado(a)
Argentine *n. prop. f.* Argentina
argile *nf.* arcilla
argot *nm.* jerga *nf.* ; (*Madrid*) cheli ; (*gitan*) caló
arguer *v. intr.* argüir
argument *nm.* argumento
argumentation *nf.* argumentación
argumenter *v. intr.* argumentar
argus *nm.* cotización de los coches *nf.*
aride *adj.* árido(a)
aridité *nf.* aridez

aristocrate *nm/f.* aristócrata
aristocratie *nf.* aristocracia
armateur *nm.* naviero, armador
arme *nf.* arma
armée *nf.* ejército *nm.*
armement *nm.* armamento
armer *v. tr.* armar
armistice *nm.* armisticio
armoire *nf.* armario *nm.*
armure *nf.* armadura
armurerie *nf.* armería
armurier *nm.* armero
arnaque *nf.* estafa ; timo *nm.*
arnaquer *v. tr.* estafar, timar
aromate *nm.* planta aromática *nf.*
aromatiser *v. tr.* aromatizar
arôme *nm.* aroma
arpège *nm.* arpegio
arpenter *v. tr. (mesurer)* apear ; *(fig)* recorrer
arpenteur *nm.* agrimensor
arrachage *nm.* arranque, recolección *nf.*
arrache-pied (d') *loc. adv.* con ahínco
arracher *v. tr.* arrancar ; *(récolter)* cosechar
arrangeant,-e *adj.* acomodaticio(a)
arrangement *nm.* arreglo ; *(disposition)* disposición *nf.* ; *(accord)* avenencia *nf.*
arranger *v. tr.* arreglar, componer ; *(disposer)* disponer, ordenar ; *(convenir)* venir bien
arrestation *nf.* detención
arrêt *nm.* *(véhicule)* parada *nf.* ; *(fin)* cese ; *(justice)* sentencia *nf.*, juicio
arrêté *nm.* decreto, orden *nf.* ; *(municipal)* bando
arrêté,-e *adj.* decidido(a), firme
arrêter *v. tr.* (*un suspect*) detener, arrestar, prender ; *(véhicule)* parar, detener ; *(date, rendez-vous)* fijar
arrhes *nfpl.* señal *nf.*
arrière *adv.* atrás
arrière-boutique *nf.* trastienda
arrière-goût *nm.* resabio
arrière-grand-père *nm.* bisabuelo **arrière-grand-mère** *nf.* bisabuela
arrière-pensée *nf.* segunda intención
arrière-plan *nm.* segundo plano, segundo término ; *(fig)* trasfondo
arrière-saison *nf.* fin de temporada *nm.*
arrimer *v. tr.* estibar
arrivage *nm.* (*bateau*) arribada *nf.*, arribo ; (*marchandises*) llegada nf
arrivée *nf.* llegada ; (*sports*) meta
arriver *v. intr.* llegar • *v. impers.* suceder, pasar, ocurrir
arrivisme *nm.* arribismo
arrogance *nf.* arrogancia, soberbia
arrondir *v. tr.* redondear
arrondissement *nm.* distrito
arrosage *nm.* riego
arroser *v. tr.* regar
arrosoir *nm.* regadera *nf.*
arsenal *nm.* arsenal
arsenic *nm.* arsénico
art *nm.* arte
artère *nf.* arteria
artichaut *nm.* alcachofa *nf.*
article *nm.* artículo
articulation *nf.* articulación
articuler *v. tr.* articular
artifice *nm.* artificio ; (*ruse*) artimaña *nf.*
artificiel,-elle *adj.* artificial
artillerie *nf.* artillería
artilleur *nm.* artillero
artisan,-e *nm/f.* artesano(a) ; *(fig)* artífice, autor
artisanat *nm.* (*activité*) artesanía *nf.* ; (*ensemble des artisans)* artesanado
artiste *nm/f.* artista
artistique *adj.* artístico(a)
as *nm.* as
ascendance *nf.* ascendencia
ascendant,-e *adj.* ascendente *nm.* influencia *nf.*
ascenseur *nm.* ascensor
ascension *nf.* ascensión
ascète *nm/f.* asceta
asile *nm.* asilo
aspect *nm.* aspecto
asperge *nf.* espárrago *nm.*
aspérité *nf.* aspereza
asphalte *nm.* asfalto
asphyxiant,-e *adj.* asfixiante
asphyxie *nf.* asfixia
aspirateur *nm.* aspiradora *nf.* ; aspirador
aspirer *v. tr.* aspirar
aspirine *nf.* aspirina

assagir *v. tr.* ajuiciar • *v. pr.* calmarse, sentar cabeza
assaillir *v. tr.* acometer, asaltar
assainir *v. tr.* sanear
assainissement *nm.* saneamiento
assaisonnement *nm.* (*action*) aliño ; (*ingrédients*) aliño, condimento
assaisonner *v. tr.* (*une salade*) aliñar ; (*un plat*) condimentar
assassin,-e *adj.* asesino(a) • *nm.* asesino
assassinat *nm.* asesinato
assassiner *v. tr.* asesinar
assaut *nm.* asalto, ataque
assécher *v. tr.* desecar
assemblage *nm.* montaje
assemblée *nf.* asamblea, junta
assembler *v. tr.* reunir, juntar
assentiment *nm.* asenso, asentimiento
asseoir *v. tr.* sentar • *v. pr.* sentarse
asservir *v. tr.* avasallar
asservissement *nm.* avasallamiento
assez *adv.* bastante
assidu,-e asiduo(a)
assiduité *nf.* asiduidad
assiéger *v. tr.* (*ville*) asediar ; *(fig)* asediar, importunar
assiette *nf.* plato *nm.*
assimilation *nf.* asimilación
assimiler *v. tr.* asimilar
assistance *nf.* (*auditoire*) asistencia ; concurrencia ; (*secours*) socorro *nm.* ; auxilio *nm.* ; (*conseil*) aseroramiento *nm.*
assistant,-e *nm/f.* ayudante, auxiliar
assister *v. tr.* asistir, socorer ; *(conseiller)* aserorar • *v. intr.* presenciar
association *nf.* asociación
associé,-e *adj.* asociado(a) • *nm/f.* socio(a)
associer *v. tr.* asociar
assombrir *v. tr.* oscurecer
assommer *v. tr.* acogotar, aporrear ; *(fig)* abrumar, fastidiar
assorti,-e *adj. (harmonieux)* que hace juego ; *(approvisionné)* surtido(a)
assortiment *nm.* juego, combinación *nf.* ; (*approvisionnement*) surtido
assortir *v. tr.*(*harmoniser*) combinar ; (*approvisionner*) surtir
assouplir *v. tr.* flexibilizar ; (*fig.*) flexibilizar, moderar
assouplissemnt *nm.* flexibilización *nf.* ; flexibilidad *nf.* ; *(fig)* flexibilidad *nf.*, moderación
assourdir *v. tr. (rendre sourd)* ensordecer ; *(réduire)* atenuar, amortiguar
assourdissant,-e *adj.* ensordecedor(a)
assouvir *v. tr.* saciar
assujetir *v. tr.* sujetar, someter
assumer *v. tr.* asumir
assurance *nf. (confiance)* seguridad ; certeza, confianza ; *(protection)* seguro
assuré,-e *adj. et nm/f.* asegurado(a)
assureur *nm.* asegurador
asthme *nm.* asma *nf.*
asthmatique *adj. et nm/f.* asmático(a)
astre *nm.* astro
astreindre *v. tr.* obligar, sujetar • *v. pr.* obligarse
astrologie *nf.* astrología
astrologue *nm/f.* astrólogo(a)
astronaute *nm/f.* astronauta
astronome *nm/f.* astrónomo(a)
astronomie *nf.* astronomía
astuce *nf.* astucia ; (*plaisanterie*) broma
astucieux,-euse *adj.* astuto(a)
asymétrique *adj.* simétrico(a)
atavisme *nm.* atavismo
atelier *nm.* (*mécanique*) taller ; (*artiste*) estudio
athée *nm/f.* ateo(a)
athéisme *nm.* ateísmo
athlète *nm/f.* atleta
atlantique *adj.* atlántico(a)
atlas *nm.* atlas
atmosphère *nf.* atmósfera
atome *nm.* átomo
atomique *adj.* atómico(a)
atomiseur *nm.* pulverizador
atout *nm.* baza *nf.* ; (*cartes*) triunfo
âtre *nm.* hogar
atroce *adj.* atroz, espantoso(a)
atrocité *nf.* atrocidad
attachant,-e *adj.* atractivo(a)

attache *nf. (agrafe)* grapa, clip *nm.* ; *(sentiment)* apego *nm.* ; *(relation)* lazo *nm.* ; relación, contacto *nm.*
attachement *nm.* apego, cariño
attacher *v. tr. (lier)* atar ; *(fixer)* sujetar • *v. pr.* atarse, sujetarse ; *(sentiment)* encariñarse
attaquant *adj. et nm/f.* atacante
attaque *nf.* ataque *nm.*
attaquer *v. tr.* atacar, acometer ; *(entreprendre)* emprender, acometer
attarder *v. tr.* retrasar • *v. pr.* retrasarse ; *(s'amuser)* entretenerse
atteindre *v. tr.* alcanzar ; *(parvenir)* llegar a ; *(réussir)* conseguir, lograr ; *(affecter)* afectar ; *(s'élever à)* ascender a
atteint,-e *adj.* alcanzado(a) ; *(maladie)* aquejado(a) ; *(affecté)* afectado(a)
atteinte *nf.* alcance *nm.* ; *(fig)* delito *nm.*
attendant (en) *loc. adv.* mientras tanto, entretanto
attendre *v. tr.* esperar, aguardar
attendrir *v. tr. (viande)* ablandar ; *(fig)* conmover, enternecer
attendrissant,-e *adj.* enternecedor(a) ; conmovedor(a)
attente *nf.* espera, expectativa ; previsión
attentif,-ive *adj.* atento(a)
attention *nf.* atención • *interj.* ¡cuidado !
atterrer *v. tr.* anonadar, abrumar
atterrir *v. intr.* aterrizar
atterrissage *nm.* aterrizaje
attestation *nf. (témoignage)* atestación ; *(document)* atestado *nm.*, certificación
attirail *nm.* trastos *nmpl.* ; pertrechos *nmpl.*
attirant,-e *adj.* atractivo(a)
attirer *v. tr.* atraer ; *(l'attention)* llamar ; *(causer)* ocasionar, provocar
attiser *v. tr.* atizar
attitude *nf.* actitud
attraction *nf.* atracción
attrait *nm.* atractivo, aliciente ; *(penchant)* inclinación *nf.* • *nmpl.* encantos
attraper *v. tr.* coger ; *(maladie, train)* pillar, pescar
attrayant,-e *adj.* atractivo(a)
attribuer *v. tr.* atribuir, destinar ; *(imputer)* achacar ; *(récompense, faveur)* otorgar
attribution *nf.* atribución
attrouper (s') *v. pr.* agruparse
aubade *nf.* alborada
aubaine *nf.* ganga, chollo *mn.*
aube *nf.* alba
auberge *nf.* mesón *nm.* ; albergue *nm.* ; venta
aubergine *nf.* berenjena
aucun,-e *adj. et pron.* ningún *(devant un nom masculin sing.)* ; ninguno, a ; *(placé après le nom, dans une phrase négative)* alguno, a
audace *nf.* atrevimienio *nm.*, audacia
audacieux,-euse *adj.* audaz, atrevido(a)
au-delà *loc. adv.* más allá
au-dessous, au-dessus *loc. adv.* (por) debajo, (por) encima
audience *nf.* audiencia
audiovisuel,-elle *adj.* audiovisual
auditeur,-trice *nm/f. (qui écoute)* oyente, radioyente, radioescucha ; *(contrôleur)* auditor
audition *nf.* audición
auditoire *nm.* auditorio
augmentation *nf.* aumento *nm.* ; incremento *nm.* ; *(prix)* aumento *nm.*, subida ; *(capital)* ampliación
augmenter *v. tr.* aumentar, incrementar ; *(prix)* subir ; *(capital)* ampliar
augure *nm.* agüero
augurer *v. tr.* augurar
aujourd'hui *adv.* hoy ; *(de nos jours)* hoy día
aumône *nf.* limosna
auparavant *adv.* antes
auprès de *loc. prép.* junto a, cerca de, al lado de
auréole *nf.* aureola
aussi *adv. (également)* también ; *(par conséquent)* por eso
aussitôt *adv.* en seguida
austérité *nf.* austeridad
autant *adv.* tanto
autarcie *nf.* autarcía
autel *nm.* altar
auteur *nm.* autor
auteur-compositeur-interprète *nm.* cantautor
authenticité *nf.* autenticidad

authentique *adj.* auténtico(a)
auto *nf.* coche *nm.*
autobiographie *nf.* autobiografía
autobus *nm.* autobús
autochtone *adj. et nm/f.* autóctono(a)
autocollant *nm.* pegatina *nf.*
autodéfense *nf.* autodefensa
autodétermination *nf.* autodeterminación
autodidacte *adj. et nm/f.* autodidacta
auto-école *nf.* autoescuela
autogestion *nf.* autogestión
autographe *nm.* autógrafo
automatique *adj.* automático(a)
automatisation *nf.* automatización
automatiser *v. tr.* automatizar
automatisme *nm.* automatismo
automne *nm.* otoño
automobile *nf.* coche *nm.* ; automóvil *nm.*
automobiliste *nm/f.* automovilista
autonome *adj.* autónomo(a)
autonomie *nf.* autonomía
autoportrait *nm.* autorretrato
autopsie *nf.* autopsia
autorisation *nf.* autorización ; permiso *nm.*
autoriser *v. tr.* autorizar, permitir
autoritaire *adj.* autoritario(a)
autoritarisme *nm.* autoritarismo
autorité *nf.* autoridad
autoroute *nf.* autopista
auto-stoppeur *nm.* autoestopista
autour *adv.* abrededor • *prép.* abrededor de
autre *adj. et pron.* otro, a, os, as
autrefois *adv.* antes, antaño
autrement *adv.* de otro modo
autruche *nf.* avestruz
autrui *pron.* el prójimo *nm.*
auvent *nm.* tejadillo
auxiliaire *adj.* auxiliar • *nm/f.* auxiliar, ayudante
avalanche *nf.* alud *nm.* ; avalancha
avaler *v. tr.* tragar, comer
avance *nf. (temps)* adelanto *nm.* ; *(argent)* anticipo ; *(mouvement)* avance *nm.*, adelanto *nm.* ; *(progrès)* adelanto *nm.* ; avance *nm.* ; ventaja
avancement *nm.* adelanto, avance ; *(promotion)* ascenso
avancer *v. tr. et intr. (mouvement)* avanzar, adelantar ; *(temps)* adelantar ; *(promouvoir)* ascender ; *(argent)* anticipar
avant *adv.* antes • *prép.* antes de
avantage *nm.* ventaja *nf.*
avantager *v. tr.* aventajar, favorecer
avantageux,-euse *adj.* ventajoso(a)
avant-bras *nm.* antebrazo
avant-dernier,-ière *adj.* penúltimo(a)
avant-garde *nf.* vanguardia
avant-goût *nm.* sabor anticipado
avant-hier *adv.* anteayer
avant-première *nf.* preestreno *nm.*
avant-projet *nm.* anteproyecto
avare *adj. et nm/f.* avaro(a), tacaño(a)
avarice *nf.* avaricia
avarie *nf.* avería
avarié,-e *adj.* averiado(a), echado(a) a perder
avec *prép.* con, *avec moi, toi, soi* conmigo, contigo, consigo
avenant,-e *adj.* amable, simpático(a)
avènement *nm.* advenimento
avenir *nm.* futuro, porvenir
aventure *nf.* aventura
aventurer (s') *v. pr.* aventurarse
aventurier,-ière *nm/f.* aventurero(a)
avenue *nf.* avenida
averse *nf.* aguacero *nm.* ; chaparrón *nm.*
aversion *nf.* aversión
averti,-e *adj.* (*informé*) enterado(a) ; *(mis en garde)* prevenido(a) ; *(connaisseur)* sagaz, avisado(a)
avertir *v. tr. (informer)* avisar ; *(mettre en garde)* advertir
avertissement *nm.* advertencia *nf.* ; aviso
aveu *nm.* confesión *nf.*
aveuglant,-e *adj.* cegador(ora)
aveugle *adj. et nm/f.* ciego(a)
aveugler *v. tr.* cegar ; *(fig)* deslumbrar
aveuglette (à l') *loc. adv.* a ciegas
aviateur,-trice *nm/f.* aviador(ora)
aviation *nf.* aviación
avide *adj.* ávido(a)
avidité *nf.* avidez, ansia, codicia
avilir *v. tr.* envilecer
avion *nm.* avión

aviron *nm.* remo
avis *nm.* parecer, opinión *nf.*, juicio ; *(mise en garde)* advertencia *nf.* ; aviso
aviser *v. tr.* *(apercevoir)* ver, divisar ; *(réfléchir)* reflexionar, pensar ; (prévenir) avisar • *v. pr.* (se rendre compte) darse cuenta de ; *(venir à l'esprit)* occurírsele
avocat,-e *nm/f.* abogado(a)
avocat *nm.* *(fruit)* aguacate
avoine *nf.* avena
avoir *v. tr.* *(posséder)* tener ; *(auxiliaire)* haber ; *il y a* *(quantité)* hay ; *(temps)* hace
avoir *nm.* *(bien)* haber, activo ; *(pour un prochain achat)* boleta *nf.*
avoisinant,-e *adj.* vecino(a), cercano(a)
avortement *nm.* aborto
avorter *v. tr.* abortar
avouer *v. tr.* reconocer, confesar
avril *nm.* abril
axe *nm.* eje
axer *v. tr.* centrar, orientar
azote *nm.* nitrógeno
aztèque *adj. et nm/f.* azteca
azur *nm.* azul

B

b *nm. inv.* b *nf.*
babillage *nm.* parloteo, cháchara *nf.*
babiller *v. intr.* parlotear
babines *nf.pl.* morros *nm.pl.*
babiole *nf.* friolera, fruslería
bâbord *nm.* babor
baby-sitter *nm/f.* canguro
bac *nm.* (*bateau*) chalana *nf.* ; (*baquet*) cuba *nf.* ; *(fam. pour baccalauréat)* bachillerato
baccalauréat *nm.* bachillerato
bacchanale *nf.* bacanal
bâche *nf.* lona
bachelier,-ière *nm/f.* bachiller
bachot *nm.* (*fam*) bachillerato
bacille *nm.* bacilo
bâcler *v. tr.* chapucear
bactérie *nf.* bacteria
bactériologie *nf.* bacteriología
badigeonner *v. tr.* encalar, enjalbegar
badiner *v. intr.* juguetear, bromear
bafouer *v. tr.* ridiculizar, escarnecer
bafouiller *v. intr.* tartajear, farfullar
bagage *nm.* equipaje ; (*intellectuel*) bagaje
bagarre *nf.* camorra, gresca
bagarrer (se) *v. pr.* pelearse
bagatelle *nf.* fruslería, bagatela
bagne *nm.* presidio
bagou, bagout *nm.* labia *nf.*
bague *nf.* anillo *nm.*, sortija
baguette *nf.* (*bâton mince*) varilla ; (*tambour, pour manger*) palillo *nm.* ; (*pain*) barra ; (*chef d'orchestre*) batuta
bahut *nm.* arcón, arca *nf.*
baie *nf.* (*mer*) bahía ; (*fruit*) baya
baignade *nf.* baño *nm.*
baigner *v. tr.* bañar • *v. intr.* estar cubierto(a)
baigneur,-euse *nm/f.* bañista
baignoire *nf.* bañera ; *(théâtre)* palco de platea *nm.*
bâillement *nm.* bostezo
bâiller *v. intr.* bostezar ; (*fig*) estar entreabierto(a)
bâillonner *v. tr.* amordazar
bain *nm.* baño
baïonnette *nf.* bayoneta
baisemain *nm.* besamanos
baiser *v. tr.* besar • *nm.* beso
baisse *nf.* (*descente*) bajada, descenso *nm.* ; (*prix*) baja
baisser *v. tr.* (*tête, yeux, voix*) bajar ; (*prix*) rebajar ; (*rapetisser*) menguar, disminuir • *v. pr.* agacharse, bajarse
bajoue *nf.* moflete *nm.*
bal *nm.* baile
balade *nm.* paseo
balafre *nf.* chirlo *nm.* ; (*cicatrice*) costurón *nm.*
balai *nm.* escoba *nf.*

balance *nf.* balanza
balancement *nm.* balanceo ; (*fig*) duda *nf.* ; vacilación *nf.*
balancer *v. tr.* balancear, mecer ; *(hésiter)* vacilar ; *(fam) (jeter)* echar, tirar • *v. pr.* columpiarse
balancier *nm.* péndulo
balançoire *nf.* columpio *nm.*
balayer *v. tr.* barrer
balayette *nf.* escobilla
balayeur,-euse *nm/f.* barrendero(a)
balbutiement *nm.* balbuceo
balbutier *v. intr.* balbucear
balcon *nm.* balcón ; *(théâtre)* piso principal
baleine *nf. (animal)* ballena ; *(parapluie)* varilla
balisage *nm.* balizaje
balise *nf.* baliza
baliverne *nf.* tontería, pamplina
ballade *nf.* balada
balle *nf. (sport)* pelota ; *(munition)* bala
ballerine *nf.* bailarina
ballet *nm.* ballet
ballon *nm. (sport)* pelota *nf.* ; *(jouet)* globo
ballonnement *nm.* hinchazón *nf.*
ballot *nm.* bulto ; *(niais)* ceporro
ballotage *nm.* empate
balnéaire *adj.* balneario(a)
balourd,-e *adj. et nm/f.* torpe, palurdo(a)
balourdise *nf.* (*fam*) torpeza
balustrade *nf.* barandilla
bambou *nm.* bambú
ban *nm.* aplauso • *nmpl. (mariage)* amonestaciones *nfpl.*
banal,-e *adj.* común, trivial
banalité *nf.* banalidad, trivialidad
banane *nf.* plátano *nm.* ; *(h. am.)* banana
bananier *nm.* plátano, banano
banc *nm.* banco
bandage *nm.* vendaje ; (*bande*) venda *nf.*
bande *nf.* (*son, vidéo*) cinta ; (*tissu, papier*) tira ; (*dessinée*) cómic *nm.*, tira ; (*pansement*) venda ; (*terre*) faja ; (*personnes*) pandilla, cuadrilla ; (*animaux*) bandada
bandeau *nm. (sur le front)* cinta *nf.* ; *(sur les yeux)* venda *nf.* ; *(pour les cheveux)* bandós
bander *v. tr. (les yeux, une plaie)* vendar ; (*tendre*) tensar
banderole *nf.* banderola
bandit *nm.* bandido, estafador
bandoulière *nf.* bandolera
banlieue *nf.* alrededores *nmpl.* ; afueras *nfpl.* ; cercanías *nfpl.*
banni,-e *adj.* desterrado(a)
bannière *nf.* bandera
bannir *v. tr.* (*exiler*) desterrar ; (fig) expulsar, apartar, alejar
banque *nf.* (*établissement*) banco *nm.* ; (*activité financière*) banca
banqueroute *nf.* quiebra, bancarrota
banquet *nm.* banquete (*repas*)
banquette *nf.* banco *nm.* ; asiento *nm.*
banquise *nf.* banquisa
baptême *nm. (sacrement)* bautismo ; *(cérémonie)* bautizo
baptiser *v. tr.* bautizar
bar *nm. (café)* bar ; *(poisson)* lubina *nf.*, róbalo
baragouiner *v. tr.* (parler *incorrectement)* chapurrear • *v. intr. (bredouiller)* farfullar
baraque *nf.* chabola, casucha
baratin *nm.* camelo
barbant,-e *adj. pop.* latoso(a)
barbare *adj. et nm/f.* bárbaro(a)
barbarie *nf.* barbarie
barbe *nf.* barbas *nfpl.*, barba
barbecue *nm.* barbacoa *nf.*
barbiturique *adj. et nm.* barbitúrico(a)
barboter *v. intr. (patauger)* chapotear ; (*voler*) birlar
barbouillage *nm. (écriture)* garabatos *nmpl.* ; *(peinture)* embadurnamiento
barbouiller *v. tr. (écrire)* emborronar ; *(peinture)* pintarrajear ; *(salir)* ensuciar
barbu,-e *adj. et nm.* barbudo(a)
barème *nm.* baremo
baril *nm.* barril
baromètre *nm.* barómetro
baroque *adj.* barroco(a)
barque *nf.* barca
barrage *nm. (barrière)* barrera *nf.* ; *(d'eau) (le mur)* presa *nf.* ; *(l'ensemble)* embalse, pántano ; *(de police)* cordón

barre *nf. (pour fermer)* tranca ; *(d'un bateau)* timón *nm.* ; *(trait)* raya ; *(tribunal)* barra ; (*de chocolat)* pastilla
barreau *nm.* barrote ; (ordre des *avocats)* colegio ; *(profession)* abogacía *nf.*, foro
barrer *v. tr. (un mot)* tachar ; *(un chèque)* cruzar ; *(un bateau)* gobernar
barrette *nf.* (*chapeau*) birreta ; (*bijou*) broche *nm.* ; (*cheveux*) pasador *nm.*
barricade *nf.* barricada
barricader *v. tr.* (*la porte*) atrancar ; *(lever une barricade)* levantar barricadas
barrière *nf.* barrera ; (*fig*) obstáculo *nm.*
barrique *nf.* barrica
bas, basse *adj.* bajo(a) ; (*ciel*) nublado • *adv.* bajo
bas *nm.* bajo, parte baja *nf.* ; (*page*) pie ; (*chaussettes*) medias *nfpl.*
basané,-e *adj.* moreno(a)
bas-côté *nm.* arcén, andén
base *nf.* base
base-ball *nm.* béisbol
baser *v. tr.* basar (en)
basilique *nf.* basílica
basket-ball *nm.* baloncesto
basque *adj. et nm/f.* vasco(a)
basse-cour *nf.* corral *nm.*
bassesse *nf.* bajeza
bassin *nm.* (*cuvette*) palangana *nf.* ; (*fontaine*) pila *nf.* ; (*pièce d'eau*) estanque ; (*port*) dársena *nf.* ; (*fleuve*) cuenca *nf.* ; (*anatomie*) pelvis
bassine *nf.* palangana
bastion *nm.* baluarte
bastonnade *nf.* paliza, apaleamiento *nm.*
bât *nm.* albarda *nf.*
bataille *nf.* batalla ; (*bagarre*) reyerta, pelea
bataillon *nm.* batallón
bâtard,-e *adj. et nm/f.* bastardo(a)
bateau *nm.* barco ; (*mensonge*) trola *nf.*
bâtiment *nm.* construcción *nf.*, edificio ; (*bateau*) buque
bâtir *v. tr.* construir, edificar ; (*couture*) hilvanar
bâtisse *nf.* obra, caserón *nm.*
bâtisseur,-euse *nm/f.* constructor(a)
bâton *nm.* palo ; (*pélerin*) báculo *(matraque)* porra *nf.* ; *(écriture)* palote
bâtonnet *nm.* palito
battage nm *(céréales)* trilla *nf.* ; *(publicité)* propaganda a bombo y platillos *nf.*
battant *nm. (porte, fenêtre*) hoja ; *(cloche)* badajo
battement *nm. (cœur)* latido ; *(main)* palmoteo ; (*paupière*) parpadeo ; (*intervalle*) plazo, intervalo
batterie *nf.* batería
battre *v. tr.* (*frapper*) pegar, golpear ; *(cartes)* barajar ; *(œufs)* batir ; *(lait)* mazar ; (*céréales*) trillar ; (*cœur*) latir ; *(vaincre)* vencer, derrotar • *v. pr.* luchar, pelearse
battu,-e *adj. (frappé)* pegado(a), golpeado(a) ; *(sol, chemin)* pisado(a) ; *(vaincu)* vencido(a) • *nf. (chasse)* ojeo *nm.*
baudet *nm.* borrico, burro
baume *nm.* bálsamo
bavard,-e *adj. et nm/f.* hablador(a), charlatán(ana)
bavardage *nm.* charla *nf.* ; *(cancan)* comadreo
bavarder *v. intr.* charlar
bave *nf.* baba
baver *v. intr.* babosear, babear
bazar *nm.* bazar ; desorden
béant,-e *adj.* abierto(a)
béatifier *v. tr.* beatificar
béatitude *nf.* beatitud
beau, bel, belle *adj.* bello(a) ; hermoso(a) ; (*temps*) bueno
beaucoup *adv.* mucho • *adj. et pron.* mucho, a, os, as
beau-fils *nm.* yerno, hijo político ; *(fils d'un autre lit)* hijastro
beau-frère *nm.* cuñado, hermano político
beau-père *nm.* suegro, padre político ; *(second mari de la mère*) padrastro
beauté *nf.* belleza, hermosura
beaux-arts *nmpl.* bellas artes *nfpl.*
beaux-parents *nmpl.* suegros, padres políticos
bébé *nm.* bebé, nene(a)
bec *nm.* pico
bécasse *nf.* chocha ; (*fam)* pava

bec-de-lièvre *nm.* labio leporino
bêche *nf.* laya
bêcher *v. tr.* layar
bécoter *v. tr.* besuquear
bedaine *nf. (fam)* barriga, vientre *nm.*
bedonnant,-e *adj.* barrigón(ona)
bédouin,-e *adj. et nm/f.* beduino(a)
beefsteak *nm.* bistec, bisté
beffroi *nm.* atalaya *nf.*, campanario
bégaiement *nm.* tartamudeo
bégayer *v. intr.* tartamudear
bègue *adj. et nm/f.* tartamudo(a)
beige *adj.* beige
beignet *nm.* buñuelo
bêlement *nm.* balido
bêler *v. intr.* balar
belette *nf.* comadreja
bélier *nm.* morueco.
belle-de-nuit *nf.* dondiego de noche *nm.*
belle-fille *nf.* nuera, hija política ; *(fille d'un autre lit)* hijastra
belle-mère *nf.* suegra, madre política ; (*seconde épouse du père*) madrastra
belle-sœur *nf.* cuñada, hermana política
belligérance *nf.* beligerancia
belliqueux,-euse *adj.* belicoso(a)
bémol *nm.* bemol
bénédictin,-e *adj.* et *nm/f.* benedictino(a)
bénédiction *nf.* bendición
bénéfice *nm.* beneficio
bénéficiaire *adj. et nm.* beneficiario(a)
bénéficier *v. intr.* sacar provecho, aprovecharse de
bénévole *adj.* benévolo(a), voluntario(a)
béni,-e *adj. (avec haber et ser)* bendecido(a) ; *(avec estar)* bendito(a)
bénir *v. tr.* bendecir
bénit,-e *adj.* bendito(a)
bénitier *nm.* pila de agua bendita *nf.*
benne *nf.* volquete *nm.*
béquille *nf. (pour marcher)* muleta ; *(de deux-roues)* soporte *nm.*
berbère *adj.* berberisco(a) • *nm/f.* beréber
bercail *nm.* redil
berceau *nm.* cuna *nf.*
bercer *v. tr.* mecer ; (*avec chant, musique*) arrullar
berceuse *nf.* canción de cuna, nana ; (*siège*) mecedora
béret *nm.* boina *nf.*
berge *nf.* ribera, orilla
berger,-ère *nm/f.* pastor(a) ; *nf. (siège)* poltrona
bergerie *nf.* aprisco *nm.*, redil *nm.*
berline *nf.* berlina
berlingot *nm. (bonbon)* caramelo ; *(emballage)* envase de cartón
berner *v. tr.* engañar, burlarse de
besace *nf.* alforja
besogne *nf.* tarea, faena
besoin *nm.* necesidad *nf.*
bestial,-e *adj.* bestial
bestialité *nf.* bestialidad
bestiaux *nmpl.* ganado *nm. sing.*, reses *nfpl.*
bestiole *nf.* bicho *nm.*
bétail *nm.* ganado
bête *nf.* animal *nm.*, bestia ; *(petit)* bicho *nm.* • *adj.* bobo(a), tonto(a)
bêtise *nf.* tontería, necedad
béton *nm.* hormigón
betterave *nf.* remolacha
beuglement *nm.* mugido ; *(fig)* berrido
beurre *nm.* mantequilla *nf.*
beurrer *v. tr.* untar con mantequilla
bévue *nf.* equivocación ; (*fam*) metedura de pata
bibelot *nm.* chuchería *nf.*
biberon *nm.* biberón
bibliographie *nf.* bibliografía
bibliothécaire *nm/f.* bibliotecario(a)
bibliothèque *nf.* biblioteca
bicarbonate *nm.* bicarbonato
biche *nf.* cierva
bichonner *v. tr.* ataviar, arreglar
bicyclette *nf.* bicicleta
bidon *nm.* bidón, lata *nf.*
bidonville *nm.* chabolas *nfpl.*
bien *adv.* bien, mucho, muy, ya • *nm.* hacienda *nf.*, bien, fortuna *nf.*
bien-aimé,-e *adj. et nm/f.* querido(a), predilecto(a)
bien-être *nm.* bienestar
bienfaisance *nf.* beneficiencia
bienfaisant,-e *adj. (qui fait du bien)* benéfico(a) ; *(profitable)* beneficioso(a)

bien-fondé *nm.* legitimidad *nf.*, lo bien fundado
bienheureux,-euse *adj.* bienaventurado(a)
bientôt *adv.* pronto, dentro de poco
bienveillance *nf.* benevolencia
bienvenu,-e *adj.* bienvenido(a) • *nf.* bienvenida
bière *nf.* (*boisson*) cerveza ; (*cercueil*) caja, ataúd *nm.*
biffer *v. tr.* tachar
bifteck *nm.* bistec, bisté
bifurcation *nf.* bifurcación
bigamie *nf.* bigamia
bigot,-e *adj. et nm/f.* beato(a)
bigoterie *nf.* beatería
bijou *nm.* alhaja *nf.*, joya *nf.*
bijouterie *nf.* joyería
bikini *nm.* bikini
bilan *nm.* balance
bile *nf.* bilis
bilinguisme *nm.* bilingüismo
billard *nm.* billar
bille *nf.* bola ; *(tronc d'arbre)* madero *nm.* ; (*jeu*) canica
billet *nm.* billete ; *(h. am.)* boleto
billevesée *nf.* pamplina
billion *nm.* billón
bimbeloterie *nf.* baratijas *nfpl.*
bimensuel,-elle *adj. et nm.* bimensual
binaire *adj.* binario(a)
biochimie *nf.* bioquímica
biodégradable *adj.* biodegradable
binôme *nm.* binomio
biographe *nm.* biógrafo
biographie *nf.* biografía
biologie *nf.* biología
biologiste *nm/f.* biólogo(a)
biopsie *nf.* biopsia
biosphère *nf.* biosfera
bipède *adj. et nm.* bípedo(a)
biscotte *nf.* tostada
biscuit *nm. (gâteau)* galleta *nf.*, pasta *nf.* ; *(porcelaine)* bizcocho, biscuit
bise *nf.* cierzo *nm.* ; *(baiser)* beso *nm.*, besito *nm.*
bison *nm.* bisonte
bissextil,-e *adj.* bisiesto
bistouri *nm.* bisturí
bistrot *nm.* taberna *nf.*, traca *nf.*
bitume *nm.* asfalto
bitumer *v. tr.* asfaltar
bivalent,-e *adj.* bivalente
bizarre *adj.* raro(a), extraño(a)
bizarrerie *nf.* rareza, singularidad
bizut *nm. (fam.)* novato(a)
bizuter *v. tr. (fam.)* dar la novatada
blafard,-e *adj.* pálido(a), macilento(a)
blague *nf. (plaisanterie)* broma ; *(histoire drôle)* chiste *nm.* ; *(mensonge)* cuento *nm.* ; *(à tabac)* petaca
blaguer *v. intr.* bromear
blaireau *nm.* tejón ; *(pour la barbe)* brocha de afeitar *nf.*
blâmable *adj.* censurable
blanc, blanche *adj.* (*couleur*) blanco(a) ; (*cheveu*) canoso(a), cano(a) • *nm.* (*couleur*) blanco ; (*vide*) claro, blanco • *nm/f.* (*de race blanche*) blanco(a)
blancheur *nf.* blancura
blanchiment *nm.* blanqueo
blanchir *v. tr.* (*rendre blanc*) blanquear ; (*à la chaux*) encalar, enjabelgar ; (*linge*) lavar ; (*cuisine*) sancochar • *v. pr.* disculparse
blanchissage *nm.* blanqueo ; *(linge)* lavado
blanchisserie *nf.* lavandería
blason *nm.* blasón
blasphème *nm.* blasfemia *nf.*
blasphémer *v. tr. et intr.* blasfemar
blatte *nf.* cucaracha
blé *nm.* trigo ; (*argent*) pasta
blême *adj.* muy pálido(a)
blessant,-e *adj.* hiriente, ofensivo(a)
blesser *v. tr.* herir ; (*sports*) lesionar ; (*fig*) herir, ofender, agraviar
blessure *nf.* herida ; (*sports*) lesión ; (*fig*) ofensa *nf.*, agravio *nm.*
bleu,-e *adj.* azul ; *(cuisson de viande)* poco cocido(a) • *nm.* (*meurtrissure*) cardenal ; *(vêtement de travail)* mono ; (*conscrit*) quinto ; (*bizuth*) novato
bleuet *nm.* aciano
blindage *nm.* blindaje
blinder *v. tr.* blindar
bloc *nm.* bloque ; (*pour écrire*) bloc, taco ; (*ensemble*) conjunto

blocage *nm.* bloqueo ; (*prix*) congelación *nf.*
blocus *nm.* bloqueo
blond,-e *adj. et nm/f.* rubio(a)
bloquer *v. tr.* bloquear ; (*prix*) congelar
blottir (se) *v. pr.* acurrucarse
blouse *nf.* bata ; (*corsage*) blusa
blouson *nm.* cazadora *nf.*
blue-jeans *nm.* tejano, vaquero
bobine *nf.* bobina, carrete *nm.* ; (*visage*) cara
bocage *nm.* soto, boscaje
bocal *nm.* bocal, tarro
bœuf *nm.* buey ; (*boucherie*) vaca *nf.*
bohémien,-ne *adj.* et *nm/f.* bohemio(a), gitano(a)
boire *v. tr.* beber
bois *nm.* bosque ; (*de construction*) madera *nf.* ; (*de chauffage*) leño
boiser *v. tr.* poblar de árboles
boiserie *nf.* (*murs*) entablado *nm.* ; (*plafond*) artesonado *nm.*
boisson *nf.* bebida
boîte *nf.* caja ; (*de conserves*) lata ; (*ronde*) bote *nm.*
boiter *v. intr.* cojear
boiteux,-euse *adj. et nmf.* cojo(a)
boîtier *nm.* caja *nf.*
bol *nm.* tazón
boléro *nm.* bolero
bombance *nf.* jolgorio *nm.*, parranda
bombardement *nm.* bombardeo
bombarder *v. tr.* bombardear
bombe *nf.* bomba
bon,-ne *adj.* bueno, buen, buena • *nm.* *(de commande)* vale ; *(de* caisse, de *réduction)* bono
bon *adv.* bien. • (*interj.*) ¡bueno !, ¡bien !
bonbon *nm.* caramelo
bonbonne *nf.* damajuana, bombona
bonbonnière *nf.* bombonera
bond *nm.* bote, salto ; *(prix)* disparo *nm.*
bonde *nf.* (*évier*) desagüe *nm.* ; (*bouchon*) tapón ; (*trou*) agujero *nm.*
bondir *v. intr.* saltar, brincar, botar
bonheur *nm.* felicidad *nf.*, dicha *nf.*
bonhomie *nf.* bondad ; simplicidad
bonhomme *nm.* buen hombre ; (*dessin d'enfant*) monigote

boni *nm.* superávit, exceso ; (*prime*) sobresueldo
bonifier *v. tr.* mejorar, beneficiar
boniment *nm.* cameleo
bonjour *nm.* buenos días *npl.* ; (*après le déjeuner*) buenas tardes *nfpl.*
bonne *nf.* criada, (*h. am.*) mucama
bonnet *nm.* gorro, gorra *nf.*
bonsoir *nm.* (*jusqu'à la tombée du jour*) buenas tardes *nfpl.* ; buenas noches *nfpl.*
bonté *nf.* bondad ; favor *nm.*
bord *nm.* borde ; *(rive)* orilla *nf.* ; borde ; *(vêtement)* ribete ; *(chapeau)* ala *nf.* ; *(bateau)* bordo
bordelais,-e *adj. et nm/f* bordelés(esa)
border *v. tr. (longer)* bordear, costear ; *(vêtement)* ribetear ; *(entourer)* cercar, orlar ; *(lit)* remeter ; *(un enfant dans un lit)* arropar
bordure *nf.* (*vêtement*) ribete *nm.* ; (*bois*) linde *nm.* ; (*trottoir*) bordillo *nm.* ; (*rive*) orilla
borgne *adj.* tuerto(a)
borne *nf.* mojón *nm.*
borné,-e *adj. (esprit)* de pocos alcances
borner *v. tr.* limitar ; amojonar
bosquet *nm.* bosquecillo
bosse *nf.* (*terrain*) ondulación ; (*dos*) joroba, jiba ; (*tête*) chichón *nm.* ; (*carosserie*) bollo *nm.* ; (*fig*) *(pour une discipline)* disposición, don *nm.*
bosser *v. tr.* (*fam*) currar, currelar
bossu,-e *adj. et nm/f.* giboso(a), jorobado(a)
botanique *adj. et nf.* botánico(a)
botte *nf.* (*chaussures*) bota ; (*légumes*) manojo *nm.* ; (*fleurs*) ramo *nm.* ; (*foin*) haz
bottier *nm.* zapatero
bouc *nm.* (*animal*) macho cabrio ; (*barbe*) perilla *nf.*
bouche *nf.* boca
bouchée *nf.* bocado *nm.*
boucher *v. tr.* tapar, taponar ; (*encombrer*) atascar, obstruir
boucherie *nf.* carnicería
bouchon *nm.* (*liège*) corcho ; (*bouteille*) tapón ; (*pêche*) flotador ; (*circulation*) atasco, embotellamiento

boucle *nf.* (*ceinture*) hebilla ; (*cheveu*) bucle *nm.* rizo, *nm.* ; (*oreille*) zarcillo *nm.*, pendiente ; (*fleuve*) meandro *nm.*
boucler *v. tr.* (*enfermer*) encerrar ; (*valise*) cerrar ; (*finir*) terminar ; (*cheveu*) rizar
bouclier *nm.* escudo
bouder *v. tr.* hacer ascos • *v. intr.* poner mala cara, enfurruñarse
boudin *nm.* morcilla *nf.*
boue *nf.* lodo *nm.* barro *nm.* ; (*fig*) fango *nm.*, cieno *nm.*
bouée *nf.* boya
boueux,-euse *adj.* enlodado(a), barroso(a)
bouffée *nf.* (*air*) bocanada ; (*cigarette*) chupada ; (*fig*) arranque *nm.*
bouffi,-e *adj.* hinchado(a)
bouffon,-ne *adj.* bufón(a) ; (*théâtre*) gracioso
bougeoir *nm.* palmatoria *nf.*
bouger *v. intr.* moverse
bougie *nf.* vela ; (*moteur*) bujía
bouillabaisse *nf.* sopa de pescado
bouillant,-e *adj.* hirviente
bouillie *nf.* papilla
bouillir *v. intr.* hervir ; (*fig*) arder
bouilloire *nf.* hervidor *nm.*
bouillon *nm.* caldo ; (*bulle*) borbotón
bouillonner *v. intr.* borbotear ; (*fig*) hervir
boulanger,-ère *nm/f.* panadero(a)
boulangerie *nf.* panadería
boule *nf.* bola
bouleau *nm.* abedul
boulevard *nm.* bulevar
bouleversement *nm.* trastorno
bouleverser *v. tr.* trastornar
boulot *nm.* (*fam*) curro, trabajo
bouquet *nm.* ramo, ramillete ; manojo ; (*parfum*) aroma *nf.*
bouquin *nm.* (*fam*) libraco
bourbier *nm.* lodazal, cenagal
bourde *nf.* patraña
bourdonnement nm zumbido ; (*voix*) murmullo
bourdonner *v. intr.* zumbar
bourg *nm.* villa *nf.*, burgo *nm.*
bourgeois,-e *adj. et nm/f.* burgués(a)
bourgeoisie *nf.* burguesía
bourgeon *nm.* botón, brote
bourgeonner *v. intr.* brotar
bourrade *nf.* empujón *nm.*, empellón *nm.*
bourrasque *nf.* borrasca
bourreau *nm.* verdugo
bourrique *nf.* borrica, burra ; (*ignorant*) borrico *nm.*
bourru,-e *adj.* adusto(a), brusco(a)
bourse *nf.* bolsa ; (*d'études*) beca
boursier,-ière *adj.* bursátil • *nm/f.* (*études*) becario(a) • *nm.* (*finances*) bolsista
boursouflé,-e *adj.* hinchado(a)
boursoufler *v. tr.* hinchar
boursouflure *nf.* hinchazón
bousculade *nf.* atropello *nm.*
bousculer *v. tr.* atropellar ; (*presser*) meter prisa
boussole *nf.* brújula
bout *nm.* (*extrémité*) cabo, punta *nf.* ; extremo, fin ; (*morceau*) fragmento, trozo, pedazo
boutade *nf.* ocurrencia, salida
bouteille *nf.* botella
bouton *nm.* (*vêtement*) botón ; (*sonnette*) timbre ; (*sur la peau)* grano ; (*plante*) brote
boutonner *v. tr.* (*vêtement*) abotonar ; (*plante*) echar brotes
boutonnière *nf.* ojal *nm.*
bouvreuil *nm.* pardillo
bovin,-e *adj.* bovino(a), vacuno(a) • *nmpl.* bovinos, ganado vacuno
bowling *nm.* bolos *nmpl.* ; (*lieu*) bolera *nf.*
boxe *nf.* boxeo *nm.*
boxer *v. tr.* boxear
boyau *nm.* tripa *nf.*
boycotter *v. tr.* boicotear
bracelet *nm.* pulsera
braconnage *nm.* caza o pesca furtiva *nf.*
braconnier *nm.* cazador o pescador furtivo
braderie *nf.* rebajas *nfpl.*
braguette *nf.* bragueta *nf.*
brailler *v. intr.* vociferar, berrear
braire *v. intr.* rebuznar
braise *nf.* brasa, ascua
bramer *v. intr.* bramar
brancard *nm.* camilla *nf.*

branchage *nm.* ramaje
branche *nf.* rama ; (*secteur*) rama, ramo *nm.*
branché (être) en la onda (estar)
branchement *nm.* (*conduite*) acometida *nf.* ; (*électrique*) enchufe
brancher *v. tr.* acometer ; enchufar
brandade *nf.* bacalao a la provenzal *nm.*
brandir *v. tr.* blandir, esgrimir
branle-bas *nm. invar.* zafarrancho
braquer *v. tr.* (*arme*) apuntar ; (*regard*) fijar
bras *nm.* brazo
brasier *nm.* hoguera *nf.*
brassage *nm.* mezcla *nf.* ; manejo
brassard *nm.* brazal, brazalete
brasse *nf.* (*nage*) braza
brassée *nf.* brazada, brazado *nm.*
brasser *v. tr.* bracear ; (*affaires*) manejar ; (*argent*) apalear ; (*bière*) fabricar cerveza
brassière *nf.* camisita
bravade *nf.* bravata
brave *adj.* valiente ; bueno(a)
braver *v. tr.* retar, desafiar
bravoure *nf.* valentía, bravura
brebis *nf.* oveja
bredouiller *v. tr.* farfullar
bref, brève *adj.* breve
breloque *nf.* dije *nm.*
brésilien,-ne *adj. et nm/f.* brasileño(a)
bretelle *nf.* (*autoroute*) enlace *nm.* • *nfpl.* (*pantalon*) tirantes *nmpl.*
breton,-ne *adj. et nm/f.* bretón(ona)
breuvage *nm.* brebaje
brevet *nm. (invention)* patente *nf.* ; (*études*) título, diploma
breveter *v. tr.* patentar
bréviaire *nm.* breviario
bric-à-brac *nm. invar.* baratillo
bricolage *nm.* bricolaje ; *(mal fait)* chapucería *nf.* ; trabajo chapucero
bricoler *v. tr.* bricolar ; (*mal*) chapucear
brider *v. tr.* reprimir
brièveté *nf.* brevedad
brigade *nf.* brigada
brigand *nm.* bandido, bandolero
briguer *v. tr.* pretender, solicitar
brillant,-e *adj.* brillante • *nm.* (*éclat*) brillo ; *(diamant)* brillante
briller *v. intr.* relumbrar, brillar
brimade *nf.* vejación, novatada
brimbaler *v. intr.* bambolearse
brimer *v. tr.* vejar, molestar
brin *nm.* brizna *nf.* ; *(un peu)* pizca *nf.*, un poquito
brioche *nf.* bollo *nm.*
brique *nf.* ladrillo *nm.*
briquet *nm.* mechero, encendedor
brise *nf.* brisa, airecillo *nm.*
brise-glace *nm. invar.* rompehielos
brise-lames *nm. invar.* rompeolas
briser *v. tr.* romper, quebrar ; (*carrière, sentiment)* destrozar ; *(volonté, personne*) quebrar ; (*fatigue*) extenuar
bristol *nm.* bristol, cartulina *nf.*
broc *nm.* jarro
broche *nf.* (*cuisine*) asador *nm.*, espetón *nm.* ; (*bijou*) alfiler *nm.*, broche *nm.*
brochette *nf.* (*viande*) pincho *nm.*
brochure *nf.* folleto *nm.*
broder *v. tr.* bordar ; (*fig*) inventar
broderie *nf.* bordado *nm.*
bronche *nf.* bronquio *nm.*
bronchite *nf.* bronquitis
bronzage *nm.* bronceado
bronze *nm.* bronce
bronzer *v. tr.* broncear
brosse *nf.* cepillo *nm.* ; *(pinceau)* brocha
brosser *v. tr.* cepillar ; *(peindre)* pintar con brocha ; *(fig) (décrire)* describir
brouette *nf.* carretilla
brouhaha *nm.* algazara *nf.*
brouillard *nm.* niebla *nf.*
brouiller *v. tr.* revolver ; *(désunir)* enemistar ; *(troubler)* trastornar, *(radio)* interferir • *v. pr. (ciel, vitre, vue*) nublarse ; *(se fâcher)* enemistarse
brouillon,-ne *adj.* lioso(a) • *nm.* borrador
broussaille *nf.* broza, maleza
brouter *v. tr.* pacer
broyer *v. tr.* triturar, moler
bru *nf.* nuera
bruine *nf.* llovizna
bruiner *v. impers.* lloviznar
bruit *nm.* ruido ; (*rumeur*) rumor

brûlant,-e *adj.* ardiente
brûle-pourpoint (à) *loc. adv.* a quemarropa
brûler *v. tr.* quemar ; (*café*) tostar ; *(feu rouge)* saltarse • *v. intr.* arder ; *(fig)* arder en deseos
brumeux,-euse *adj.* brumoso(a)
brun,-e *adj.* moreno(a)
brunir *v. tr.* broncear, tostar
brusque *adj.* brusco(a)
brusquerie *nf.* brusquedad
brutal,-e *adj.* brutal
brutalité *nf.* brutalidad
brute *nf.* bruto *nm.*
bruyant,-e *adj.* ruidoso(a)
bruyère *nf.* brezo *nm.*
buanderie *nf.* lavandería, lavadero *nm.*
bûche *nf. (bois)* leño *nm.* ; (*chute*) caída
bûcher *nm.* hoguera *nf.*
bûcheron *nm.* leñador
budget *nm.* presupuesto
buffet *nm.* (*meuble*) aparador ; (*gare*) fonda
buis *nm.* boj
buisson *nm.* zarzal, matorral
bulldozer *nm.* excavadora *nf.*
bulle *nf.* (*air*) burbuja ; (*savon*) pompa ; *(bande dessinée)* bocadillo *nm.* ; globo *nm.*
bulletin *nm.* boletín ; (*santé*) parte ; (*élection*) papeleta *nf.*
buraliste *nm/f.* estanquero(a)
bureau *nm.* (*table*) escritorio, mesa de despacho *nf.* ; (*pièce*) despacho, oficina
bureaucrate *nm.* burócrata
bureaucracie *nf.* burocracia
burlesque *adj.* burlesco(a)
bus *nm.* autobús
buste *nm.* busto
but *nm.* (*cible*) blanco, hito ; (*terme*) meta ; (*sports*) portería *nf.* ; (*point marqué)* gol, tanto
butane *nm.* butano
buté,-e *adj.* obstinado(a), terco(a)
buter *v. intr.* (*trébucher*) tropezar • *v. pr.* (*se heurter à*) chocar con ; (*s'entêter*) obstinarse
butin *nm.* botín
butiner *v. intr.* libar
butoir *nm.* tope
butte *nf.* loma, cerro *nm.*
buvette *nf.* quiosco de bebidas *nm.*, chiringuito *nm.*

C

c *nm. inv.* c *nf.*
ça *pron. dém.* esto, eso, aquello
cabale *nf.* cábala
cabane *nf.* cabaña, choza
cabaret *nm.* cabaret
cabas *nm.* capacho, capazo
cabillaud *nm.* bacalao fresco
cabine *nf.* cabina ; (*bateau*) camarote *nm.* ; *(de plage)* caseta
cabinet *nm.* gabinete ; (*avocat*) bufete ; (*notaire*) notaría *nf.* ; (*médecin, dentiste*) consultorio ; (*affaires*) gestoria *nf.*
câble *nm.* cable
cabosser *v. tr.* abollar
cabotage *nm.* cabotaje
cabotin,-e *nm/f.* comediante
cacao *nm.* cacao
cachalot *nm.* cachalote
cache *nf.* escondrijo *nm.*, escondite *nm.*
cachemire *nm.* cachemira *nf.*
cache-nez *nm.* bufanda *nf.*
cacher *v. tr.* esconder ; disimular ; ocultar
cachet *nm.* (*sceau*) sello ; (*poste*) matasellos ; (*médicament*) tableta *nf.*, sello ; (*artiste*) retribución *nf.*
cacheter *v. tr.* sellar
cachette *nf.* escondite *nm.*
cachot *nm.* calabozo
cactus *nm.* cacto
cadastre *nm.* castastro
cadavre *nm.* cadáver
cadeau *nm.* regalo, obsequio

cadenasser *v. tr.* cerrar con candado
cadence *nf.* compás *nm.*, cadencia
cadet,-ette *adj.* menor
cadran *nm.* esfera *nf.*
cadre *nm.* marco ; *(affaires)* ejecutivo, directivo, cuadro ; *(armée)* mando ; *(tableau)* marco ; (de *travail)* ambiente
cadrer *v. intr.* cuadrar, encajar
cafard *nm.* cucaracha *nf.* ; *(rapporteur)* chivato ; *(tristesse)* morriña *nf.*
café *nm. (lieu, boisson)* café ; *(au lait)* café con leche ; *(noir)* café solo
cafétéria *nf.* cafetería
cage *nf.* jaula
cagnotte *nf.* (*tirelire*) hucha ; (*économies*) ahorrillos *nmpl.*
cahier *nm.* cuaderno
cahot *nm.* traqueteo, tumbo
cahoter *v. int.* traquetear, dar tumbos
cahute *nf.* choza, chabola
caillot *nm.* coágulo
caillou *nm.* piedra *nf.*, china *nf.*, guija *nf.*
caisse *nf.* caja
caissier,-ière *nm/f.* cajero(a)
cajoler *v. tr.* mimar, zalamear
cajolerie *nf.* mimo *nm.* ; zalamería
cal *nm.* (*des mains*) callo
calamité *nf.* calamidad
calcaire *nm.* caliza *nf.* • *adj.* calcáreo(a)
calciner *v. tr.* calcinar
calcul *nm.* cálculo
calculateur,-trice *adj. et nm/f.* calculador(a) • *nf.* calculadora
calculer *v. tr.* calcular
calculette *nf.* calculadora
cale *nf. (pour caler)* calce *nm.* ; *(d'un bateau)* cala, bodega
calé,-e *adj.* empollado(a), instruido(a)
calebasse *nf.* calabaza
caleçon *nm.* calzoncillos *nmpl.*
calendrier *nm.* calendario
calepin *nm.* carné, cuadernillo
câlin,-e *adj.* mimosa(a)
câliner *v. tr.* mimar
calmant *nm.* calmante, sedante
calmar *nm.* calamar
calme *nm.* calma *nf.*, sosiego, tranquilidad *nf.*
calme *adj.* tranquilo(a)
calmer *v. tr.* tranquilizar
calomnie *nf.* calumnia
calomnier *v. tr.* calumniar
calorie *nf.* coloría
calquer *v. tr.* calcar
calvaire *nm.* calvario
calvitie *nf.* calvicie
camarade *nm/f.* compañero(a)
cambouis *nm.* grasa
cambrioler *v. tr.* robar
cambrioleur *nm.* ladrón
caméléon *nm.* camaleón
camelote *nf.* mercancía de mala calidad ; *(objet sans valeur)* baratija
caméra *nf.* cámara
caméscope *nm.* videocámara
camion *nm.* camión
camionnette *nf.* furgoneta
camionneur *nm.* camionero
camomille *nf.* manzanilla
camouflet *nm.* afrenta *nf.* ; desaire
camp *nm.* campamento, campo
campagnard,-e *adj. et nm/f.* campesino(a)
campagne *nf.* campo *nm.* ; (*publicitaire, électorale*) campaña
campement *nm.* campamento
camper *v. intr.* hacer camping
campeur,-euse *nm/f.* campista
camphre *nm.* alcanfor
campus *nm.* campus
camus,-e *adj.* chato(a)
canadienne *nf.* cazadora
canaille *nf.* canalla *nm.*
canal *nm.* canal
canalisation *nf.* (*action*) canalización ; (*gaz*) tubería ; (*eau*) cañería
canapé *nm.* canapé, sofá ; (*cuisine*) canapé
canard *nm.* pato ; *(journal)* periodicucho
canari *nm.* canario
cancaner *v. intr.* chismorrear, cotillear
cancer *nm.* cáncer
cancrelat *nm.* cucaracha *nf.*
candeur *nf.* candor *nm.*
candidat,-e *nm/f.* candidato(a) ; *(à un concours)* opositor(a) ; *(à un jeu)* concursante
candidature *nf.* candidatura

candide *adj.* cándido(a)
canevas *nm.* cañamazo
canicule *nf.* canícula
canif *nm.* cortaplumas, navaja *nf.*
canine *nf.* colmillo *nm.*
caniveau *nm.* *(rue)* arroyo ; *(route)* cuneta *nf.*
canne *nf.* caña ; *(pour marcher)* bastón *nm.*
canoë *nm.* canoa *nf.*
canon *nm.* *(arme)* cañon ; *(règle)* canon
canot *nm.* bote, lancha *nf.*
cantatrice *nf.* cantatriz
cantine *nf.* cantina ; (*malle*) baúl *nm.*
cantonner (se) *v. pr.* limitarse
cantonnier *nm.* peón caminero
caoutchouc *nm.* (*matière*) caucho ; (*objet*) goma *nf.*
cap *nm.* cabo ; (*direction*) rumbo
capable *adj.* capaz
capacité *nf.* capacidad, aptitud
cape *nf.* capa
capitaine *nm.* capitán
capital,-e *adj.* capital ● *nf.* capital
capital *nm.* *(argent, biens)* caudal, capital
capitalisme *nm.* capitalisme
capitaliser *v. tr.* capitalizar
capitaliste *adj. et nm/f.* capitalista
capiteux,-euse *adj.* embriagador(a)
capituler *v. intr.* capitular
caporal *nm.* cabo
capot *nm.* capot, capó
capoter *v. intr.* *(voiture)* volcar ; *(échouer)* fracasar
caprice *nm.* capricho
câpre *nf.* alcaparra
capricieux,-euse *adj.* caprichoso(a)
capsule *nf.* cápsula ; *(bouteille)* chapa
capter *v. tr.* captar
captif,-ive *adj. et nm/f.* cautivo(a)
captivité *nf.* cautiverio *nm.*
capture *nf.* captura
capturer *v. tr.* capturar
capuchon *nm.* capucha *nf.* ; *(stylo)* capuchón
car *conj.* pues, porque
car *nm.* *(tourisme)* autocar ; *(ligne régulière)* coche *nm.* de línea
carabine *nf.* carabina
caractère *nm.* carácter ; *(bon, mauvais)* genio, carácter ; *(écriture)* letra *nf.*
caractériser *v. tr.* caracterizar
caractéristique *adj.* característico(a) ● *nf.* característica
carafe *nf.* jarra
caramel *nm.* *(sucre fondu)* caramelo ; *(bonbon)* caramelo blando
carapace *nf.* caparazón *nm.* ; concha
carat *nm.* quilate
caravane *nf.* caravana
carbone *nm.* carbono
carboniser *v. tr.* carbonizar
carburant *nm.* carburante
cardiaque *adj. et nm/f.* cardíaco(a)
cardigan *nm.* cárdigan, rebeca *nf.*
cardinal,-e *adj.* cardinal
cardiologue *nm.* cardiólogo
carence *nf.* carencia
caresse *nf.* caricia
caresser *v. tr.* acariciar
cargaison *nf.* carga
cargo *nm.* buque de carga
caricatural,-e *adj.* caricaturesco(a)
caricature *nf.* caricatura
carie *nf.* caries
carnage *nm.* matanza *nf.*
carnaval *nm.* carnaval
carnet *nm.* agenda *nf.* ; (*de chèques*) talonario
carnivore *adj. et nm/f.* carnívoro(a)
carotte *nf.* zanahoria
carpe *nf.* carpa
carpette *nf.* alfombrilla
carré *nm.* cuadrado
carreau *nm.* (*vitre*) cristal ; (*sol*) baldosa *nf.* ; (*de faïence)* azulejo ; (*tissu*) cuadro
carrefour *nm.* cruce, encrucijada *nf.*
carrelage *nm.* enlosado, baldosas *nfpl.*
carreler *v. tr.* enlosar, embaldosar
carrière *nf.* (*profession*) carrera ; *(de pierre)* cantera
carrossable *adj.* transitable
carrosserie *nf.* carrocería
carrossier *nm.* chapista
carrure *nf.* anchura de espaldas
cartable *nm.* cartera *nf.* ; cartapacio
carte *nf.* *(crédit, visite)* tarjeta ; (*à jouer)* naipe *nm.*, carta *(géographie)* mapa *nm.* ; (*identité*) carné *nm.*, carnet *nm.* ; (*séjour, travail*) permiso *nm.* ; (*postale*) postal ; (*restaurant*) carta

cartel *nm.* cártel
cartilage *nm.* cartílago
carton *nm.* (*matière*) cartón ; (*caisse*) caja *nf.*
cartouche *nf.* cartucho *nm.* ; (*recharge*) recambio *nm.*, carga ; (*cigarettes*) cartón *nm.*
cartouchière *nf.* cartuchera
cas *nm.* caso
casanier,-ière *adj.* casero(a)
caserne *nf.* cuartel *nm.*
casier *nm.* casillero
casino *nm.* casino
casque *nm.* casco ; (*audition*) auriculares *nmpl.*
casquette *nf.* gorra
casse *nf.* *(action)* rotura ; *(véhicules)* desguace *nm.*
cassé,-e *adj.* roto(a), quebrado(a)
casse-croûte *nm.* refrigerio
casse-pieds *nm.* pelma, pelmazo
casser *v. tr.* quebrar, romper
casserole *nf.* cacerola, cazo *nm.*
cassette *nf.* casete ; (*appareil*) casete *nm.*
cassure *nf.* fractura
castagnettes *nfpl.* castañuelas
castillan,-e *adj. et nm/f.* castellano(a)
cataclysme *nm.* cataclismo
catacombes *nfpl.* catacumbas
catalan,-e *adj. et nm/f.* catalán(ana)
Catalogne *n. pr. f.* Cataluña
catalogue *nm.* catálogo
cataplasme *nm.* cataplasma
cataracte *nf.* catarata
catastrophe *nf.* catástrofe
catéchisme *nm.* catecismo
catégorie *nf.* categoría
cathédrale *nf.* catedral
catholicisme *nm.* catolicismo
catholique *adj. et nm/f.* católico(a)
cauchemar *nm.* pesadilla *nf.*
cause *nf.* causa, razón, motivo *nm.*
causer *v. tr.* provocar, producir • *v. intr.* charlar ; platicar
causerie *nf.* charla, plática
caustique *adj.* cáustico(a)
caution *nf.* aval *nm.*, fianza
cavalcade *nf.* cabalgata
cavalier,-ière *nm/f.* jinete ; *(danse)* pareja *nf.*
cave *nf.* (*sous-sol*) sótano *nm.* ; (*vin*) bodega
caverne *nf.* cueva
caviar *nm.* caviar
cavité *nf.* cavidad, hueco *nm.*
ce, cet, cette, ces *adj. dém.* este(-a, -os, -as), ese(-a, -os, -as), aquel(-la, -los, -las) ; ***ce qui, ce que*** lo que
ceci *pron. dém.* esto, eso, aquello
cécité *nf.* ceguera
céder *v. tr.* ceder ; (*commerce*) traspasar
cèdre *nm.* cedro
ceinture *nf.* cinturón *nm.*
cela *pron. dém.* este, eso, aquello
célébration *nf.* celebración
célèbre *adj.* célebre, famoso(a)
célébrer *v. tr.* celebrar
célébrité *nf.* fama, celebridad
céleri *nm.* apio
célibat *nm.* soltería *nf.*
célibataire *adj. et nm/f.* soltero(a)
cellulaire *adj.* celular
cellulite *nf.* celulitis
celui-ci/là (celle, ceux, celles) *pr. dém.* éste (-a, -os, -as), ése (-a, -os, -as), aquél (-la, -los,-las) ; ***celui qui*** el que
cendre *nf.* ceniza
cendrier *nm.* cenicero
censé,-e *adj.* considerado(a) como
censure *nf.* censura
cent *adj. et nm.* ciento, cien
centaine *nf.* centenar *nm.*, centena
centenaire *adj. et nm/f.* centenario(a)
centième *adj.* centésimo(a)
centime *nm.* céntimo
centimètre *nm.* centímetro
central,-e *adj.* central ; *(quartier)* céntrico(a)
centrale *nf.* central
centraliser *v. tr.* centralizar
centre *nm.* centro
cependant *conj.* sin embargo
céramique *nf.* cerámica
cercle *nm.* círculo
cercueil *nm.* féretro, ataúd

céréale *nf.* cereal
cérémonie *nf.* ceremonia
cérémonieux,-euse *adj.* ceremonioso(a)
cerf *nm.* ciervo
cerf-volant *nm.* cometa *nf.*
cerise *nf.* cereza
cerisier *nm.* cerezo
cernes *nmpl.* ojeras
cerner *v. tr.* rodear, cercar ; (*fig*) delimitar
certain,-e *adj.* cierto(a), seguro(a)
certes *adv.* desde luego, por supuesto
certificat *nm.* certificado
certifier *v. tr.* certificar
certitude *nf.* certeza, certidumbre
cerveau *nm.* cerebro
cervelle *nf.* sesos *nmpl.*
cesser *v. tr.* interrumpir, suspender • *v. intr.* cesar
cessez-le-feu *nm.* alto el fuego
c'est-à-dire *conj.* o sea, es decir
chacun,-e *pron. indéf.* cada uno(a)
chagrin *nm.* pena *nf.*, pesar, disgusto
chahut *nm.* alboroto, jaleo
chahuter *v. tr.* abuchear • *v. intr.* alborotar
chaîne *nf.* cadena ; *(télévision)* canal *nm.* ; *(stéréo)* equipo *nm.*
chaise *nf.* silla
châle *nm.* mantón, chal
chalet *nm.* chalet, chalé
chaleur *nf.* calor *nm.*
chaleureux,-euse *adj.* caluroso(a)
chambardement *nm.* desbarajuste
chambarder *v. tr.* desbarajustar
chambre *nf.* (*à coucher*) habitación, cuarto *nm.*, dormitorio *nm.* ; (*à air, froide, forte)* cámara ; *(des députés*) congreso *nm.* ; *(commerce, métier*) cámara ; (*justice*) sala
chameau *nm.* camello
champ *nm.* campo
champagne *nm.* champán, champaña
champignon *nm.* hongo, seta *nf.* ; *(de Paris)* champiñón
champion,-ne *nm/f.* campeón(a)
championnat *nm.* campeonato
chance *nf.* suerte ; (*possibilité*) oportunidad
chancelant,-e *adj.* vacilante
chanceler *v. intr.* tambalearse, vacilar
chanceux,-euse *adj.* afortunado(a)
chandail *nm.* jersey
chandelle *nf.* vela, candela
change *nm.* cambio
changement *nm.* cambio
changer *v. tr. et intr.* cambiar
changeur,-euse *nm/f.* cambista
chanson *nf.* canción
chant *nm.* canto ; (*flamenco*) cante
chantage *nm.* chantaje
chanter *v. tr. et intr.* cantar ; (*fig*) faire chanter quelqu'un hacer chantaje, chantajear
chanteur,-euse *nm/f.* cantor(ora) ; (*flamenco*) cantaor(a) ; (*opéra*) cantante
chantonner *v. tr.* canturrear
chanvre *nm.* cáñamo
chaos *nm.* caos
chaparder *v. tr.* (*fam*) birlar, hurtar
chapeau *nm.* sombrero
chapelet *nm.* rosario ; *(ail)* ristra *nf.* ; (*fig*) serie *nf.*, sarta *nf.*
chapelle *nf.* capilla ; *(fig)* camarilla
chapitre *nm.* capítulo
chaque *adj. indéf.* cada
char *nm.* (*militaire*) carro ; (*fête*) carroza *nf.*
charbon *nm.* carbón
charcuterie *nf.* chacinería, charcutería ; (*produits*) embutidos *nmpl.*
charcutier,-ière *nm/f.* salchichero(a), hacinero(a)
charge *nf. (poids)* carga ; *(emploi*) cargo *nm.* ; puesto *nm.* ; *(taxi) prise en charge* bajada de bandera *nf.*
chargé,-e *adj.* cargado(a) • *adj. et nm/f.* (*responsable*) encargado(a)
chargement *nm.* carga *nf.*
charger *v. tr.* cargar ; *(rendre responsable)* encargar
chariot *nm. (gare, aéroport, magasin)* carrito, carretilla *nf.*
charitable *adj.* caritativo(a)
charité *nf.* caridad
charlatan *nm.* charlatán
charmant,-e *adj.* encantador(a)
charme *nm.* encanto
charmer *v. tr.* encantar

charpente *nf.* armazón
charpentier *nm.* carpintero
charrier *v. tr.* acarrear • *v. intr.* pasarse de la raya
charte *nf.* carta
charter *nm.* chárter
chartreuse *nf.* cartuja
chasse *nf.* caza ; *(poursuite)* caza, cacería
chassé-croisé *nm.* idas y venidas *nfpl.*
chasser *v. tr.* cazar • *(expulser)* expulsar, echar
chasseur,-euse *nm/f.* cazador(a)
chasteté *nf.* castidad
chat, chatte *nm/f.* gato(a)
châtaigne *nf.* castaña
châtaignier *nm.* castano
châtain,-e *adj.* castaño(a)
château *nm.* castillo, alcázar
châtier *v. tr.* castigar
châtiment *nm.* castigo
chatouille *nf.* (*action*) cosquilla ; (*résultat*) cosquilleo *nm.*
chatouiller *v. tr.* hacer cosquillas
chatoyant,-e *adj.* tornasolado(a)
chaud,-e *adj.* *(eau)* caliente ; *(climat)* caluroso(a), cálido(a) ; *(vêtement)* de abrigo ; (*fig*) ardiente, apasionado(a), caluroso(a)
chauffage *nm.* calefacción *nf.*
chauffard *nm.* dominguero
chauffer *v. tr. et intr.* calentar ; *(l'ambiance)* caldear
chauffeur *nm.* chófer, conductor
chaussée *nf.* *(rue)* calzada ; (*route*) firme *nm.*
chausser *v. tr.* calzar
chaussette *nf.* calcetín *nm.*
chausson *nm.* zapatilla *nf.*
chaussure *nf.* zapato nm ; (*commerce, industrie*) calzado *nm.*
chauve *adj.* calvo(a)
chauvin,-e *adj.* chauvinista
chauvinisme *nm.* chauvinismo
chaux *nf.* cal
chavirer *v. intr.* volcar ; (*fig*) trastornar
chef *nm.* jefe ; (*d'orchestre*) director ; (*d'entreprise*) empresario
chef-d'oeuvre *nm.* obra maestra *nf.*
chemin *nm.* camino
cheminée *nf.* chimenea
chemise *nf.* *(vêtement)* camisa ; *(dossier)* carpeta
chemisier *nm.* blusa *nf.*
chenapan *nm.* tuno, pillo
chêne *nm.* roble
chenille *nf.* oruga
cheptel *nm.* ganado
chèque *nm.* cheque, talón
chéquier *nm.* talonario
cher, chère *adj.* *(prix)* caro(a) ; *(sentiment)* querido(a)
cher *adv.* caro
chercher *v. tr.* buscar
chéri,-e *adj.* querido(a) • *interj.* ¡cariño!
chérir *v. tr.* querer tiernamente
cheval *nm.* caballo
chevelu,-e *adj.* cabelludo(a)
chevelure *nf.* cabellera, melena
cheveu *nm.* cabello, pelo
cheville *nf.* *(anatomie)* tobillo *nm.* ; (*métal, bois*) clavija
chèvre *nf.* cabra
chevreau *nm.* cabrito ; (*cuir*) cabritilla *nf.*
chèvrefeuille *nm.* madreselva *nf.*
chewing-gum *nm.* chicle
chez prép. (*domicile*) casa (*précédé de la préposition requise*) ; (*parmi*) en (*devant un nom sing. d'être vivant*), entre (*devant un nom plur. d'êtres vivants*) ; (*pour le domicile professionnel, utiliser le nom de la profession*) ***aller chez le boulanger*** ir al panadero
chic *nm.* elegancia *nf.*
chic *adj.* elegante ; *(pour une personne)* estupendo(a)
chicorée *nf.* achicoria
chien *nm.* perro ; *(attrait)* atractivo, gancho
chiffon *nm.* trapo
chiffre *nm.* cifra *nf.*
chignon *nm.* moño
chilien,-ne *adj. et nm/f.* chileno(a)
chimère *nf.* quimera
chimie *nf.* química
chimique *adj.* químico(a)
chimiste *nm.* químico
chiot *nm.* cachorro
chirurgie *nf.* cirugía

chirurgien *nm.* cirujano
choc *nm.* choque
chocolat *nm.* chocolate ; *(bonbon)* bombón
chœur *nm.* coro
choisir *v. tr.* elegir, escoger, optar por
choix *nm.* elección *nf.* ; *(option)* alternativa *nf.* ; *(assortiment)* surtido
cholestérol *nm.* colestérol
chômage *nm.* paro, desempleo
chômeur,-euse *nm/f.* parado(a), desempleado(a)
chope *nf.* jarra
choquant,-e *adj.* chocante
choquer *v. tr.* chocar
chose *nf.* cosa
chou *nm.* col *nf.* ; ***chou-fleur*** coliflor *nf.*
choyer *v. tr.* mimar
chrétien,-ne *adj. et nm/f.* cristiano(a)
christianisme *nm.* cristianismo
chronique *adj. et nf.* crónico(a)
chronologie *nf.* cronología
chrysanthème *nm.* crisantemo
chuchotement *nm.* cuchicheo
chuchoter *v. tr. et intr.* bisbisear, cuchichear
chute *nf.* caída ; (*déchet*) recorte *nm.*
chuter *v. intr.* caer, caerse
cible *nf.* blanco *nm.*
cibler *v. tr.* determinar el blanco
ciboulette *nf.* cebolleta
cicatrice *nf.* cicatriz
cicatriser *v. tr.* cicatrizar
cidre *nm.* sidra *nf.*
ciel *nm.* cielo
cierge *nm.* cirio
cigale *nf.* chicharra
cigare *nm.* puro
cigarette *nf.* cigarrillo *nm.* ; pitillo *nm.*
cigogne *nf.* cigüeña
cil *nm.* pestaña *nf.*
cime *nf.* cima, cumbre
ciment *nm.* cemento
cimetière *nm.* composanto, cementerio
cinéma *nm.* cine
cinémathèque *nf.* cinemateca
cinglant,-e *adj.* mordaz, acerbo(a)
cinq *adj. et nm. inv.* cinco
cinquantaine *nf.* cincuentena
cinquantenaire *nm.* cincuentenario
cinquième *adj. et nm.* quinto(a)
cintre *nm.* percha *nf.*
cirage *nm.* betún
circonférence *nf.* circunferencia
circonspection *nf.* circunspección
circonstance *nf.* circunstancia
circuit *nm.* circuito
circulation *nf.* circulación, tráfico *nm.*
circuler *v. intr.* circular
cire *nf.* cera
cirer *v. tr.* (*meuble*) encerar ; (*chaussure*) dar betún
cirque *nm.* circo
ciseau *nm.* cincel ; *(à deux branches)* tijeras *nfpl.*
citadelle *nf.* ciudadela
citadin,-e *adj. et nm/f.* ciudadano(a)
citation *nf.* (*un auteur*) cita ; (*justice*) citación
cité *nf.* ciudad
citer *v. tr.* citar
citerne *nf.* cisterna
citoyen,-ne *nm/f.* ciudadano(a)
citron *nm.* limón
citronnier *nm.* limonero
citrouille *nf.* calabaza
civière *nf.* camilla
civil,-e *adj.* civil • *nm.* paisano(a)
civilisation *nf.* civilización
civiliser *v. tr.* civilizar
civique *adj.* cívico(a)
civisme *nm.* civismo
clair,-e *adj.* claro(a)
clairière *nf.* claro *nm.*
clair-obscur *nm.* claroscuro
clairsemé,-e *adj.* ralo(a)
clairvoyance *nf.* clarividencia
clairvoyant,-e *adj.* clarividente
clamer *v. tr.* clamar, proclamar
clameur *nf.* clamor *nm.*
clandestin,-e *adj. et nm/f.* clandestino(a)
clandestinité *nf.* clandestinidad
claque *nf.* bofetada, torta
claquer *v. tr.* (*gifler*) abofetear ; (*argent*) gastar • *v. intr. (dents, doigts)* castañetetear ; (*fouet, langue*) chasquear
clarification *nf.* clarificación
clarifier *v. tr.* aclarar

clarté *nf.* claridad
classe *nf.* clase ; (*scolaire*) curso *nm.* (*salle*) aula ; (*militaire*) quinta
classement *nm.* clasificación *nf.*
classer *v. tr.* clasificar
classique *adj.* clásico(a)
clavicule *nf.* clavícula
clavier *nm.* teclado
clé, clef *nf.* llave
clémence *nf.* clemencia
cleptomanie *nf.* cleptomanía
clergé *nm.* clero
cliché *nm.* cliché ; (*fig*) tópico
client,-e *nm/f.* cliente
clientèle *nf.* clientela
clignotant *nm.* (*voiture*) intermitente
climatisation *nf.* climatización
climatiser *v. tr.* climatizar
clin d'œil *nm.* guiño
cloaque *nm.* cloaca *nf.*
cloche *nf.* campana
clocher *nm.* campanario
clochette *nf.* campanilla ; (*bétail*) esquila
cloison *nf.* tabique *nm.*
cloisonner *v. tr.* tabicar, compartimentar
cloître *nm.* claustro
cloque *nf.* ampolla
clore *v. tr.* cerrar
clos,-e *adj.* cerrado(a)
clôture *nf.* (*enceinte*) valla ; (*couvent, séance*) clausura ; (*bourse*) cierre *nm.* ; (*compte*) liquidación
clôturer *v. tr.* (*fermer*) cercar, cerrar ; (*mettre fin*) clausurar ; (*bourse*) cerrar ; (*compte*) liquidar
clou *nm.* clavo
clouer *v. tr.* clavar
clovisse *nf.* almeja
clown *nm.* payaso
coaguler *v. tr.* coagular
coalition *nf.* coalición
cocaïne *nf.* cocaína
cocher *v. tr.* puntear, tachar
cochon *nm.* cerdo ; (*fig*) cochino
cocotier *nm.* coco, cocotero
code *nm.* código ; (*voiture*) luces de cruce *nfpl.*
codification *nf.* codificación
codifier *v. tr.* codificar
coefficient *nm.* coeficiente
cœur *nm.* (*organe*) corazón ; *(fig)* corazón, pecho
coexistence *nf.* coexistencia
coexister *v. intr.* coexistir
coffre *nm.* (*voiture*) maletero ; (*linge*) baúl ; (*argent*) arca *nf.*, caja *nf.*
coffre-fort *nm.* caja de caudales *nf.*
cognac *nm.* coñac
cogner v. *tr.* pegar, golpear, *v. pr.* darse un golpe
cohérence *nf.* coherencia
cohérent,-e *adj.* coherente
cohésion *nf.* cohesión
cohue *nf.* (*foule*) muchedumbre ; *(désordre*) jaleo *nm.*, barullo *nm.*
coiffer *v. tr. et intr.* peinar
coiffeur,-euse *nm/f.* peluquero(a)
coiffure *nf.* (*cheveu*) peinado *nm.* ; (*chapeau*) tocado *nm.*
coin *nm.* (*rue*) esquina *nf.* ; (*intérieur*) rincón ; (*meuble*) pico ; (*œil*) rabillo ; (*lèvres*) comisura *nf.*
coincer *v. tr.* (*bloquer*) calzar ; (*mécanisme*) atrancar, atascar ; (*par mégarde ou surprise)* pescar, pillar
coïncidence *nf.* coincidencia
coincider *v. intr.* coincidir
col *nm.* (*chemise*) cuello ; (*montagne*) puerto
colère *nf.* ira, cólera
coléreux,-euse *adj.* colérico(a)
colibri *nm.* colibri
colimaçon *nm.* caracol
colin *nm.* merluza *nf.*
colin-maillard *nm.* gallina ciega *nf.*
colis *nm.* bulto, paquete
collaborateur,-trice *nm/f.* colaborador(a)
collaboration *nf.* colaboración
collant,-e *adj.* (*poisseux*) pegajoso(a) ; (*moulant*) ceñido(a) ; (*importun*) pesado(a).
collation *nf.* tentempié *nm.*
colle *nf.* cola, pegamento *nm.* ; (*question difficile)* pega
collecter *v. tr.* recolectar, recaudar
collectif,-ive *adj. et nm.* colectivo(a)
collection *nf.* colección

collectionner *v. tr.* coleccionar
collectivité *nf.* colectividad
collège *nm.* colegio
collégien,-ne *nm/f.* colegial(a)
collègue *nm/f.* colega
coller *v. tr.* pegar ; (*tapisserie*) encolar ; (*examen*) suspender ; (*frapper*) pegar a • *intr.* (*mouler*) ceñirse
collier *nm.* collar
colline *nf.* colina
collision *nf.* colisión, choque *nm.*
colloque *nm.* coloquio
colombe *nf.* paloma
colombier *nm.* palomar
colon *nm.* colono
colonel,-le *nm/f.* coronel(a)
colonial,-e *adj.* colonial
colonie *nf.* colonia
colonisation *nf.* colonización
coloniser *v. tr.* colonizar
colonnade *nf.* columnata
colonne *nf.* columna
coloration *nf.* coloración
colorer, colorier *v. tr.* colorear
coloris *nm.* colorido, color
colosse *nm.* coloso
colportage *nm.* (*rumeurs)* propalación *nf.*
combat *nm.* combate, lucha *nf.*
combatif,-ive *adj.* luchador(a)
combativité *nf.* combatividad
combattant,-e *adj. et nm/f.* combatiente
combattre *v. tr. et intr.* combatir, luchar
combien *adv.* cuánto ; (*exclamatif*) cuán,qué, lo *(+ adjectif)* que
combinaison *nf. (assemblage, lingerie)* combinación ; *(bleu)* mono *nm. ; (espace, plongée)* traje *nm.*
comble *nm.* colmo
combler *v. tr.* colmar
combustible *adj. et nm.* combustible
comédie *nf.* comedia
comédien,-ne *nm/f.* comediante(a) ; (*hypocrite*) farsante
comestible *adj.* comestible
comète *nf.* cometa *nm.*
comique *adj.* cómico(a)
comité *nm.* comité
commandant *nm.* comandante
commande *nf.* pedido *nm.* ; encargo *nm.* ; (*de mécanisme*) mando *nm.*
commandement *nm.* mando
commander *v. tr.* (*ordonner*) ordenar, mandar ; (*commerce*) pedir, encargar ; (*mécanisme*) accionar
comme *prép. et conj.* como ; *(exclamatif)* cómo, qué
commémorer *v. tr.* conmemorar
commencement *nm.* comienzo
commencer *v. tr.* comenzar, empezar
comment *adv.* cómo
commentaire *nm.* comentario
commentateur,-trice *nm/f.* comentarista
commenter *v. tr.* comentar
commérage *nm.* cotilleo
commerçant,-e *adj.* comerciante • *nm/f.* comerciante, tendero(a)
commerce *nm.* comercio
commère *nf.* cotilla
commercial,-e *adj.* comercial
commettre *v. tr.* cometer
commissaire *nm.* comisario
commissariat *nm.* comisaría *nf.*
commission *nf.* comisión ; (*message*) recado *nm.* ; (*achat pour soi*) compra (*achat pour autrui*) encargo *nm.*
commode *adj.* cómodo(a), fácil • *nf. (meuble)* cómoda
commodité *nf.* comodidad
commotion *nf.* conmoción
commun,-e *adj.* corriente, común
communauté *nf.* comunidad
commune *nf.* municipio *nm.*
communication *nf.* comunicación (*exposé*) ponencia ; (*téléphonique*) llamada, conferencia
communion *nf.* comunión
communiquer *v. tr.* comunicar
communisme *nm.* comunismo
compact *nm.* disco compacto
compagne *nf.* compañera
compagnie *nf.* compañía
compagnon *nm.* compañero
comparable *adj.* comparable
comparaison *nf.* comparación
comparaître *v. intr.* comparecer
comparer *v. tr.* comparar

comparse *nm.* comparsa
compartiment *nm.* compartimiento
compassion *nf.* compasión
compatir *v. intr.* compadecerse
compatriote *nm/f.* compatriota
compensation *nf.* compensación
compenser *v. tr.* compensar
compère *nm.* cómplice, compinche
compétence *nf.* competencia, capacidad
compétent,-e *adj.* competente
compétition *nf.* competición
compilation *nf.* recopilación
compiler *v. tr.* recopilar
complaisance *nf.* amabilidad
complaisant,-e *adj.* complaciente
complément *nm.* complemento
complémentaire *adj.* complementario(a)
complet,-ète *adj.* completo(a)
complet *nm.* traje, terno
compléter *v. tr.* completar
complexe *adj. et nm.* complejo(a)
complexer *v. tr.* acomplejar
complexité *nf.* complejidad
complication *nf.* complicación
complice *nm/f.* cómplice
complicité *nf.* complicidad
compliment *nm.* elogio ; (*félicitations*) enhorabuena
complimenter *v. tr.* felicitar
compliquer *v. tr.* complicar
complot *nm.* conspiración *nf.*
comportement *nm.* comportamiento
comporter *v. tr.* implicar ; *(se composer de)* constar de
composante *nf.* componente
composer *v. tr.* componer
compositeur,-trice *nm/f.* compositor(a)
composition *nf.* composición
compote *nf.* compota
compréhensible *adj.* comprensible
compréhensif,-ive *adj.* comprensivo(a)
compréhension *nf.* comprensión
comprendre *v. tr.* comprender, entender ; *(se composer de)* constar de
compresse *nf.* compresa
compression *nf.* compresión ; *(effectif)* reducción
comprimé *nm.* tableta *nf.*
comprimer *v. tr.* comprimir ; *(effectif)* reducir
compris,-e *adj.* comprendido(a) ; *(inclus)* incluido(a) • *loc. y compris* incluso
compromettant,-e *adj.* comprometedor(a)
compromettre *v. tr.* comprometer
compromis *nm.* compromiso
comptabiliser *v. tr.* contabilizar
comptabilité *nf.* contabilidad
comptable *nm.* contable
comptant (au) *loc. adv.* al contado
compte *nm.* cuenta *nf.*
compter *v. tr.* contar
compte rendu *nm.* informe
compteur *nm.* contador
comptoir *nm.* mostrador ; (*bar*) barra *nf.*
concéder *v. tr.* conceder
concentration *nf.* concentración
concentré,-e *adj.* concentrado(a)
concentrer *v. tr.* concentrar
concept *nm.* concepto
conception *nf.* concepción
concernant *part. prés.* relativo(a)
concerner *v. tr.* concernir a
concert *nm.* concierto
concession *nf.* concesión
concessionnaire *nm.* concesionario
concevable *adj.* concebible
concevoir *v. tr.* concebir
concierge *nm/f.* portero(a)
concile *nm.* concilio
conciliant,-e *adj.* conciliador(a)
conciliation *nf.* conciliación
concilier *v. tr.* conciliar
concis,-e *adj.* conciso(a)
concluant,-e *adj.* concluyente
conclure *v. tr.* concluir ; *(un marché)* cerrar ; *(un accord)* concertar
conclusion *nf.* conclusión
concombre *nm.* pepino
concordance *nf.* concordancia
concorde *nf.* concordia
concorder *v. intr.* concordar
concourir *v. intr. (coopérer)* concurrir ; *(pour un poste)* opositar, hacer oposiciones
concours *nm.* concurso ; *(pour un poste)* oposiciones *nfpl.* ; *(de circonstances)* cúmulo

concret,-ète *adj.* concreto(a)
concubinage *nm.* concubinato
concurrence *nf.* competencia
concurrencer *v. tr.* competir con
concurrent,-e competidor(a) ; *(à un examen)* opositor(a)
condamnable *adj.* condenable
condamnation *nf.* condena
condamné,-e *adj.* et *nm/f.* ondenado(a)
condamner *v. tr.* condenar
condensé *nm.* compendio
condenser *v. tr.* condensar
condescendance *nf.* condescendencia
condiment *nm.* condimento
condisciple *nm.* condiscípulo
condition *nf.* condición
conditionné,-e *adj.* condicionado(a) ; (*air*) acondicionado
conditionnement *nm. (air, marchandises)* acondicionamiento ; *(récipient)* envase
conditionner *v. tr.* (*air, marchandises*) acondicionar ; (*faire dépendre*) condicionar
condoléances *nfpl.* pésame *nm.*
condor *nm.* cóndor
conducteur,-trice *nm/f.* conductor(a)
conduire *v. tr.* conducir ; llevar ; (*être à la tête)* encabezar
conduite *nf.* conducta ; (*véhicule*) conducción ; (*gaz*) tubería ; (*eau*) cañería ; (*affaires*) dirección
confection *nf.* confección
confectionner *v. tr.* confeccionar
confédération *nf.* confederación
conférence *nf.* conferencia
confesser *v. tr.* confesar
confession *nf.* confesión
confiance *nf.* confianza
confiant,-e *adj.* confiado(a)
confidence *nf.* confidencia
confidentiel,-le *adj.* confidencial
confier *v. tr.* confiar
confiner *v. tr.* confinar • *v. intr. (être limitrophe)* confinar con ; *(fig)* (*friser*) rayar en
confirmation *nf.* confirmación
confirmer *v. tr.* confirmar
confiserie *nf. (magasin)* confitería ; (*bonbon*) dulce *nm.*
confisquer *v. tr.* confiscar, quitar
confiture *nf.* mermelada
conflit *nm.* conflicto
confluer *v. intr.* confluir
confondre *v. tr.* confundir
conforme *adj.* conforme
conformément *adv.* con arreglo a
conformité *nf.* conformidad
confort *nm.* comodidad *nf.*
confortable *adj.* cómodo(a)
confrère *nm.* colega
confrérie *nf.* gremio *nm.*, cofradía
confrontation *nf.* confrontación
confronter *v. tr.* confrontar
confusion *nf.* confusión
congé *nm.* (*repos*) asueto, descanso, (*maladie*) baja • *nmpl.* vacaciones *nfpl.*
congédier *v. tr.* despedir
congélateur *nm.* congelador
congeler *v. tr.* congelar
congratuler *v. tr.* congratular
congrégation *nf.* congregación
congrès *nm.* congreso
conjecture *nf.* conjetura
conjoint *nm.* cónyuge
conjonction *nf.* conjunción
conjonctivite *nf.* conjuntivitis
conjoncture *nf.* conyuntura
conjugal,-e *adj.* conyugal
conjuguer *v. tr.* conjugar
conjuration *nf.* conjura
conjurer *v. tr.* conjurar ; (*supplier*) suplicar
connaissance *nf.* conocimiento *nm. ; (relation)* conocido(a) ; *(d'une langue)* dominio *nm.*
connaître *v. tr.* conocer, dominar
connu,-e *adj.* conocido(a)
conquérant,-e *adj.* et *nm/f.* conquistador(a)
conquérir *v. tr.* conquistar
conquête *nf.* conquista
consacrer *v. tr.* consagrar, dedicar
consciencieux,-euse *adj.* concienzudo(a)
conscription *nf.* quinta
conscrit *nm.* recluta

consécration *nf.* consagración
conseil *nm.* (*avis, réunion*) consejo ; *(conseil technique*) asesoramiento ; (*conseiller*) consultor, asesor ; (*de professeurs, de classe)* claustro
conseiller *v. tr.* aconsejar ; asesorar
conseiller,-ère *nm/f.* consejero(a) ; *(technique)* asesor(a), consultante
conseilleur,-euse *nm/f.* consejero(a)
consensus *nm.* consenso
consentement *nm.* consentimiento
consentir *v. tr.* consentir
conséquence *nf.* consecuencia
conséquent (par) *adv.* por lo tanto
conservateur,-trice *adj. et nm/f.* conservador(a)
conservation *nf.* conservación
conserve *nf.* conserva
conserver *v. tr.* conservar
conserverie *nf.* conservería
considération *nf.* consideración
considérer *v. tr.* considerar, tener en cuenta ; examinar
consigne *nf.* consigna
consistance *nf.* consistencia
consistant,-e *adj.* consistente
consister à *v. intr.* consistir (en)
consœur *nf.* colega
consolateur,-trice *adj. et nm/f.* consolador(a)
consolation *nf.* consuelo *nm.*
consoler *v. tr.* consolar
consolidation *nf.* consolidación
consolider *v. tr.* consolidar
consommateur,-trice *nm/f.* consumidor(a)
consommation *nf.* consumo *nm.* ; *(boisson)* consumición
consommer *v. tr.* consumir ; *(accomplir, achever)* consomar
consonne *nf.* consonante
conspirer *v. intr.* conspirar
constance *nf.* constancia
constante,-e *adj.* constante
constat *nm.* acta *nf.* ; *(procès-verbal*) atestado
constatation *nf.* comprobación
constater *v. tr.* comprobar
constellation *nf.* constelación
consternation *nf.* consternación
constipation *nf.* estreñimiento *nm.*
constitution *nf.* constitución
constructeur,-trice *adj. et nm/f.* constructor(a)
constructible *adj.* edificable
construction *nf.* construcción
construire *v. tr.* construir, edificar
consul *nm.* cónsul
consulat *nm.* consulado
consultant,-e *nm/f.* consultor(a)
consultation *nf.* consulta
consulter *v. tr.* consultar
consumer *v. tr.* consumir
contacter *v. tr.* entrar en contacto
contagieux,-euse *adj.* contagioso(a)
contagion *nf.* contagio *nm.*
contamination *nf.* contaminación
contaminer *v. tr.* contaminar
conte *nm.* cuento
contempler *v. tr.* contemplar
contemporain,-e *adj. et nm/f.* contemporáneo(a)
contenance *nf.* capacidad ; (*attitude*) compostura, actitud
conteneur *nm.* contenedor
contenir *v. tr.* contener
content,-e *adj.* contento(a)
contentement *nm.* contento
contenter *v. tr.* contentar • *v. pr.* contentarse (con)
contentieux *nm.* contencioso
contenu *nm.* contenido
conter *v. tr.* contar
contestable *adj.* discutible
contestation *nf.* constestación
contester *v. tr.* poner en duda
contexte *nm.* contexto
continent *nm.* continente
continental,-e *adj.* continental
continuation *nf.* continuación
continuer *v. tr.* continuar, seguir
continuité *nf.* continuidad
contour *nm.* contorno
contourner *v. tr.* rodear, dar la vuelta a
contraceptif *nm.* anticonceptivo
contraception *nf.* anticoncepción
contracter *v. tr.* contraer
contraction *nf.* contracción
contradiction *nf.* contradicción

contradictoire *adj.* contradictorio(a)
contraignant,-e *adj.* apremiante
contraindre *v. tr.* forzar, apremiar
contrainte *nf.* coacción ; *(fig)* molestia, fastidio *nm.*
contraire *adj.* contrario(a)
contrairement *adv.* al contrario
contrarié,-e *adj.* enojado(a)
contrarier *v. tr.* contrariar
contrariété *nf.* disgusto *nm.*
contraste *nm.* contraste
contraster *v. tr.* contrastar
contrat *nm.* contrato
contravention *nf.* multa
contre *prép.* contra ; junto(a) ; por ; frente(a) • *adv.* en contra
contre-attaque *nf.* contraataque *nm.*
contrebalancer *v. tr.* contrabalancear
contrebande *nf.* contrabando *nm.*
contrebandier *nm.* contrabandista
contredire *v. tr.* contradecir
contrée *nf.* comarca
contrefaçon *nf.* imitación
contrefaire *v. tr.* imitar
contre-indication *nf.* contraindicación
contre-indiquer *v. tr.* contraindicar
contremaître *nm.* capataz
contrepartie *nf.* contrapartida
contrepoids *nm.* contrapeso
contre-proposition *nf.* contraoferta
contrer *v. tr.* obstaculizar
contresens *nm.* contrasentido
contretemps *nm.* contratiempo
contribuer *v. tr.* contribuir
contribution *nf.* contribución ; (*impôt*) tributo *nm.*, contribución
contrôle *nm.* control
contrôler *v. tr.* controlar, comprobar
contrôleur,-euse *nm/f.* (*finances, poste*) inspector(a) ; (*transports*) revisor(a)
contrordre *nm.* contraorden *nf.*
controverse *nf.* controversia
convaincant,-e *adj.* convincente
convaincre *v. tr.* convencer
convalescence *nf.* convalecencia
convenable *adj.* conveniente ; decente
convenance *nf.* convenencia
convenir *v. intr.* convenir ; *(décider)* acordar ; *(admettre)* reconocer • *v. impers.* ser conveniente
convention *nf.* convención ; (*accord*) convenio *nm.*
conventionnel,-elle *adj.* convencional
convergence *nf.* convergencia
convergent,-e *adj.* convergente
conversation *nf.* conversación
converser *v. intr.* conversar
conversion *nf.* conversión
convertir *v. tr.* convertir
conviction *nf.* convicción
convive *nm/f.* convidado(a)
convocation *nf.* convocatoria
convoi *nm.* (*militaire*) convoy ; (*funèbre*) cortejo ; (*ferroviaire*) tren
convoiter *v. tr.* codiciar
convoitise *nf.* codicia
convoquer *v. tr.* convocar
coopérative *nf.* cooperativa
coopérer *v. intr.* cooperar
coordination *nf.* coordinación
coordonner *v. tr.* coordinar
copie *nf.* (*reproduction*) copia ; (*feuille*) hoja, cuartilla
copier *v. tr.* copiar
copieux,-euse *adj.* abundante
copropriétaire *nm/f.* copropietario(a)
copropriété *nf.* copropiedad
coq *nm.* gallo
coque *nf. (noix, noisette)* cáscara ; (*coquillage)* berberecho *nm.* ; (*bateau*) casco *nm.*
coquelicot *nm.* amapola *nf.*
coquet,-ette *adj. et nm/f.* coquetón(a)
coquetterie *nf.* coquetería
coquillage *nm.* (*comestible*) marisco ; *(coquille)* concha *nf.*
coquille *nf. (œuf, noix, noisette)* cáscara ; *(mollusque)* concha
coquin,-e *nm/f.* pícaro(a), pillo(a)
cor *nm. (cerf)* cuerna *nf.* ; *(musique)* trompa *nf.* ; *(au pied)* callo
corail *nm.* coral
corbeau *nm.* cuervo
corbeille *nf.* cesto *nm.*, canasto *nm.*
cordage *nm.* cordaje
corde *nf.* cuerda ; (*jeu*) comba
cordial,-e *adj.* cordial
cordialité *nf.* cordialidad

cordillère *nf.* cordillera
cordon *nm.* cordón
cordonnier *nm.* zapatero
coriace *nf.* tenaz
corne *nf.* cuerno *nm.* ; asta
cornée *nf.* córnea
corneille *nf.* corneja
cornemuse *nf.* gaita
cornet *nm.* cucurucho
corniche *nf.* cornisa
cornichon *nm.* pepinillo
corporation *nf.* corporación, gremio *nm.*
corporel,-elle *adj.* corporal
corps *nm.* cuerpo
corpulence *nf.* corpulencia
correction *nf.* correción ; (*coups*) paliza *nf.*
correspondance *nf.* correspondencia, correo *nm.* ; (*transports*) enlace *nm.*, empalme *nm.*
correspondre *v. tr. et intr.* corresponder
corridor *nm.* pasillo
corrigé *nm.* corrección *nf.*
corriger *v. tr.* corregir ; (*punir*) castigar
corrompre *v. tr.* corromper
corruption *nf.* corrupción
corsage *nm.* blusa *nf.*, corpiño
corsaire *nm.* corsario
cortège *nm.* comitiva *nf.*, séquito
cortisone *nf.* cortisona
corvée *nf.* faena ; (*fig*) lata
cosmétique *nf.* cosmética
cosmonaute *nm/f.* cosmonauta
cosmopolite *adj.* cosmopolita
cosmopolitisme *nm.* cosmopolitismo
cosmos *nm.* cosmos
cossard,-e *adj.* (*fam.*) gandul(a)
cosse *nf.* vaina
cossu,-e *adj.* acomodado(a)
costume *nm.* traje
costumé,-e *adj.* disfrazado(a)
cote *nf.* (*bourse*) cotización ; (*popularité*) popularidad ; (*plan*) acotación
côte *nf.* (*pente*) cuesta ; (*mer*) costa ; (*boucherie*) chuleta ; (*de l'homme*) costilla
côté *nm.* lado ; (*du corps humain*) costado
coteau *nm.* otero, collado
côtelette *nf.* chuleta
coter *v. tr.* (*bourse*) cotizar ; (*plan*) acotar
cotisation *nf.* cotización ; cuota
cotiser *v. tr.* cotizar, pagar su cuota • *v. pr.* pagar a escote
coton *nm.* algodón
côtoyer *v. tr.* (*fréquenter*) codearse con ; (*longer*) bordear
cou *nm.* cuello
couard,-e *adj.* cobarde
couche *nf.* (*lit*) lecho *nm.* ; (*peinture*) mano ; (*bébé*) pantal *nm.* ; (*sociale*) capa, estrato *nm.*
coucher *v. tr.* acostar ; (*par écrit*) sentar • *v. pr.* (*dans un lit*) acostarse ; (*s'allonger*) tenderse, echarse
coucher *nm.* (*soleil*) ocaso, puesta *nf.*
couchette *nf.* litera
coude *nm.* codo ; (*chemin, fleuve*) recodo
coudre *v. tr.* coser
couette *nf.* (*cheveux*) coleta ; (*lit*) edredón *nm.*
coulant,-e *adj.* (*fig*) tolerante
couler *v. tr.* (*bateau*) hundirse ; (*une affaire*) arruinar ; (*quelqu'un*) cargarse • *v. intr.* (*liquide*) correr, fluir ; (*robinet*) gotear ; (*temps*) transcurrir
couleur *nf.* color *nm.*
couloir *nm.* pasillo ; (*bus*) carril
coup *nm.* golpe
coupable *adj. et nm/f.* culpable
coupe *nf.* (*pour boire*) copa ; (*cheveux, vêtement*) corte *nm.* ; (*arbre*) tala
coupe-ongles *nm. invar.* cortaúñas
coupe-papier *nm.* cortapapel
couper *v. tr.* cortar ; (*du vin*) aguar • *v. pr.* cortarse ; (*se contredire*) contradecirse
couple *nm.* (*personne, animaux*) pareja *nf.* ; (*bœufs*) yunta *nf.*
couplet *nm.* estrofa, *nf.* ; (*fig*) cantinela *nf.*
coupole *nf.* cúpula
coupon *nm.* (*tissu*) retal ; (*réponse*) cupón
coupure *nf.* (*blessure*) cortadura, corte *nm.* ; (*presse*) recorte *nm.* ; (*électricité*) apagón *nm.*, corte *nm.* ; (*argent*) billete *nm.*
cour *nf.* (*maison, école*) patio *nm.* ; (*ferme*) corral *nm.* ; (*royale*) corte ; (*justice*) tribunal *nm.*

courage *nm.* ánimo, valor
courageux,-euse *adj.* valiente
courant *nm. (électrique, air, eau)* corriente *nf.* ; *(temps)* transcurso
courbature *nf.* agujeta
courbe *nf.* curva
courber *v. tr. (plier)* encorvar, combar ; *(la tête)* inclinar ; *(bras, genou)* doblar
coureur,-euse *nm/f.* corredor(a)
courge *nf.* calabaza
courgette *nf.* calabacín *nm.*
courir *v. intr.* correr ; (*temps*) transcurrir
couronne *nf.* corona
couronner *v. tr.* (*roi*) coronar ; (*récompenser*) galardonar
courrier *nm.* correo
cours *nm. (temps, événements, fleuve, discipline intellectuelle)* curso ; *(heure d'enseignement)* clase *nf.* ; *(bourse)* cotización *nf.* ; *(avenue)* paseo
course *nf. (sports)* carrera ; *(achat pour soi)* compra ; *(achat pour autrui)* encargo *nm.* ; *(message à transmettre)* recado *nm.* ; *(taxi)* recorrido *nm.*
court,-e *adj.* corto(a)
court *nm.* pista *nf.* ; cancha *nf.*
court-circuit *nm.* cortocircuito
courtiser *v. tr.* cortejar, hacer la corte
court-métrage *nm.* cortometraje
courtois,-e *adj.* cortés
courtoisie *nf.* cortesía
cousin,-e *nm/f.* primo(a)
coussin *nm.* almohadón, cojín
coût *nm.* coste, costo
couteau *nm.* cuchillo ; (*à lame pliante*) navaja *nf.*
coûter *v. intr.* costar
coûteux,-euse *adj.* costoso(a)
coutume *nf.* costumbre, hábito *nm.*
couture *nf.* costura
couturier,-ière *nm/f.* modisto(a)
couvée *nf.* (*oiseau*) nidada ; *(poussins)* pollada ; (*fig*) familia, prole
couvent *nm.* convento
couver *v. tr.* empollar ; (*maladie*) incubar
couvercle *nm. (boîte)* tapa *nf.* ; *(cuisine)* tapadera *nf.*
couvert,-e *adj.* cubierto(a) ; (*ciel*) nublado(a) ; (*avec un vêtement)* abrigado(a) ; (*dans un lit*) arropado(a)
couvert *nm. (pour manger)* cubierto
couverture *nf.* (*lit*) manta ; *(magazine)* portada ; *(sociale)* protección ; *(pour dissimuler)* cobertura
couveuse *nf. (appareil)* incubadora ; (poule) clueca
couvre-lit *nm.* colcha *nf.*
couvrir *v. tr.* cubrir ; *(habiller)* abrigar ; *(un récipient)* tapar ; (un *livre)* forrar, *(une distance)* recorrer • *v. pr. (ciel)* nublarse
crabe *nm.* cangrejo
cracher *v. tr.* escupir
crachin *nm.* llovizna *nf.*
craie *nf. (pour écrire)* tiza
craindre *v. tr.* temer
crainte *nf.* temor *nm.*
craintif,-ive *adj.* temeroso(a)
crampe *nf.* calambre *nm.*
cran *nm.* (*encoche*) muesca *nf.* ; (*ceinture*) agujero ; (*courage*) arrojo
crâne *nm.* cráneo
crâner *v. intr.* fanfarronear
crâneur,-euse *adj. et nm/f.* fanfarrón(a)
crapaud *nm.* sapo
crapule *nf.* granujada
craqueler *v. tr.* agrietar
craquement *nm.* crujido
craquer *v. intr.* (*grincer*) crujir ; (*se briser*) romperse
crasseux,-euse *adj.* roñoso(a)
cratère *nm.* cráter
cravache *nf.* fusta
cravate *nf.* corbata
crayon *nm.* lápiz
crayon-feutre *nm.* rotulador
créance *nf.* crédito *nm.*
création *nf.* creación
créature *nf.* criatura
crèche *nf.* guardería infantil ; *(Noël)* belén *nm.*
crédit *nm.* crédito
crédule *adj.* crédulo(a)
crédulité *nf.* credulidad
créer *v. tr.* crear ; generar

crémaillère *nf.* cremallera
crème *nf.* *(du lait)* nata ; *(entremets)* natilla ; (*cosmétique*) crema
crèmerie *nf.* lechería
crémier,-ière *nm/f.* lechero(a)
créneau *nm.* (*château*) almena *nf.* ; (*secteur*) segmento
crépi *nm.* enlucido
crépir *v. tr.* enlucir
crépitement *nm.* chisporroteo
crépu,-ue *adj.* crespo(a)
crépuscule *nm.* crepúsculo
cresson *nm.* berro
crête *nf.* cresta
crétin,-e *adj. et nm/f.* cretino(a)
creuser *v. tr.* cavar, excavar
creux,-euse *adj.* hueco(a) ; (*yeux, joues*) hundido(a)
creux *nm.* hueco
crevaison *nf.* pinchazo *nm.*
crevasse *nf.* grieta
crever *v. tr.* reventar ; *(pneu)* pinchar • *v. intr.* *(de faim, soif, rage)* morirse de ; (*mourir*) palmar
crevette *nf.* *(grise)* quisquilla ; *(rose)* gamba
cri *nm.* grito
criant,-e *adj.* escandaloso(a)
cribler *v. tr.* cribar ; *(fig)* acribillar
cric *nm.* gato
crier *v. tr. et intr.* gritar, chillar
crime *nm.* crimen
criminalité *nf.* criminalidad
criminel,-elle *adj. et nm/f.* criminal
crin *nm.* crin, cerda *nf.*
crinière *nf.* *(cheveux)* melena ; (*cheval*) crines *nmpl.*
crique *nf.* cala
criquet *nm.* langosta *nf.*
crise *nf.* crisis ; *(cœur, foie, nerfs)* ataque *nm.*
crisser *v. intr.* crujir
cristal *nm.* cristal
critère *nm.* criterio
critique *nf.* crítica
critiquer *v. tr.* criticar
croche-pied *nm.* zancadilla *nf.*
crocheter *v. tr.* forzar ; *(tricoter)* hacer ganchillo
crochu,-e *adj.* ganchudo(a)
crocodile *nm.* cocodrilo
croire *v. tr. et intr.* creer
croisade *nf.* cruzada
croisement *nm.* cruce
croiser *v. tr.* cruzar
croiseur *nm.* crucero
croisière *nf.* crucero *nm.*
croissance *nf.* crecimiento, incremento
croître *v. intr.* crecer ; (*fig*) desarrollarse
croix *nf.* cruz
croquer *v. tr.* comer ; (*dessiner*) bocetar
croquis *nm.* bosquejo
crosse *nf.* (*de fusil*) culata ; *(d'évêque)* báculo *nm.*
crouler *v. intr.* hundirse ; desplomarse
croupe *nf.* grupa
croupir *v. intr.* estancarse ; (*fig*) sumirse
croustillant,-e *adj.* crujiente ; (*grivois*) verde
croûte *nf.* *(pain)* corteza ; (*blessure*) costra
croyance *nf.* creencia
croyant,-e *nm/f.* creyente
cru *nm.* caldo
cru,-e *adj.* crudo(a)
cruauté *nf.* crueldad
crucifix *nm.* crucifijo
cruel,-elle *adj.* cruel
crustacé *nm.* crustáceo
Cuba *n. prop.* Cuba
cube *nm.* cubo
cueillette *nf.* cosecha, recolección
cueillir *v. tr.* recoger, coger
cuiller, cuillère *nf.* cuchara
cuillerée *nf.* cucharada
cuir *nm.* cuero ; piel
cuirasse *nf.* coraza
cuire *v. tr.* cocer
cuisine *nf.* cocina
cuisiner *v. tr. et intr.* cocinar, guisar
cuisinier,-ière *nm/f.* cocinero(a) • *nf.* (*appareil*) cocina
cuisse *nf.* muslo *nm.*
cuisson *nf.* cocción
cuivre *nm.* cobre
culbute *nf.* voltereta
cul-de-sac *nm.* callejón sin salida

culinaire *adj.* culinario(a)
culminant,-e *adj.* culminante
culminer *v. intr.* culminar
culpabiliser *v. tr.* culpabilizar
culpabilité *nf.* culpabilidad
culte *nm.* culto
cultivateur,-trice *nm/f.* cultivador(a)
cultiver *adj.* (*esprit*) culto(a) ; (*terre*) cultivado(a) *cultiver* • *v. tr.* cultivar
culture *nf. (esprit)* cultura ; *(terre)* cultivo *nm.*
cumul *nm.* cúmulo ; *(d'emplois)* pluriempleo
cumuler *v. tr.* acumular
cupide *adj.* codicioso(a)
cupidité *nf.* codicia
cure *nf.* cura
curé *nm.* cura
cure-dent *nm.* palillo
curer *v. tr.* mondar, limpiar
curieux,-se *adj.* curioso(a) ; (*étrange*) extraño(a)
curiosité *nf.* curiosidad
curriculum vitae *nm.* historial personal
cutané,-e *adj.* cutáneo(a)
cuve *nf.* cuba, tinaja
cuvette *nf.* palangana ; *(w.c.)* taza
cycle *nm.* ciclo ; bicicleta *nf.*
cyclisme *nm.* ciclismo
cycliste *adj. et nm/f.* ciclista
cyclone *nm.* ciclón
cygne *nm.* cisne
cylindre *nm.* cilindro
cymbale *nf.* platillo *nm.*
cynique *adj.* cínico(a)
cynisme *nm.* cinismo
cyprès *nm.* ciprés

D

d *nm. inv.* d *nf.*
dactylo *nf.* mecanógrafa
dactylographie *nf.* mecanografía
dactylographier *v. tr. et intr.* escribir a máquina
dahlia *nm.* dalia *nf.*
daigner *v. tr.* dignarse ; servirse
daim *nm.* (*animal*) gamo ; (*peau*) ante
dallage *nm.* enlosado, embaldosado
daller *v. tr.* enlosar, embaldosar
dame *nf.* dama ; señora
dame-jeanne *nf.* damajuana
damnable *adj.* condenable
damner *v. tr.* condenar
danger *nm.* peligro
dangereux,-euse *adj.* peligroso(a)
dans *prép.* en ; a, por ; dentro de
danse *nf.* baile *nm.*
danser *v. tr. et intr.* bailar
danseur,-euse *nm/f.* bailador(a) ; *(flamenco)* bailaor(a) ; (*classique*) bailarín(a)
dare-dare *loc. adv.* de prisa
darne *nf.* rodaja
date *nf.* fecha
dater *v. tr.* fechar, datar
dation *nf.* dación
datte *nf.* dátil *nm.*
dauphin *nm.* delfín
davantage *adv.* más
de *prép.* de ; a ; para ; con ; por
dé *nm.* (*à coudre)* dedal ; *(jeu)* dado
déambuler *v. intr.* deambular
débâcle *nf.* (*dégel*) deshielo *nm. ; (fig.)* desastre *nm.* ; ruina *nf.*
déballage *nm.* desembalaje ; *(fig.)* confesión
déballer *v. tr.* desembalar ; *(fig.)* soltar
débandade *nf.* desbandada
débarcadère *nm.* desembarcadero, muelle ; (*gare*) descargadero
débardeur *nm.* descargador ; *(vêtement)* camiseta *nf.*
débarquement *nm.* desembarco
débarquer *v. tr.* desembarcar
débat *nm.* debate
débattre *v. tr.* debatir, discutir
débaucher *v. tr.* despedir ; pervertir
débil,-e *adj.* débil
débit *nm.* (*vente*) venta *nf.*, despacho ; (*production*) producción *nf.* ; (*compte*) haber, débito ; (*fleuve*) caudal
débiter *v. tr.* (*vendre*) vender, despachar ; (*produire*) producir ; (*un compte*) cargar en cuenta ; (*parler vite*) soltar
débiteur,-trice *adj. et nm/f.* deudor(a)

déblayer *v. tr. (un terrain)* descombrar ; *(fig)* despejar
déblocage *nm.* desbloqueo
débloquer *v. tr.* desblocar
déboire *nm.* disgusto, desengaño
déboisement *nm.* desmonte ; (*coupe*) tala *nf.*
déboiser *v. tr.* desmontar ; (*couper*) talar
débonnaire *adj.* buenazo(a)
déborder *v. intr.* desbordarse ; (*d'un récipient) rebosar ; (de travail)* estar agobiado de trabajo
débouché *nm.* (*commerce*) salida *nf.* mercado
déboucher *v. tr.* (*dégorger*) desatascar ; (*fleuve*) desembocar ; (*bouteille*) destaponar
débourser *v. tr.* desembolsar
debout *adv.* de pie, en pie
déboutonner *v. tr.* desabrochar
débrouillard,-e *adj. et nm/f.* espabilado(a)
débrouiller (se) *v. pr.* arreglárselas
début *nm.* principio, comienzo ; (*théâtre, cinéma*) debut
débutant,-e *adj.* principiante ; (*théâtre*) debutante
débuter *v. tr.* comenzar, empezar, principiar ; (*acteur*) debutar
décadence *nf.* decadencia
décaféiné *adj. et nm.* descafeinado
décalage *nm.* diferencia *nf.*
décaler *v. tr.* desplazar
décalquer *v. tr.* calcar
décaper *v. tr.* desoxidar
décapotable *adj.* descapotable
décapsuleur *nm.* abridor de botellas
décathlon *nm.* decatlón
décéder *v. intr.* fallecer
déceler *v. tr.* descubrir, revelar
décembre *nm.* diciembre
décence *nf.* decencia, decoro *nm.*
décennie *nf.* decenio *nm.*, década
décentralisation *nf.* descentralización
décentraliser *v. tr.* descentralizar
déception *nf.* decepción
décerner *v. tr.* conceder, otorgar
décès *nm.* fallecimiento
décevoir *v. tr.* decepcionar
déchaînement *nm.* desencadenamiento
déchaîner *v. tr.* desencadenar
décharge *nf.* descarga ; (*ordures*) vertedero *nm.* ; (*justice*) descargo *nm.*
décharger *v. tr.* descargar
déchéance *nf.* (*physique*) decaimiento *nm.* ; (*morale*) decadencia
déchet *nm.* desperdicio, residuo
déchirement *nm.* desgarro
déchirer *v. tr.* desgarrar, romper
déchirure *nf.* desgarrón *nm.*, rasgón *nm.*
déchoir *v. intr.* decaer, venir a menos
décider *v. tr.* decidir, acordar
décimal,-e *adj.* decimal
décimer *v. tr.* diezmar
décisif,-ive *adj.* decisivo(a)
décision *nf.* decioión
déclaration *nf.* déclaración
déclarer *v. tr.* declarar
déclasser *v. tr.* desclasificar
déclenchement *nm.* disparo ; *(fig.)* desencadenamiento
déclin *nm.* decadencia *nf.*, ocaso
décliner *v. tr.* decaer, declinar ; *(invitation)* rehusar
décollage *nm.* despegue
décoller *v. intr.* despegar
décolleté *nm.* escote
décolorer *v. tr.* descolorar ; (*cheveux*) decolorar
décombres *nmpl.* escombros
décommander *v. tr.* cancelar, anular
décomposer *v. tr.* descomponer ; *(fig.)* disgregar
décomposition *nf.* descomposición
déconcertant,-e *adj.* desconcertante
déconcerter *v. tr.* desconcertar
décongeler *v. tr.* descongelar
déconseiller *v. tr.* desaconsejar
décontracter *v. tr.* relajar
décontraction *nf.* relajación
déconvenue *nf.* desengaño *nm.*
décor *nm.* decorado
décorateur,-trice *nm/f.* decorador(a)
décoration *nf.* decoración ; (*médaille*) condecoración
décorer *v. tr.* decorar ; condecorar
décortiquer *v. tr.* descortezar ; *(fig.)* desmenuzar

découler *v. intr. (fig.)* desprenderse
découper *v. tr.* recortar ; (*viande*) trinchar
découragement *nm.* desaliento
décourager *v. tr.* desalentar
découvert,-e *adj.* descubierto(a) ; (*ciel*) despejado(a)
découverte *nf.* descubrimiento *nm.*
découvrir *v. tr.* descubrir ; destapar
décréter *v. tr.* decretar, ordenar
décrire *v. tr.* describir
décrocher *v. tr.* descolgar ; (*obtenir*) conseguir
décroître *v. intr.* decrecer, disminuir
dédaigner *v. tr.* desdeñar, despreciar
dédaigneux,-euse *adj.* desdeñoso(a)
dédain *nm.* desdén, desprecio
dedans *adv.* dentro ; adentro
dédicace *nf.* dedicatoria
dédicacer, dédier *v. tr.* dedicar
dédire *v. pr.* retractarse
dédommagement *nm.* indemnización *nf.*
dédommager *v. tr.* indemnizar
déduction *nf.* deducción, descuento *nm.*
déduire *v. tr.* deducir, descontar
déesse *nf.* diosa
défaillance *nf.* desmayo *nm.* ; fallo *nm.* debilidad
défaillir *v. intr.* desmayarse ; (*mémoire*) fallar
défaire *v. tr.* deshacer
défaite *nf.* derrota, fracaso *nm.*
défaut *nm.* defecto ; (*manque*) falta *nf.*
défavorable *adj.* desfavorable
défection *nf.* defección
défendre *v. tr.* defender ; (*interdire*) prohibir
défense *nf.* defensa ; prohibición
défenseur *nm.* defensor
déférence *nf.* deferencia
défi *nm.* desafío, reto
déficit *nm.* déficit
défier *v. tr.* desafiar
défigurer *v. tr.* desfigurar
défilé *nm.* desfile ; (*montagne*) desfiladero
défiler *v. intr.* desfilar
définir *v. tr.* definir
définitif,-ive *adj.* definitivo(a)
déflagration *nf.* deflagración
déflorer *v. tr.* desflorar
défoncer *v. tr.* hundir
déformation *nf.* deformación
déformer *v. tr.* deformar
défoulement *nm.* liberación *nf.*
défouler *v. tr.* liberar
défroisser *v. tr.* desarrugar
défunt,-e *adj. et nm/f.* difunto(a)
dégager *v. tr.* (*délivrer*) liberar ; (*sa parole*) retirar ; (*le passage*) despejar ; (*une idée*) extraer • *v. pr.* (*émaner*) desprenderse ; (*ciel*) despejarse
dégarnir *v. tr.* desguarnecer ; vaciar
dégât *nm.* estrago, daño
dégel *nm.* deshielo, descongelación *nf.*
dégeler *v. tr.* deshelar, descongelar
dégénérer *v. intr.* degenerar
dégonfler *v. tr.* deshinchar
dégourdir *v. tr.* (*un membre*) desentumecer ; (*une personne*) espabilar ; (*eau*) entibiar
dégoût *nm.* (*physique*) asco ; (*moral*) hastío
dégoûter *v. tr.* (*physique*) dar asco ; (*moral*) hastiar
dégrader *v. tr.* degradar
dégrafer *v. tr.* desabrochar
degré *nm.* grado ; (*marche*) peldaño
dégressif,-ive *adj.* decreciente
dégringoler *v. intr.* (*fam.*) caer rodando ; (*fig.*) venirse abajo
dégriser *v. tr.* desembriagar ; (*fig.*) desilusionar
dégrossir *v. tr.* desbastar
déguenillé,-e *adj.* haraposo(a)
déguiser *v. tr.* disfrazar
déguster *v. tr.* saborear ; (*vin*) catar
dehors *adv.* fuera ; afuera
déjà *adv.* ya
déjeuner *nm.* comida *nf.*, almuerzo
déjeuner *v. intr.* comer, almorzar
déjouer *v. tr.* frustrar
délabrement *nm.* deterioro, ruina *nf.*
délai *nm.* plazo, término ; (*retard*) demora *nf.*
délaisser *v. tr.* abandonar
délasser *v. tr.* descansar ; distraer
délation *nf.* delación
délaver *v. tr.* deslavar
délayer *v. tr.* diluir

délecter (se) *v. pr.* deleitarse
délégation *nf.* delegación
déléguer *v. tr.* delegar
délibération *nf.* deliberación
délibérer *v. intr.* deliberar
délicat,-e *adj.* delicado(a)
délicatesse *nf.* delicadeza
délicieux,-euse *adj.* delicioso(a) ; (*personne*) encantador(a) ; (*au goût*) rico(a)
délier *v. tr.* desatar ; *(fig.)* desligar
délimitation *nf.* delimitación
délimiter *v. tr.* delimitar
délinquance *nf.* delincuencia
délinquant,-e *nm/f.* delincuente
délire *nm.* delirio
délirer *v. intr.* delirar, desvariar
délit *nm.* delito
délivrance *nf.* liberación ; *(soulagement)* alivio *nm.* ; *(d'un document)* expedición ; *(d'un permis)* concesión
délivrer *v. tr.* liberar, libertar ; (*document*) expedir ; (*permis*) ; conceder ; (*reçu*) dar
déloger *v. tr.* desalojar • *v. intr.* *(s'en aller)* irse
déloyal,-e *adj.* desleal
déluge *nm.* diluvio
démagogie *nf.* demagogia
démagogue *nm.* demagogo
demain *adv.* mañana
demande *nf.* (*renseignements*) petición, ruego *nm.* ; (*question*) pregunta ; (*service, emploi*) solicitud ; (*commande*) pedido *nm.* ; (*économie*) demanda
demander *v. tr.* (renseignement) pedir ; *(question)* preguntar ; (exiger) pedir
démanteler *v. tr.* desmantelar
démaquillant *nm.* desmaquillador
démaquiller *v. tr.* desmaquillar
démarche *nf.* (*allure*) andares *nmpl.* ; (*administrative*) gestión, trámite *nm.*
démarrage *nm.* (*voiture*) arranque ; *(fig.)* comienzo
démarrer *v. tr. et intr.* arrancar
démasquer *v. tr.* desenmascarar
démêler *v. tr.* desenredar ; distinguir
déménagement *nm.* mudanza *nf.*
déménager *v. tr.* mudar • *v. intr.* mudarse
démence *nf.* demencia
démener (se) *v. pr. (fig.)* ajetrearse
dément,-e *adj. et nm/f.* demente
démenti *nm.* mentis
démentir *v. tr. et intr.* desmentir
démettre *v. tr.* destituir • *v. pr. (d'une fonction*) dimitir ; (*une articulation*) dislocarse
demeure *nf. (logement)* vivienda, residencia
demeurer *v. intr. (habiter)* vivir ; (*rester*) permanecer
demi,-e *adj.* medio(a) • *adv.* medio • *nm.* (*de bière*) caña *nf.*
demi-pension *nf.* media pensión
démission *nf.* dimisión
démissionner *v. intr.* dimitir
demi-tarif *nm.* media tarifa *nf.*
demi-tour *nm.* media vuelta *nf.*
démobiliser *v tr.* desmovilizar
démocrate *adj. et nm/f.* demócrata
démocratie *nf.* democracia
démocratiser *v. tr.* democratizar
démodé,-ée *adj.* pasado(a) de moda
démoder (se) *v. pr.* pasar de moda
démographie *nf.* demografía
demoiselle *nf.* señorita ; (*célibataire*) soltera
démolir *v. tr.* echar abajo, derribar, arruinar, echar por tierra
démon *nm.* demonio
démonstratif,-ive *adj.* demostrativo(a)
démonstration *nf.* demostración
démonter *v. tr.* desmontar ; *(fig.)* desconcertar
démontrer *v. tr.* demostrar
démoraliser *v. tr.* desmoralizar
démunir *v. tr.* despojar
dénationaliser *v. tr.* desnacionalizar
dénaturer *v. tr.* adulterar
dénégation *nf.* denegación
dénier *v. tr.* denegar, negar
dénigrer *v. tr.* denigrar
dénivellation *nf.* desnivel *nm.*
dénombrer *v. tr.* empadronar
dénomination *nf.* denominación
dénoncer *v. tr.* denunciar ; *(fig.)* revelar
dénonciation *nf.* denuncia, (*contrat*) anulación
dénouement *nm.* desenlace
denrée *nf.* producto *nm.* ; mercancía
dense *adj.* denso(a)
densité *nf.* densidad

dent *nf.* diente *nm.*, muela
dentelle *nf.* encaje *nm.*, puntilla
dentier *nm.* dentadura postiza *nf.*
dentifrice *nm.* crema dental *nf.*, dentífrico
dentiste *nm/f.* dentista
dénuement *nm.* indigencia *nf.*
déodorant *nm.* desodorante
dépannage *nm.* reparación *nf.*
dépanner *v. tr.* reparar ; *(fig.)* ayudar
dépanneuse *nf.* grúa
départ *nm.* salida *nf.* ; partida *nf.*
département *nm.* departamento ; (*administr., entreprise*) sección *nf.*, servicio
dépasser *v. tr.* rebasar ; (*voiture*) adelantar
dépêche *nf.* despacho *nm.*, parte *nm.*
dépêcher (se) *v. pr.* darse prisa
dépeigner *v. tr.* despeinar
dépeindre *v. tr.* describir
dépendance *nf.* dependencia
dépendant,-e *adj.* dependiente
dépendre *v. intr.* depender
dépense *nf.* gasto *nm.*
dépenser *v. tr.* gastar ; derrochar
dépérir *v. intr.* decaer
dépeuplement *nm.* despoblación *nf.*
dépeupler *v. tr.* despoblar
dépilation *nf.* depilación
dépiler *v. tr.* depilar
dépistage *nm.* detección *nf.*
dépister *v. tr.* diagnosticar
déplacement *nm.* viaje
déplacer *v. tr.* desplazar • *v. pr.* trasladarse
déplaire *v. intr.* disgustar
déplaisant,-e *adj.* desagradable
déplaisir *nm.* disgusto, desagrado
déplier *v. tr.* desplegar, desdoblar
déploiement *nm.* despliegue
déplorer *v. tr.* lamentar
déployer *v. tr.* desplegar ; *(fig.)* mostrar
déposer *v. tr.* depositar ; (*brevet*) registrar ; (*destituer*) destituir
déposition *nf.* deposición, declaración
déposséder *v. tr.* desposeer
dépôt *nm.* depósito ; (*entrepôt*) almacén ; (*de liquide*) poso
dépotoir *nm.* basurero
dépouillement *nm.* (*des voix*) escrutinio, recuento *(fig.)* renunciación *nf.*
dépouiller *v. tr.* hacer el escrutinio ; (*document*) examinar
dépourvu,-e *adj.* desprovisto(a)
dépoussiérer *v. tr.* quitar el polvo
déprécier *v. tr.* infravalorar
dépression *nf.* depresión
déprimer *v. intr.* deprimir
depuis *prép.* desde ; desde hace • *adv.* desde entonces, después
député *nm.* diputado
déraciner *v. tr.* desarraigar
déraillement *nm.* descarrilamiento
dérailler *v. intr.* descarrilar ; *(fam.)*, desvariar
dérangement *nm.* desorden ; (*gêne*) molestia *nf.*
déranger *v. tr.* desordenar ; (*gêner*) molestar
déraper *v. intr.* resbalar ; (*prix*) dispararse
dérèglement *nm.* desorden ; (*moral*) desenfreno
dérégler *v. tr.* desarreglar
dérision *nf.* irrisión
dérisoire *adj.* irrisorio(a)
dérive *nf.* deriva
dermatologue *nm/f.* dermatólogo
dernier,-ière *adj.* último(a), pasado(a)
dérober *v. tr.* robar
dérogation *nf.* derogación
déroger *v. intr.* derogar
déroulement *nm.* desarrollo
dérouler *v. tr.* desenrollar • *v. pr.* celebrarse, tener lugar
derrière *prép.* detrás de, tras • *adv.* detrás
dès *prép.* desde • *loc. conj.* *dès que* en cuanto
désaccord *nm.* desacuerdo
désagréable *adj.* desagradable
désagrément *nm.* disgusto
désaltérer *v. tr.* refrescar • *v. pr.* beber
désappointement *nm.* desengaño
désapprobation *nf.* desaprobación
désapprouver *v. tr.* desaprobar
désarmement *nm.* desarme
désarmer *v. tr.* desarmar
désarroi *nm.* desconcierto, desasosiego
désastre *nm.* desastre
désastreux,-euse *adj.* desastroso(a)
désavantage *nm.* desventaja *nf.*
désavantager *v. tr.* perjudicar
désaveu *nm.* desaprobación *nf.*

descendance *nf.* descendencia
descendant,-e *adj. et nm/f.* descendiente
descendre *v. intr.* bajar, bajarse ; *(se loger)* alojarse ; (*famille*) descender
descente *nf.* bajada ; descenso *nm.*
description *nf.* descripción
désemparer *v. tr.* desamparar
désenchantement *nm.* desengaño
désenfler *v. intr.* deshinchar, desinflar
déséquilibre *nm.* desequilibrio
déséquilibrer *v. tr.* desequilibrar
désert,-e *adj. et nm/f.* desierto(a)
déserter *v. tr.* abandonar, dejar
désertique *adj.* desértico(a)
désespérant,-e *adj.* desesperante
désespérer *v. tr. et intr.* desesperar
désespoir *nm.* desesperación *nf.*
déshabiller *v. tr.* desnudar
déshériter *v. tr.* desheredar
déshonneur *nm.* deshonora *nf.*, deshonor
désignation *nf.* designación
désigner *v. tr.* designar
désillusion *nf.* desengaño *nm.*
désinfectant *nm.* desinfectante
désinfecter *v. tr.* desinfectar
désintéresser (se) *v. pr.* desinteresarse
désintérêt *nm.* desinterés
désinvolte *adj.* desenvuelto(a)
désinvolture *nf.* desenvoltura
désir *nm.* deseo ; anhelo
désirable *adj.* deseable
désirer *v. tr.* desear, anhelar
désobéir *v. intr.* desobedecer
désobéissant,-e *adj.* desobediente
désœuvré,-e *adj.* ocioso(a)
désolant,-e *adj.* desolador(a)
désolation *nf.* desolación
désoler (se) *v. pr.* afligirse
désordonner *v. tr.* desordenar
désordre *nm.* desorden, disturbio
désorienter *v. tr.* desorientar
désormais *adv.* en adelante
dessécher *v. tr.* resecar
dessein *nm.* propósito
desserrer *v. tr.* aflojar, soltar
dessert *nm.* postre
desservir *v. tr.* quitar la mesa ; (*transports*) poner en comunicación ; *(faire tort)* perjudicar
dessin *nm.* dibujo, diseño
dessinateur,-trice *nm/f.* dibujante, diseñador(a)
dessiner *v. tr.* dibujar, diseñar
dessous *adv.* abajo, debajo • *nm.* fondo • *nmpl.* ropa interior *nf.* ; *(d'une affaire)* intríngulis *nm. inv.*
dessus *adv.* encima, arriba • *nm.* parte superior *nf.* ; *(avantage)* ventaja *nf.*
dessus-de-lit *nm.* colcha *nf.*
destin *nm.* destino
destinataire *nm/f.* destinatario(a)
destination *nf.* destino *nm.*
destiner *v. tr.* destinar
destitution *nf.* destitución
destruction *nf.* destrucción
désunir *v. tr.* desunir, separar
détachant *nm.* quitamanchas
détachement *nm.* *(fonctionnaire)* destino provisional ; *(indifférence)* desapego
détacher *v. tr.* soltar ; *(fonctionnaire)* destinar ; (*nettoyer*) quitar las manchas • *v. pr.* desapegarse
détail *nm.* detalle, pormenor
détaillant,-e *nm/f.* detallista
détailler *v. tr.* vender al por menor, pormenorizar
détective *nm.* detective
détendre *v. tr.* aflojar ; (*personne*) relajar
détente *nf.* (*arme*) gatillo *nm.* ; (*politique*) distensión ; (*sports*) resorte *nm.* ; (*loisirs*) ocio *nm.*
détention *nf.* detención
détenu,-ue *adj. et nm/f.* preso(a)
détergent *nm.* detergente
détérioration *nf.* deterioro *nm.*
détériorer *v. tr.* estropear
détermination *nf.* determinación
déterminer *v. tr.* determinar
déterrer *v. tr.* desenterrar
détester *v. tr.* aborrecer, odiar
détour *nm.* rodeo *nm.* ; *(courbe)* vuelta *nf.*, recodo ; *(fig.)* recoveco
détournement *nm.* desvío ; *(avion)* secuestro ; *(fonds)* malversación *nf.* *(mineur)* corrupción *nf.*

détourner *v. tr.* desviar ; (*avion*) secuestrar ; (*fonds*) malversar ; (*mineur*) corromper ; (*regard*) apartar • *v. pr.* abandonar
détresse *nf.* angustia, apuro *nm.*
détriment *nm.* perjuicio
détritus *nm.* basura *nf.*
détroit *nm.* estrecho
détrôner *v. tr.* destronar
détruire *v. tr.* destruir, destrozar
dette *nf.* deuda
deuil *nm.* (*chagrin*) duelo ; (*vêtement*) luto
deux *adj. et nm. inv.* dos
deuxième *adj. et nm/f.* segundo(a)
deuxièmement *adv.* segundo
dévaler *v. tr.* bajar • *v. intr.* rodar cuesta abajo
dévaliser *v. tr.* desvalijar
dévaloriser *v. tr.* desvalorizar
dévaluation *nf.* devaluación
devancer *v. tr.* preceder, adelantar
devant *prép.* delante de, ante • *adv.* delante
devanture *nf.* escaparate *nm.*
dévaster *v. tr.* asolar
développement *nm.* desarrollo ; (*augmentation*) incremento
développer *v. tr.* desarrollar ; (*augmenter*) incrementar
devenir *v. intr. (avec adjectif)* ponerse ; *(avec adjectif ou nom)* volverse
déverser *v. tr.* verter, derramar
déviation *nf.* desviación, desvío *nm.*
deviner *v. tr.* adivinar
devinette *nf.* adivinanza
devis *nm.* presupuesto
dévisager *v. tr.* mirar de hito en hito
devise *nf.* divisa
devoir *v. tr. (argent, morale) deber ; (nécessité)* tener que ; *(projet)* haber de *(supposition)* deber de
devoir *nm.* deber ; obligación *nf.*
dévorer *v. tr.* devorar
dévotion *nf.* devoción
dévoué,-e *adj.* servicial
dévouement *nm.* abnegación *nf.*
dévouer (se) *v. pr.* dedicarse
dextérité *nf.* destreza
diable *nm.* diablo, demonio
diagnostic *nm.* diagnóstico
diagnostiquer *v. tr.* diagnosticar
dialogue *nm.* diálogo
diamant *nm.* diamante
diamantaire *nm.* diamantista
diapositive *nf.* diapositiva
dictateur *nm.* dictador
dictatorial,-e *adj.* dictatorial
dictature *nf.* dictadura
dictée *nf.* dictado *nm.*
dicter *v. tr.* dictar
dictionnaire *nm.* diccionario
diète *nf.* dieta
dieu *nm.* dios
diffamation *nf.* difamación
différence *nf.* diferencia
différencier *v. tr.* diferenciar
différend *nm.* desacuerdo
différent,-e *adj.* diferente
difficulté *nf.* dificultad
difforme *adj.* deforme, disforme
diffuser *v. tr.* difundir
diffusion *nf.* difusión
digérer *v. tr.* digerir
digestif *nm.* licor
digestion *nf.* digestión
digne *adj.* digno(a)
dignité *nf.* dignidad
digue *nf.* malecón *nm.*, dique *nm.*
dilapider *v. tr.* dilapidar
dilater *v. tr.* dilatar
diluant *nm.* diluyente
dimanche *nm.* domingo
dimension *nf.* dimensión
diminuer *v. tr. et intr.* disminuir
diminution *nf.* disminución
dinde *nf.* pava
dindon *nm.* pavo
dîner *v. intr.* cenar
dîner *nm.* cena *nf.*
diocèse *nm.* diócesis *nf.*
diplomate *nm/f.* diplomático(a)
diplomatie *nf.* diplomacia
diplôme *nm.* diploma, título,
dire *v. tr.* decir
direct,-e *adj.* directo(a)
directeur,-trice *adj. et nm/f.* director(a)
direction *nf.* dirección *nm.*
dirigeant,-e *nm/f.* dirigente, directivo
diriger *v. tr.* dirigir

discipline *nf.* disciplina
discordance *nf.* disconformidad
discorde *nf.* discordia
discothèque *nf.* discoteca
discours *nm.* discurso
discréditer *v. tr.* desacreditar
discret,-ète *adj.* discreto(a)
discretion *nf.* discreción
discrimination *nf.* discriminación
discussion *nf.* discusión
discuter *v. tr.* et *intr.* discutir
disgrâce *nf.* desgracia
disparaître *v. intr.* desaparecer
disparité *nf.* disparidad
disparition *nf.* desaparición
dispensaire *nm.* ambulatorio
dispense *nf.* dispensa
dispenser *v. tr.* dispensar
disperser *v. tr.* dispersar
disponibilité *nf.* disponibilidad
disposer *v. tr.* et *intr.* disponer
dispositif *nm.* dispositivo
disposition *nf.* disposición
disproportion *nf.* desproporción
dispute *nf.* disputa, contienda
disputer (se) *v. pr.* discutir, reñir
disque *nm.* disco
disquette *nf.* disquete *nm.*
disséminer *v. tr.* diseminar
dissimulation *nf.* disimulación
dissimuler *v. tr.* disimular
dissoudre *v. tr.* disolver
dissuader *v. tr.* disuadir
dissuasif,-ive *adj.* disuasorio(a)
dissuasion *nf.* disuasión
distance *nf.* distancia
distant,-e *adj.* distante
distinguer *v. tr.* distinguir • *v. pr.* (*briller*) lucirse
distraction *nf.* distracción
distraire *v. tr.* distraer, entretener
distribuer *v. tr.* repartir
distribution *nf.* reparto *nm.*
district *nm.* distrito
dit,-e *adj.* dicho(a)
divaguer *v. intr.* divagar ; *(fig.)* desatinar
divan *nm.* sofá
divergence *nf.* divergencia
divers,-e *adj.* diverso(a)
diversifier *v. tr.* diversificar
diversité *nf.* diversidad
divertir *v. tr.* divertir, distraer
divertissement *nm.* diversión *nf.*
divin,-e *adj.* divino(a)
divinité *nf.* divinidad
diviser *v. tr.* dividir
division *nf.* división
divorce *nm.* divorcio
divorcer *v. intr.* divorciarse
dix *adj. et nm. inv.* diez
dixième *adj. et nm.* décimo(a)
dizaine *nf.* decena
docile *adj.* dócil
docilité *nf.* docilidad
docker *nm.* descargador
docteur *nm.* doctor ; médico
doctrine *nf.* doctrina
document *nm.* documento
dogme *nm.* dogma
doigt *nm.* dedo
dollar *nm.* dólar
domaine *nm.* (*rural*) finca *nf.* ; (*secteur*) campo, ámbito, sector ; (*compétence*) competencia *nf.*
domestique *adj.* doméstico(a) • *nm/f.* criado(a)
domicile *nm.* domicilio
dominant,-e *adj.* dominante
dominateur,-trice *adj.* dominador(a)
domination *nf.* dominación
dominer *v. tr. et intr.* dominar
dommage *nm.* daño, perjuicio ; *(exclam.)* lástima *nf.*
domptage *nm.* doma *nf.*
dompter *v. tr.* domar
don *nm.* donativo ; *(sang)* donación *nf.* ; *(aptitude)* dote
donc *conj.* pues
donnée *nf.* dato *nm.*
donner *v. tr.* dar
dont *pron. rel.* cuyo (a, os, as) ; del (de la, de los, de las) ; de quien(es)
dopage *nm.* dopaje
dorade *nf.* besugo *nm.*, dorada
dorénavant *adv.* desde ahora, en adelante
dorer *v. tr.* dorar, tostar
dorloter *v. tr.* mimar

dormeur,-euse *nm/f.* dormilón(a)
dormir *v. intr.* dormir
dos *nm.* espalda ; *nf.* (*document* ; *main*) dorso ; (siège) respaldo ; *(animal)* lomo
dose *nf.* dosis
dossier *nm.* (*documents*) expediente (*chemise*) carpeta *nf.* ; (*siège*) respaldo
doter *v. tr.* dotar
douane *nf.* aduana
douanier,-ière *adj. et nm/f.* aduanero(a)
doubler *v. tr.* duplicar ; *(vêtement)* forrar ; *(passer devant)* adelantar ; *(une classe)* repetir
doucement *adv. (contact)* suavemente ; *(lentement)* despacio ; *(à voix basse)* bajo
douceur *nf. (saveur)* dulzura ; *(contact)* suavidad • *nfpl.* golosinas
douche *nf.* ducha
doué,-e *adj.* dotado(a)
douleur *nf.* dolor *nm.*
douloureux,-euse *adj.* doloroso(a)
doute *nm.* duda *nf.*
douter *v. tr. et intr.* dudar • *v. pr.* sospechar
doux, douce *adj. (goût)* dulce ; *(contact)* suave ; (*agréable*) grato(a)
douzaine *nf.* docena
douze *adj. et nm. inv.* doce
doyen,-enne *nm/f.* decano(a)
dragée *nf.* peladilla
dramatique *adj.* dramático(a)
dramatiser *v. tr.* dramatizar
drame *nm.* drama
drap *nm.* sábana *nf.*
drapeau *nm.* bandera *nf.*
dressage *nm.* amaestramiento
dresser *v. tr. (mettre droit)* enderezar ; (*élever*) levantar ; *(la table)* poner ; (*un acte)* levantar ; *(un animal)* amaestrar
dribbler *v. intr.* regatear
drogue *nf.* droga
drogué,-e *adj.* drogadicto(a) • *nm/f.* *(fam.)* drogata
droit *nm.* derecho
droite *nf.* derecha
droit,-e *adj.* derecho(a)
droiture *nf.* rectitud
drôle *adj.* divertido(a), gracioso(a)
dru,-e *adj.* espeso(a) ; *(pluie)* recio(a)
dualisme *nm.* dualismo
dualité *nf.* dualidad
duc *nm.* duque
duchesse *nf.* duquesa
duel *nm.* duelo
dune *nf.* duna
duo *nm.* dúo
dupe *adj.* engañado(a)
duper *v. tr.* embaucar, engañar
duperie *nf.* engaño *nm.*
duplex *nm.* dúplex
duplicata *nm.* duplicado
duplicité *nf.* duplicidad
duquel *pron. rel.* del cual
dur,-e *adj.* duro(a)
durable *adj.* duradero(a)
durant *prép.* durante
durcir *v. tr.* endurecer
durcissement *nm.* endurecimiento
durée *nf.* duración
durer *v. intr.* durar
dureté *nf.* dureza
dynamisme *nm.* dinamismo
dynastie *nf.* dinastía

E

e *nm. inv.* e *nf.*
eau *nf.* agua
ébahir *v. tr.* asombrar • *v. pr.* pasmarse
ébahissement *nm.* asombro
ébattre (s') *v. pr.* retozar
ébaucher *v. tr.* esbozar, bosquejar
ébène *nf.* ébano *nm.*
ébéniste *nm.* ebanista
éblouissant,-e *adj.* deslumbrador(a) ; *(fig)* resplandeciente
éblouissement *nm.* deslumbramiento
éboulement *nm.* derrumbamiento
ébouriffer *v. tr.* desgreñar
ébranler *v. tr.* estremecer ; *(fig)* quebrantar
ébrécher *v. tr.* desportillar, mellar
ébriété *nf.* embriaguez
ébruiter *v. tr.* propalar, divulgar
écart *nm.* diferencia *nf.* ; (*de conduite*) descarrío
écarter *v. tr.* apartar, abrir ; (*possibilité*) descartar
échafaudage *nm.* andamio
échafauder *v. tr.* echar las bases de • *v. intr.* levantar un andamio
échancrure *nf.* escote *nm.*
échange *nm.* intercambio ; canje
échanger *v. tr.* intercambiar ; canjear
échantillon *nm.* muestra *nf.*
échapper *v. intr.* escapar, escaparse
écharpe *nf.* bufanda
échéance *nf.* *(date de paiement)* vencimiento *nm.* ; *(délai)* plazo *nm.*
échéancier *nm.* registro de vencimientos
échéant (le cas) si llega el caso
échec *nm.* fracaso • *nmpl.* (*jeu*) ajedrez *nm/sing.*
échelle *nf.* escalera de mano ; *(fig)* escala
échelon *nm.* escalón ; *(fig)* escala
échelonner *v. tr.* escalonar, espaciar
échiquier *nm.* tablero, damero
écho *nm.* eco
échouer *v. tr.* fracasar ; (*examen*) ser suspendido ; (*bateau*) varar
éclabousser *v. tr.* salpicar
éclair *nm.* relámpago ; (*de génie*) chispa *nf.*
éclairage *nm.* alumbrado ; *(fig)* enfoque
éclairer *v. tr.* alumbrar ; *(fig)* aclarar
éclat *nm.* pedazo ; *(de verre)* casco ; *(de bois)* astilla *nf.* ; (*lueur*) brillo ; *(de rire)* carcajada *nf.*
éclatant,-e *adj.* brillante ; *(voix, son)* estruendoso(a) ; (*manifeste*) notorio(a)
éclater *v. intr.* estallar ; brillar ; (*colère*) reventar ; (*sanglots, rire*) prorrumpir en
éclipser *v. tr.* eclipsar
écœurant,-e *adj.* repugnante
école *nf.* escuela ; academia
écolier,-ère *nm/f.* colegial(a)
écologie *nf.* ecología
écologique *adj.* ecológico(a)
écologiste *nm/f.* ecologista
économat *nm.* economato
économie *nf.* economía ; ahorro *nm.*
écorce *nf.* corteza
écorcher (s') *v. pr.* arañarse
écot *nm.* cuota *nf.*, escote
écoulement *nm.* derrame ; *(eaux)* desagüe ; *(commerce)* salida *nf.* ; *(temps)* transcurso
écouler *v. tr.* vender • *v. pr.* *(liquides)* correr ; *(temps)* pasar ; *(commerce)* venderse
écoute *nf.* escucha
écouteur *nm.* *(téléphone)* auricular
écran *nm.* pantalla *nf.*
écrasant,-e *adj.* abrumador(a)
écraser *v. tr.* aplastar ; (*quelqu'un*) atropellar ; *(de travail)* agobiar • *v. pr.* estrellar
écrémer *v. tr.* desnatar, descremar
écrevisse *nf.* cangrejo de río *nm.*
écrier (s') *v. pr.* exclamar
écrire *v. tr.* escribir
écriteau *nm.* letrero
écriture *nf.* letra ; escritura
écrivain *nm.* escritor(a)
écroulement *nm.* derrumbamiento
écrouler (s') *v. pr.* hundirse
écu *nm.* escudo

écueil *nm.* escollo
écume *nf.* espuma
écureuil *nm.* ardilla *nf.*
écurie *nf.* cuadra, caballeriza
écusson *nm.* emblema, escudo
écuyer *nm.* jinete
écuyère *nf.* amazona
édenté,-e *adj.* desdentado(a)
édifiant,-e *adj.* edificante
édifice *nm.* edificio
édifier *v. tr.* edificar
édit *nm.* edicto
éditeur,-trice *nm/f.* editor(a)
édition *nf.* edición
éducateur,-trice *nm/f.* educador(a)
éducatif,-ive *adj.* educativo(a)
éducation *nf.* educación
édulcorant *nm.* edulcorante
éduquer *v. tr.* educar
effacer *v. tr.* borrar
effectuer *v. tr.* efectuar
effet *nm.* efecto
efficace *adj.* eficaz, eficiente
efficacité *nf.* eficacia
effleurer *v. tr.* rozar
effluve *nm.* efluvio
effondrer (s') *v. pr.* hundirse
efforcer (s') *v. pr.* esforzarse (por)
effort *nm.* esfuerzo
effraction *nf.* efracción, fractura
effrayant,-e *adj.* espantoso(a)
effrayer *v. tr.* espantar
effriter *v. tr.* desmoronar
effroyable *adj.* espantoso(a)
effusion *nf.* efusión ; (*de sang*) derramamiento *nm.*
égaler *v. tr.* igualar
égaliser *v. intr.* (*sports*) empatar
égalité *nf.* igualdad
égard *nm.* consideración *nf.*, respeto
égarer *v. tr.* extraviar ; *(fig)* perturbar
égayer *v. tr.* alegrar, amenizar
église *nf.* iglesia
égoïsme *nm.* egoísmo
égorger *v. tr.* degollar
égout *nm.* alcantarilla *nf.*, cloaca *nf.*
égratigner *v. tr.* arañar
élaboration *nf.* elaboración
élaborer *v. tr.* elaborar
élan *nm.* impulso, arranque
élancé,-e *adj.* esbelto(a)
élancement *nm.* punzada *nf.*
élancer *v. intr.* dar punzadas
élargir *v. tr.* ampliar, ensanchar
élargissement *nm.* ampliación *nf.*, ensanche
élastique *adj.* elástico(a) • *nm.* goma *nf.*
électeur,-trice *nm/f.* elector(a)
élection *nf.* elección, votación
électorat *nm.* electorado
électricien *nm.* electricista
électricité *nf.* electricidad
électrique *adj.* eléctrico(a)
électronique *adj. et nf.* electrónico(a)
élégance *nf.* elegancia
élégant,-e *adj. et nm/f.* elegante
élément *nm.* elemento
élémentaire *adj.* elemental
éléphant *nm.* elefante
élevage *nm.* ganadería *nf.*
élévation *nf.* elevación
élève *nm/f.* alumno(a)
élever *v. tr.* elevar, levantar ; (*animal*) criar ; (*enfant*) criar, educar ; *(voix)* alzar • *v. pr.* (*fortune*) ascender
élimination *nf.* eliminación
éliminatoire *adj.* eliminatorio(a)
éliminer *v. tr.* eliminar
élire *v. tr.* elegir
élite *nf.* élite
élocution *nf.* elocución
éloge *nm.* elogio ; encomio
élogieux,-euse *adj.* elogioso(a)
éloignement *nm.* alejamiento
éloigner *v. tr.* alejar ; (*temps*) diferir
éloquence *nf.* elocuencia
élucider *v. tr.* elucidar
éluder *v. tr.* eludir
émail *nm.* esmalte
émanation *nf.* emanación
émancipation *nf.* emancipación
émanciper *v. tr.* emancipar
émaner *v. intr.* emanar
emballage *nm.* embalaje ; (*liquides*) envase
emballer *v. tr.* embalar • *v. pr.* entusiasmarse

embarcation *nf.* embarcación
embardée *nf.* bandazo *nm.*
embarquer *v. tr.* embarcar
embarras *nm.* estorbo, obstáculo ; (*gêne*) apuro
embarrassant,-e *adj.* molesto(a)
embarrasser *v. tr.* estorbar ; *(fig)* poner en un apuro • *v. pr. (fig)* preocuparse (por)
embauche *nf.* contratación
embaucher *v. tr.* contratar
embellir *v. tr.* embellecer
embêtant,-e *adj.* fastidioso(a)
embêter *v. tr.* fastidiar • *v. pr.* aburrirse
emblème *nm.* emblema
embonpoint *nm.* gordura *nf.*
embouchure *nf.* desembocadura
embourber *v. tr.* encenagar
embouteillage *nm.* atasco, embotellamiento
emboutir *v. tr.* chocar contra
embranchement *nm.* empalme
embraser *v. tr.* abrasar ; *(fig)* iluminar
embrassade *nf.* abrazo *nm.*
embrasser *v. tr.* dar un beso ; *(étreindre)* abrazar ; *(fig)* abarcar
embrayage *nm.* embrague
embrouiller *v. tr.* enredar
embryon *nm.* embrión
embûche *nf.* trampa
embuscade *nf.* emboscada
embusquer *v. tr.* emboscar
émeraude *nf.* esmeralda
émergence *nf.* emergencia
émerger *v. intr.* emerger, surgir
émérite *adj.* emérito(a) ; *(fig)* perfecto(a)
émerveillement *nm.* maravilla *nf.*
émerveiller *v. tr.* maravillar
émettre *v. tr.* emitir
émeute *nf.* disturbio *nm.*, motín *nm.*
émigration *nf.* emigración
émigrer *v. intr.* emigrar
éminence *nf.* eminencia
éminent,-e *adj.* eminente
émission *nf.* emisión ; (*télévision*) programa *nm.*
emmêler *v. tr.* enmarañar
emménager *v. intr.* instalarse
emmener *v. tr.* llevar, llevarse
emmitoufler *v. tr.* abrigar, arropar
emmurer *v. tr.* emparedar
émoi *nm.* emoción *nf.*
émotion *nf.* emoción
émotivité *nf.* emotividad
émoulu,-e *adj. (fig)* recién salido(a)
émouvant,-e *adj.* conmovedor(a)
émouvoir *v. tr.* conmover
emparer (s') *v. pr.* apoderarse, hacersecon
empêchement *nm.* impedimento
empêcher *v. tr.* impedir • *v. pr.* pasar sin
empereur *nm.* emperador
empeser *v. tr.* almidonar
emphase *nf.* énfasis *nm.*
emphatique *adj.* enfático(a)
empiéter *v. intr.* ganar terreno
empiler *v. tr.* amontonar
empire *nm.* imperio
emplacement *nm.* ubicación *nf.*
emplir *v. tr.* llenar
emploi *nm.* empleo ; puesto de trabajo
employer *v. tr.* emplear ; utilizar
employeur,-euse *nm/f.* empresario(a)
empoigner *v. tr.* empuñar, agarrar
empoisonnement *nm.* envenenamiento
empoisonner *v. tr.* envenenar ; (*troubler*) amargar ; (*importuner*) fastidiar
emportement *nm.* arrebato
emporter *v. tr.* llevarse, llevar • *v. pr.* enfurecerse
empreinte *nf.* huella
empressement *nm.* diligencia *nf.*
empresser (s') *v. pr.* (*rapidité*) apresurarse ; (*zèle*) mostrarse solícito(a)
emprise *nf.* dominio *nm.*, influencia
emprisonnement *nm.* encarcelamiento
emprisonner *v. tr.* encarcelar
emprunt *nm.* préstamo, empréstito
emprunter *v. tr.* (*de l'argent*) pedir dinero prestado ; (*se servir*) utilizar, tomar
émulation *nf.* emulación
en *prép.* en ; a ; de
encadré *nm.* recuadro
encadrement *nm.* marco ; *(des prix)* regulación *nf.*
encadrer *v. tr.* poner marco ; *(les prix)* regular
encaissement *nm.* cobro

encaisser *v. tr.* cobrar ; *(fig) (supporter)* tragar
encart *nm.* encarte
en-cas *nm.* colación *nf.*
encastrer *v. tr.* empotrar
encaustique *nf.* cera
enceinte *nf.* recinto *nm.* • *adj. (femme)* embarazada
encens *nm.* incienso
enchaînement *nm.* encadenamiento
enchaîner *v. tr.* encadenar
enchantement *nm.* encanto
enchanter *v. tr.* encantar
enchevêtrer *v. tr.* enmarañar
enclos *nm.* cercado
enclume *nf.* yunque *nm.*
encoche *nf.* muesca
encombrant,-e *adj. (gros)* voluminoso(a) ; *(gênant)* molesto(a)
encombrer *v. tr.* abultar ; *(gêner)* estorbar
encore *adv.* aún, todavía ; *(davantage)* más
encourageant,-e *adj.* alentador(a)
encouragement *nm.* aliento, ánimo fomento
encourager *v. tr.* animar, alentar fomentar
encre *nf.* tinta
encrier *nm.* tintero
encyclopédie *nf.* enciclopedia
endettement *nm.* endeudamiento
endetter *v. tr.* endeudar
endiguer *v. tr.* encauzar
endive *nf.* endibia
endoctriner *v. tr.* adoctrinar
endommager *v. tr.* estropear, dañar
endormir *v. tr.* dormir, adormecer ; *(fig)* (*ennuyer*) dar sueño • *v. pr.* dormirse
endroit *nm.* sitio, lugar ; (*d'un tissu*) derecho ; (*d'une pièce, d'une page*) cara *nf.*
endurance *nf.* resistencia
endurcir *v. tr.* endurecer • *v. pr.* (*s'habituer*) endurecerse ; (*devenir insensible)* empedernirse
endurcissement *nm.* endurecimiento
endurer *v. tr.* soportar, aguantar
énergie *nf.* energía
énergique *adj.* enérgico(a)
énervant,-e *adj.* irritante
énervé,-e *adj.* nervioso(a)
énerver *v. tr.* poner nervioso(a)
enfance *nf.* infancia, niñez
enfant *nm/f.* niño(a) ; (*fils, fille)* hijo(a)
enfantillage *nm.* chiquillada *nf.*
enfantin,-e *adj.* infantil
enfer *nm.* infierno
enfermer *v. tr.* encerrar
enfilade *nf.* hilera
enfin *adv.* por fin
enfler *v. tr.* hinchar
enfoncer *v. tr.* hundir ; *(une porte)* derribar ; *(un clou)* clavar ; *(un piquet)* hincar
enfouir *v. tr.* enterrar
enfreindre *v. tr.* transgredir
enfuir (s') *v. pr.* huir, escapar
engagement *nm.* (*contrat*) contrata *nf.* (*obligation*) compromiso
engager *v. tr.* (*embaucher*) contratar ; (*obliger*) comprometer ; (*inciter*) animar, aconsejar ; (*la conversation*) entablar
engelure *nf.* sabañón *nm.*
englober *v. tr.* abarcar
engloutir *v. tr.* engullir, tragar
engorger *v. tr.* (*boucher*) atorar ; (*entraver*) estorbar
engouement *nm.* entusiasmo
engourdir *v. tr.* entumecer
engrais *nm.* abono, fertilizante
engraisser *v. tr.* cebar, engordar
engrenage *nm.* engranaje
énième *adj.* enésimo(a)
énigmatique *adj.* enigmático(a)
énigme *nf.* enigma *nm.*
enivrant,-e *adj.* embriagador(a)
enivrer *v. tr.* emborrachar, embriagar
enjambée *nf.* zancada
enjamber *v. tr.* franquear, salvar
enjeu *nm.* puesta *nf.* ; *(fig)* lo que está en juego
enjoliver *v. tr.* adornar
enlacer *v. tr.* abrazar
enlaidir *v. tr.* afear • *v. pr.* afearse
enlèvement *nm.* rapto, secuestro ; (*ordures*) recogida *nf.*
enlever *v. tr.* quitar ; (*un vêtement*) quitarse ; (*une personne*) secuestrar

enlisement *nm.* estancamiento
ennemi,-e *adj. et nm/f.* enemigo(a)
ennoblir *v. tr.* ennoblecer
ennui *nm.* aburrimiento, fastidio ; *(difficulté)* problema
ennuyer *v. tr.* aburrir ; *(contrarier)* fastidiar
énoncer *v. tr.* enunciar
enorgueillir (s') *v. pr.* enorgullecerse
énorme *adj.* enorme
énormité *nf.* enormidad ; *(fig)* disparate *nm.*
enquérir (s') *v. pr.* enterarse
enquête *nf.* (*sondage*) encuesta ; (*police*) investigación
enquêter *v. intr.* investigar
enraciner *v. tr.* arraigar
enrager *v. intr.* dar rabia
enrayer *v. tr.* atajar • *v. pr.* (*arme*) encasquillarse
enregistrement *nm.* (*son*) grabación *nf.* ; (*bagages*) facturación *nf.*
enregistrer *v. tr.* (*son*) grabar ; (*bagages*) facturar ; (*gain, perte*) experimentar, acusar
enrhumer (s') *v. pr.* resfriarse
enrichissement *nm.* enriquecimiento
enrichir *v. tr.* enriquecer
enrouler *v. tr.* enrollar, envolver
enseignant,-e *adj. et nm/f.* docente
enseigne *nf.* rótulo *nm.*
enseignement *nm.* enseñanza *nf.*
enseigner *v. tr.* enseñar, dar clases de
ensemble *nm.* conjunto • *adv.* juntos(as), a la vez
ensemencer *v. tr.* sembrar
ensoleiller *v. tr.* solear
ensuite *adv.* después, luego
ensuivre (s') *v. pr.* resultar
entamer *v. tr.* comenzar, empezar
entasser *v. tr.* amontonar
entendre *v. tr.* oír ; *(comprendre)* entender
entendre (s') *v. pr.* entenderse ; (*bien, mal)* llevarse
entente *nf.* comprensión, armonía
enterrement *nm.* entierro, funeral
enterrer *v. tr.* enterrar, sepultar
entêté,-e *adj. et nm/f.* terco(a)
entêter (s') *v. pr.* empeñarse (en)
enthousiasme *nm.* entusiasmo
enthousiaste *adj.* entusiasta
entier,-ère *adj.* entero(a)
entonnoir *nm.* embudo
entorse *nf.* esguince *nm.*, torcedura
entourage *nm.* familiares *nmpl.*, allegados *nmpl.*
entourer *v. tr.* cercar, rodear
entracte *nm.* *(théâtre)* entreacto ; *(cinéma)* descanso
entraider (s') *v. pr.* ayudarse mutuamente
entrailles *nfpl.* entrañas
entrain *nm.* ánimo, ardor
entraînant,-e *adj.* animado(a)
entraînement *nm.* entrenamiento
entraîner *v. tr.* entrenar ; (*provoquer*) acarrear, originar
entrave *nf.* traba
entraver *v. tr.* trabar ; *(fig)* poner trabas
entre *prép.* entre
entrecôte *nf.* lomo
entrecouper *v. tr.* entrecortar
entrée *nf.* entrada
entrelacer *v. tr.* entrelazar
entremise *nf.* mediación
entreposer *v. tr.* almacenar, depositar
entrepôt *nm.* almacén
entrepreneur *nm.* empresario
entreprise *nf.* empresa
entrer *v. intr.* entrar ; (*hôpital, école*) ingresar
entre-temps *adv.* mientras tanto
entretenir *v. tr.* (*conserver*) mantener ; (*informer*) hablar • *v. pr.* entrevistarse
entretien *nm.* (*conservation*) mantenimiento ; (*discussion*) entrevista *nf.*
entrevoir *v. tr.* entrever
entrevue *nf.* entrevista
énumérer *v. tr.* enumerar
envahir *v. tr.* invadir
envahissement *nm.* invasión *nf.*
envahisseur *nm.* invasor
enveloppe *nf.* sobre *nm.*
envelopper *v. tr.* envolver ; *(fig)* incluir
envenimer *v. tr.* envenenar ; *(discussion)* enconar
envers *nm.* revés • *prép.* con, para con
enviable *adj.* envidiable

envie *nf.* envidia, gana
envier *v. tr.* envidiar
environ *adv.* aproximadamente ; *(suivi de chiffre)* unos, unas
environnement *nm.* medio ambiente ; *(familial, social)* entorno
environner *v. tr.* rodear
envisager *v. tr.* considerar ; pretender ; pensar en ; proyectar
envoi *nm.* envío
envol *nm. (oiseau)* vuelo ; *(avión)* despegue
envoler (s') *v. pr.* echar a volar ; *(avion)* despegar
envoûter *v. tr.* hechizar
envoyer *v. tr.* enviar, mandar
épais,-se *adj.* espeso(a)
épaisseur *nf.* espesor *nm.*, grueso *nm.*
épaissir *v. tr.* espesar ; *(fig)* engordar
épanouir *v. tr.* (*fleurs*) abrir ; *(cœur, esprit)* ensanchar ; (*air*) alegrar
épargne *nf.* ahorro *nm.*
épargner *v. tr.* ahorrar
éparpiller *v. tr.* desparramar, esparcir
épatant,-e *adj.* estupendo(a)
épater *v. tr.* dejar pasmado(a)
épaule *nf.* hombro *nm.*
épauler *v. tr.* respaldar
épée *nf.* espada
épeler *v. tr.* deletrear
épi *nm.* (*blé*) espiga *nf.* ; (*maïs*) mazorca *nf.*
épice *nf.* especia
épicé,-e *adj.* picante
épicer *v. tr.* condimentar
épicerie *nf.* tienda de ultramarinos
épidémie *nf.* epidemia
épier *v. tr.* espiar, acechar
épilation *nf.* depilación
épiler *v. tr.* depilar
épilogue *nm.* epílogo
épinard *nm.* espinaca *nf.*
épine *nf.* espina
épingle *nf.* alfiler *nm.* ; *(de sûreté)* imperdible *nm.* ; *(à cheveux)* horquilla
épisode *nm.* episodio
épisodique *adj.* episódico(a)
éploré,-e *adj.* desconsolado(a)
éplucher *v. tr.* pelar
épluchure *nf.* mondadura
éponge *nf.* esponja
éponger *v. tr.* enjugar, esponjar
épopée *nf.* epopeya
époque *nf.* época
épouser *v. tr.* casarse con
épousseter *v. tr.* quitar el polvo
époustouflant,-e *adj.* asombroso(a)
épouvantable *adj.* espantoso(a)
épouvantail *nm.* espantapájaros ; *(personne laide)* esperpento
épouvante *nf.* espanto *nm.*
époux,-ouse *nm/f.* esposo(a)
éprendre (s') *v. pr.* enamorarse
épreuve *nf.* prueba
éprouver *v. tr.* probar ; *(ressentir)* experimentar
épuisement *nm.* agotamiento
épuiser *v. tr.* agotar
équation *nf.* ecuación
équestre *adj.* ecuestre
équilibrage *nm.* equilibrado
équilibre *nm.* equilibrio
équilibrer *v. tr.* equilibrar
équinoxe *nm.* equinoccio
équipage *nm.* tripulación
équipe *nf. (sport)* equipo *nm.* ; *(ouvriers)* cuadrilla
équipement *nm.* equipo
équiper *v. tr.* equipar
équitation *nf.* equitación
équivalence *nf.* equivalencia ; *(diplôme)* convalidación
équivalent,-e *adj.* equivalente
ère *nf.* era
éreintant,-e *adj.* agotador(a)
ériger *v. tr.* erigir
ermitage *nm.* ermita *nf.*
ermite *nm.* ermitaño
érosion *nf.* erosión
errer *v. intr.* errar, vagabundear
erreur *nf.* error *nm.*
erroné,-e *adj.* erróneo(a)
érudition *nf.* erudición
éruption *nf.* erupción
escalade *nf.* escalada
escalader *v. tr.* escalar
escale *nf.* escala
escalier *nm.* escalera *nf.*

escamoter *v. tr.* escamotear
escapade *nf.* escapada ; *(fig)* calaverada
escargot *nm.* caracol
esclandre *nm.* escándalo, alboroto
esclavage *nm.* esclavitud *nf.*
esclave *nm/f.* esclavo(a)
escorter *v. tr.* escoltar
escrime *nf.* esgrima
escrimer (s') *v. pr.* esforzarse en
escroc *nm.* timador, estafador
escroquerie *nf.* timo *nm.* ; estafa
espace *nm.* espacio
espacer *v. tr.* separar, espaciar
espadrille *nf.* alpargata
Espagne *n. prop. f.* España
espèce *nf.* clase • *nfpl. (argent)* efectivo *nm.*, metálico *nm.*
esperance *nf.* esperanza
espérer *v. tr. et intr.* esperar
espièglerie *nf.* travesura
espion,-ne *nm/f.* espía
espionnage *nm.* espionaje
espionner *v. tr.* espiar
espoir *nm.* esperanza *nf.*
esprit *nm.* espíritu ; *(ironie)* humor
esquisser *v. tr.* bosquejar, esbozar
essai *nm. (épreuve)* prueba *nf.* ; *(tentative)* ensayo
essayage *nm.* prueba *nf.*
essayer *v. tr.* probar • *v. intr. (tenter de)* tratar de, intentar
essence *nf.* gasolina, esencia ; *(carburant)* gasolina
essentiel,-elle *adj.* esencial
essor *nm.* auge
essouffler (s') *v. pr.* perder el aliento
essuyer *v. tr.* secar ; *(larmes, front)* enjugar ; *(fig)* sufrir
est *nm.* este
estampe *nf.* lámina, estampa
esthéticienne *nf.* esteticista
esthétique *adj.* estético(a)
estimation *nf.* valoración
estime *nf.* aprecio *nm.*, estima
estimer *v. tr. (évaluer)* valorar ; *(aimer)* apreciar ; *(penser)* pensar
estival,-e *adj.* veraniego(a)
estomac *nm.* estómago
estuaire *nm.* estuario
et *conj.* y (e *devant un mot commençant par* i *ou* hi)
étable *nf.* establo *nm.*
établir *v. tr.* establecer • *v. pr.* instalarse
établissement *nm.* establecimiento ; *(d'un projet)* elaboración *nf.*
étage *nm.* piso, planta *nf.*
étagère *nf.* estante *nm.*
étain *nm.* estaño
étalage *nm.* escaparate ; *(fig)* gala *nf.*
étalement *nm.* escalonamiento
étaler *v. tr.* exponer ; *(déplier)* desplegar ; *(échelonner)* escalonar ; *(arborer)* ostentar
étanche *adj.* impermeable
étanchéité *nf.* impermeabilidad
étang *nm.* estanque
étape *nf.* etapa
état *nm.* estado
étayer *v. tr.* apuntalar ; *(fig)* apoyar
été *nm.* verano, estío
éteindre *v. tr.* apagar
étendre *v. tr.* extender ; *(linge)* tender ; *(membres)* alargar • *v. pr. (se reposer)* tenderse
étendue *nf.* extensión
éternité *nf.* eternidad
éternuer *v. intr.* estornudar
étincelant,-e *adj.* deslumbrante
étinceler *v. intr.* relucir
étincelle *nf.* chispa
étiquette *nf.* etiqueta
étirer *v. tr.* estirar
étoffe *nf.* tela ; tejido *nm.*
étoile *nf.* estrella
étonner *v. tr.* sorprender
étouffer *v. tr.* ahogar ; *(bruit)* amortiguar ; *(une affaire)* echar tierra a
étourdi,-e *adj. et nm/f.* atolondrado(a)
étourdir *v. tr.* aturdir
étrange *adj.* raro(a), extraño(a)
étranger,-ère *adj. et nm/f.* extranjero(a) *(à un quartier, une ville)* forastero(a) ; *(à quelque chose)* ajeno(a)
étrangler *v. tr.* estrangular
être *v. intr. (caractéristique fondamentale)* ser ; *(circonstance)* estar
étreindre *v. tr.* abrazar, apretar

étrennes *nfpl.* aguinaldo *nm. sing.*
étrenner *v. tr.* estrenar
étriqué,-e *adj.* apretado(a) ; *(fig)* mezquino(a)
étroit,-e *adj.* estrecho(a)
étroitesse *nf.* estrechez
étude *nf.* estudio *nm.* ; (*homme de loi)* bufete • *nfpl.* estudios *nmpl.* carrera *nf.*
étudiant,-e *adj. et nm/f.* estudiante
étudier *v. tr.* estudiar
étui *nm.* estuche
étuver *v. tr.* estofar
euphorie *nf.* euforia
Europe *n. prop. f.* Europa
européaniser *v. tr.* europeizar
européen,-ne *adj. et nm/f.* europeo(a)
évacuation *nf.* evacuación
évader (s') *v. pr.* evadirse, fugarse
évaluation *nf.* valoración, estimación
évaluer *v. tr.* valorar, evaluar
évanouir (s') *v. pr.* desmayarse
évanouissement *nm.* desmayo
évaporer *v. tr.* evaporar
évasif,-ive *adj.* evasivo(a)
évasion *nf.* evasión, fuga
éveil *nm.* despertar
éveillé,-e *adj.* despierto(a)
éveiller *v. tr.* despertar
événement *nm.* suceso
éventail *nm.* abanico
éventualité *nf.* eventualidad
évêque *nm.* obispo
évertuer (s') *v. pr.* desvivirse por
éviction *nf.* evicción
évidemment *adv.* desde luego
évidence *nf.* evidencia
évident,-e *adj.* evidente
évier *nm.* pila *nf.*, fregadero
éviter *v. tr.* evitar
évocation *nf.* evocación
évolution *nf.* evolución
évoquer *v. tr.* evocar
exacerber *v. tr.* exacerbar
exact,-e *adj.* exacto(a) ; puntual
exactitude *nf.* exactitud ; puntualidad
exagération *nf.* exageración
exagérer *v. tr. et intr.* exagerar
exalter *v. tr.* exaltar
examen *nm.* examen
examiner *v. tr.* examinar
exaspérer *v. tr.* exasperar
excédent *nm.* excedente ; *(économie)* superávit ; *(poids)* exceso
excéder *v. tr.* sobrepasar, superar
excellence *nf.* excelencia
excellent,-e *adj.* excelente ; *(saveur)* rico(a)
exceller *v. intr.* sobresalir, distinguirse
excentrique *adj.* excéntrico(a)
excepté *prép.* excepto
excepter *v. tr.* exceptuar
excès *nm.* exceso
exciter *v. tr.* excitar
exclamation *nf.* exclamación
exclamer (s') *v. pr.* exclamar
exclure *v. tr.* excluir
exclusivité *nf.* exclusiva
excursion *nf.* excursión
excuse *nf.* disculpa, excusa
excuser *v. tr.* disculpar, dispensar
exécuter *v. tr.* ejecutar ; (*un condamné*) ajusticiar
exemplaire *adj et nm.* ejemplar
exemple *nm.* ejemplo
exercer *v. tr.* ejercitar ; *(métier)* ejercer ; *(fonction)* desempeñar
exercice *nm.* ejercicio
exhiber *v. tr.* exhibir
exhibition *nf.* exhibición
exhumer *v. tr.* exhumar
exigence *nf.* exigencia
exiger *v. tr.* exigir, requerir
exigu,-ë *adj.* exiguo(a)
exil *nm.* exilio, destierro
exiler *v. tr.* exilar, desterrar
existence *nf.* existencia
exister *v. intr.* existir
exode *nm.* éxodo
exonérer *v. tr.* exonerar
exorbitant,-e *adj.* exorbitante
exotique *adj.* exótico(a)
expansif,-ive *adj.* expansivo(a)
expectative *nf.* expectativa
expédier *v. tr.* enviar, mandar
expédition *nf. (envoi)* envío ; *(sport, sciences)* expedición

expérience *nf.* experiencia ; experimento *nm.*
expérimental,-e *adj.* experimental
expérimenter *v. tr.* experimentar
expert,-e *adj.* experto(a) • *nm.* perito
expirer *v. intr.* *(date)* vencer ; *(respiration)* espirar ; *(mourir)* fallecer
explication *nf.* explicación
explicite *adj.* explícito(a)
expliquer *v. tr.* explicar
exploit *nm.* hazaña *nf.*
exploitation *nf.* explotación
exploiter *v. tr.* explotar
explorer *v. tr.* explorar
exploser *v. intr.* estallar
explosif,-ive *adj.* explosivo(a) • *nm.* explosivo
explosion *nf.* explosión
exportateur,-trice *nm/f.* exportador(a)
exportation *nf.* exportación
exporter *v. tr.* exportar
exposé *nm.* ponencia *nf.*
exposer *v. tr.* exponer
exposition *nf.* exposición ; exhibición
expressif,-ive *adj.* expresivo(a)
expression *nf.* expresión
exprimer *v. tr.* expresar
exproprier *v. tr.* expropiar
expulser *v. tr.* expulsar ; *(d'un local)* desahuciar
expulsion *nf.* expulsión ; *(d'un local)* desahucio *nm.*
exquis,-e *adj.* exquisito(a)
extase *nf.* éxtasis
extension *nf.* extensión
extérieur,-e *adj.* exterior • *nm.* exterior
externe *adj. et nm/f.* externo(a)
extorquer *v. tr.* extorsionar
extra *adj.* estupendo(a)
extraction *nf.* extracción
extrader *v. tr.* extraditar
extradition *nf.* extradición
extraire *v. tr.* extraer
extrait *nm.* extracto
extraordinaire *adj.* extraordinario(a)
extravagant,-e *adj.* estrafalario(a)
extrême *adj.* extremo(a)
extrémiste *adj. et nm/f.* extremista
extrémité *nf.* extremo *nm.*, extremidad
exubérance *nf.* exuberancia
exulter *v. intr.* exultar

F

f *nm. inv.* f *nf.*
fable *nf.* fábula
fabricant *nm.* fabricante
fabrication *nf.* fabricación
fabrique *nf.* fábrica, factoría
fabriquer *v. tr.* fabricar
fabuleux,-euse *adj.* fabuloso(a)
façade *nf.* fachada
face *nf.* cara, rostro *nm.* ; *(fig)* cariz *nm.* aspecto *nm.*
facétie *nf.* broma
fâcher *v. tr.* enfadar • *v. pr.* enfadarse
fâcheux,-euse *adj.* enojoso(a)
facile *adj.* fácil
facilité *nf.* facilidad
faciliter *v. tr.* facilitar
façon *nf.* modo *nm.*, manera ; *(d'un vêtement)* hechura
façonner *v. tr.* dar forma
facteur *nm.* *(élément)* factor ; *(poste)* cartero ; *(musique)* fabricante
factice *adj.* facticio(a)
facturation *nf.* facturación
facture *nf.* factura
facturer *v. tr.* facturar
facultatif,-ive *adj.* facultativo(a)
faculté *nf.* facultad
fade *adj.* soso(a)
faible *adj.* débil, flojo(a), endeble
faiblesse *nf.* debilidad, endeblez ; *(revenus)* escasez ; *(faute)* desliz *nm.*
faiblir *v. intr.* flaquear, debilitarse
faïence *nf.* loza
faillir *v. intr.* faltar ; *(être sur le point de)* estar a punto de
faillite *nf.* quiebra

faim *nf.* hambre
fainéant,-e *adj. et nm/f.* holgazán(a)
fainéantise *nf.* holgazanería
faire *v. tr.* hacer ; *(suivi d'un infinitif)* mandar ; *(suivi d'un nom de sentiment ou de sensation)* dar
faire-part *nm. inv. (mariage)* parte de boda ; *(décès)* esquela
faisable *adj.* factible
faisan *nm.* faisán
fait *nm.* hecho
fait,-e *adj.* hecho(a)
falaise *nf.* acantilado *nm.*
falloir *v. impers. (obligation)* ser preciso, ser menester, haber que ; *(besoin)* necesitar
falsification *nf.* falsificación
falsifier *v. tr.* falsificar
fameux,-euse *adj. (réputé)* famoso(a) ; *(de qualité)* estupendo(a), excelente
familial,-e *adj.* familiar
familiariser *v. tr.* familiarizar
familiarité *nf.* familiaridad
familier,-ière *adj. et nm/f.* familiar
famille *nf.* familia
famine *nf.* hambre
fanatique *adj. et nm/f.* fanático(a)
fanatisme *nm.* fanatismo
faner *v. tr.* marchitar ; *(étoffe)* ajar
fanfare *nf.* banda
fanfaron,-ne *adj.* fanfarrón(a)
fanfaronnade *nf.* fanfarronada
fanfaronner *v. intr.* fanfarronear
fantaisie *nf.* fantasía, capricho *nm.*
fantaisiste *adj.* caprichoso(a)
fantasme *nm.* fantasma
fantastique *adj.* fantástico(a)
fantôme *nm.* fantasma
farce *nf. (blague)* broma ; *(cuisine)* relleno *nm.* ; *(théâtre)* farsa
farceur,-euse *adj.* bromista, farsante
farci,-e *adj.* relleno(a)
farcir *v. tr.* rellenar ; *(fig)* atiborrar
fardeau *nm.* carga nf, peso
farine *nf.* harina
fascicule *nm.* fascículo
fascinant,-e *adj.* fascinante
fascination *nf.* fascinación
fasciner *v. tr.* fascinar
fascisme *nm.* fascismo
fasciste *adj. et nm/f.* fascista
fastidieux,-euse *adj.* aburrido(a)
fastueux,-euse *adj.* fastuoso(a)
fatal,-e *adj.* fatal
fataliste *adj. et nm/f.* fatalista
fatalité *nf.* fatalidad
fatigant,-e *adj.* cansado(a) ; fastidioso(a)
fatigue *nf.* cansancio *nm.*
fatiguer *v. tr. et intr.* cansar
faubourg *nm.* suburbio, arrabal
faucher *v. tr. (couper)* segar ; *(fam.) (voler)* sisar, hurtar
fausser *v. tr.* falsificar
fausseté *nf.* falsedad
faute *nf. (erreur)* falta, error *nm.* ; *(responsabilité)* culpa
fauteuil *nm.* butaca *nf.* , sillón
fautif,-ive *adj.* culpable ; *(erroné)* equivocado(a)
faux, fausse *adj.* falso(a) • *nm.* falsificación *nf.*
faux-filet *nm.* solomillo, filete
faux-monnayeur *nm.* monedero falso
faveur *nf.* favor *nm.*
favorable *adj.* favorable
favoriser *v. tr.* favorecer
favoritisme *nm.* favoritismo
fébrile *adj.* febril
fébrilité *nf.* febrilidad
fécond,-e *adj.* fecundo(a)
fécondation *nf.* fecundación
féconder *v. tr.* fecundar
fédéral *adj.* federal
fédération *nf.* federación
fée *nf.* hada
féerie *nf.* magia
féerique *adj.* mágico(a)
fêler *v. tr.* cascar
félicitation *nf.* felicitación ; enhorabuena
féliciter *v. tr.* felicitar, dar la enhorabuena
femelle *nf.* hembra
féminin,-e *adj.* femenino(a)
femme *nf.* mujer
fendre *v. tr.* partir, hender
fenêtre *nf.* ventana
fenouil *nm.* hinojo
fente *nf.* hendidura, ranura

féodal,-e *adj.* feudal
fer *nm.* hierro
fer-blanc *nm.* hojalata *nf.*
férié,-e *adj.* festivo(a)
ferme *adj.* firme
ferme *nf.* finca, granja ; *(h. am.)* hacienda
fermenter *v. intr.* fermentar
fermer *v. tr.* cerrar, cerrarse ; *(rideaux)* correr
fermeté *nf.* firmeza
fermeture *nf.* cierre *nm.* ; *(pêche, chasse)* veda
fermier,-ière *nm/f.* granjero(a)
féroce *adj.* feroz
ferroviaire *adj.* ferroviario(a)
fertile *adj.* feraz, fértil
fertiliser *v. tr.* fertilizar
fertilité *nf.* feracidad, fertilidad
fesse *nf.* nalga
festin *nm.* festín, comilona *nf.*
festival *nm.* festival
festivité *nf.* festividad
festoyer *v. intr.* festejar ; estar de juerga
fête *nf.* fiesta ; *(d'une personne)* santo *nm.*, onomástica *nf.*
fêter *v. tr.* festejar
fétiche *nm.* fetiche
feu *nm.* fuego
feuillage *nm.* follaje
feuille *nf.* hoja
feuillet *nm.* hoja *nf.*, cuartilla *nf.*
feuilleter *v. tr.* hojear
feuilleton *nm.* folletín, serial ; *(télévision)* culebrón, telenovela *nf.*
feutre *nm.* *(tissu)* fieltro ; *(stylo)* rotulador ; *(chapeau)* flexible
fève *nf.* haba
février *nm.* febrero
fiabilité *nf.* fiabilidad
fiançailles *nfpl.* esponsales *nmpl.* ; *(période)* noviazgo *nm.*
fiancé,-e *nm/f.* novio(a)
fiancer (se) *v. pr.* prometerse
fibre *nf.* fibra
ficeler *v. tr.* atar
ficelle *nf.* bramante *nm.*, guita
fiche *nf.* ficha, nota
ficher *v. tr.* *(planter)* hincar ; *(répertorier)* fichar
fichier *nm.* fichero
fictif,-ive *adj.* ficticio(a)
fiction *nf.* ficción
fidèle *adj. et nm/f.* fiel
fidélité *nf.* fidelidad
fief *nm.* feudo
fier (se) *v. pr.* fiarse (de), confiar(en)
fier, ière *adj.* altivo(a), orgulloso(a)
fierté *nf.* altivez, orgullo *nm.*
fièvre *nf.* fiebre, calentura
figue *nf.* higo *nm.*
figuier *nm.* higuera *nf.*
figurant,-e *nm/f.* *(spectacles)* extra
figuratif,-ive *adj.* figurativo(a)
figuration *nf.* figuración
figure *nf.* figura ; *(visage)* cara, rostro *nm.*
figuré,-e *adj.* figurado(a)
figurer *v. tr.* representar • *v. intr.* *(apparaître)* constar • *v. pr.* imaginarse
fil *nm.* hilo
filature *nf.* fábrica de hilados ; *(action de filer)* hilado *nm.* ; *(police)* vigilancia
file *nf.* fila, cola
filer *v. tr.* hilar ; *(police)* vigilar ; *(fam.)* *(s'en aller)* irse, largarse
filet *nm.* red *nf.* ; *(à cheveux)* redecilla *nf.* ; *(de poisson)* filete ; *(de viande)* solomillo
filial,-e *adj.* filial • *nf.* filial
filiation *nf.* filiación
fille *nf.* muchacha, chica *(voir **fils**)*
fillette *nf.* niña, chiquilla
filleul,-e *nm/f.* ahijado(a)
film *nm.* película *nf.* ; filme
filmage *nm.* rodaje, filmación *nf.*
filmer *v. tr.* filmar, rodar
filon *nm.* filón
fils, fille *nm/f.* hijo(a)
filtre *nm.* filtro
filtrer *v. tr.* filtrar
fin *nf.* fin *nm.* ; final *nm.*
fin,-e *adj.* fino(a)
final,-e *adj.* final • *nf.* final
finalité *nf.* finalidad
finance *nf.* finanza • *nfpl.* fondos *nmpl.* dinero *nm.*, hacienda *nf.*
financement *nm.* financiación *nf.*

financer *v. tr. et intr.* financiar, costear
financier,-ière *adj. et nm/f.* financiero(a)
finesse *nf.* delgadez ; *(fig)* sutileza
finir *v. tr.* acabar, terminar
firmament *nm.* firmamento
firme *nf.* firma, razón social
fisc *nm.* fisco, tesoro público
fiscal,-e *adj.* tributario(a)
fiscalité *nf.* fiscalidad
fixation *nf.* fijación
fixe *adj.* fijo(a)
fixer *v. tr.* fijar • *v. pr.* establecerse
flacon *nm.* frasco
flagrant,-e *adj.* flagrante
flair *nm.* olfato
flairer *v. tr.* olfatear, husmear ; *(fig)* presentir
flamand,-e *adj. et nm/f.* flamenco(a)
flambant,-e *adj.* flamante
flambeau *nm.* antorcha *nf.* ; candelabro
flambée *nf.* fogarada ; *(des prix)* disparo *nm.*
flamber *v. intr.* arder ; *(fig) (les prix)* dispararse
flamme *nf.* llama
flanc *nm.* ladera *nf.* ; *(partie du corps)* costado
flanelle *nf.* franela
flâner *v. intr. (se promener)* callejear
flaque *nf.* charco *nm.*
flatter *v. tr.* halagar, lisonjear ; *(embellir)* favorecer • *v. pr.* jactarse
flatterie *nf.* lisonja
flatteur,-euse *adj.* (qui *embellit)* favorecedor(a) • *nm/f.* halagador(a)
fléau *nm. (fig)* plaga *nf.*, calamidad *nf.*
flèche *nf.* flecha, saeta
fléchir *v. tr.* doblar ; *(attendrir)* ablandar • *v. intr. (prix)* bajar
flegme *nm.* flema *nf.*
flemme *nf.* pereza
fleur *nf.* flor
fleurir *v. tr.* adornar con flores • *v. intr.* florecer
fleuriste *nm/f.* florista
fleuve *nm.* río
flirter *v. intr.* flirtear
flocon *nm.* copo
flot *nm.* ola *nf.* ; oleada *nf.*
flotte *nf.* flota
flottement *nm.* flotación *nf.*
flotter *v. intr.* flotar ; *(fig)* fluctuar
flottille *nf.* flotilla
flou,-e *adj.* borroso(a)
fluctuation *nf.* fluctuación
fluet,-ette *adj.* endeble
fluide *adj.* fluido(a) • *nm.* fluido
fluidité *nf.* fluidez
flûte *nf.* flauta ; *(pain)* barra
flûtiste *nm/f.* flautista
fluvial *adj.* fluvial
fœtus *nm.* feto
foi *nf.* fe
foie *nm.* hígado
foin *nm.* heno
foire *nf.* feria ; *faire la foire*, ir de juerga
fois *nf.* vez
foisonnement *nm.* abundancia *nf.*
folie *nf.* locura
folklorique *adj.* folklórico(a)
foncé,-e *adj.* oscuro(a)
foncer *v. tr.* oscurecer • *v. intr.* correr, volar ; *(se jeter sur)* arremeter contra
fonction *nf.* función ; empleo *nm.* ; cargo *nm.*
fonctionnaire *nm/f.* funcionario(a)
fonctionnel,-elle *adj.* funcional
fonctionnement *nm.* funcionamiento
fonctionner *v. intr.* funcionar
fond *nm.* fondo
fondamental,-e *adj.* fundamental
fondation *nf.* fundación • *nfpl.* cimientos *nmpl.*
fondement *nm.* fundamento
fonder *v. tr.* fundar
fonderie *nf.* fundición
fondre *v. tr. (métal)* fundir • *v. intr. (devenir liquide)* derretirse, deshacerse
fonds *nm. (terrain)* finca *nf.* ; *(argent)* capital, fondos *npl.* ; *(de commerce)* negocio
fontaine *nf.* fuente
fonte *nf.* hierro fundido *nm.* ; *(des neiges)* deshielo *nm.*
football *nm.* fútbol
footballeur *nm.* futbolista

forain *nm.* feriante
force *nf.* fuerza
forcer *v. tr.* forzar ; *(une serrure)* falsear *(obliger)* obligar(a) ; *(l'allure)* acelerar • *v. pr.* esforzarse (en)
forestier,-ière *adj.* forestal
forêt *nf.* bosque *nm.* ; *(vierge)* selva
forfait *nm.* crimen ; *(travail)* destajo, tanto alzado ; *(touristique)* paquete
forge *nf.* fragua
forger *v. tr.* fraguar, forjar
forgeron *nm.* herrero
formalisme *nm.* formalismo
formalité *nf.* trámite *nm.* ; requisito *nm.*
format *nm.* formato, tamaño
formation *nf.* formación
forme *nf.* forma ; *(chapeau, chaussure)* horma
formel,-elle *adj.* formal
former *v. tr.* formar
formidable *adj.* formidable, estupendo(a)
formulaire *nm.* formulario
formule *nf.* fórmula
formuler *v. tr.* formular
fort *adv.* mucho (muy *devant un adjectif*) ; *(parler)* fuerte
fort,-e *adj.* fuerte ; *(gros)* corpulento(a) ; *(important)* considerable, importante
forteresse *nf.* fortaleza
fortifier *v. tr.* fortalecer
fortune *nf.* *(chance)* suerte ; *(argent)* fortuna, dineral *nm.*
fortuné,-e *adj.* acaudalado(a)
fosse *nf.* fosa, hoyo *nm.*
fossé *nm.* cuneta *nf.*
fou, folle *adj. et nm/f.* loco(a)
foudre *nf.* rayo *nm.*
fouet *nm.* látigo
fouetter *v. tr.* dar latigazos
fougère *nf.* helecho *nm.*
fouille *nf.* cacheo *nm.*, registro *nm.* ; *(archéologie)* excavación
fouiller *v. tr.* registrar ; *(archéologie)* excavar
foule *nf.* muchedumbre
fouler *v. tr.* pisar, pisotear
foulure *nf.* esguince *nm.*
four *nm.* horno
fourchette *nf.* tenedor *nm.* ; *(sondage)* horquilla ; *(des salaires)* banda salarial
fourmi *nf.* hormiga
fourneau *nm.* horno
fournir *v. tr.* *(approvisionner)* suministrar, proveer ; *(des renseignements)* facilitar
fourniture *nf.* suministro *nm.*
fourrage *nm.* forraje
fourreau *nm.* vaina *nf.*, funda *nf.*
fourrière *nf.* *(voitures)* depósito *nm.*
fourrure *nf.* piel
foyer *nm.* hogar ; *(fig)* foco
fracas *nm.* estrépito
fracasser *v. tr.* romper
fraction *nf.* fracción
fractionner *v. tr.* fraccionar
fracture *nf.* fractura
fracturer *v. tr.* fracturar, forzar
fragile *adj.* frágil ; débil
fragilité *nf.* fragilidad
fragment *nm.* fragmento
fraîcheur *nf.* frescor *nm.* ; frescura
frais, fraîche *adj.* fresco(a)
frais *nmpl.* gastos
fraise *nf.* fresa
fraisier *nm.* fresera *nf.* ; fresa *nf.*
framboise *nf.* frambuesa
framboisier *nm.* frambueso
franc *nm.* *(monnaie)* franco
franc, franche *adj.* franco(a)
français,-e *adj. et nm/f.* francés(a)
franchir *v. tr.* franquear, salvar
franchise *nf.* franqueza ; *(poste, assurance)* franquicia
franc-maçon,-ne *nm/f.* francmasón(ona)
franc-maçonnerie *nf.* francmasonería
franc-tireur *nm.* francotirador
frappant,-e *adj.* sorprendente
frappe *nf.* *(dactylo)* tecleo *nm.* ; *(monnaie)* acuñación
frapper *v. tr.* *(battre)* pegar ; *(monnaie)* acuñar ; *(à la porte)* llamar ; *(impressionner)* impresionar
fraternel,-elle *adj.* fraternal
fraternité *nf.* fraternidad

fraude *nf.* fraude *nm.*
frauder *v. tr.* defraudar • *v. intr.* cometer fraude
frauduleux,-euse *adj.* fraudulento(a)
frayeur *nf.* espanto *nm.*
frein *nm.* freno
freinage *nm.* frenado
freiner *v. tr. et intr.* frenar
frelater *v. tr.* adulterar
frêle *adj.* delicado(a)
frémir *v. intr.* estremecerse
frêne *nm.* fresno
frénésie *nf.* frenesí *nm.*
frénétique *adj.* frenético(a)
fréquence *nf.* frecuencia
fréquent,-e *adj.* frecuente
fréquentation *nf.* trato *nm.* ; relación
fréquenter *v. tr. (lieu)* frecuentar ; *(qqn)* tratarse con
frère *nm.* hermano
fresque *nf.* fresco *nm.*
fret *nm.* flete
friand,-e *adj.* apetitoso(a) • *nm.* empanada *nf.*
friandise *nf.* golosina
fricassée *nf.* pepitoria
friche (en) sin cultivar
fricoter *v. intr. (fam.)* trapichear
friction *nf.* fricción ; *(fig)* roce *nm.*
frigidaire *nm.* nevera *nf.*, frigorífico,
frigorifique *adj.* frigorífico(a)
frileux,-euse *adj.* friolero(a)
friper *v. tr.* arrugar
fripier,-ère *nm/f.* prendero(a)
fripon,-ne *adj. et nm/f.* pícaro(a)

g *nm. inv.* g *nf.*
gabarit *nm.* dimensión *nf.*
gabegie *nf.* desbarajuste *nm.*
gâcher *v. tr.* estropear, arruinar ; *(gaspiller)* malgastar ; *(ciment, plâtre)* amasar
gâchette *nf.* gatillo *nm.*
gâchis *nm.* despilfarro
gadget *nm.* enredo
gag *nm.* gag
gager *v. tr. (laisser en gage)* empeñar ; *(parier)* apostar
gagnant,-e *adj. et nm/f.* ganador(a)
gagner *v. tr.* ganar ; ganarse ; *(amitié)* granjearse ; *(atteindre)* alcanzar ; *(s'étendre)* propalarse
gai,-e *adj.* alegre
gaieté *nf.* alegría
gain *nm.* ganancia *nf.*
gala *nm.* función de gala *nf.*
galant,-e *adj.* galante
galanterie *nf.* galantería ; piropo *nm.*
galaxie *nf.* galaxia
galère *nf.* galera ; *(fig.)* infierno *nm.*
galerie *nf.* galería ; *(voiture)* baca
galet *nm.* guijarro
galette *nf.* torta ; *(argent)* tela, pasta, parné *nm.*
galicien,-enne *adj. et nm/f.* gallego(a)
gallicisme *nm.* galicismo
gallo-romain *adj.* galorromano(a)
galoche *nf.* zueco *nm.*
galon *nm.* galón
galop *nm.* galope
galoper *v. intr.* galopar, estropear
galvauder *v. tr. (fig)* deshonrar
gambade *nf.* brinco *nm.*
gambader *v. intr.* dar brincos
gamin,-e *nm/f.* pilluelo(a) • *adj.* travieso(a)
gaminerie *nf.* chiquillada
gang *nm.* banda de malhechores *nf.*
gangrène *nf.* gangrena
gangster *nm.* gángster
gant *nm.* guante
garage *nm. (remise)* garaje, *(h. am.)* cochera *nf.* ; *(de réparation)* taller
garant,-e *adj.* garante
garantie *nf.* garantía

garantir *v. tr.* garantizar ; *(affirmer)* asegurar
garçon *nm.* muchacho
garçonnet *nm.* chiquito, niño
garde *nf.* guardia, custodia • *nm. (agent)* guardia ; *(gardien)* guarda
garde à vue *nf.* incomunicación
garde champêtre *nm.* guarda rural
garde-chasse *nm.* guardamonte
garde-côte *nm.* guardacostas
garde du corps *nm.* guardaespaldas
garde-fou *nm.* pretil, barandilla *nf.*
garde forestier *nm.* guardabosque
garde-malade *nm/f.* enfermero(a)
garde-manger *nm.* fresquera *nf.*
gardénia *nm.* gardenia *nf.*
garder *v. tr.* guardar, conservar ; *(malade)* cuidar ; *(enfants)* vigilar ; *(avec soi)* quedarse con • *v. pr.* evitar
garderie *nf.* guardería
gardien,-ienne *nm/f. (immeuble)* portero(a) ; *(jardin, musée)* guarda ; (*de nuit*) vigilante nocturno
gare *nf.* estación ; *(interj.)* ¡cuidado!
garer *v. tr. et pr. (voiture)* aparcar
garni *nm.* piso amueblado
garnir *v. tr. (décorer)* adornar ; *(pouvoir)* proveer ; *(cuisine)* guarnecer
garniture *nf. (décoration)* adorno *nm.* ; *(cuisine)* guarnición
gars *nm.* chaval, mozo
gas-oil *nm.* gasóleo
gaspiller *v. tr.* derrochar, despilfarrar
gastronome *nm.* gastrónomo
gastronomie *nf.* gastronomía
gâté,-e *adj. (abîmé)* podrido(a) ; *(dent)* picado(a) ; *(choyé)* mimado(a)
gâteau *nm.* pastel
gâter *v. tr. (abîmer)* estropear ; *(dent)* picar ; *(choyer)* mimar
gauche *adj.* izquierdo(a), *(maladroit)* torpe
gaucher,-ère *adj.* zurdo(a)
gaucherie *nf.* torpeza
gaucho *nm.* gaucho
gaver *v. tr.* cebar • *v. pr.* hartarse
gaz *nm.* gas
gaze *nf.* gasa
gazelle *nf.* gacela
gazette *nf.* gaceta
gazon *nm.* césped
gazouillement *nm. (oiseaux)* gorjeo ; *(enfants)* balbuceo
gazouiller *v. intr. (oiseaux)* gorjear *(enfants)* balbucear
géant,-e *adj. et nm/f.* gigante(a)
gel *nm.* helada *nf.* ; *(prix, salaires)* congelación *nf.* ; *(cosmétique)* gel
gelée *nf. (froid)* helada ; *(fruits)* jalea
geler *v. tr.* helar ; (*prix, salaires*) congelar
gélule *nf.* cápsula
gémir *v. intr.* gemir
gémissement *nm.* gemido, quejido
gênant,-e *adj.* molesto(a)
gencive *nf.* encía
gendarme *nm. (Espagne)* guardia civil ; *(France)* gendarme
gendre *nm.* yerno, hijo político
gène *nm.* gene
gêne *nf.* molestia ; *(fig)* apuro *nm.*
généalogie *nf.* genealogía
gêner *v. tr.* molestar ; *(fig)* poner en un apuro
général,-e *adj.* general
généralisation *nf.* generalización
généraliser *v. tr.* generalizar
généralité *nf.* generalidad
génération *nf.* generación
généreux,-euse *adj.* generoso(a)
générosité *nf.* generosidad
génèse *nf.* génesis
genêt *nm.* retama *nf.*
Genève *n. pr.* Ginebra
genévrier *nm.* enebro
génial,-ale *adj.* genial
genièvre *nf.* enebro
génisse *nf.* becerra
genou *nm.* rodilla *nf.*
genre *nm.* tipo, clase *nf.*, género
gens *nmpl.* gente *nf.*
gentiane *nf.* genciana
gentil,-ille *adj.* amable
gentilhomme *nm.* hidalgo
gentillesse *nf.* amabilidad
gentleman *nm.* caballero
géographie *nf.* geografía

géographique *adj.* geográfico(a)
geôle *nf.* prisión, cárcel
geôlier *nm.* carcelero
géologie *nf.* geología
géométrie *nf.* geometría
gérance *nf.* administración ; gerencia
géranium *nm.* geranio
gérant,-e *nm/f.* gerente
gerbe *nf.* gavilla ; *(fleurs)* ramo *nm.*
gérer *v. tr.* administrar
germe *nm.* germen
germer *v. intr.* germinar, brotar
germination *nf.* germinación
gésier *nm.* molleja *nf.*
geste *nm.* ademán, movimiento
gesticuler *v. intr.* gesticular
gestion *nf.* gestión
gibet *nm.* horca *nf.*
gibier *nm.* caza *nf.*
gifle *nf.* bofetada
gifler *v. tr.* dar una bofetada
gigantesque *adj.* gigantesco(a)
gigantisme *nm.* gigantismo
gigot *nm.* pierna de cordero *nf.*
gigoter *v. intr.* patalear
gilet *nm.* chaleco
gin *nm.* ginebra *nf.*
gingembre *nm.* jenjibre
girafe *nf.* jirafa
girofle *nf.* clavo *nm.*
giroflée *nf.* alhelí *nm.*
girouette *nf.* veleta
gitan,-e *adj. et nm/f.* gitano(a)
gîte *nm.* alojamiento
givre *nm.* escarcha *nf.*
glace *nf.* hielo *nm.* ; (à *manger)* helado *nm.* ; *(miroir)* espejo *nm.*
glacial,-e *adj.* glacial
glacière *nf.* nevera ; *(h. am.)* heladera
glaçon *nm.* cubito (de hielo)
gland *nm.* bellota *nf.*
glande *nf.* glándula
glissant,-e *adj.* resbaladizo(a)
glissement *nm.* deslizamiento
glisser *v. intr.* echar ; *(dire discrètement)* decir, insinuar • *v. intr. (tomber)* resbalar ; *(avec habileté)* deslizar ; *(ne pas résister)* pasar por alto
global,-e *adj.* global
globe *nm.* globo
gloire *nf.* gloria
glorieux,-euse *adj.* glorioso(a)
glorifier *v. tr.* glorificar • *v. pr.* vanagloriarse
gloutonnerie *nf.* glotonería
glu *nf.* liga
glycine *nf.* glicina
gobelet *nm.* cubilete
gober *v. tr. (avaler)* sorber ; *(croire)* tragarse ; *(supporter)* tragar
godet *nm.* cubilete
goéland *nm.* gaviota *nf.*
goinfrer (se) *v. pr.* atiborrarse
golf *nm.* golf
golfe *nm.* golfo
gomme *nf.* goma, goma de borrar
gommer *v. tr. (effacer)* borrar
gond *nm.* gozne
gondole *nf. (bateau)* gondola ; *(présentoir)* mostrador *nm.*
gondolier *nm.* gondolero
gonflage *nm.* hinchado
gonflement *nm.* inflamiento ; *(enflure)* hinchazón *nf.*
gonfler *v. tr.* hinchar
gorge *nf.* gargańta ; *(géographie)* desfiladero *nm.*
gorgé,-e *adj. (d'eau)* empapado(a)
gorgée *nf.* sorbo *nm.*, trago *nm.*
gorille *nm.* gorila ; *(garde du corps)* guardaespaldas
gothique *adj.* gótico(a)
gouache *nf.* aguada
goudron *nm.* alquitrán
goudronner *v. tr.* alquitranar
gouffre *nm.* abismo, sima *nf.*
goulot *nm.* gollete
gourde *nf.* cantimplora
gourdin *nm.* porra *nf.*
gourmand,-e *adj. et nm/f.* goloso(a)
gourmandise *nf.* golosina
gourmet *nm.* gastrónomo
gousse *nf.* vaina
goût *nm.* gusto ; sabor
goûter *v. tr.* probar ; *(vin)* catar • *v. intr.* merendar

goutte *nf.* gota
gouttière *nf.* canalón *nm.*
gouvernable *adj.* gobernable
gouvernail *nm.* timón
gouvernant,-e *adj.* gobernante • *nf.* aya, ama de llaves
gouvernement *nm.* gobierno
gouvernemental,-e *adj.* gubernamental
gouverner *v. tr.* gobernar
gouverneur *nm.* gobernador
grâce *nf.* gracia ; *(prisonnier)* indulto *nm.* *(charme)* garbo *nm.* ; donaire *nm.*
gracier *v. tr.* indultar
gracieux,-euse *adj.* garboso(a)
gracile *adj.* grácil
grade *nm.* grado
gradin *nm.* grada *nf.*
graduation *nf.* graduación
graduer *v. tr.* graduar
graffiti *nm.* pintada *nf.*
grain *nm.* grano ; *(chapelet)* cuenta *nf.* ; *(marine)* vendaval ; *(pluie)* chaparrón ; *(de beauté)* lunar
graine *nf.* semilla
graisse *nf.* grasa
graisser *v. tr.* engrasar ; (salir) manchar de grasa
graisseux,-euse *adj.* grasiento(a)
grammaire *nf.* gramática
grammatical,-e *adj.* gramatical
gramme *nm.* gramo
grand,-e *adj.* grande, gran *(devant un nom singulier)* ; *(taille)* alto(a) ; *(âge)* mayor
grandiloquence *nf.* grandilocuencia
grandiloquent,-e *adj.* grandilocuente
grandiose *adj.* grandioso(a)
grandir *v. tr.* aumentar, amplificar • *v. intr.* crecer
grandissant,-e *adj.* creciente
grand-mère *nf.* abuela
grand-messe *nf.* misa mayor
grand-peine (à) *loc. adv.* a duras penas
grand-père *nm.* abuelo
grands-parents *nmpl.* abuelos
grange *nf.* granero *nm.*
granit *nm.* granito
graphique *nm.* gráfico
graphisme *nm.* grafismo
graphologie *nf.* grafología
grappe *nf.* racimo *nm.*
gras, grasse *adj.* gordo(a) ; *(graisseux)* grasiento(a)
gratification *nf.* gratificación
gratifier *v. tr.* gratificar
gratis *adv.* gratis, de balde
gratitude *nf.* gratitud
gratte-ciel *nm.* rascacielos
gratter *v. tr.* raspar, rascar
gratuit,-e *adj.* gratuito(a)
grave *adj.* grave
graver *v. tr.* grabar
graveur *nm.* grabador
gravier *nm.* grava *nf.*
gravir *v. tr.* trepar, subir
gravité *nf.* gravedad
graviter *v. intr.* gravitar
gravure *nf.* grabado *nm.*
grec, grecque *adj. et nm/f.* griego(a)
gredin,-e *nm/f.* granuja *nm.*
greffe *nf.* *(plantes)* injerto *nm.* ; *(médecine)* trasplante *nm.*
greffer *v. tr.* *(plantes)* injertar ; *(médecine)* trasplantar
grêle *nf.* granizo *nm.*, pedrisco *nm.*
grêle *adj.* delgaducho(a)
grelotter *v. intr.* tiritar
grenade *nf.* granada
grenier *nm.* desván ; *(à blé)* granero ; *(à foin)* henil
grenouille *nf.* rana
grève *nf.* huelga
grever *v. tr.* gravar
gréviste *nm/f.* huelguista
grièvement *adv.* gravemente
griffe *nf.* uña, garra ; *(signature)* firma
griffer *v. tr.* arañar
grignoter *v. tr.* roer ; *(manger peu)* picar
gril *nm.* parrilla *nf.*
grillade *nf.* carne a la parrilla
grillage *nm.* alambrera *nf.*
grille *nf.* *(fenêtre)* reja ; *(porte)* cancela ; *(clôture)* verja ; *(les salaires)* tabla
grille-pain *nm.* tostador, tostapán

griller *v. tr. (aliments)* asar, tostar ; *(soleil)* quemar ; *(ampoule)* fundir ; *(feu rouge)* saltarse
grillon *nm.* grillo
grimace *nf.* mueca
grimpant,-e *adj.* trepador(a)
grimper *v. intr.* trepar ; *(se hisser)* subirse a ; *(prix)* subir
grincement *nm.* chirrido
grincer *v. intr.* rechinar ; chirriar
grippe *nf.* gripe ; *(antipathie)* manía
gris,-e *adj.* gris ; *(temps)* nublado
grive *nf.* tordo *nm.*
grog *nm.* ponche, grog
grognement *nm.* gruñido
grogner *v. intr.* gruñir
grognon,-onne *adj. et nm/f.* refunfuñador(a)
grommeler *v. intr.* refunfuñar
grondement *nm.* estruendo
gronder *v. tr.* regañar, reñir • *v. intr.* gruñir
groom *nm.* botones
gros, grosse *adj.* gordo(a) ; *(fig.)* fuerte, importante
groseille *nf.* grosella
grossesse *nf.* embarazo *nm.*
grosseur *nf.* grosor *nm.* ; tumor *nm.*
grossier,-ière *adj.* grosero(a)
grossièreté *nf.* grosería
grossir *v. intr.* engordar
grotte *nf.* cueva
groupe *nm.* grupo ; conjunto
groupement *nm.* asociación *nf.*
grouper *v. tr.* agrupar
grue *nf.* grúa
gué *nm.* vado
guenille *nf.* harapo *nm.*
guenon *nf.* mona
guêpe *nf.* avispa
guère *adv.* poco, casi, apenas
guérir *v. tr.* curar • *v. intr.* sanar
guérison *nf.* curación
guérisseur,-euse *nm/f.* curandero(a)
guerre *nf.* guerra
guerrier,-ère *adj. et nm/f.* guerrero(a)
guet-apens *nm.* asechanza *nf.*
guetter *v. tr.* acechar
gueule *nf. (animal)* hocico *nm.* ; *(fam. pour visage)* pinta, jeta
gui *nm.* muérdago
guichet *nm.* taquilla *nf.*, ventanilla *nf.*
guide *nm/f.* guía • *nm. (livre)* guía *nf.*
guider *v. tr.* guiar
guidon *nm.* manillar
guignol *nm.* guiñol
guillemet *nm.* comilla *nf.*
guindé,-e *adj.* afectado(a)
guirlande *nf.* guirnalda
guitare *nf.* guitarra
guitariste *nm/f.* guitarrista
gymnase *nm.* gimnasio
gymnastique *nf.* gimnasia
gynécologue *nm/f.* ginecólogo(a)
gyrophare *nm.* luz giratoria *nf.*

H

h *nm. inv.* h *nf.*
ha ! *interj.* ¡ah!
habile *adj.* hábil
habileté *nf.* habilidad, destreza
habillement *nm.* ropa *nf.*, vestido
habiller *v. tr.* vestir ; vestirse
habit *nm.* traje
habitable *adj.* habitable
habitant,-e *adj. et nm/f.* habitante, vecino(a)
habitation *nf.* vivienda
habiter *v. intr.* vivir
habitude *nf.* costumbre, hábito *nm.*
habitué,-e *nm/f.* cliente, parroquiano(a)
habituel,-elle *adj.* habitual
habituer *v. tr.* acostumbrar, habituar
hache *nf.* hacha
hacher *v. tr.* picar
hachis *nm.* picadillo de carne
haschisch *nm.* hachís
haie *nf.* seto *nm.*
haine *nf.* odio *nm.*
haineux,-euse *adj.* rencoroso(a)
haïr *v. tr.* odiar, aborrecer
haïssable *adj.* odioso(a)
hâle *nm.* bronceado
hâlé,-e *adj.* bronceado(a)
haleine *nf.* aliento *nm.*
haleter *v. intr.* jadear
hall *nm.* vestíbulo ; *(usine)* nave *nf.*
halle *nf.* mercado *nm.*
hallucination *nf.* alucinación
halo *nm.* halo
halogène *adj.* halógeno(a)
halte *nf.* alto *nm.* ; parada *nf.*
haltère *nm.* haltera *nf.*
hamac *nm.* hamaca *nf.*
hameau *nm.* aldea *nf.*
hameçon *nm.* anzuelo
handball *nm.* balonmano
handicap *nm.* desventaja *nf.* ; *(sports)* handicap
handicapé,-e *adj. et nm/f.* minusválido(a)
handicaper *v. tr.* dificultar
hangar *nm.* cobertizo
hanneton *nm.* abejorro
hanté,-e *adj.* embrujado(a)
hanter *v. tr.* frecuentar ; atormentar
hantise *nf.* obsesión
haras *nm.* acaballadero
harassant,-e *adj.* agotador(a)
harassement *nm.* agotamiento
harasser *v. tr.* agotar, agobiar
harcèlement *nm.* hostigamiento ; *(sexuel)* acoso
harceler *v. tr.* hostigar, acosar
hardi,-e *adj.* atrevido(a)
hardiesse *nf.* atrevimiento *nm.* ; osadía
haricot *nm.* judía *nf.*, *(h. am.)* frijol
harmonica *nm.* armónica *nf.*
harmonie *nf.* armonía
harmonieux,-euse *adj.* armonioso(a)
harmonisation *nf.* armonización
harmoniser *v. tr.* armonizar
harpe *nf.* arpa
hasard *nm.* casualidad
hasarder *v. tr.* aventurar, arriesgar
hâte *nf.* prisa
hâter *v. tr.* apresurar, meter prisa
hausse *nf.* alza
hausser *v. tr.* alzar, levantar
haut,-e *adj.* alto(a) • *nm.* altura *nf.*, alto, cumbre *nf.*
hautain,-e *adj.* altivo(a)
hautbois *nm.* oboe
hauteur *nf.* altura ; (*élévation de terrain*) cerro *nm.* ; *(arrogance)* altanería
haut-parleur *nm.* altavoz
hebdomadaire *adj.* semanal • *nm.* semanario
hébergement *nm.* alojamiento
héberger *v. tr.* alojar
hébéter *v. tr.* embrutecer
hébreu *adj.* hebreo
hectare *nm.* hectárea *nf.*
hectolitre *nm.* hectolitro
hélas ! *interj.* ¡ay!
hélice *nf.* hélice
hélicoptère *nm.* helicóptero
hellène *adj. et nm/f.* heleno(a)

hémicycle *nm.* hemiciclo,
hémisphère *nm.* hemisferio
hémorragie *nf.* hemorragia
hémorroïdes *nfpl.* hemorroides
hennir *v. intr.* relinchar
hépatite *nf.* hepatitis
hépatique *adj.* hepático(a)
herbage *nm.* pasto
herbe *nf.* hierba
herbivore *adj.* herbívoro(a)
herboriste *nm/f.* herbolario(a)
herboristerie *nf.* herboristería
héréditaire *adj.* hereditario(a)
hérédité *nf.* herencia
hérésie *nf.* herejía
hérisser *v. tr.* erizar
héritage *nm.* herencia *nf.*
hériter *v. tr. et intr.* heredar
héritier,-ière *nm/f.* heredero(a)
hermétique *adj.* hermético(a)
hernie *nf.* hernia
héroïne *nf.* heroína
héroïque *adj.* heroico(a)
héroïsme *nm.* heroísmo
héros *nm.* héroe
hésitant,-e *adj.* vacilante
hésitation *nf.* titubeo *nm.* ; vacilación
hésiter *v. intr.* titubear, vacilar, dudar
hétéroclite *adj.* heteróclito(a)
hétérogène *adj.* heterogéneo(a)
hêtre *nm.* haya *nf.*
heu ! *interj. (hésitation)* pues
heure *nf.* hora
heureux,-euse *adj.* feliz, dichoso(a) ; *(judicieux)* acertado(a)
heurter *v. tr.* chocar, tropezar con ; *(fig.)* contrariar
hexagonal *adj.* hexagonal
hexagone *nm.* hexágono
hibou *nm.* mochuelo
hideux,-euse *adj.* horroroso(a)
hier *adv.* ayer ; ***hier soir*** anoche
hiérarchie *nf.* jerarquía
hiérarchique *adj.* jerárquico(a)
hiéroglyphe *nm.* jeroglífico
hindou,-e *adj. et nm/f.* hindú
hippocampe *nm.* hipocampo
hippopotame *nm.* hipopótamo
hirondelle *nf.* golondrina
hirsute *adj.* hirsuto(a)
hispanique *adj.* hispánico(a)
hispanisant,-e *adj. et nm/f.* hispanista
hispanisme *nm.* hispanismo
hispano-américain *adj.* hispanoamericano
hisser *v. tr.* izar
histoire *nf.* historia ; *(anecdote)* historia, cuento *nm.* ; *(drôle)* chiste *nm.* ; *(ennui)* lío *nm.*
historien,-enne *nm/f.* historiador(a)
hiver *nm.* invierno
hiverner *v. intr.* invernar
ho ! *interj.* ¡oh!
hochet *nm.* sonajero
holá *interj.* ¡hola!
hold-up *nm.* atraco
hollandais,-e *adj. et nm/f.* holandés(a)
homard *nm.* langosta *nf.*
homicide *adj.* homicida • *nm. (crime)* homicidio
hommage *nm.* homenaje ; regalo, obsequio • *nmpl.* respetos
homme *nm.* hombre
homogène *adj.* homogéneo(a)
homologation *nf.* homologación
homologuer *v. tr.* homologar
homonyme *adj.* homónimo(a)
homosexualité *nf.* homosexualidad
homosexuel,-elle *adj. et nm/f.* homosexual
hondurien,-enne *adj. et nm/f.* hondureño(a)
honnête *adj.* honrado(a) ; decente, honesto(a)
honnêteté *nf.* honradez ; honestidad, decencia
honneur *nm.* honra *nf.* ; honor
honorabilité *nf.* honorabilidad
honorable *adj.* honorable.
honorer *v. tr.* honrar ; (*une dette*) pagar
honorifique *adj.* honorífico(a)
honte *nf.* vergüenza
honteux,-euse *adj. (qui éprouve de la honte)* vergonzado(a) ; *(qui provoque la* honte) vergonzoso(a)
hop ! *interj.* ¡aúpa !
hôpital *nm.* hospital
horaire *adj. et nm.* horario(a)

horizon *nm.* horizonte
horizontal,-ale *adj.* horizontal
horloge *nf.* reloj *nm.*
horloger,-ère *nm/f.* relojero(a)
horlogerie *nf.* relojería
hormis *adv.* excepto
horoscope *nm.* horóscopo
horreur *nf.* horror *nm.*
horrible *adj.* horrible
horripiler *v. tr.* exasperar
hors *prép.* fuera de
hors-d'œuvre *nm.* entremés
hors-la-loi *nm.* fuera de la ley
hortensia *nm.* hortensia *nf.*
horticulteur *nm.* horticultor
horticulture *nf.* horticultura
hospitalier,-ière *adj.* hospitalario(a)
hospitalisation *nf.* hospitalización
hospitaliser *v. tr.* hospitalizar
hospitalité *nf.* hospitalidad
hostie *nf.* hostia
hostile *adj.* hostil
hostilité *nf.* hostilidad
hot-dog *nm.* perrito caliente
hôte,-esse *nm/f.* huésped(a)
hôtel *nm.* hotel
hôtelier,-ière *adj. et nm/f.* hotelero(a)
hôtellerie *nf. (industrie)* hostelería *(auberge)* hostal *nm.*, parador *nm.*
hourra ! *interj.* ¡hurra!
houx *nm.* acebo
hublot *nm.* ventanilla *nf.*
huer *v. tr.* abuchear
huile *nf.* aceite *nm.*
huiler *v. tr.* aceitar, engrasar
huilier *nm.* vinagreras *nfpl.*
huissier *nm. (justice)* ujier ; *(ministère)* ordenanza
huit *adj. et nm. inv.* ocho
huitaine *nf.* unos, unas ocho
huitième *adj. et nm.* octavo(a)
huître *nf.* ostra
humain,-e *adj. et nm.* humano(a)
humaniser *v. tr.* humanizar
humanisme *nm.* humanismo
humaniste *adj. et nm/f.* humanista
humanitaire *adj.* humanitario(a)
humanité *nf.* humanidad
humble *adj.* humilde
humecter *v. tr.* humedecer
humer *v. tr.* aspirar, inhalar
humeur *nf.* humor *nm.*
humide *adj.* húmedo(a)
humidité *nf.* humedad
humiliant,-e *adj.* humillante
humiliation *nf.* humillación
humilier *v. tr.* humillar
humilité *nf.* humildad
humoriste *adj. et nm/f.* humorista
humoristique *adj.* humoristico(a)
humour *nm.* humor
hurlement *nm.* alarido, aullido
hurler *v. intr. (animal)* aullar ; *(personne)* dar alaridos
hutte *nf.* choza
hygiène *nf.* higiene
hygiénique *adj.* higiénico(a)
hymne *nm.* himno
hypermarché *nm.* hipermercado
hypertension *nf.* hipertensión
hypnose *nf.* hipnosis
hypnotiser *v. tr.* hipnotizar
hypnotisme *nm.* hipnotismo
hypocrisie *nf.* hipocresía
hypocrite *adj.* hipócrita
hypotension *nf.* hipotensión
hypothèque *nf.* hipoteca
hypothéquer *v. tr.* hipotecar
hypothèse *nf.* hipótesis
hypothétique *adj.* hipotético(a)

i *nm. inv.* i *nf.*
iceberg *nm.* iceberg
ici *adv.* aquí, acá
icône *nf.* icono *nm.*
idéal,-e *adj. et nm.* ideal
idéalisme *nm.* idealismo
idée *nf.* idea, opinión
identifier *v. tr.* identificar
identique *adj.* idéntico(a)
identité *nf.* identidad
idéologique *adj.* ideológico(a)
idiome *nm.* idioma
idiot-e *adj.* idiota, tonto(a)
idole *nf.* ídolo *nm.*
idylle *nf.* idilio *nm.*
ignoble *adj.* innoble
ignominie *nf.* ignominia
ignorance *nf.* ignorancia
ignorant,-e *adj. et nm/f.* ignorante
ignorer *v. tr.* ignorar
iguane *nm.* iguana *nf.*
il, ils *pron. pers.* él, ellos
île *nf.* isla
illégal,-e *adj.* ilegal
illégitime *adj.* ilegítimo(a)
illettré,-e *adj. et nm/f.* analfabeto(a)
illimité,-e *adj.* ilimitado(a)
illisible *adj.* ilegible
illogique *adj.* ilógico(a)
illumination *nf.* iluminación
illuminer *v. tr.* iluminar
illusion *nf.* ilusión
illusionniste *nm.* prestidigitador
illusoire *adj.* ilusorio(a)
illustration *nf.* ilustración
illustre *adj.* ilustre
illustrer *v. tr.* ilustrar
image *nf.* imagen ; estampa
imaginaire *adj.* imaginario(a)
imagination *nf.* imaginación
imaginer *v. tr.* imaginar
imbattable *adj.* invencible
imbécile *adj. et nm/f.* imbécil
imitation *nf.* imitación
imiter *v. tr.* imitar
immangeable *adj.* incomible
immanquable *adj.* infalible
immatriculer *v. tr.* matricular
immédiat,-e *adj.* inmediato(a)
immense *adj.* inmenso(a)
immensité *nf.* inmensidad
immersion *nf.* inmersión
immeuble *nm.* casa *nf.*, edificio
immigrant,-e *adj. et nm/f.* inmigrante
immigrer *v. intr.* inmigrar
imminent,-e *adj.* inminente
immobile *adj.* inmóvil
immobilier,-ère *adj.* inmobiliario(a)
immobiliser *v. tr.* inmovilizar
immoralité *nf.* inmoralidad
immortalité *nf.* inmortalidad
immortel,-elle *adj.* inmortal
immuniser *v. tr.* inmunizar
immunité *nf.* inmunidad
impact *nm.* impacto
impair,-e *adj.* impar • *nm.* plancha *nf.*
impardonnable *adj.* imperdonable
imparfait,-e *adj.* imperfecto(a)
impartial,-e *adj.* imparcial
impasse *nf.* callejón sin salida *nm.*
impassible *adj.* impasible
impatience *nf.* impaciencia
impatient,-e *adj.* impaciente
impeccable *adj.* impecable
impératif,-ive *adj. et nm.* imperativo(a)
impératrice *nf.* emperatriz
imperceptible *adj.* imperceptible
imperfection *nf.* imperfección
impérial,-e *adj.* imperial
impérialisme *nm.* imperialismo
imperméable *adj. et nm.* impermeable
impersonnel,-elle *adj.* impersonal
impertinent,-e *adj. et nm/f.* impertinente
impitoyable *adj.* despiadado(a)
implanter *v. tr.* implantar
implicite *adj.* implícito(ta)
impliquer *v. tr.* implicar
implorer *v. tr.* implorar
impolitesse *nf.* descortesía
impopulaire *adj.* impopular

importance *nf.* importancia
important,-e *adj.* importante
importateur,-trice *adj. et nm/f.* importador(a)
importer *v. tr. et intr.* importar
importun,-e *adj. et nm/f.* importuno(a)
importuner *v. tr.* importunar
imposant,-e *adj.* imponente
imposé,-e *adj.* impuesto(a)
imposer *v. tr.* imponer ; *(taxer)* gravar ; ***en imposer*** infundir respeto
imposition *nf.* imposición
impossibilité *nf.* imposibilidad
impossible *adj.* imposible
impôt *nm.* impuesto, contribución *nf.*
imprécis,-e *adj.* impreciso(a)
imprégner *v. tr.* impregnar
imprésario *nm.* empresario
impression *nf.* impresión
impressionner *v. tr.* impresionar
imprévoyant,-e *adj. et nm/f.* imprevisor(a)
imprévu,-e *adj.* imprevisto(a)
imprimé *nm. (écrit)* impreso ; *(tissu)* estampado
imprimer *v. tr. (papier)* imprimir ; *(tissu)* estampar
imprimerie *nf.* imprenta
improbable *adj.* improbable
impropre *adj.* impropio(a)
impropriété *nf.* impropiedad
improviser *v. tr. et intr.* improvisar
imprudence *nf.* imprudencia
imprudent,-e *adj. et nm/f.* imprudente
impuissant,-e *adj. et nm/f.* impotente
impunité *nf.* impunitad
impur,-e *adj.* impuro(a)
impureté *nf.* impureza
inacceptable *adj.* inaceptable
inaccessible *adj.* inaccesible
inachevé,-e *adj.* sin acabar
inactif,-ive *adj.* inactivo(a)
inaction *nf.* inacción
inadmissible *adj.* inadmisible
inadvertance *nf.* inadvertencia
inaltérable *adj.* inalterable
inamovible *adj.* inamovible
inanimé,-e *adj.* inanimado(a)
inaperçu,-e *adj.* inadvertido(a)
inapte *adj.* no apto(a)
inassouvi,-e *adj.* insatisfecho(a)
inattendu,-e *adj.* inesperado(a)
inattentif,-ive *adj.* desatento(a)
inauguration *nf.* inauguración
inaugurer *v. tr.* inaugurar
incapable *adj. et nm/f.* incapaz
incapacité *nf.* incapacidad
incarcérer *v. tr.* encarcelar
incarner *v. tr.* encamar
incassable *adj.* irrompible
incendier *v. tr.* incendiar
incertain,-e *adj.* incierto(a)
incertitude *nf.* incertidumbre
incessant,-e *adj.* incesante
incidence *nf. (fig)* repercusión
incident,-e *adj. et nm.* incidente
incinérer *v. tr.* incinerar
inciter *v. tr.* incitar
inclinaison *nf.* inclinación
inclination *nf.* inclinación
incliner *v. tr.* inclinar
inclure *v. tr.* incluir
inclus,-e *adj.* incluso(a)
incohérence *nf.* incoherencia
incohérent,-e *adj.* incoherente
incolore *adj.* incoloro(a)
incomparable *adj.* incomparable
incompatible *adj.* incompatible
incompétence *nf.* incompetencia
incomplet,-ète *adj.* incompleto(a)
incompréhensible *adj.* incomprensible
incompris,-e *adj. et nm/f.* incomprendido(a)
inconnu,-e *adj. et nm/f.* desconocido(a)
inconscient,-e *adj. et nm/f.* inconsciente
inconsolable *adj.* inconsolable
inconvénient *nm.* inconveniente
incorporer *v. tr.* incorporar
incorrect,-e *adj.* incorrecto(a)
incorrigible *adj.* incorregible
incorruptible *adj.* incorruptible
incrédulité *nf.* incredulidad
incroyable *adj.* increíble
incroyant,-e *adj. et nm/f.* descreído(a)
inculper *v. tr.* inculpar
inculte *adj.* inculto(a)

incurable *adj. et nm/f.* incurable
indécent,-e *adj.* indecente
indécision *nf.* indecisión
indéfini,-e *adj.* indefinido(a)
indéfinissable *adj.* indefinible
indélicatesse *nf.* indelicadeza
indemne *adj.* indemne
indemniser *v. tr.* indemnizar
indemnité *nf.* indemnización ; *(allocation)* subsidio *nm.*, dieta, plus *nm.*
indépendance *nf.* independencia
indépendant,-e *adj.* independiente
indésirable *adj. et nm/f.* indeseable
indestructible *adj.* indestructible
indéterminé,-e *adj.* indeterminado(a)
index *nm.* índice
indicateur,-trice *adj.* indicador(a) • *nm.* (*horaires, rues*) guía *nf.* ; *(police)* soplón
indicatif,-ive *adj. et nm.* indicativo(a)
indication *nf.* indicación ; indicio *nm.*
indice *nm.* indicio
indifférence *nf.* indiferencia
indifférent,-e *adj. et nm/f.* indiferente
indigestion *nf.* indigestion
indignation *nf.* indignación
indigne *adj.* indigno(a)
indigner *v. tr.* indignar
indigo *nm.* índigo, añil
indiquer *v. tr.* indicar
indirect,-ète *adj.* indirecto(a)
indiscipliné,-e *adj.* indisciplinado(a)
indiscret,-e *adj. et nm/f.* indiscreto(a)
indiscrétion *nf.* indiscreción
indiscutable *adj.* indiscutible
indispensable *adj.* indispensable
indistinct,-e *adj.* indistinto(a)
individu *nm.* individuo
individuel,-elle *adj.* individual
indolence *nf.* indolencia
indolore *adj.* indoloro(a)
indomptable *adj.* indomable
induire *v. tr.* inducir
indulgence *nf.* indulgencia
indulgent,-e *adj.* indulgente
industrialiser *v. tr.* industrializar
industriel,-elle *adj.* industrial
inébranlable *adj.* inconmovible
inédit,-e *adj.* inédito(a)
inefficacité *nf.* ineficacia
inégalité *nf.* desigualdad
inéluctable *adj.* ineluctable
inepte *adj.* inepto(a)
inépuisable *adj.* inagotable
inerte *adj.* inerte
inertie *nf.* inercia
inespéré,-e *adj.* inesperado(a)
inestimable *adj.* inestimable
inévitable *adj.* inevitable
inexactitude *nf.* inexactitud
inexcusable *adj.* inexcusable
inexistant,-e *adj.* inexistente
inexperimenté,-e *adj.* inexperto(a)
inexplicable *adj.* inexplicable
inexploré,-e *adj.* inexplorado(a)
inexpressif,-ive *adj.* inexpresivo(a)
infamie *nf.* infamia
infantile *adj.* infantil
infatigable *adj.* infatigable
infecter *v. tr.* infectar
infection *nf.* infección ; *(puanteur)* peste
inférieur,-e *adj.* inferior
infériorité *nf.* inferioridad
infernal,-e *adj.* infernal
infester *v. tr.* infestar
infidélité *nf.* infidelidad
infiltrer (s') *v. pr.* infiltrarse
infime *adj.* ínfimo(a)
infini,-e *adj. et nm.* infinito(a)
infinité *nf.* infinidad
infinitif,-ive *adj. et nm.* infinitivo
infirme *adj. et nm/f.* lisisado(a)
infirmerie *nf.* enfermería
infirmier,-ière *nm/f.* enfermero(a)
infirmité *nf.* achaque *nm.*
inflammation *nf.* inflamación
inflation *nf.* inflación
infliger *v. tr.* infligir
influencer *v. tr.* influir
influent,-e *adj.* influyente
information *nf.* información
informatique *adj. et nf.* informático(a)
infortuné,-e *adj.* infortunado(a)
infraction *nf.* infracción
infructueux,-euse *adj.* infructuoso(a)
infusion *nf.* infusión
ingénieur *nm.* ingeniero

ingénieux,-euse *adj.* ingenioso(a)
ingénuité *nf.* ingenuidad
ingrat,-e *adj. et nm/f.* ingrato(a)
ingratitude *nf.* ingratitud
inhabité,-e *adj.* deshabitado(a)
inhumain,-e *adj.* inhumano(a)
inhumer *v. tr.* inhumar
inimitable *adj.* inimitable
inimitié *nf.* enemistad
inintelligible *adj.* ininteligible
ininterrompu,-e *adj.* ininterrumpido(a)
initial,-e *adj. et nf.* inicial
initiative *nf.* iniciativa
initier *v. tr.* iniciar
injurier *v. tr.* injuriar
injustice *nf.* injusticia
injustifié,-e *adj.* injustificado(a)
inlassable *adj.* incansable
innocence *nf.* inocencia
innocent,-e *adj. et nm/f.* inocente
innombrable *adj.* innumerable
innovation *nf.* innovación
innocupé,-e *adj.* desocupado(a)
inodore *adj.* inodoro(a)
inoffensif,-ive *adj.* inofensivo(a)
inondation *nf.* inundación
inopportun,-e *adj.* inoportuno(a)
inoubliable *adj.* inolvidable
inouï,-e *adj.* inaudito(a)
inqualifiable *adj.* incalificable
inquiet,-ète *adj.* inquieto(a)
inquiéter *v. tr.* inquietar • *v. pr.* inquietarse, preocuparse
inquisiteur,-trice *adj. et nm.* inquisidor(a)
insalubre *adj.* insalubre
inscription *nf.* inscripción ; *(université, école)* matrícula
inscrire *v. tr.* inscribir • *v. pr. (université, école)* matricularse
insecte *nm.* insecto
insecticide *adj. et nm.* insecticida
insécurité *nf.* inseguridad
insensé,-e *adj.* insensato(a)
insensible *adj.* insensible
inséparable *adj.* inseparable
insignifiant,-e *adj.* insignificante
insinuer *v. tr.* insinuar
insistance *nf.* insistencia
insister *v. intr.* insistir
insolation *nf.* insolación
insolent,-e *adj. et nm/f.* insolente
insolite *adj.* insólito(a)
insomnie *nf.* insomnio *nm.*
insouciance *nf.* despreocupación
inspecteur,-trice *nm/f.* inspector(a)
inspection *nf.* inspección
inspiration *nf.* inspiración
inspirer *v. tr.* inspirar
instable *adj.* inestable
installation *nf.* instalación
installer *v. tr.* instalar
instant *nm.* instante
instinct *nm.* instinto
instituer *v. tr.* instituir
instituteur,-trice *nm/f.* maestro(a)
institution *nf.* institución
instruire *v. tr.* instruir
instrument *nm.* instrumento
insuffisant,-e *adj.* insuficiente
insulter *v. tr.* insultar
insupportable *adj.* insoportable
insurmontable *adj.* insuperable
insurrection *nf.* insurrección
intact,-e *adj.* intacto(a)
intarissable *adj.* inagotable
intégral,-e *adj.* integral
intègre *adj.* íntegro(a)
intégrité *nf.* integridad
intellectuel,-elle *adj. et nm/f.* intelectual
intelligence *nf.* inteligencia
intelligent,-e *adj.* inteligente
intempérance *nf.* intemperancia
intenable *adj.* insostenible
intense *adj.* intenso(a)
intensifier *v. tr.* intensificar
intention *nf.* intención
intercéder *v. intr.* interceder
intercepter *v. tr.* interceptar
interdiction *nf.* prohibición
interdire *v. tr.* prohibir ; *(empêcher)* impedir
intéressant,-e *adj.* interesante
intéresser *v. tr.* interesar
intérêt *nm.* interés
intérieur,-e *adj. et nm.* interior

intermédiaire *adj. et nm/f.* intermediario(a)
interminable *adj.* interminable
international,-e *adj.* internacional
interne *adj. et nm/f.* interno(a)
interprétation *nf.* interpretación
interprète *nm/f.* intérprete
interrogation *nf.* interrogación
interrogatoire *nm.* interrogatorio
interroger *v. tr.* interrogar, preguntar
interrompre *v. tr.* interrumpir
interrupteur *nm.* interruptor
intervalle *nm.* intervalo
intervenir *v. intr.* intervenir
intervention *nf.* intervención
intervertir *v. tr.* invertir
interviewer *v. tr.* entrevistarse con
intestin,-e *adj. et nm.* intestino(a)
intimider *v. tr.* intimidar
intimité *nf.* intimidad
intolérable *adj.* intolerable
intolérance *nf.* intolerancia
intraitable *adj.* intratable
intransigeance *nf.* intransigencia
intrépide *adj.* intrépido(a)
intrigue *nf.* intriga
introduction *nf.* introducción
introduire *v. tr.* introducir
intrusion *nf.* intrusión
intuitif,-ive *adj.* intuitivo(a)
intuition *nf.* intuición
inusité,-e *adj.* inusitado(a)
inutile *adj.* inútil
inutiliser *v. tr.* inutilizar
inutilité *nf.* inutilidad
invalide *adj. et nm/f.* inválido(a)
invariable *adj.* invariable
invasion *nf.* invasión
inventaire *nm.* inventario
inventeur,-trice *nm/f.* inventor(a)
invention *nf.* invención, invento *nm.*
inverse *adj.* inverso(a)
inversion *nf.* inversión
invertir *v. tr.* invertir
investir *v. tr.* investir ; *(militaire)* asediar ; *(argent)* invertir, colocar
invincible *adj.* invencible
invisible *adj.* invisible
invitation *nf.* invitación
inviter *v. tr.* invitar
invocation *nf.* invocación
involontaire *adj.* involuntario(a)
invoquer *v. tr.* invocar
invraisemblable *adj.* inverosímil
iris *nm. (de l'œil)* iris ; *(plante)* lirio
irlandais,-e *adj. et nm/f.* irlandés(esa)
ironie *nf.* ironía
ironique *adj.* irónico(a)
irradier *v. tr. et intr.* irradiar
irréconciliable *adj.* irreconciliable
irréductible *adj.* irreductible
irréfléchi,-e *adj.* irreflexivo(a)
irréfutable *adj.* irrefutable
irrégularité *nf.* irregularidad
irrégulier,-ière *adj.* irregular
irréparable *adj.* irreparable
irréprochable *adj.* irreprochable
irrésistible *adj.* irresistible
irrésolu,-e *adj.* irresoluto(a)
irrespectueux,-euse *adj.* irrespetuoso(a)
irrespirable *adj.* irrespirable
irresponsable *adj. et nm/f.* irresponsable
irritant,-e *adj.* irritante
irriter *v. tr.* irritar
irruption *nf.* irrupción
islamisme *nm.* islamismo
isolant,-e *adj. et nm.* aislante
isoler *v. tr.* aislar
israélite *adj. et nm/f.* israelita
issu,-e *adj.* descendiente • *nf.* salida, resultado *nm.* ; *(dénouement)* desenlace *nm.*
isthme *nm.* istmo
italien,-ne *adj. et nm/f.* italiano(a)
itinéraire *nm.* itinerario
ivoire *nm.* marfil
ivre *adj.* ebrio(a), borracho(a)
ivresse *nf.* embriaguez, borrachera
ivrogne *adj. et nm/f.* borracho(a)

J

j *nm. inv.* j *nf.*
jachère *nf.* barbecho *nm.*
jacinthe *nf.* jacinto *nm.*
jade *nm.* jade
jadis *adv.* antaño, antiguamente
jaillir *v. intr.* surgir
jais *nm.* azabache
jalon *nm. (piquet)* jalón ; *(fig.),* hito
jalousie *nf. (en amour)* celos *nmpl.* ; *(envie)* envidia ; *(persienne)* celosía
jaloux,-ouse *adj. et nm/f. (en amour)* celoso(a) ; *(envieux)* envidioso(a)
jamais *adv.* nunca, jamás
jambe *nf.* pierna ; *(d'animal)* pata ; *(de pantalon)* pernil *nm.*
jambon *nm.* jamón
janvier *nm.* enero
japonais,-e *adj. et nm/f.* japonés(esa)
jardin *nm. (fleurs)* jardín ; *(potager)* huerto, huerta *nf.*
jardinage *nm.* jardinería *nf.*
jardinier,-ière *nm/f. (fleuriste)* jardinero(a) ; *(maraîcher)* hortelano(a)
jarre *nf.* jarra
jarret *nm. (humain)* corva *nf.* ; *(animal)* jarrete
jarretelle *nf.* liga
jasmin *nm.* jazmín
jauge *nf. (capacité)* cabida ; *(bateau)* arqueo *nm.* ; indicador de nivel *nm.*
jauger *v. tr. (bateau)* arquear ; *(fig.)* juzgar
jaune *adj.* amarillo(a) • *nm. (briseur de grève)* esquirol ; *(d'œuf)* yema *nf.*
jaunir *v. tr. et intr.* amarillear
jaunisse *nf.* ictericia
Javel (eau de) *nf.* lejía
javelot *nm.* jabalina *nf.*
je *pron. pers.* yo
jean *nm.* vaquero, tejano
jésuite *nm.* jesuita
Jésus *n. prop. m.* Jesús
jet *nm. (action)* tiro ; *(d'eau)* surtidor
jetée *nf.* malecón *nm.*
jeter *v. tr.* echar ; lanzar ; *(se débarrasser)* tirar
jeton *nm.* ficha *nf.*
jeu *nm. (divertissement)* juego ; *(musique)* ejecución *nf.* ; *(théâtre, cinéma)* actuación *nf.*
jeudi *nm.* jueves
jeun (à) *loc. adv.* en ayunas
jeune *adj.* joven ; *(récent)* nuevo(a) ; *(petit)* pequeño(a) • *nm/f.* joven
jeûner *v. intr.* ayunar
jeunesse *nf.* juventud
joaillerie *nf.* joyería
joie *nf.* alegría, gozo *nm.*
joindre *v. tr.* unir, juntar ; entrar en contacto con
joint,-e *adj.* junto(a), ***ci-joint,-e*** adjunto(a)
joli,-e *adj.* bonito(a), lindo(a)
joncher *v. tr.* cubrir, alfombrar
jonction *nf.* unión
jongler *v. intr.* hacer juegos malabares
jongleur,-euse *nm/f.* malabarista
jonquille *nf.* junquillo *nm.*
joue *nf.* mejilla
jouer *v. tr. et intr.* jugar ; *(simuler)* fingirse ; *(musique)* tocar ; *(théâtre, cinéma)* interpretar • *v. intr.* jugar ; *(avoir du jeu)* tener huelgo ; *(muscle)* funcionar
jouet *nm.* juguete
joueur,-euse *adj.* jugetón(ona) • *nm/f.* jugador(a) ; *(musique)* tocador(a)
joufflu,-e *adj.* mofletudo(a)
jouir *v. intr.* gozar
jouissance *nf.* disfrute *nm.*, gozo *nm.*
jour *nm.* día ; *(lumière)* luz *nf.* ; *(ouverture)* hueco ; *(apparence)* aspecto
journal *nm.* diario, periódico
journalier,-ère *adj.* diario(a) • *nm/f.* *(ouvrier)* jornalero(a)
journaliste *nm.* periodista
journée *nf.* día *nm.*
joyau *nm.* joya *nf.*
joyeux,-euse *adj.* alegre, feliz
judas *nm. (traître)* judas ; *(dans une porte)* mirilla *nf.*
judiciaire *adj.* judicial
juge *nm.* juez
jugement *nm. (justice)* sentencia *nf.* ; *(bon sens)* cordura *nf.*
juger *v. tr.* juzgar

juif,-ive *adj. et nm/f.* judío(a)
juillet *nm.* julio
juin *nm.* junio
jumeau,-elle *adj. et nm/f.* gemelo(a)
jumelles *nfpl.* gemelos nmpl.
jument *nf.* yegua
jungle *nf.* jungla, selva
jupe *nf.* falda
jupon *nm.* enaguas *nfpl.*
juré *nm.* jurado
jurer *v. tr.* jurar ; *(ne pas aller ensemble)* chocar con
juridiction *nf.* juridicción
juridique *adj.* jurídico(a)
jurisprudence *nf.* jurisprudencia
juriste *nm.* jurista
juron *nm.* taco
jury *nm. (justice)* jurado ; *(examen)* tribunal
jus *nm.* jugo ; *(de fruit)* zumo
jusque *prép.* hasta
juste *adj.* justo(a) ; *(exact)* acertado(a) *(petit)* estrecho(a) • *nm.* justo • *adv.* justo
justesse *nf.* precisión, exactitud
justice *nf.* justicia
justicier,-ière *adj. et nm/f.* justiciero(a)
justifier *v. tr.* justificar
juteux,-euse *adj.* jugoso(a)
juxtaposer *v. tr.* yuxtaponer

K

k *nm. inv.* k *nf.*
kabyle *adj. et nm/f.* cabila
kaki *adj. invar.* caqui
kaléidoscope *nm.* calidoscopio
kangourou *nm.* canguro
képi *nm.* quepis
kermesse *nf.* quermese
kérosène *nm.* queroseno
kidnapper *v. tr.* secuestrar
kilogramme *nm.* kilogramo
kilomètre *nm.* kilómetro
kilowatt *nm.* kilovatio
kimono *nm.* quimono
kiosque *nm.* quiosco
kyste *nm.* quiste

L

l *nm. inv.* l *nf.*
là *adv. (loin)* allí ; *(près)* ahí
laboratoire *nm.* laboratorio
laborieux,-euse *adj.* laborioso(a)
labour *nm.*, **labourage** *nm.* labranza *nf.*
labourer *v. tr.* labrar ; *(fig.)* surcar
labyrinthe *nm.* laberinto
lac *nm.* lago
lacer *v. tr.* lazar
lacet *nm. (chaussures)* cordón ; *(route)* curva *nf.* ; *(chasse)* lazo
lâche *adj. (desserré)* flojo(a) ; *(vil)* ruin • *adj. et nm/f. (poltron)* cobarde
lâcher *v. tr. (desserrer)* aflojar ; *(cesser de tenir)* soltar ; *(fig.)* dejar
lâcheté *nf.* cobardía
lacune *nf.* laguna
lagune *nf.* albufera
laïc, laïque *adj. et nm.* laico
laid,-e *adj.* feo(a)
laideur *nf.* fealdad
lainage *nm.* tejido de lana ; *(vêtement)* jersey
laine *nf.* lana

laisse *nf.* correa
laisser *v. tr.* dejar ; *(confier)* entregar
laissez-passer *nm. inv.* pase
lait *nm.* leche *nf.*
laitage *nm.* producto lácteo
laiterie *nf.* lechería
laiteux,-euse *adj.* lechoso(a)
laitier,-ière *adj. et nm/f.* lechero(a)
laiton *nm.* latón
laitue *nf.* lechuga
lambiner *v. intr.* remolonear
lamentable *adj.* lamentable
lamenter (se) *v. pr.* lamentarse
lance *nf.* lanza, pica
lancement *nm.* lanzamiento
lancer *v. tr.* lanzar ; *(un bateau)* botar ; *(faire connaître)* poner en circulación, de moda
lande *nf.* landa
langage *nm.* lenguaje
lange *nm.* pañal
langoureux,-euse *adj.* lánguido(a)
langouste *nf.* langosta
langue *nf.* lengua ; *(langage)* lengua, idioma *nm.*, lenguaje *nm.*
langueur *nf.* languidez
languir *v. intr.* languidecer ; *(fig.)* consumirse
lanterne *nf.* farol *nm.*
lapin,-ine *nm/f.* conejo(a)
lapsus *nm.* lapsus
larcin *nm.* hurto
lard *nm.* tocino
larder *v. tr. (cuisine)* mechar ; *(fig.)* acribillar
lardon *nm. (cuisine)* mecha *nf.* ; *(fig.) (enfant)* crío
large *adj.* ancho(a), amplio(a)
largesse *nf.* largueza, liberalidad
largeur *nf.* anchura ; *(de vues, d'esprit)* amplitud
larme *nf.* lágrima
larmoyer *v. intr.* lagrimear
larve *nf.* larva
larynx *nm.* laringe *nf.*
las, lasse *adj.* cansado(a)
lascif,-ive *adj.* lascivo(a)
laser *nm.* laser, láser
lassitude *nf.* cansancio *nm.*
latent,-e *adj.* latente
latéral,-e *adj.* lateral
latin,-e *adj.* latino(a) • *nm. (langue)* latín
latitude *nf.* latitud
laudatif,-ive *adj.* laudatorio(a)
lauréat,-e *adj. et nm/f.* galardonado(a)
laurier *nm.* laurel
lavabo *nm.* lavabo
lavage *nm.* lavado
lavande *nf.* lavanda, espliego *nm.*
lave *nf.* lava
lave-vaisselle *nm. invar.* lavaplatos
laver *v. tr.* lavar ; (*la vaisselle*) fregar (los platos)
lavoir *nm.* lavadero
le, la, l' *art.* el, la • *pron. pers.* lo, le, la
lécher *v. tr.* lamer • *v. pr. (les doigts)* chuparse
leçon *nf.* lección
lecteur,-trice *nm/f.* lector(a)
lecture *nf.* lectura
légal,-e *adj.* legal
légaliser *v. tr.* legalizar
légalité *nf.* legalidad
légende *nf.* leyenda ; *(photo, dessin)* pie *nm.*
léger,-ère *adj.* ligero(a)
légèreté *nf.* ligereza
légion *nf.* legión
législation *nf.* legislación
légitime *adj.* legítimo(a)
légitimer *v. tr.* legitimar
legs *nm.* legado
léguer *v. tr.* legar
légume *nm. (vert)* verdura *nf.* ; *(sec)* legumbre *nf.*
lendemain *nm. (sujet)* el día siguiente ; *(compl.)* al día siguiente
lent,-e *adj.* lento(a)
lenteur *nf.* lentitud
lentille *nf.* lenteja ; *(optique)* lente
léopard *nm.* leopardo
lequel, laquelle *pron. rel.* el cual, la cual, ***lesquels, lesquelles*** los cuales, las cuales • *pron. inter.* cuál, cuáles
les *art. et pron. pers. pl.* los, las
léser *v. tr.* perjudicar

lésion *nf.* lesión
lessive *nf. (produit)* lejía ; *(linge)* ropa ; *(action)* colada
lettre *nf. (alphabet)* letra ; *(missive)* carta (*de change)* letra
lettré,-e *adj.* culto(a) • *nm/f.* erudito(a)
leucémie *nf.* leucemia
leur, leurs *adj. poss.* su, sus
leur *pron. pers.* les *(qui devient* se *s'il précède* lo, la, los, las)
leurrer *v. tr.* engañar
levain *nm.* levadura *nf.*
levant *nm.* levante
levée *nf.* levantamiento *nm.* ; *(courrier)* recogida *nf.* ; *(impôts)* recaudación *nf.* (*de terrain*) terraplén *nm.*
lever *v. tr.* levantar ; *(impôts)* recaudar ; *(armée)* reclutar
lever *nm.* levantamiento ; *(du jour)* amanecer ; *(du soleil)* salida (del sol) *nf.* ; (*du rideau*) subida (del telón) *nf.*
levier *nm.* palanca *nf.*
lèvre *nf.* labio nm
lévrier *nm.* galgo
lexique *nm.* léxico
lézard *nm.* lagarto
lézarder *v. tr.* agrietar • *v. intr. (flâner)* vaguear
liaison *nf.* enlace *nm.*, unión ; *(aventure amoureuse)* lío *nm.* ; enredo *nm.*
liane *nf.* bejuco *nm.*
liasse *nf. (papiers)* legajo *nm.* ; *(billets)* fajo *nm.*
libelle *nm.* libelo
libeller *v. tr. (chèque)* extender
libellule *nf.* libélula
libéral,-e *adj. et nm/f.* liberal
libéralisme *nm.* liberalismo
libération *nf.* liberación
libérer *v. tr. (prisonnier)* libertar ; *(dette, domination)* liberar
liberté *nf.* libertad
librairie *nf.* librería
libre *adj.* libre ; *(détaché)* suelto(a)
licence *nf.* licencia ; *(diplôme)* licenciatura
licenciement *nm.* despido
licencier *v. tr.* licenciar ; *(congédier)* despedir
lie *nf.* hez
liège *nm.* corcho
lien *nm.* ligadura *nf. ; (fig.)* vínculo, lazo
lier *v. tr.* ligar, atar ; *(fig.)* vincular, enlazar ; *(conversation)* trabar
lierre *nm.* hiedra *nf.*
lieu *nm.* lugar ; ***lieu commun*** tópico
lieue *nf.* legua
lieutenant *nm.* teniente
lièvre *nm.* liebre *nf.*
ligne *nf.* línea ; *(pour pêcher)* sedal *nm.* *(rangée)* fila
ligue *nf.* liga
lilas *nm.* lila *nf.*
limace *nf.* babosa
lime *nf.* lima
limer *v. tr.* limar
limier *nm.* sabueso
limitation *nf.* limitación
limite *nf.* limite *nm.*
limiter *v. tr.* limitar
limonade *nf.* gaseosa
lin *nm.* lino
linceul *nm.* mortaja *nf.*
linge *nm.* ropa *nf.*
lingerie *nf.* lencería
lingot *nm.* lingote
linguiste *nm.* lingüista
lion, lionne *nm/f.* león(a)
liqueur *nf.* licor *nm.*
liquidation *nf.* liquidación
liquide *adj. et nm.* líquido(a) • *(argent)* metálico, efectivo
liquider *v. tr.* liquidar
lire *v. tr.* leer
lire *nf.* lira
lis, lys *nm.* azucena *nf.*
lisible *adj.* legible
lisière *nf.* (*d'un tissu*) orillo *nm.* ; (*d'un-bois)* linde *nm.*
lisse *adj.* liso(a)
liste *nf.* lista
lit *nm.* cama *nf.* ; *(fleuve)* madre *nf.*, lecho ; *(géologie)* capa *nf.*
lithographie *nf.* litografía
litige *nm.* litigio
litre *nm.* litro
littéraire *adj.* literario(a)

littéral,-e *adj.* literal
littérature *nf.* literatura
littoral,-e *adj. et nm/f.* litoral
livide *adj.* lívido(a)
livraison *nf.* entrega
livre *nm.* libro • *nf. (poids, monnaie)* libra
livrer *v. tr.* entregar ; *(distribuer)* repartir ; *(un secret)* revelar
livret *nm.* librito ; *(militaire, d'épargne, etc.)* cartilla *nf.* ; *(d'opéra)* libreto
livreur,-euse *adj. et nm.* repartidor
lobe *nm.* lóbulo
local,-e *adj. et nm.* local
localiser *v. tr.* localizar
localité *nf.* localidad
locataire *nm/f.* inquilino(a)
location *nf.* alquiler *nm.* ; *(spectacles)* reserva
locomotion *nf.* locomoción
locomotive *nf.* locomotora
locution *nf.* locución
loge *nf. (concierge)* portería ; *(théâtre)* palco *nm.* ; *(d'acteur)* camarín *nm.*
logement *nm.* vivienda *nf.*, casa *nf.*, alojamiento
loger *v. tr.* hospedar ; *(placer)* colocar • *v. intr.* vivir, hospedarse
logiciel *nm.* programa, logicial
logique *adj. et nm/f.* lógico(a)
logis *nm.* vivienda *nf.*
logistique *nf.* logística
loi *nf.* ley
loin *adv.* lejos
lointain,-e *adj.* lejano(a)
loisible *adj.* permitido(a)
loisir *nm.* ocio, tiempo libre
long,-ue *adj.* largo(a) ; (*qui tarde*) tardo(a)
longer *v. tr.* bordear, costear
longitude *nf.* longitud
longtemps *adv.* mucho tiempo
longueur *nf.* longitud, largo *nm.* ; *(temps)* duración
longue-vue *nf.* catalejo *nm.*
loque *nf.* andrajo *nm.*
lorgner *v. tr.* mirar de soslayo ; *(convoiter)* codiciar
lors *adv.* entonces
lorsque *conj.* cuando
losange *nm.* rombo
lot *nm.* lote ; *(récompense)* premio
loterie *nf.* lotería
lotion *nf.* loción
loto *nm.* lotería *nf.*
lotus *nm.* loto
louable *adj.* loable
louange *nf.* alabanza
louche *adj.* bizco(a) ; *(fig.)* sospechoso(a) • *nf.* cucharón *nm.*
louer *v. tr. (maison, voiture)* alquilar ; *(spectacles)* reservar ; *(vanter)* alabar
loup *nm.* lobo ; *(masque)* antifaz
loupe *nf.* lupa
lourd,-e *adj.* pesado(a)
lourdeur *nf.* pesadez ; *(maladresse)* torpeza
loyal,-e *adj.* leal
loyer *nm.* alquiler
lubrique *adj.* lúbrico(a)
lucarne *nf.* tragaluz *nm.*, lumbrera
lucidité *nf.* lucidez
lucratif,-ive *adj.* lucrativo(a)
lueur *nf.* fulgor *nm.* resplandor *nm.* ; brillo *nm.* ; *(d'espoir)* vislumbre *nm.*
lugubre *adj.* lúgubre
lui pron. pers. *(sujet)* él ; *(réfléchi)* sí ; *(complément)* le (*qui devient* se *s'il précède* lo, la, los, las)
luire *v. intr.* lucir, resplandecer
luisant,-e *adj.* brillante
lumière *nf.* luz ; *(génie)* lumbrera
lumineux,-euse *adj.* luminoso(a)
lunaire *adj.* lunar
lunatique *adj.* lunático(a)
lundi *nm.* lunes
lune *nf.* luna
lunette *nf.* anteojo *nm.* • *nmpl.* gafas
lustrer *v. tr.* lustrar
luth *nm.* laúd
lutte *nf.* lucha
lutter *v. intr.* luchar
luxe *nm.* lujo
luxueux,-euse *adj.* lujoso(a)
luxuriant,-e *adj.* lujuriante
luzerne *nf.* alfalfa
lycée *nm.* instituto

lycéen,-enne *nm/f.* alumno(a) de instituto
lynx *nm.* lince
lyrique *adj.* lírico(a)
lyrisme *nm.* lirismo

M

m *nm. inv.* m *nf.*
ma *adj.* mi
macaron *nm.* macarrón ; *(coiffure)* rodete
macédoine *nf. (fruits)* ensalada ; *(légumes)* menestra
macérer *v. tr. et intr.* macerar
mâcher *v. tr.* masticar
machin *nm. (objet)* chisme ; *(un tel)* fulano
machination *nf.* maquinación
machine *nf.* máquina
machine-outil *nf.* máquina herramienta
mâchoire *nf.* quijada, mandíbula
maçon *nm.* albañil ; *(franc-maçon)* masón
maçonnerie *nf.* albañilería
madame *nf.* señora ; *(devant un prénom)* doña
madeleine *nf.* magdalena
mademoiselle *nf.* señorita
magasin *nm. (boutique)* tienda *nf. ; (entrepôt)* almacén, depósito
magazine *nm.* revista *nf.*
mage *nm.* mago
magicien,-ne *nm/f.* mago(a)
magie *nf.* magia
magique *adj.* mágico(a)
magistrature *nf.* magistratura
magnétique *adj.* magnético(a)
magnétisme *nm.* magnetismo
magnétophone *nm.* grabadora *nf.*
magnétoscope *nm.* magnetoscopio
magnifier *v. tr.* magnificar
magnifique *adj.* magnífico(a)
mahométan,-e *adj. et nm/f.* mahometano(a)
mai *nm.* mayo
maigre *adj.* flaco(a) ; *(sans graisse)* magro(a) ; *(fig) (faible)* escaso(a)
maigreur *nf.* flacura ; *(fig)* escasez
maigrir *v. tr. et intr.* adelgazar
maille *nf. (filet)* malla ; *(tricot)* punto *nm.*
maillet *nm.* mazo
maillot *nm. (bébé)* pañales *nmpl.* ; *(de corps)* camiseta *nf.* ; *(de bain)* bañador
main *nf.* mano
main-d'œuvre *nf.* mano de obra
maint,-e *adj.* muchos(as)
maintenance *nf.* mantenencia, mantenimiento *nm.*
maintenant *adv.* ahora
maintenir *v. tr.* mantener
maintien *nm.* conservación *nf.* ; *(altitude)* compostura, porte *nm.*
maire *nm.* alcade
mairie *nf.* alcadía, ayuntamiento *nm.*
mais *conj.* pero, mas ; *(après une négation)* sino • *nm.* pero
maïs *nm.* maíz
maison *nf.* casa, hogar *nm.*
maître,-esse *nm/f. (propriétaire)* dueño(a), amo(a) ; *(instituteur)* maestro(a) ; *(amante)* querida ; ***maître-chanteur*** chantajista
maître-autel *nm.* altar mayor
maîtrise *nf. (habileté)* habilidad ; *(contrôle)* dominio *nm.* ; ***agents de maîtrise*** mandos, capataces
majesté *nf.* majestad
majestueux,-euse *adj.* majestuoso(a)
majeur,-e *adj. (plus grand, plus âgé)* mayor ; *(fig)* importante • *nm. (doigt)* dedo medio *ou* del corazón
majorer *v. tr.* aumentar, recargar
majorité *nf.* mayoría
majuscule *adj.* mayúsculo(a)
mal *nm.* mal ; *(douleur)* dolor ; *(difficulté)* trabajo • *adv.* mal
malade *adj. et nm/f.* enfermo(a)
maladie *nf.* enfermedad
maladresse *nf.* torpeza
maladroit,-e *adj. et nm/f.* torpe

malaise *nm.* malestar
malaisé,-e *adj.* dificultoso(a)
malchance *nf.* desgracia, mala suerte
mâle *adj.* viril, varonil • *nm. (animal)* macho ; *(homme)* varón
malédiction *nf.* maldición
malentendu *nm.* equívoco
malfaiteur,-trice *nm/f.* malhechor(a)
malgré *prép.* a pesar de, pese a
malhabile *adj.* inhábil, torpe
malheur *nm.* desdicha *nf.* ; desgracia *nf.*
malheureux,-euse *adj. et nm/f.* infeliz, desgraciado(a), desdichado(a) ; *(sinistre)* infausto(a) ; *(malchanceux)* desafortunado(a) ; *(insignifiant)* miserable
malhonnête *adj.* ímprobo(a) ; *(indécent)* deshonesto(a)
malicieux,-euse *adj. et nm/f.* travieso(a)
malin,-ligne *adj.* maligno(a) ; *(rusé)* astuto(a)
malle *nf.* baúl *nm.*
malpropre *adj.* sucio(a) ; *(fig)* indecente
malsain,-ne *adj.* malsano(a)
maltraiter *v. tr.* maltratar
malveillance *nf.* malevolencia
malveillant,-e *adj.* malévolo(a)
maman *nf.* mamá
mamelle *nf.* teta ; (*de la vache*) ubre
mammifère *adj. et nm.* mamífero(a)
mammouth *nm.* mamut
manche *nf.* manga ; *(sports)* partida • *nm.* (*de couteau*) mango ; *(fig) (personne maladroite)* zopenco
manchette *nf. (chemise)* puño *nm.* ; *(journal)* titular *nm.*
manchot,-e *adj.* manco(a)
mandarin *nm.* mandarín
mandarine *nf.* mandarina
mandoline *nf.* mandolina
manège *nm. (équitation)* picadero ; *(fig)* tejemaneje
mangeable *adj.* comestible
mangeoire *nf.* pesebre *nm.*
manger *v. tr.* comer
mangouste *nf.* mangosta
mangue *nf.* mango *nm.*
manguier *nm.* mango,
maniable *adj.* manejable ; *(fig)* flexible
maniaque *adj. et nm/f.* maníaco(a)
manie *nf.* manía
manier *v. tr.* manejar
manière *nf.* forma, manera, modo *nm.* • *nfpl. (comportement)* modales *nmpl. (affectation)* melindres *nmpl.*
maniéré,-e *adj.* amanerado(a)
manifestation *nf.* manifestación
manifester *v. tr.* manifestar
manioc *nm.* mandioca *nf.*, yuca *nf.*
manipulation *nf.* manipulación
manipuler *v. tr.* manipular
mannequin *nm.* maniquí
manœuvrer *v. tr. et intr.* maniobrar, manejar
manoir *nm.* casa solariega *nf.*
manque *nm.* falta *nf.*, carencia *nf.*
manquer *v. intr.* faltar • *v. tr. (coup, but)* errar, fallar ; *(quelqu'un)* no encontrar ; (*une occasion*) perder
mansuétude *nf.* mansedumbre
manteau *nm.* abrigo ; *(pour homme)* gabán
mantille *nf.* mantilla
manuel,-elle *adj. et nm/f.* manual
manufacture *nf.* manufactura
manuscrit,-e *adj. et nm.* manuscrito(a)
manutention *nf.* manutención
mappemonde *nf.* mapamundi *nm.*
maquette *nf.* maqueta
maquignon *nm.* chalán
maquillage *nm.* maquillaje
maquiller *v. tr.* maquillar
maquilleur,-euse *nm/f.* maquillador(a)
marabout *nm. (ermite)* morabito ; *(oiseau)* marabú
marais *nm.* pantano
marasme *nm.* marasmo
marâtre *nf.* madrastra
maraudage *nm.* merodeo
marbre *nm.* mármol
marc *nm.* (*de raisin, d'olive*) orujo ; *(alcool)* aguardiente ; (*de café*) zurrapa *nf.*
marchand,-e *nm/f.* comerciante
marchander *v. tr.* regatear
marchandise *nf.* mercancía
marche *nf. (allure)* andar *nm.* ; (*du temps*) transcurso ; *(d'escalier)* peldaño ; *(fonctionnement)* funcionamiento

marché *nm.* mercado ; operación *nf.*, trato ; ***bon marché*** barato(a)
marcher *v. intr.* andar, caminar, ir ; *(fonctionner)* funcionar, andar
mardi *nm.* martes
mare *nf. (eau)* charca, charco *nm.* ; *(de sang)* charco *nm.*
marécage *nm.* ciénaga *nf.*
marée *nf.* marea
margarine *nf.* margarina
marge *nf.* margen *nm.*
marginal,-e *adj.* marginal • *nm/f.* marginado(a)
mari *nm.* marido
mariage *nm. (sacrement)* matrimonio ; *(cérémonie)* casamiento ; *(noce)* boda *nf.* ; *(fig)* unión *nf.*
marier (se) *v. pr.* casarse
marin,-e *adj.* marino(a) • *nm.* marino, marinero • *nf.* marina
marionnette *nf.* títere *nm.*
maritime *adj.* marítimo(a)
marmelade *nf.* mermelada
marmite *nf.* olla
marmiton *nm.* pinche, marmitón
marocain,-e *adj. et nm/f.* marroquí
maroquinerie *nf.* marroquinería
marquant,-e *adj.* notable
marque *nf.* marca ; (*signe, trace*) señal ; *(fig)* prueba, testimonio *nm.*
marquer *v. tr.* marcar, señalar ; indicar manifestar
marquis,-e *nm/f.* marqués(esa)
marraine *nf.* madrina
marre (en avoir) *loc. fam.* estar harto(a)
marron *nm.* castaña *nf.* • *adj. (couleur)* marrón
marronnier *nm.* castaño
mars *nm.* marzo
marteau *nm.* martillo ; *(de porte)* aldaba *nf.*
martien,-ienne *adj. et nm/f.* marciano(a)
martinet *nm. (oiseau)* vencejo ; *(fouet)* disciplinas *nfpl.*
martyr,-e *adj. et nm/f.* mártir
martyre *nm.* martirio
martyriser *v. tr.* martirizar
masculin,-e *adj. et nm.* masculino(a)
masochisme *nm.* masoquismo
masochiste *adj.* masoquista
masque *nm.* máscara *nf.*, careta *nf.* ; *(de beauté)* mascarilla *nf.* ; *(fig.)* expresión *nf.*
masquer *v. tr.* enmascarar ; *(fig.)* disimular
massacre *nm.* matanza *nf.*, masacre *nf.* *(travail mal fait)* chapucería *nf.*
massacrer *v. tr.* matar ; (fig.) destrozar
massage *nm.* masaje
masse *nf. (tas)* montón ; *(volume)* bulto *nm.* ; *(foule)* multitud
masser *v. tr. (entasser)* amontonar ; *(réunir)* agrupar ; *(faire un massage)* dar masaje
masseur,-euse *nm/f.* masajista
massif,-ive *adj. (plein)* macizo(a) ; *(en masse)* masivo(a) • *nm. (fleur)* macizo
massue *nf.* porra, maza
mat,-e *adj.* (*sans éclat*) mate ; *(son)* sordo(a)
mât *nm.* palo
match *nm.* partido, encuentro
maté *nm.* mate
matelas *nm.* colchón
matelot *nm.* marinero
matérialisme *nm.* materialismo
matériau *nm.* material
matériel,-elle *adj. et nm.* material
maternel,-elle *adj.* materno(a) • *nf.* parvulario *nm.*
maternité *nf.* maternidad
mathématique *adj.* matemático(a) • *nfpl.* matemáticas
matière *nf.* materia ; *(d'étude)* asignatura ; *(cause)* motivo *nm.* ; *(sujet)* tema *nm.*
matin *nm.* mañana *nf.* ; ***le matin***, por la mañana
matinal,-e *adj.* matutino(a) • *nm/f.* madrugador(a)
matinée *nf.* mañana ; *(spectacle)* función de tarde
maturité *nf.* madurez
maudit,-e *adj.* maldito(a)
maure, more *adj. et nm/f.* moro(a)
mauresque, moresque *adj. et nm/f.* morisco(a)

mausolée *nm.* mausoleo
maussade *adj.* huraño(a) ; desagradable
mauvais,-e *adj.* malo(a), mal (*devant un nom masculin singulier)* • *adv.* mal
mauve *adj.* malva
maximum *nm.* máximo(a) • *nm.* máximo
mayonnaise *nf.* mayonesa
me *pron. pers.* me
mécanicien-ienne *nm/f.* mecánico(a)
mécanique *adj. et nf.* mecánico(a)
méchanceté *nf.* maldad
méchant,-e *adj.* malo(a) ; malintencionado(a)
mèche *nf.* mecha ; *(cheveux)* mechón *nm.*
méconnaître *v. tr.* desconocer ; no apreciar en su valor
mécontent,-e *adj.* descontento(a)
mécontenter *v. tr.* descontentar
médaille *nf.* medalla
médecin *nm.* médico
médecine *nf.* medicina
média *nm.* medio de comunicación
médicament *nm.* medicina *nf.*
médiéval,-e *adj.* medieval
médiocre *adj.* mediocre
médire *v. intr.* maldecir, hablar mal
médisance *nf.* maledicencia
méditation *nf.* meditación
méditer *v. tr. et intr.* meditar
Méditerranée *n. pr. f.* el Mediterráneo *nm.*
méditerranéen,-éenne *adj.* mediterráneo(a)
meeting *nm.* mitín
méfait *nm.* fechoría *nf.*
méfiance *nf.* desconfianza
méfier (se) *v. pr.* desconfiar, no fiarse
mégot *nm.* colilla *nf.*
meilleur,-e *adj. et nm.* mejor
mélancolie *nf.* melancolía
mélange *nm.* mezcla *nf.*
mélanger *v. tr.* mezclar
mêlée *nf.* refriega, pelea
mêler *v. tr.* mezclar ; *(impliquer)* meter
mélodie *nf.* melodía
mélodieux,-euse *adj.* melodioso(a)
melon *nm.* melón
membre *nm.* miembro ; (*club, société*) socio ; *(comité, commission*) vocal
même *adj.* mismo(a) • *adv.* incluso, hasta, aun
mémento *nm.* agenda *nf.* ; *(résumé)* compendio
mémoire *nf.* memoria • *nm.* informe ; *(université)* tesina *nf.*
menace *nf.* amenaza
menacer *v. tr.* amenazar
ménage *nm. (ustensile)* ajuar, menaje *(famille),* hogar, casa *nf.* ; *(couple)* matrimonio ; *(nettoyage)* limpieza *nf.*
ménagement *nm.* miramiento
ménager *v. tr.* tratar con cuidado ; (*temps, santé, efforts*) cuidar, no abusar, ahorrar ; *(organiser*) preparar ; (*installer*) disponer
ménagerie *nf.* casa de fieras
mendiant,-e *adj. et nm/f.* mendigo(a)
mendier *v. tr. et intr.* mendigar
mendicité *nf.* mendicidad
mener *v. tr.* (*cortège, défilé*) encabezar ; *(vie, affaire, enquête*) llevar ; *(diriger)* conducir ; *(sports)* ganar
meneur,-euse *nm/f.* cabecilla, jefe
méningite *nf.* meningitis
menottes *nf. pl.* esposas
mensonge *nm.* mentira *nf.*
mensuel,-elle *adj.* mensual
mental,-e *adj.* mental
mentalité *nf.* mentalidad
menteur,-euse *adj. et nm/f.* mentiroso(a)
menthe *nf.* hierbabuena
mention *nf.* mención
mentionner *v. tr.* mencionar
mentir *v. intr.* mentir
menton *nm.* barbilla *nf.*, mentón
menu,-e *adj.* menudo(a) • *nm.* menú, minuta *nf.*
menuiserie *nf.* carpintería
menuisier *nm.* carpintero
mépris *nm.* desprecio
méprisable *adj.* despreciable
mépriser *v. tr.* despreciar
mer *nf.* mar *nm.*
mercerie *nf.* mercería
merci *nm.* gracias *nfpl.*
mercredi *nm.* miércoles

mercure *nm.* azogue
mère *nf.* madre ; *(fam.)* tía
méridien *nm.* meridiano • *nf. (meuble)* tumbona
méridional,-e *adj.* meridional
mérite *nm.* mérito
mériter *v. tr.* merecer
merlan *nm.* pescadilla *nf.*
merle *nm.* mirlo
merveille *nf.* maravilla
merveilleux,-euse *adj.* maravilloso(a)
mésange *nf.* paro *nm.*
mésaventure *nf.* contratiempo *nm.*
mésestimer *v. tr.* desestimar
mesquin,-e *adj.* mezquino(a)
messager,-ère *nm/f.* mensajero(a)
messe *nf.* misa
mesurable *adj.* mensurable
mesure *nf.* medida ; dosis ; *(retenue)* mesura ; *(musique)* compás *nm.*
mesurer *v. tr.* medir
métal *nm.* metal
métallique *adj.* metálico(a)
métamorphose *nf.* metamorfosis
métaphore *nf.* metáfora
métaphysique *adj. et nf.* metafísico(a)
météorologie *nf.* meteorología
méthode *nf.* método *nm.*
métier *nm.* oficio, profesión *nf.*
métis,-isse *adj.* mestizo(a)
mètre *nm.* metro
mets *nm.* plato, manjar
mettre *v. tr. (surface)* poner ; *(volume)* meter ; *(précision)* colocar ; *(du temps)* tardar ; *(vêtement)* poner, ponerse
meuble *nm.* mueble
meubler *v. tr.* amueblar ; *(fig.)* llenar
meule *nf.* (*pour broyer*) muela ; (*de paille, de foin*) almiar *nm.*
meunier,-ière *nm/f.* molinero(a)
meurtre *nm.* asesinato, homicidio
meurtrier,-ière *adj.* mortal • *nm/f.* asesino(a)
meurtrir *v. tr.* magullar
mexicain,-e *adj. et nm/f.* mejicano(a), (*au Mexique*) mexicano(a)
mi *nm.* mi
mi *préfixe inv.* medio, mitad
miauler *v. intr.* maullar
miaulement *nm.* maullido
miche *nf.* pan *nm.*, hogaza
microbe *nm.* microbio
microphone *nm.* micrófono
microscope *nm.* microscopio
midi *nm.* mediodía, las doce
mie *nf.* miga
miel *nm.* miel *nf.*
mielleux,-euse *adj.* meloso(a)
mien, mienne *adj. et pron. poss.* mío(a) • *nmpl.* los míos, mi familia
mieux *adj.* mejor • *nm.* lo mejor • *adv.* mejor
mignon,-onne *adj.* mono(a), lindo(a)
migraine *nf.* jaqueca
milicien *nm.* miliciano
milieu *nm.* medio, centro ; mitad *nf.*
militaire *adj. et nm/f.* militar
militant,-e *adj. et nm/f.* militante
militer *v. intr.* militar
mille *adj. num. invar.* mil
mille-pattes *m. invar.* ciempiés
milliard *nm.* mil millones
milliardaire *adj. et nm/f.* multimillonario(a)
millième *adj. et nm.* milésimo(a)
millier *nm.* millar
million *nm.* millón
millionnaire *adj. et nm/f.* millonario(a)
mimosa *nm.* mimosa *nf.*
minable *adj.* lamentable
mince *adj.* delgado(a) ; *(fig.)* escaso(a), pobre
mine *nf.* aspecto *nm.*, apariencia ; *(visage)* cara ; *(crayon, explosif)* mina
minerai *nm.* mineral
mineur,-e *adj. et nm/f. (âge)* menor de edad • *nm. (ouvrier)* minero
miniature *nf.* miniatura
ministère *nm.* ministerio
ministre *nm.* ministro
minorité *nf.* minoría
minuit *nm.* medianoche *nf.*
minuscule *adj.* minúsculo(a)
minute *nf.* (*temps, angle*) minuto *nm.* (*d'un acte*) minuta
miracle *nm.* milagro

mirage *nm.* espejismo
miroir *nm.* espejo
miroiter *v. intr.* espejear
misanthrope *adj. et nm.* misántropo *nm.*
mise *nf.* puesta, colocación ; *(enjeu)* apuesta ; *(vêtements, tenue)* traje *nm.*, porte *nm.*
miser *v. tr.* apostar, hacer una puesta
misérable *adj. et nm/f.* miserable
misère *nf.* miseria ; *(malheur)* desgracia
missel *nm.* misal
mission *nf.* misión
missive *nf.* misiva
mite *nf.* polilla
mi-temps *nf.* descanso *nm.*
mitiger *v. tr.* mitigar
mitoyen,-enne *adj.* medianero(a)
mitrailler *v. tr.* ametrallar
mitrailleuse *nf.* ametralladora
mixte *adj.* mixto(a)
mobile *adj.* móvil, movible
mobilier,-ière *adj. et nm.* mobiliario(a)
mobiliser *v. tr.* movilizar
modalité *nf.* modalidad
mode *nm.* modo • *nf.* moda
modèle *nm.* modelo
modération *nf.* moderación
modérer *v. tr.* moderar
moderne *adj.* moderno(a)
moderniser *v. tr.* modernizar
modeste *adj.* modesto(a)
modestie *nf.* modestia
modifier *v. tr.* modificar
modique *adj.* módico(a)
modulation *nf.* modulación
moelle *nf.* *(épinière)* médula ; *(comestible)* tuétano *nm.* ; *(fig.)* meollo *nm.*
mœurs *nfpl.* costumbres
moi *pron. pers. (sujet)* yo ; *(complément)* me ; (*précédé d'une préposition*) mí ; ***avec moi*** conmigo
moindre *adj.* menor
moine *nm.* monje, fraile
moineau *nm.* gorrión
moins *adv.* menos
mois *nm.* mes
moisson *nf.* siega ; *(fig.)* cosecha
moissonner *v. tr.* cosechar
moite *adj.* húmedo(a)
moitié *nf.* mitad ; *(fam.) (épouse)* costilla
molécule *nf.* molécula
mollesse *nf.* blandura ; *(indolence)* flojera
mollet *nm.* pantorrilla *nf*
mollusque *nm.* molusco
moment *nm.* momento, rato
momifier *v. tr.* momificar
mon, ma, mes *adj.* poss. mi, mis
monarchie *nf.* monarquía
monarchiste *adj. et nm/f.* monarquista
monarque *nm.* monarca
monastère *nm.* monasterio
mondain,-e *adj. et nm/f.* mundano(a)
monde *nm.* mundo ; gente *nf.*
mondial,-e *adj.* mundial
monétaire *adj.* monetario(a)
moniteur,-trice *nm/f.* monitor(a)
monnaie *nf.* *(pièce)* moneda ; *(économie)* dinero *nm.* ; moneda ; ***avoir de la monnaie*** tener dinero suelto, tener cambio ; ***rendre la monnaie*** dar cambio
monologue *nm.* monólogo
monopoliser *v. tr.* monopolizar
monotonie *nf.* monotonía
monsieur *nm.* señor ; *(devant un prénom)* don
monstre *nm.* monstruo
mont *nm.* monte
montage *nm.* montaje
montagnard,-e *adj. et nm/f.* montañés(esa)
montagne *nf.* montaña
montant *nm.* total, importe
monter *v. intr.* subir ; *(cheval, vélo)* montar ; *(s'élever)* ascender ; *(installer)* instalar
montre *nf.* reloj *nm.*
montrer *v. tr.* mostrar, enseñar, señalar
monument *nm.* monumento
moquer (se) *v. pr.* burlarse, reírse
moqueur,-euse *adj.* burlón(a)
moral,-e *adj.* moral • *nm.* ánimo, moral • *nf.* moral, moraleja
moraliser *v. tr. et intr.* moralizar
moralité *nf.* moralidad
morceau *nm.* pedazo, trozo ; *(fig.)* extracto, trozo, fragmento

mordre *v. tr.* morder ; *(poisson, insecte)* picar
moribond,-e *adj. et nm/f.* moribundo(a)
mort *nf.* muerte
mortalité *nf.* mortalidad, mortandad
mortel,-elle *adj.* mortal
mortier *nm.* mortero
mortifier *v. tr.* mortificar
morue *nf.* bacalao *nm.*
mosquée *nf.* mezquita
mot *nm.* palabra *nf.* ; *(phrase)* sentencia, máxima
motard *nm. (fam.)* motorista
moteur,-trice *adj.* motor(triz) • *nm.* motor
motif *nm.* motivo
motion *nf.* moción
motocyclette *nf.* motocicleta
motocycliste *adj. et nm/f.* motociclista
mou, ¡no¡, **mol**, *adj.* blando(a) ; *(sans vigueur)* flojo(a)
moucharder *v. tr. (fam.)* chivar
mouche *nf.* mosca
moucher (se) *v. pr.* sonarse
mouchoir *nm.* pañuelo
moudre *v. tr.* moler
moue *nf.* mohín *nm.*
mouette *nf.* gaviota
mouiller *v. tr. (eau)* mojar ; *(bateau)* fondear • *v. pr.* (*se compromettre*) comprometerse
moule *nm.* molde • *nf. (mollusque)* mejillón *nm.*
moulin *nm.* molino ; (*café, poivre)* molinillo
mourant,-e *adj. et nm/f.* moribundo(a)
mourir *v. intr.* morir, morirse
mousse *nf. (écume)* espuma ; *(plante)* musgo *nm.* ; *(cuisine)* crema
moustache *nf.* bigote *nm.*
moustique *nm.* mosquito
moutarde *nf.* mostaza
mouton *nm. (animal)* carnero, borrego ; *(viande)* cordero
mouvant,-e *adj.* movedizo(a)
mouvement *nm.* movimiento
mouvoir *v. tr.* mover
moyen,-enne *adj.* medio(a) ; *(fig.)* mediocre, común • *nm.* medio
moyenâgeux,-euse *adj.* medieval
moyennant *prép.* mediante
mozarabe *adj.* mozárabe
muer *v. intr.* mudar, cambiar
muet,-ette *adj. et nm/f.* mudo(a)
mufle *nm. (animal)* hocico ; *(fam.) (goujat)* patán
mugir *v. intr.* mugir
muguet *nm.* muguete
mulâtre,-tresse *adj. et nm/f.* mulato(a)
mule *nf.* mula ; *(pantoufle)* chinela
mulet *nm.* mulo
multicolore *adj.* multicolor
multiple *adj.* múltiple
multiplier *v. tr.* multiplicar
multitude *nf.* multitud
municipal,-e *adj.* municipal
munir *v. tr.* abastecer, proveer
munition *nf.* munición
mur *nm.* muro, pared *nf.* ; (*de clôture*) tapia ; *(fig.)* obstáculo
mûr,-e *adj.* maduro(a)
muraille *nf.* muralla
mûre *nf.* mora
mûrir *v. tr. et intr.* madurar
murmurer *v. tr. et intr.* murmurar
muscat *adj. et nm.* moscatel
muscle *nm.* músculo
musculaire *adj.* muscular
musée *nm.* museo
musicien,-ienne *adj. et nm/f.* músico(a)
musulman,-e *adj. et nm/f.* musulmán(ana)
mutation *nf.* mutación
mutiler *v. tr.* mutilar
mutinerie *nf.* motín *nm.*
mutisme *nm.* mutismo
mutuel,-elle *adj.* mutuo(a) • *nf.* mutualidad
myopie *nf.* miopía
myosotis *nm.* raspilla, miosota
mystère *nm.* misterio
mystérieux,-euse *adj.* misterioso(a)
mysticisme *nm.* misticismo
mystifier *v. tr.* mistificar
mystique *adj. et nf.* místico(a)
mythe *nm.* mito
mythologie *nf.* mitología
mythologique *adj.* mitológico(a)

N

n *nm. inv.* n *nf.*
nacre *nf.* nácar *nm.*
nage *nf.* natación, nado *nm.*
nageoire *nf.* aleta
nager *v. intr.* nadar
nageur,-euse *nm/f* nadador(a)
naïf,-ive *adj.* ingenuo(a)
nain,-e *adj. et nm/f.* enano(a)
naissance *nf.* nacimiento *nm.* ; *(fig.)* origen *nm.*
naître *v. intr.* nacer
naïveté *nf.* ingenuidad
nappe *nf.* mantel *nm.* ; *(eau, gaz, brouillard)* capa ; *(pétrole, huile)* mancha
narine *nf.* ventana de la nariz
narquois,-e *adj.* socarrón(ona)
natal,-e *adj.* natal
natalité *nf.* natalidad
natif,-ive *adj.* nativo(a)
nation *nf.* nación
nationaliser *v. tr.* nacionalizar
nationalisme *nm.* nacionalismo
nationalité *nf.* nacionalidad
nativité *nf.* natividad
natte *nf.* *(cheveux)* trenza ; *(tapis)* estera
naturaliser *v. tr.* naturalizar
nature *nf.* naturaleza ; *(tempérament, genre)* índole, carácter *nm.* • *adj. inv.* natural
naturel,-le *adj.* natural • *nm.* natural, índole *nf*, carácter ; *(simplicité)* naturalidad *nf*
naufrage *nm.* naufragio
nausée *nf.* náusea
navet *nm.* nabo ; *(fig. et fam.)* tostón
navigation *nf.* navegación
naviguer *v. intr.* navegar
navire *nm.* navío, buque, nave *nf*
ne *adv.* no
néanmoins *adv.* sin embargo
néant *nm.* nada *nf*
nécessaire *adj.* necesario(a) • *nm.* lo necesario
nécessité *nf.* necesidad
nécessiter *v. tr.* necesitar ; requerir
nef *nf.* nave
négatif,-ive *adj.* negativo(a)
négation *nf.* negación
négligence *nf.* descuido *nm.*
négliger *v. tr. et intr.* descuidar
négoce *nm.* negocio, comercio
négociant,-e *nm/f.* negociante
négociation *nf.* negociación
négocier *v. intr. et tr.* negociar
nègre,-esse *nm/f.* negro(a)
neige *nf.* nieve
neiger *v. impers.* nevar
nerf *nm.* nervio ; *(fig.)* energía *nf*
nerveux,-euse *adj. et nm/f.* nervioso(a)
nervosité *nf.* nerviosidad
net,-te *adj.* neto(a) ; puro(a), limpio(a) ; categórico(a) • *adv.* de repente, categóricamente
netteté *nf.* limpieza, nitidez
nettoyer *v. tr.* limpiar
neuf *adj. numéral et nm. inv.* nueve
neuf,-ve *adj.* nuevo(a)
neutralité *nf.* neutralidad
neutre *adj.* neutro(a)
neuvième *adj. et nm.* noveno(a)
neveu *nm.* sobrino
névrose *nf.* neurosis
nez *nm.* nariz *nf.* ; *(sens)* olfato
ni *conj.* ni
niable *adj.* negable
niais,-e *adj. et nm/f.* necio(a), bobo(a)
niche *nf.* nicho *nm.* ; (*à chien*) casilla
nicher *v. intr.* anidar
nicotine *nf.* nicotina
nid *nm.* nido
nièce *nf.* sobrina
nier *v. tr.* negar
nippon,-e *adj.* nipón(a)
niveau *nm.* nivel
niveler *v. tr.* nivelar
noble *adj. et nm/f.* noble
noblesse *nf.* nobleza
noce *nf.* boda

nocif,-ive *adj.* nocivo(a)
nocturne *adj.* noctumo(a)
Noël *nm.* Navidad *nf.*
nœud *nm.* nudo
noir, noire *adj.* negro(a) ; *(ivre)* borracho(a) • *nm/f.* negro(a)
noirceur *nf.* negrura
noircir *v. tr.* ennegrecer ; *(fig.)* calumniar
noisette *nf.* avellana
noix *nf.* nuez
nom *nm.* nombre ; *(de famille)* apellido
nombre *nm.* número
nombreux,-euse *adj.* numeroso(a)
nombril *nm.* ombligo
nomination *nf.* nombramiento *nm.*
nommer *v. tr.* (*donner un nom*) llamar ; *(citer)* mencionar ; *(élire)* nombrar
non *adv.* no
nonne *nf.* monja
nord *nm.* norte
nord-est *adj. et nm.* nordeste
nord-ouest *adj. et nm.* noroeste
normal,-e *adj.* normal
norme *nf.* norma
nos *adj. poss.* nuestros, nuestras
nostalgie *nf.* nostalgia
notable *adj. et nm/f.* notable
notaire *nm.* notario
notation *nf.* notación
note *nf.* nota ; *(facture)* cuenta ; *(prise par écrit)* apunte *nm.*
noter *v. tr. (observer)* notar ; *(écrire)* apuntar
notice *nf.* reseña, folleto *nm.*
notion *nf.* noción
notre *adj.* poss. nuestro(a)
nôtre pron. poss. el(la), nuestro(a)
nougat *nm.* turrón
nouille *nf.* tallarín *nm.*
nourrice *nf.* nodriza
nourrir *v. tr.* nutrir, alimentar ; *(allaiter)* criar ; (*espoir, rancune*) abrigar
nourrisson *nm.* niño de pecho
nourriture *nf.* alimento *nm.*, comida
nous *pron. pers. pl. (sujet et complément précédé de préposition)* nosotros(as) ; *(complément)* nos
nouveau, nouvelle *adj.* nuevo(a) • *adv.* recién
nouveau-né,-ée *adj. et nm/f.* recién nacido(a)
nouveauté *nf.* novedad
nouvelle *nf.* noticia, nueva ; *(littérature)* novela corta
novembre *nm.* noviembre
novice *adj. et nm/f. (religieux)* novicio(a) ; *(débutant)* novato(a)
noviciat *nm.* noviciado
noyau *nm. (fruit)* hueso ; *(fig.)* núcleo
noyer *v. tr.* ahogar ; (*un lieu*) anegar ; *(fig.)* sumergir, ahogar
noyer *nm.* nogal
nu,-e *adj.* desnudo(a) • *nm.* desnudo
nuage *nm.* nube *nf*
nuageux,-euse *adj.* nublado(a)
nuance *nf.* matiz *nm.*
nucléaire *adj.* nuclear
nudité *nf.* desnudez
nuée *nf.* nube
nuire *v. intr.* dañar, perjudicar
nuisible *adj.* dañoso(a)
nuit *nf.* noche
nul *pron. indéf.* nadie
nul, nulle *adj.* nulo(a) • *adj. indéf.* ninguno(a), ningún (*devant un nom masculin singulier)*
nullité *nf.* nulidad
numéral,-e *adj.* numeral
numéro *nm.* número ; (*de voiture*) matrícula *nf.*
numéroter *v. tr.* numerar
numismatique *nf.* numismática
nuptial,-e *adj.* nupcial
nuque *nf.* nuca, (*fam.)* cogote *nm.*
nutrition *nf.* nutrición
nymphe *nf.* ninfa

O

o *nm. inv.* o *nf*
ô! interj. ¡oh!
oasis *nf.* oasis, *nm.*
obéir *v. tr. et intr.* obedecer
obéissance *nf.* obediencia
obéissant,-e *adj.* obediente
obésité *nf.* obesidad
objection *nf.* objeción
objectivité *nf.* objetividad
objet *nm.* objeto
obligation *nf.* obligación
obligatoire *adj.* obligatorio(a)
obliger *v. tr.* obligar ; (*rendre service*) complacer
oblitérer *v. tr. (un timbre)* matar
obscénité *nf.* obscenidad
obscur,-e *adj.* oscuro(a)
obscurité *nf.* oscuridad
obsèques *nfpl.* exequias
observateur,-trice *adj. et nm/f.* observador(a)
observation *nf.* observación
observer *v. tr.* observar
obsession *nf.* obsesión
obstacle *nm.* obstáculo
obstiner (s') *v. pr.* obstinarse (en)
obstruction *nf.* obstrucción
obtenir *v. tr.* obtener, lograr, conseguir
obtention *nf.* obtención
obus *nm.* obús
occasion *nf.* ocasión, oportunidad
occident *nm.* occidente
occidental,-e *adj.* occidental
occulte *adj.* oculto(a)
occupation *nf.* ocupación
occuper *v. tr.* ocupar
océan *nm.* océano
octave *nf.* octava
octobre *nm.* octubre
oculiste *adj. et nm/f.* oculista
ode *nf.* oda
odeur *nf.* olor *nm.*
odieux,-euse *adj.* odioso(a)
odorant,-e *adj.* oloroso(a)
odorat *nm.* olfato
odyssée *nf.* odisea
œil, yeux *nm.* ojo(s)
œillet *nm.* clavel
œsophage *nm.* esófago
œuf, œufs *nm.* huevo(s)
œuvre *nf.* obra, trabajo *nm.*
offenser *v. tr.* ofender
offensif,-ive *adj. et nf.* ofensivo(a)
office *nm.* oficio, cargo, función *nf.* ; *(agence)* oficina *nf*
officiel,-elle *adj.* oficial
officier *nm.* oficial
officieux,-euse *adj.* oficioso(a)
offre *nf.* oferta
offrir *v. tr.* ofrecer, regalar
oh ! interj. ¡oh !
ohé ! *interj.* ¡eh!, ¡hola!
oie *nf.* oca
oignon *nm.* cebolla *nf.* ; *(fleurs)* bulbo
oiseau *nm. (grand)* ave *nf.* ; *(petit)* pájaro
oisif,-ive *adj. et nm/f.* ocioso(a)
oisiveté *nf.* ociosidad
olfactif,-ive *adj.* olfativo(a)
olive *nf.* aceituna, oliva
olivier *nm.* aceituno *nm.*
olympiade *nf.* olimpiada
olympique *adj.* olímpico(a)
ombrage *nm.* sombra *nf.*
ombre *nf.* sombra
ombrelle *nf.* sombrilla, quitasol *nm.*
omelette *nf.* tortilla
omettre *v. tr.* omitir
omission *nf.* omisión
omnibus *nm.* ómnibus
omoplate *nf.* omóplato *nm.*
on *pron. indéf.* se + *3e pers. du pl. ; (avec verbe pronominal)* uno, una ; (*avec le sens de nous*) nosotros(as)
oncle *nm.* tío
onde *nf.* onda
ondulation *nf.* ondulación
onduler *v. tr. et intr.* ondular
ongle *nm.* uña *nf*

onomatopée *nf.* onomatopeya
onze *adj. num. et nm. inv.* once
onzième *adj.* undécimo(a)
opaque *adj.* opaco(a)
opéra *nm.* ópera *nf.*
opérateur,-trice *nm/f.* operador(a)
opération *nf.* operación
opérer *v. tr.* operar
opérette *nf.* opereta
opinion *nf.* opinión
opium *nm.* opio
opportunisme *nm.* oportunismo
opportunité *nf.* oportunidad
opposé,-e *adj.* opuesto(a) • *nm.* contrario
opposer *v. tr.* oponer
opposition *nf.* oposición
oppresseur *adj. et nm.* opresor
oppression *nf.* opresión
opprimer *v. tr.* oprimir
opter *v. intr.* optar
opticien,-enne *nm/f.* óptico(a)
optimisme *nm.* optimismo
option *nf.* opción
optique *adj. et nf.* óptico(a)
or *nm.* oro
or *conj.* ahora bien
orage *nm.* tempestad *nf.* ; tormenta *nf*
orageux,-euse *adj.* tempestuoso(a)
oral,-e *adj. et nm.* oral
orange *nf.* naranja
oranger *nm.* naranjo
orateur,-trice *nm/f.* orador(a)
orchestre *nm.* orquesta *nf.*
orchidée *nf.* orquídea
ordinaire *adj.* ordinario(a)
ordinateur *nm.* ordenador, computador
ordonnance *nf. (disposition)* ordenación ; *(médecin)* receta ; *(droit)* decreto *nm.*
ordonner *v. tr. (ranger)* ordenar ; *(commander)* mandar ; *(médecine)* recetar
ordre *nm. (disposition)* orden ; *(commandement)* orden *nf.* ; *(religieux, militaire)* orden *nf.* ; *(commerce)* pedido
oreille *nf. (anatomie)* oreja ; *(ouïe)* oído *nm.*
oreiller *nm.* almohada *nf.*
oreillons *nmpl.* paperas *nfpl.*
orfèvre *nm.* platero, orfebre
orfèvrerie *nf.* platería, orfebrería
organe *nm.* órgano
organisation *nf.* organización
organiser *v. tr.* organizar
organisme *nm.* organismo
orge *nf.* cebada
orgie *nf.* orgía
orgue *nm. et nfpl.* órgano
orgueil *nm.* orgullo
orgueilleux,-euse *adj. et nm/f.* orgulloso(a)
oriental,-e *adj.* oriental
orientation *nf.* orientación
orienter *v. tr.* orientar
orifice *nm.* orificio
originaire *adj.* originario(a)
originalité *nf.* originalidad
origine *nf.* origen *nm.*
ornement *nm.* ornamento, adorno
orner *v. tr.* ornar, adornar
ornière *nf.* carril *nm.*, rodada
orphelin,-e *adj. et nm/f.* huérfano(a)
orteil *nm.* dedo del pie
orthographe *nf.* ortografía
orthographique *adj.* ortográfico(a)
orthopédique *adj.* ortopédico(a)
ortie *nf.* ortiga
os *nm.* hueso
osciller *v. intr.* oscilar
oseille *nf.* acedera
oser *v. intr.* atreverse(a)
osier *nm.* mimbre, mimbrera *nf*
ossements *nmpl.* osamenta *nf*
osseux,-euse *adj.* huesudo(a)
otage *nm.* rehén
ôter *v. tr.* quitar
ou *conj.* o, u *devant un mot qui commence par* o *ou* ho
où *adv.* donde, en donde ; *(mouvement)* adonde ; *(interrogatif)* dónde, adónde ; *(temps)* en que
oubli *nm.* olvido
oublie *nf.* barquillo *nm.*
oublier *v. tr.* olvidar, olvidarse
ouest *nm.* oeste
ouf ! *interj.* ¡uf!
oui *adv.* sí

ouïe *nf.* oído *nm.*
ouragan *nm.* huracán
ours, ourse *nm/f.* oso(a)
oursin *nm.* erizo de mar
outil *nm.* herramienta *nf.*
outillage *nm.* herramientas *nfpl.*
outrager *v. tr.* ultrajar
outrance *nf.* exceso *nm.*, exageración
outre *prép.* además de ; allende, más allá de
ouvert,-e *adj.* abierto(a)
ouverture *nf.* abertura ; *(inauguration)* apertura ; *(musique)* obertura ; *(de la chasse)* levantamiento *nm.*
ouvrable *adj.* laborable
ouvrage *nm.* obra *nf.* trabajo, labor *nf.*
ouvre-boîtes *nm. inv.* abrelatas
ouvrier,-ière *adj. et nm/f.* obrero(a)
ouvrir *v. tr.* abrir
ovale *adj.* oval • *nm.* óvalo
ovation *nf.* ovación
overdose *nf.* sobredosis
oxyde *nm.* óxido
oxygène *nm.* oxígeno
ozone *nm.* ozono

P

p *nm. inv.* p *nf.*
pacificateur,-trice, *adj. et nm/f.* pacificador(a)
pacifier *v. tr.* pacificar
pacifique *adj.* pacífico(a)
pacte *nm.* pacto
pagaille *nf.* desorden *nm.*, follón *nm.*
page *nf.* página
page *nm.* paje
pagne *nm.* taparrabo
paie *nf.* paga
paiement *nm.* pago
pain *nm.* pan
pair,-e *adj.* par • *nm.* igual
paisible *adj.* apacible ; tranquilo(a)
paix *nf.* paz
palabre *nf.* discusión inútil
palais *nm.* palacio ; *(anatomie)* paladar
pâle *adj.* pálido(a)
palet *nm.* tejo
pâleur *nf.* palidez
palier *nm.* descansillo, rellano
pâlir *v. intr.* palidecer
palissade *nf.* valla, vallado *nm.*
palmarès *nm.* palmarés
palme *nf.* palma
palmier *nm.* palmera *nf*
palombe *nf.* paloma torcaz
pâlot,-otte *adj.* paliducho(a)
palpable *adj.* palpable
palper *v. tr.* palpar ; *(fig. et fam.)* cobrar dinero
palpiter *v. intr.* palpitar
paludisme *nm.* paludismo
pamphlet *nm.* libelo
pamplemousse *nm.* pomelo
pan *nm. (mur)* lienzo ; *(vêtement)* faldón
panacée *nf.* panacea
panache *nm.* penacho ; *(fig.)* brillo
pancarte *nf.* pancarta
pané,-e *adj.* empanado(a)
panégyrique *nm.* panegírico
panier *nm.* cesto, cesta *nf*, canasta *nf*
panique *nf.* pánico *nm.*
panne *nf.* avería
panneau *nm. (écriteau)* cartel, tablero *(tapisserie, boiserie)* panel
panoplie *nf.* panoplia
panorama *nm.* panorama
panse *nf.* panza
pansement *nm.* cura *nf*, apósito ; (*adhésif)* tirita *nf.*
panser *v. tr.* curar
pantalon *nm.* pantalón
pantelant,-e *adj.* jadeante
panthéon *nm.* panteón
panthère *nf.* pantera
pantin *nm.* muñeco ; *(fig.)* veleta *nf*

pantois,-e *adj.* atónito(a)
pantomime *nf.* pantomima
pantoufle *nf.* zapatilla
paon *nm.* pavo real
papa *nm.* papá
papauté *nf.* papado *nm.*
pape *nm.* papa
papeterie *nf.* papelería
papier *nm.* papel • *nmpl.* documentos, papeles ; *(d'identité)* documentación *nf*
papillon *nm.* mariposa *nf*
papyrus *nm.* papiro
paquebot *nm.* paquebote, buque
pâquerette *nf.* margarita silvestre
paquet *nm.* paquete, bulto
par *prép.* por, a ; con ; en
parabole *nf.* parábola
parachever *v. tr.* rematar
parachute *nm.* paracaídas
parachutiste *nm.* paracaidista
parade *nf.* ostentación, alarde *nm.*
paradis *nm.* paraíso
paradoxal,-e *adj.* paradójico(a)
paradoxe *nm.* paradoja *nf.*
paragraphe *nm.* párrafo
paraître *v. intr.* *(apparaître)* aparecer, salir ; *(se montrer)* mostrarse ; *(être publié)* publicarse ; *(sembler)* parecer
parallèle *adj.* paralelo(a) • *nm.* paralelo • *nf.* paralela
paralyser *v. tr.* paralizar
paralysie *nf.* parálisis
paralytique *adj. et nm/f.* paralítico(a)
parapet *nm.* parapeto
parapluie *nm.* paraguas *inv.*
parasol *nm.* quitasol
paratonnerre *nm.* pararrayos *inv.*
paravent *nm.* biombo
parc *nm.* *(parking)* aparcamiento ; *(bétail)* cercado ; *(poissons)* vivero
parce que *loc. conj.* porque
parchemin *nm.* pergamino
parcourir *v. tr.* recorrer
parcours *nm.* recorrido
pardessus *nm.* gabán, abrigo
pardon *nm.* perdón
pardonner *v. tr. et intr.* perdonar
pare-brise *nm. inv.* parabrisas
pare-chocs *nm. inv.* parachoques
pareil,-eille *adj.* igual, semejante
parent,-e *nm/f.* pariente(a) • *nmpl.* *(père et mère)* padres
parenthèse *nf.* paréntesis *nm.*
parer *v. tr.* adornar ; *(détourner)* parar, evitar
paresse *nf.* pereza
paresseux,-euse *adj. et nm/f.* perezoso(a)
parfait,-e *adj.* perfecto(a)
parfois *adv.* a veces
parfum *nm.* perfume
parfumer *v. tr.* perfumar
pari *nm.* apuesta *nf.*
parier *v. tr.* apostar
parking *nm.* aparcamiento
parlement *nm.* parlamento
parlementaire *adj. et nm/f.* parlamentario(a)
parler *v. tr. et intr.* hablar
parmi *prép.* entre, en medio de
paroi *nf.* pared
paroisse *nf.* parroquia
paroissien,-ienne *nm/f.* feligrés(a)
parole *nf.* palabra ; *(sentence)* dicho *nm.* ; frase • *nmpl.* *(d'une chanson)* letra *nf.*
parquer *v. tr.* *(une voiture)* aparcar ; *(ani- maux)* encerrar
parquet *nm.* entarimado ; *(justice)* ministerio fiscal
parrain *nm.* padrino
parrainage *nm.* padrinazgo
parrainer *v. tr.* apadrinar
parsemer *v. tr.* esparcir
part *nf.* parte
partage *nm.* reparto, partición *nf.*
partager *v. tr.* *(répartir)* repartir, partir ; *(couper)* dividir ; *(avoir en commun)* compartir
partant *conj.* por lo tanto
partenaire *nm.* *(jeu, danse)* pareja *nf.* ; *(affaires)* socio(a) ; *(entretien)* interlocutor(a)
parterre *nm.* *(jardin)* arriate ; *(théâtre)* patio de butacas
parti *nm.* partido ; decisión *nf.*
participant,-e *adj. et nm/f.* participante
participation *nf.* participación

participe *nm.* participio
participer *v. intr.* participar (en)
particularité *nf.* particularidad
particulier,-ière *adj. et nm.* particular
partie *nf. (jeux, pêche, chasse)* partida ; *(secteur)* ramo *nm.*
partiel,-elle *adj.* parcial
partir *v. intr.* (*s'en aller*) marcharse ; *(cris, bruit)* estallar ; *(arme)* dispararse ; *(tache)* desaparecer ; *(moteur)* arrancar ; *(avoir son origine)* nacer de
partisan,-e *adj. et nm/f.* partidario(a)
partout *adv.* en (a, de, por) todas partes
parure *nf.* adorno *nm.*
parvenir *v. intr. (arriver)* llegar ; *(réussir à)* lograr, conseguir
pas *nm.* paso
pas *adv.* no
passable *adj.* regular, pasable
passage *nm.* paso ; *(bateau)* travesía *nf.* ; *(lieu)* pasaje, paso ; (*d'un texte)* pasaje
passager,-ère *adj. et nm/f.* pasajero(a)
passant,-e *adj.* concurrido(a) • *nm/f.* transeúnte
passé *nm.* pasado,
passeport *nm.* pasaporte
pelote *nf.* pelota ; *(fil, laine)* ovillo *nm.*
pelotonner (se) *v. pr.* acurrucarse
pelouse *nf.* césped *nm.*
peluche *nf.* felpa
pénal,-e *adj.* penal
pénalité *nf.* penalidad
pencher *v. tr.* inclinar
pendaison *nf.* horca
pendant *prép.* durante, ***pendant que*** mientras
pendre *v. tr. et intr.* colgar ; *(un criminel)* ahorcar
pendule *nm.* péndulo • *nf.* reloj. *nm.*
pêne *nm.* pestillo
pénétrer *v. tr. et intr.* penetrar
pénible *adj.* penoso(a) ; *(ennuyeux)* pesado(a)
péniche *nf.* chalana
péninsule *nf.* península
pénitence *nf.* penitencia
pénitencier *nm. (prison)* penal
pénombre *nf.* penumbra
pensée *nf.* pensamiento *nm.*
penser *v. tr. et intr.* pensar
penseur,-euse *nm/f.* pensador(a)
pension *nf.* pensión
pensionnaire *nm. (collège)* pensionista ; *(hôte)* huésped
pente *nf.* pendiente, cuesta
Pentecôte *nf.* Pentecostés *nm.*
pénurie *nf.* penuria, escasez
pépin *nm. (fruits)* pepita *nf.*
pépinière *nf.* vivero *nm.*
percepteur,-trice *nm/f.* recaudador de contribuciones
perception *nf.* percepción ; *(impôts)* recaudación
percer *v. tr.* (*faire un trou*) perforar ; *(faire une ouverture)* abrir ; *(traverser)* atravesar • *v. intr.* manifestarse
percevoir *v. tr.* percibir ; *(argent)* cobrar
perche *nf.* pértiga ; *(poisson)* perca
percher *v. tr. et intr. (oiseau)* posarse ; *(habiter)* vivir
perchoir *nm.* percha *nf.*
perclus,-e *adj.* baldado(a)
perdant,-e *adj. et nm/f.* perdedor(a)
perdre *v. tr.* perder ; *(fuir)* salirse
perdrix *nf.* perdiz
père *nm.* padre ; *(fam.)* tío
péremptoire *adj.* perentorio(a)
perfection *nf.* perfección
perfectionner *v. tr.* perfeccionar
perfide *adj.* pérfido(a)
perforation *nf.* perforación
perforer *v. tr.* perforar
péril *nm.* peligro
périmer (se) *v. pr.* caducar
périmètre *nm.* perímetro
période *nf.* período
périodicité *nf.* periodicidad
périodique *adj. et nm.* periódico(a)
periphrase *nf.* perífrasis
périr *v. intr.* perecer
périscope *nm.* periscopio
périssable *adj.* perecedero(a)
perle *nf.* perla
permanence *nf.* permanencia
permanent,-e *adj.* permanente ; *(spectacle)* continuo(a)

perméable *adj.* permeable
permettre *v. tr.* permitir
permis *nm.* permiso, licencia *nf.*
permission *nf.* permiso *nm.*, autorización
permuter *v. tr. et intr.* permutar
pernicieux,-euse *adj.* pernicioso(a)
perpétrer *v. tr.* perpetrar
perpétuel,-elle *adj.* perpetuo(a)
perpétuité *nf.* perpetuidad
perplexité *nf.* perplejidad
perquisitionner *v. tr.* registrar
perron *nm.* escalinata *nf.*
perroquet *nm.* loro, papagayo
perruche *nf.* cotorra
perruque *nf.* peluca
persan,-e *adj. et nm/f.* persa
persécuter *v. tr.* perseguir
persécution *nf.* persecución
persévérer *v. intr.* perseverar
persienne *nf.* persiana
persil *nm.* perejil
persister *v. intr.* persistir
personnage *nm.* personaje
personnalité *nf.* personalidad
personne *nf.* persona • *pron. indéf.* nadie
personnel,-elle *adj.* personal ; egoísta • *nm. (les employés)* personal, plantilla *nf.*
perspective *nf.* perspectiva
perspicacité *nf.* perspicacia
persuader *v. tr.* persuadir
persuasion *nf.* persuasión
perte *nf.* pérdida ; *(fig.)* perdición • *nfpl. (nombre de morts)* bajas
pertinent,-e *adj.* pertinente
perturbation *nf.* perturbación
perturber *v. tr.* perturbar
péruvien,-ienne *adj. et nm/f.* peruano(a)
perversion *nf.* perversión
perversité *nf.* perversidad
pervertir *v. tr.* pervertir
pesant,-e *adj.* pesado(a)
pesanteur *nf.* pesadez, peso *nm.* ; *(d'esprit)* torpeza ; *(physique)* gravedad
peser *v. tr. et intr.* pesar
pessimisme *nm.* pesimismo
peste *nf.* peste
pétale *nm.* pétalo
pétard *nm.* cohete, *(tapage)* escándalo *nf.*
pétiller *v. intr. (vin)* burbujear ; *(feu)* chisporrotear ; *(joie, colère)* chispear
petit,-e *adj. (taille)* bajo(a) ; *(faible)* insignificante • *nm/f.* crío(a)
petit-fils *nm.* nieto
petits-enfants *nmpl.* nietos
pétrin *nm. (boulanger)* amasadera *nf.* ; *(fig.)* atolladero
pétrir *v. tr.* amasar ; *(fig.)* modelar
pétrole *nm.* petróleo
peu *adv.* poco • *adj. et pron.* poco(-a, -os, -as)
peuplade *nf.* pueblo primitivo *nm.*
peuple *nm.* pueblo ; *(foule)* muchedumbre *nf.*
peuplier *nm.* álamo
peur *nf.* miedo *nm.* ; *de peur que* por miedo a que
peut-être *adv.* acaso, quizá, quizás, tal vez, a lo mejor
phalange *nf.* falange
phare *nm.* faro
pharmacie *nf.* farmacia ; *(armoire)* botiquín *nm.*
pharmacien,-ienne *nm/f.* farmacéutico(a)
phénomène *nm.* fenómeno
philanthropie *nf.* filantropía
philosophe *nm/f.* filósofo(a)
philosophie *nf.* filosofía
phoque *nm.* foca *nf.*
photocopieuse *nf.* copiadora
photographe *nm/f.* fotógrafo(a)
photographie *nf.* fotografía
photographier *v. tr.* fotografiar
phrase *nf.* frase
physicien,-ienne *nm/f.* físico(a)
physiologie *nf.* fisiología
physionomie *nf.* fisonomía
physique *adj. et nm/f.* físico(a)
pianiste *nm/f.* pianista
piano *nm.* piano
pic *nm.* pico
pichet *nm.* jarrito
pickpocket *nm.* carterista, ratero
picorer *v. tr. et intr.* picar
picoter *v. tr.* picar
pie *nf.* urraca

pièce *nf.* pieza ; *(logement)* habitación ; *(morceau)* pedazo *nm.* ; *(monnaie)* moneda ; *(théâtre)* obra ; *(couture)* remiendo *nm.* ; *(document)* documento *nm.* ; *(musique)* composición
pied *nm.* pie
piège *nm.* trampa *nf.*
pierre *nf.* piedra
piété *nf.* piedad
piétiner *v. tr.* pisotear • *v. intr.* patalear *(fig.)* (*ne pas progresser)* atascarse
piéton *nm.* peatón
piétonnier,-ière *adj.* peatonal
pieu *nm.* estaca *nf.* ; *(lit)* catre
pieuvre *nf.* pulpo *nm.*
pieux,-euse *adj.* piadoso(a)
pigeon *nm.* palomo, paloma *nf.*
pigeonnier *nm.* palomar
pigment *nm.* pigmento
pile *nf.* *(pilier)* pilar *nm.* ; *(tas)* pila ; *(électrique)* pila *nf.* ; *(monnaie)* cruz • *adv.* en punto
pilier *nm.* pilar ; *(fig.) (soutien)* sostén, apoyo
pillage *nm.* saqueo
pilotage *nm.* pilotaje
pilote *nm.* piloto
piloter *v. tr.* pilotar
pilule *nf.* píldora
piment *nm.* pimiento
pin *nm.* pino
pince *nf.* pinza
pinceau *nm.* pincel
pincée *nf.* pizca
pincer *v. tr.* *(avec les doigts)* pellizcar *(serrer)* apretar ; *(surprendre)* pillar • *v. intr.* *(froid)* picar
pinède *nf.* pinar *nm.*, pineda
pingouin *nm.* pingüino
pinson *nm.* pinzón
pioche *nf.* pico *nm.*
piocher *v. tr.* cavar, *(fig.) ; (étudier)* empollar
pion *nm.* *(échecs)* peón ; *(dames)* ficha *nf.* ; *(surveillant)* vigilante
pionnier *nm.* pionero
pipe *nf.* pipa
piquant,-e *adj.* *(acéré)* punzante ; *(sauce)* picante ; *(froid)* penetrante • *nm.* pincho, púa *nf.*
pique *nf.* pica ; *(fig.)* indirecta
pique-nique *nm.* picnic
piquer *v. tr.* *(percer)* pinchar ; *(médecine)* poner una inyección ; *(insecte, fumée, poivre, etc.)* picar ; *(fam.) (voler)* birlar ; *(arrêter)* pillar
piquet *nm.* piquete ; *(pieu)* estaca *nf.*
piqûre *nf.* *(médecine)* inyección ; *(insecte)* picadura
pirate *nm.* pirata
pirater *v. tr. et intr.* piratear
pire *adj.* peor
pirogue *nf.* piragua
pis *nm.* ubre *nf.*
pis *adv.* peor
pisciculture *nf.* piscicultura
piscine *nf.* piscina
pissenlit *nm.* diente de león
piste *nf.* pista
pistolet *nm.* pistola *nf.*
piston *nm.* pistón ; *(recommandation)* enchufe
pitié *nf.* piedad, lástima
pitoyable *adj.* (*qui fait pitié*) lastimoso(a) ; (*qui a pitié*) piadoso(a)
pitre *nm.* payaso
pittoresque *adj.* pintoresco(a)
pivert *nm.* picamaderos *inv.*
pivoine *nf.* peonía
place *nf.* *(lieu)* lugar *nm.* ; sitio *nm.* ; (*dans une ville*) plaza ; *(siège)* asiento *nm.* ; *(spectacles)* entrada ; *(travail)* empleo *nm.* ; *(espace)* sitio *nm.*
placement *nm.* colocación ; *(d'argent)* inversión *nf.*
placer *v. tr.* *(installer)* colocar ; *(spectacles)* acomodar ; (*de l'argent*) investir, colocar ; *(commerce)* vender
plafond *nm.* techo ; *(fig.)* límite, tope
plage *nf.* playa
plaider *v. tr.* defender • *v. intr.* abogar por
plaie *nf.* llaga ; *(fléau)* plaga
plaindre *v. tr.* compadecer • *v. pr.* quejarse ; protestar
plaine *nf.* llanura, llano *nm.*

plainte *nf. (douleur)* gemido *nm.* ; *(doléance)* queja ; *(droit)* demanda
plaintif,-ive *adj.* lastimero(a)
plaire *v. tr. et intr.* gustar, agradar • *v. impers.* gustar, placer • *v. pr.* estar a gusto
plaisant,-e *adj.* agradable ; divertido(a)
plaisanter *v. intr.* bromear • *v. tr.* burlarse de
plaisanterie *nf.* broma
plaisir *nm.* placer
plan *nm. (ville, bâtiment)* plano ; *(projet)* plan
planche *nf.* tabla, tablón *nm.*
plancher *nm.* piso, suelo
planer *v. intr. (oiseau)* cernerse ; *(avion)* planear
planétaire *adj.* planetario(a)
planète *nf.* planeta *nm.*
planifier *v. tr.* planear
plantation *nf.* plantación
plante *nf.* planta
planter *v. tr.* plantar
plaque *nf.* placa
plaquer *v. tr. (couvrir)* chapar ; *(coller)* pegar ; *(abandonner)* plantar
plastique *nm.* plástico • *nf.* plástica
plat,-e *adj.* llano(a) ; *(sans relief)* liso(a) • *nm. (vaisselle)* fuente *nf.* ; *(mets)* plato
platane *nm.* plátano
plateau *nm.* bandeja *nf.* ; *(balance)* platillo ; (*théâtre, cinéma*) escenario ; *(géo-graphie)* meseta *nf.*
plate-bande *nf.* arriate *nm.*
plate-forme *nf.* plataforma
platitude *nf.* banalidad
plâtre *nm.* yeso ; *(médecine)* escayola *nf.*
plâtrer *nm.* enyesar ; *(médecine)* escayolar
plein, -e *adj.* lleno(a) ; *(massif)* macizo(a) ; completo(a) ; *(replet)* relleno(a) • *nm.* máximo, pleno
pleur *nm.* llanto, lloro • *nmpl.* lágrimas *nfpl.*
pleurer *v. tr. et intr.* llorar
pleureur,-euse *adj.* llorón(ona) • *nf.* plañidera
pleurnicher *v. intr. (fam.)* lloriquear
pleuvoir *v. impers. et intr.* llover
pli *nm. (marque)* pliegue ; *(lettre)* carta *nf.* ; (*du pantalon*) raya *nf.* ; (*de la peau)* arruga *nf.* ; *(fig.) (habitude)* costumbre *nf.*
pliant,-e *adj.* plegable • *nm.* silla de tijera *nf.*
plier *v. tr.* plegar, doblar ; *(soumettre)* someter ; *(une articulation*) flexionar • *v. intr. (s'affaisser)* ceder ; (*se soumettre)* doblegarse
plissement *nm.* pliegue
plomb *nm.* plomo ; *(chasse)* perdigón
plomberie *nf.* fontanería
plombier *nm.* fontanero
plongée *nf.* inmersión, sumersión
plongeoir *nm.* trampolín
plongeon *nm.* zambullida *nf.*, chapuzón
plonger *v. tr. (immerger)* hundir, sumergir ; *(enfoncer)* hundir • *v. intr. (personne)* zambullirse ; *(sous-marin)* sumergirse ; *(travailler sous l'eau)* bucear
ployer *v. tr.* plegar • *v. intr.* doblegarse
pluie *nf.* lluvia
plume *nf.* pluma
plumeau *nm.* plumero
plumer *v. tr.* desplumar
plupart (la) *nf.* la mayor parte
pluriel,-elle *adj. et nm.* plural
plus *adv.* más
plusieurs *adj. et pron.* varios(as)
plutôt *adv. (de préférence)* antes ; *(plus exactement)* más bien
pluvieux,-euse *adj.* lluvioso(a)
pneumatique *adj. et nm.* neumático(a)
pneumonie *nf.* neumonía
poche *nf. (vêtement)* bolsillo *nm.* ; *(sous les yeux, faux pli)* bolsa ; *(sac)* bolsa
pochette *nf.* bolsillito *nm.* ; *(mouchoir)* pañuelo *nm.* ; *(disque)* funda ; *(allumettes)* carterilla ; *(sac)* bolso de mano, *nm.*
poêle *nm.* estufa *nf.* • *nf.* sartén
poêlon *nm.* cazo
poème *nm.* poema
poésie *nf.* poesía
poète *adj. et nm.* poeta

poétesse *nf.* poetisa
poids *nm.* peso ; *(pour peser)* pesa
poignant,-e *adj.* desgarrador(a)
poignard *nm.* puñal
poignarder *v. tr.* apuñalar
poignée *nf. (contenu)* puñado *nm. (valise)* asa ; *(porte)* picaporte *nm.* ; *(tiroir)* tirador *nm.* ; (*de main*) apretón *nm.*
poignet *nm.* muñeca *nf.* ; *(d'une chemise)* puño
poil *nm.* pelo
poilu,-e *adj.* peludo(a)
poing *nm.* puño
point *nm.* punto
point *adv.* no
pointe *nf.* punta ; *(clou)* clavo *nm.*
pointer *v. tr. (cocher)* puntear ; *(diriger, viser)* apuntar, dirigir ; (*bureau, usine)* fichar • *v. intr. (aube, jour)* despuntar
pointillé *nm.* punteado
pointu,-e *adj.* puntiagudo(a)
pointure *nf. (taille)* número *nm.* ; medida
poire *nf.* pera
poireau *nm.* puerro
poirier *nm.* peral
pois *nm.* guisante
poison *nm.* veneno
poisson *nm. (dans l'eau)* pez ; *(hors de l'eau)* pescado
poissonnerie *nf.* pescadería
poitrine *nf.* pecho *nm.*
poivre *nm.* pimienta *nf.*
poivron *nm.* pimiento
polaire *adj.* polar
pôle *nm.* polo
polémiste *nm.* polemista
poli,-e *adj.* pulido(a) ; *(courtois)* educado(a) • *nm.* pulimento
police *nf.* policía ; *(d'assurance)* póliza
policier,-ière *adj.* policíaco(a) • *nm.* policía
polir *v. tr.* pulir
politesse *nf.* cortesía
politique *adj. et nf.* político(a)
polluer *v. tr.* contaminar
pollution *nf.* contaminación
polonais,-e *adj. et nm/f.* polaco(a)
polycopier *v. tr.* multicopiar
polyglotte *adj. et nm/f.* polígloto(a)
polygone *nm.* polígono
polytechnique *adj.* politécnico(a)
pommade *nf.* pomada
pomme *nf.* manzana
pommier *nm.* manzano
pompe *nf. (apparat)* pompa ; *(machine)* bomba
pompier *nm.* bombero
ponctualité *nf.* puntualidad
ponctuation *nf.* puntuación
pondération *nf.* ponderación
pondérer *v. tr.* ponderar
pondre *v. tr.* poner
pont *nm.* puente
pontifical,-e *adj.* pontifical
populaire *adj.* popular
population *nf.* población
porc *nm. (animal)* puerco, cerdo ; *(viande)* cerdo
porcelaine *nf.* porcelana
pore *nm.* poro
port *nm.* puerto ; *(allure)* porte
portail *nm.* pórtico
portatif,-ive *adj.* portátil
porte *nf.* puerta
porte-avions *nm. inv.* portaaviones
porte-bagages *nm. inv.* portaequipajes
porte-documents *nm. inv.* cartera *nf.*
porte-drapeau *nm.* abanderado
portée *nf. (d'animal)* camada ; *(distance accessible)* alcance *nm.* ; *(musique)* pentágrama *nm.*
portefeuille *nm.* cartera *nf.*
portemanteau *nm.* percha *nf.*
porte-parole *nm. inv.* portavoz
porter *v. tr.* llevar ; *(produire)* dar, producir ; *(regard, attention)* fijar ; *(écrire)* anotar • *v. intr. (voix, regard, arme)* alcanzar ; *(reproche, argument)* surtir efecto
porte-serviettes *nm. inv.* toallero
porteur *nm.* mozo de equipajes
porte-voix *nm. inv.* megáfono
portier,-ière *nm/f.* portero(a)
portière *nf.* puerta
portion *nf.* porción
portrait *nm.* retrato

portuaire *adj.* portuario(a)
portugais,-e adv. *et nm/f.* portugués (esa)
pose *nf. (installation)* colocación ; *(attitude)* postura ; *(affectation)* afectación *(photo)* exposición
poser *v. tr.* (*mettre, installer)* poner, colocar, instalar ; (*problème, difficulté*) plantear ; *(une question)* hacer ; *(candidature)* presentar • *v. intr.* (*servir de modèle*) posar ; *(affecter)* presumir
poseur,-euse *adj.* presumido(a)
positif,-ive *adj.* positivo(a)
position *nf.* posición
posséder *v. tr.* poseer
possessif,-ive *adj. et nm.* posesivo(a)
possession *nf.* posesión
possible *adj.* posible
postal,-e *adj.* postal
poste *nf. (administration)* correo *nm.* ; *(bureau)* correos *nmpl.* • *nm.* (*emploi, lieu)* puesto ; (*radio, télé*) aparato
poster *v. tr. (une lettre)* echar al correo ; *(placer)* apostar
postérieur,-e *adj.* posterior
postérité *nf.* posteridad
post-scriptum *nm. inv.* postdata *nf.*
postuler *v. tr.* postular
posture *nf.* postura
pot *nm.* vasija *nf. (moutarde, conserves, etc.)* bote ; (*avec anse et bec*) jarro, jarra *nf* ; *(fleurs)* tiesto ; *(marmite)* olla *nf.* ; *(fam.) (verre)* vaso ; *(chance)* chiripa *nf.*
potable *adj.* potable
potage *nm.* sopa *nf.*
potager *nm.* huerto, huerta *nf.*
pot-au-feu *nm. inv.* cocido, puchero
poteau *nm.* poste
potentiel,-elle *adj. et nm.* potencial
poterie *nf.* (*fabrique, art*) alfarería ; *(objet)* vasija
potion *nf.* poción
potiron *nm.* calabaza *nf.*
poubelle *nf.* cubo de la basura *nm.*
pouce *nm. (main)* pulgar ; *(pied)* dedo gordo
poudre *nf.* polvo *nm.* ; *(explosif)* pólvora *nf.* ; *(cosmétique)* polvos *nmpl.*
poudrer *v. tr.* empolvar
poulailler *nm.* gallinero
poulain *nm. (cheval)* potro ; *(fig.)* pupilo
poule *nf.* gallina
poulet *nm.* pollo
pouls *nm.* pulso
poumon *nm.* pulmón
poupe *nf.* popa
poupée *nf.* muñeca
pour *prép. (but)* para ; *(envers)* para con ; contra ; por
pourboire *nm.* propina *nf.*
pourcentage *nm.* porcentaje
pourchasser *v. tr.* perseguir
pourparler *nm.* negociación *nf.*
pourpre *nf.* púrpura
pourquoi *conj. et adv. (cause)* por qué ; *(but)* para qué • *nm.* porqué
pourrir *v. tr.* pudrir
pourriture *nf.* podredumbre
poursuite *nf.* continuación ; persecución
poursuivre *nf. (persécuter)* perseguir ; *(continuer)* proseguir ; *(justice)* demandar
pourtant *adv.* sin embargo
pourvu que *loc. conj.* con tal que, siempre que ; *(souhait)* ojalá
pousse *nf.* brote *nm.*, retoño *nm.*
pousser *v. tr.* empujar ; *(cri, soupir)* dar ; *(stimuler)* estimular ; *(favoriser)* favorecer • *v. intr.* empujar ; *(dents, cheveux)* crecer ; (*se développer*) desarrollarse • *v. pr. (s'écarter)* apartarse
poussière *nf.* polvo *nm.*
poussin *nm.* polluelo
poutre *nf.* viga
pouvoir *v. tr.* poder
pouvoir *nm.* poder
prairie *nf.* prado *nm.*, pradera
praline *nf.* almendra garrapiñada
praticable *adj. (chemin)* transitable
pratiquant,-e *adj. et nm/f.* practicante
pratiquer *v. tr.* practicar
pré *nm.* prado
préambule *nm.* preámbulo
préavis *nm.* aviso previo
précaution *nf.* precaución
précédent,-e *adj. et nm.* precedente
précéder *v. tr.* preceder

précepte *nm.* precepto
prêcher *v. tr.* predicar
précieux,-euse *adj.* precioso(a) ; afectado(a)
précipice *nm.* precipicio
précipiter *v. tr.* precipitar
précis,-e *adj.* preciso(a) ; *(heure)* en punto • *nm. (résumé)* compendio
préciser *v. tr.* precisar
précision *nf.* precisión
précoce *adj.* precoz
précolombien, -ienne *adj.* precolombino(a)
prédicateur *nm.* predicador
prédire *v. tr.* predecir
prédisposer *v. tr.* predisponer
prédominer *v. intr.* predominar
préface *nf.* prefacio *nm.*
préférence *nf.* preferencia
préférer *v. tr.* preferir
préfixe *nm.* prefijo
préjudice *nm.* perjuicio
prélever *v. tr. (déduire)* deducir ; *(ôter)* tomar
préliminaire *adj. et nm.* preliminar
préméditation *nf.* premeditación
premier,-ière *adj.* primero(a), primer *(devant un nom masculin singulier)* • *nm/f.* primero(a) • *nf. (théâtre)* estreno *nm.*
prendre *v. tr.* (*saisir, consommer, absorber)* tomar ; *(s'emparer)* coger ; *(photo, notes)* tomar ; *(arrêter)* detener ; *(argent)* cobrar ; *(billet)* sacar ; *(prélever)* descontar ; *(requérir)* requerir, tomar • *v. intr.* (*plante, vaccin*) agarrar ; *(pâte, liquide)* tomar consistencia ; *(être cru)* ser creído ; *(feu)* encenderse
prénom *nm.* nombre (de pila)
préoccupation *nf.* preocupación
préoccuper *v. tr.* preocupar
préparatifs *nmpl.* preparativos
préparation *nf.* preparación
préparer *v. tr.* preparar
préposition *nf.* preposición
près *adv.* cerca • *prép.* cerca de
presbytère *nm.* rectoría *nf.*
prescrire *v. tr.* prescribir
présence *nf.* presencia
présent,-e *adj. et nm.* presente
présentation *nf.* presentación
présenter *v. tr.* presentar
préserver *v. tr.* preservar
président *nm.* presidente
présidentiel,-elle *adj.* presidencial
présider *v. tr.* presidir
presque *adv.* casi
presqu'île *nf.* península
pressant,-e *adj.* urgente
presse *nf.* prensa ; *(urgence)* prisa
pressé,-e *adj. (comprimé)* prensado(a) *(fruit)* exprimido(a) ; *(qui se hâte)* presuroso(a) ; urgente
pressentir *v. tr.* presentir
presser *v. tr. (fruit)* estrujar, exprimir ; *(bouton)* pulsar, apretar ; *(entre les bras)* estrechar ; *(harceler)* acuciar ; *(hâter)* apresurar • *v. intr.* correr prisa • *v. pr.* darse prisa
pressing *nm.* tintorería en seco *nf.*
pression *nf.* presión
prestidigitateur *nm.* prestidigitador
prestige *nm.* prestigio
présumé,-e *adj.* presunto(a)
prêt *nm.* préstamo
prêt,-e *adj.* listo(a), dispuesto(a)
prétendant,-e *nm/f.* pretendiente
prétendre *v. tr.* pretender ; afirmar
prétention *nf.* pretensión
prêter *v. tr. et intr.* prestar
prêteur,-euse *nm/f.* prestador(ora) ; *(finance)* prestamista
prétexte *nm.* pretexto
prétexter *v. tr.* pretextar
prêtre *nm.* sacerdote
preuve *nf.* prueba
prévision *nf.* previsión
prévoir *v. tr.* prever
prévoyant,-e *adj.* previsor(a)
prier *v. tr. et intr. (religion)* rezar, orar ; *(demander)* rogar
prière *nf. (religion)* oración ; *(demande)* ruego *nm.*, súplica
primaire *adj.* primario(a)
primauté *nf.* primacía
prime *nf.* prima

primevère *nf.* primavera
primitif,-ive *adj. et nm/f.* primitivo(a)
primordial,-e *adj.* primordial
prince *nm.* príncipe
princesse *nf.* princesa
principal,-e *adj.* principal
principe *nm.* principio
printemps *nm.* primavera *nf.*
priorité *nf.* prioridad
prise *nf. (contact, possession)* toma ; *(conquête)* conquista, toma ; *(butin)* botín *nm.* ; *(lutte)* llave ; *(pour saisir)* agarradero *nm.* ; *(électrique)* enchufe *nm.*
priser *v. tr.* apreciar, estimar
prison *nf.* prisión, cárcel
prisonnier,-ière *adj. et nm/f.* preso(a) ; *(de guerre)* prisionero(a)
privation *nf.* privación
privé,-e *adj.* privado(a) ; íntimo(a)
privilège *nm.* privilegio
prix *nm.* precio ; *(récompense)* premio
probabilité *nf.* probabilidad
probable *adj.* probable
probité *nf.* probidad
problème *nm.* problema
procédé *nm.* procedimiento
procès *nm.* proceso, pleito
procession *nf.* procesión
prochain,-e *adj.* próximo(a) • *nm.* prójimo
proche *adj.* cercano(a), próximo(a)
proclamer *v. tr.* proclamar
procurer *v. tr.* proporcionar ; *(provoquer)* causar
prodige *nm.* prodigio
prodiguer *v. tr.* prodigar
producteur,-trice *adj. et nm/f.* productor(a)
production *nf.* producción
produire *v. tr.* producir ; *(montrer)* presentar, enseñar
produit *nm.* producto
proférer *v. tr.* proferir
professeur *nm/f.* profesor(a)
profession *nf.* profesión
professionnel,-elle *adj.* profesional
profil *nm.* perfil
profit *nm.* provecho ; beneficio
profiter *v. intr.* aprovechar, sacar provecho de
profond,-e *adj.* profundo(a)
profondeur *nf.* profundidad
profusion *nf.* profusión
programme *nm.* programa
progrès *nm.* progreso
progresser *v. intr.* progresar
prohibition *nf.* prohibición
proie *nf.* presa
projectile *nm.* proyectil
projection *nf.* proyección
projet *nm.* proyecto
projeter *v. tr.* proyectar
prolonger *v. tr.* prolongar
promenade *nf.* paseo *nm.*
promener *v. tr.* pasear
promesse *nf.* promesa
promettre *v. tr. et intr.* prometer
promotion *nf.* promoción
promouvoir *v. tr.* promover
prompt,-e *adj.* pronto(a)
pronom *nm.* pronombre
prononcer *v. tr.* pronunciar
prononciation *nf.* pronunciación
propagande *nf.* propaganda
propagation *nf.* propagación
propager *v. tr.* propagar
prophète *nm.* profeta
prophétiser *v. tr.* profetizar
propice *adj.* propicio(a)
proportion *nf.* proporción
proportionnel,-elle *adj.* proporcional
propos *nm.* propósito, intención *nf.*
proposer *v. tr.* proponer
proposition *nf.* propuesta
propre *adj.* propio(a) ; *(net)* limpio(a)
propreté *nf.* limpieza
propriétaire *nm/f.* propietario(a) ; dueño(a)
propriété *nf.* propiedad
prose *nf.* prosa
prospérer *v. intr.* prosperar
protagoniste *nm.* protagonista
protection *nf.* protección
protectorat *nm.* protectorado
protéger *v. tr.* proteger
protestantisme *nm.* protestantismo

protester *v. tr. et intr.* protestar
prouesse *nf.* proeza, hazaña
prouver *v. tr.* probar
provenance *nf.* origen *nm.*, procedencia *nf.*
provenir *v. intr.* provenir, proceder
proverbe *nm.* refrán, proverbio
providence *nf.* providencia
providentiel,-elle *adj.* providencial
province *nf.* provincia, región
provincial,-e *adj.* provincial • *nm/f.* provinciano(a)
provision *nf.* provisión • *nfpl.* compra *nf.*
provisoire *adj.* provisional
provocation *nf.* provocación
provoquer *v. tr.* provocar
prudence *nf.* prudencia
prudent,-e *adj.* prudente
pseudonyme *nm.* seudónimo
psychanalyse *nf.* psicoanálisis *nm.*
psychiatre *nm.* psiquiatra
psychique *adj.* psíquico(a)
psychologie *nf.* psicología
puanteur *nf.* hedor *nm.*
puberté *nf.* pubertad
public,-ique *adj. et nm.* público(a)
publication *nf.* publicación
publicité *nf.* publicidad
publier *v. tr.* publicar
puce *nf.* pulga ; *(électronique)* chip *nm.*
pudeur *nf.* pudor *nm.*
pudique *adj.* púdico(a)
puer *v. tr. et intr.* heder
puéril,-e *adj.* pueril
puis *adv.* después, luego
puiser *v. tr.* sacar, extraer
puisque *conj.* ya que, puesto que
puissance *nf.* potencia, poder *nm.*
puissant,-e *adj. et nm/f.* poderoso(a) ; *(machine)* potente
puits *nm.* pozo
pull-over *nm.* jersey
punaise *nf.* chinche *nm.* ; *(clou)* chincheta
punir *v. tr.* castigar, condenar
punition *nf.* castigo *nm.*
pur,-e *adj.* puro(a)
pureté *nf.* pureza
purge *nf.* purga
purification *nf.* purificación
purifier *v. tr.* purificar
puriste *adj. et nm/f.* purista
puritanisme *nm.* puritanismo
putréfaction *nf.* putrefacción
putréfier *v. tr.* pudrir
pygmée *nm.* pigmeo
pyjama *nm.* pijama
pyramide *nf.* pirámide
pyrotechnie *nf.* pirotecnia

Q

q *nm. inv.* q *nf.*
quadragénaire *adj. et nm/f.* cuadragenario(a), cuarentón(ona)
quadriller *v. tr.* cuadricular
quadrupler *v. tr.* cuadruplicar
quai *nm.* muelle ; (*de gare*) andén
qualificatif,-ive *adj. et nm.* calificativo(a)
qualifier *v. tr.* calificar, cualificar
qualitatif,-ive *adj.* cualitativo(a)
qualité *nf.* calidad ; *(propriété caractéristique)* cualidad
quand *adv.* cuándo • *conj.* cuando
quant à *loc. prép.* en cuanto a
quantitatif,-ive *adj.* cuantitativo(a)
quantité *nf.* cantidad
quarantaine *nf.* cuarentena
quarante *adj. et nm. inv.* cuarenta
quarantième *adj.* cuadragésimo(a)
quart *nm.* cuarto
quartier *nm. (ville)* barrio *nm.* ; *(bœuf)* trozo ; *(orange)* gajo ; *(militaire)* cuartel
quasi *adv.* casi
quatorze *adj. et nm. inv.* catorce
quatorzième *adj.* decimocuarto(a)
quatre *adj. et nm. invar.* cuatro
quatre-vingts *adj.* ochenta

quatrième *adj.* cuarto(a)
que *conj.* que • *pron. relatif* que ; a quien(es) al (a la, a los, a las) que • *pron. interr.* qué
quel, quelle *adj.* *(devant un nom)* qué ; *(devant un verbe)* cuál ; quién(es)
quelconque *adj.* cualquiera, cualquier *(devant un nom singulier masculin ou féminin)* ; mediocre, corriente
quelque *adj. indéf.* alguno(-a, -os, -as), algún, *devant un nom masculin singulier* ; *(valeur concessive)* por más... que, por muy... que • *adv.* unos(as)
quelquefois *adv.* a veces
quelqu'un, une *pron. indéf.* alguien
qu'en-dira-t-on (le) *nm.* el qué dirán
quereller (se) *v. pr.* pelearse, reñir
question *nf.* pregunta ; *(problème)* cuestión ; *(torture)* tormento *nm.*
questionner *v. tr.* interrogar
queue *nf.* cola, rabo *nm.*
qui *pron. rel.* que, quien(es) • *pron. interr.* quién(es)
quiconque *pron. indéf.* cualquiera, quienquiera que
quille *nf.* bolo *nm.*
quinquagénaire *adj. et nm/f.* quincuagenario(a), cincuentón(ona)
quinquennat *nm.* quinquenio
quintal *nm.* quintal
quintessence *nf.* quintaesencia
quintuple *adj.* quíntuplo(a)
quintuplés,-es *nm/f. pl.* quintillizos(as)
quinzaine *nf.* quincena
quinze *adj. et nm. inv.* quince
quinzième *adj.* decimoquinto(a)
quiproquo *nm.* equivocación *nf.*
quittance *nf.* recibo *nm.*
quitte *adj.* libre
quitter *v. tr.* dejar, abandonar ; *(quelqu'un)* despedirse
quoi *pron. rel.* lo que, lo cual • *pron. interr.* qué • *exclamat.* qué, cómo
quoique *conj.* aunque, aun cuando
quorum *nm.* quórum *(d'une assemblée)*
quote-part *nf.* cuota
quotidien,-ne *adj.* diario(a) • *nm.* periódico, diario
quotient *nm.* cociente

R

r *nm. inv.* a *nf.*
rabais *nm.* rebaja *nf.*, descuento
rabaisser *v. tr.* rebajar
rabattre *v. tr.* bajar ; *(replier)* doblar ; *(détruire)* descontar
raboteur,-euse *adj.* desigual
rabougri,-e *adj.* esmirriado(a)
raccommodage *nm.* compostura *nf.*, arreglo *nm.* ; *(pièce)* remiendo
raccommoder *v. tr.* componer, arreglar ; *(fig)* reconciliar
raccorder *v. tr.* empalmar, enlazar
raccourci *nm.* atajo
raccrocher *v. tr.* *(tableau)* volver a colgar ; *(remorque)* volver a enganchar *(téléphone)* colgar
race *nf.* raza
racheter *v. tr.* rescatar ; volver a comprar ; compensar
rachitisme *nm.* raquitismo
racine *nf.* raíz
racisme *nm.* racismo
raciste *adj. et nm/f.* racista
racket *nm.* extorsión *nf.*
raclée *nf.* paliza
racler *v. tr.* raspar, rascar
raconter *v. tr.* contar, narrar
racornir *v. tr.* endurecer
radar *nm.* radar
radeau *nm.* balsa *nf.*

radiateur *nm.* radiador
radieux,-euse *adj.* radiante
radioactif,-ive *adj.* radioactivo(a)
radiodiffusion *nf.* radiodifusión
radiographie *nf.* radiografía
radis *nm.* rábano
radoter *v. intr.* chochear
radoucir *v. tr.* *(temps)* templar ; *(fig)* sosegar, suavizar
rafale *nf.* ráfaga, racha
raffermir *v. tr.* fortalecer, consolidar
raffiner *v. tr.* refinar
raffinerie *nf.* refinería
raffoler *v. intr.* pirrarse por
rafistoler *v. tr.* *(fam)* componer
rafraîchir *v. tr.* refrescar ; *(rénover)* retocar
rageur,-euse *adj.* rabioso(a)
ragoût *nm.* guiso
raideur *nf.* rigidez
rail *nm.* riel, carril
railler *v. tr.* burlarse de
railleur,-euse *adj.* burlón(ona)
raisin *nm.* uva *nf.*
raison *nf.* razón, motivo *nm.*
raisonnable *adj.* razonable
raisonnement *nm.* raciocinio, razonamiento
raisonner *v. tr. et intr.* razonar
rajeunir *v. tr.* rejuvenecer
rajouter *v. tr.* añadir
rajuster *v. tr.* reajustar ; *(arranger)* arreglar
râle *nm.* estertor
ralenti *nm.* ralentí, marcha lenta *nf.*
ralentir *v. tr.* aminorar • *v. intr.* ir más despacio
râler *v. intr.* tener estertor ; *(grogner)* gruñir
rallier *v. tr.* reunir ; *(rejoindre)* reintegrarse a, volver a ; (*à une cause*) ganar • *v. pr.* (*à une opinion*) adherirse
rallumer *v. tr.* encender de nuevo ; (*ranimer)* reanimar
ramasser *v. tr.* recoger ; reunir
rame *nf.* remo *nm.*
rameau *nm.* ramo
ramener *v. tr.* (*revenir avec)* traer ; *(reconduire)* llevar de vuelta ; *(rendre)* devolver ; *(rétablir)* restablecer • *v. pr. reducirse a*
ramer *v. intr.* remar
ramier *nm.* paloma torcaz *nf.*
ramification *nf.* ramificación
ramollir *v. tr.* ablandar
ramoneur *nm.* deshollinador
rampe *nf.* pendiente ; *(escalier)* barandilla
rancœur *nf.* rencor *nm.*
rançon *nf.* rescate *nm.*
rancune *nf.* rencor *nm.*
randonnée *nf.* caminata
ranger *v. tr.* ordenar ; disponer ; *(voiture)* aparcar ; (*mettre à l'abri)* guardar
ranimer *v. tr.* reanimar
rapatrier *v. tr.* repatriar
rapide *adj. et nm.* rápido(a)
rapidité *nf.* rapidez
rappel *nm.* llamada *nf.* ; *(souvenir)* recuerdo
rappeler *v. tr.* llamar (de nuevo), *(évoquer un souvenir)* recordar • *v. pr.* recordar, acordarse (de)
rapport *nm.* *(revenu)* renta *nf.* ; *(similitude)* analogía *nf.* ; *(compte rendu)* informe
rapporter *v. tr.* *(revenir avec)* traer *(rendre)* devolver ; (*de l'argent)* producir, dar ; *(relater)* referir, relatar ; *(moucharder)* chivarse ; *(loi, décret)* anular • *v. pr.* referirse
rapprocher *v. tr.* acercar ; *(comparer)* cotejar ; (*les distances*) acortar • *v. pr.* acercarse ; parecerse
rapt *nm.* rapto
raquette *nf.* raqueta
rare *adj.* raro(a)
raréfier *v. tr.* enrarecer
rareté *nf.* escasez
raser *v. tr.* afeitar ; *(démolir)* arrasar ; *(frôler)* rozar • *v. pr.* afeitarse
rasoir *nm.* maquinilla de afeitar *nf.*
rassembler *v. tr.* reunir, juntar
rasseoir (se) *v. pr.* sentarse de nuevo
rassurer *v. tr.* tranquilizar
rat *nm.* rata *nf.*
râteau *nm.* rastro
rater *v. tr.* fallar, errar ; (*train, occasion*) perder ; *(examen)* ser suspendido • *v. intr.* fallar, errar ; *(échouer)* fracasar

ratifier *v. tr.* ratificar
ration *nf.* ración
rationnel,-elle *adj.* racional
rationnement *nm.* racionamiento
rattacher *v. tr.* atar de nuevo ; *(incorporer)* anexar ; *(fig.)* relacionar
rattraper *v. tr.* volver a atrapar ; *(retenir)* agarrar ; *(atteindre)* alcanzar ; *(erreur)* corregir • *v. pr.* recuperarse ; corregirse
rature *nf.* tachadura
ravager *v. tr.* asolar
ravaler *v. tr.* volver a tragar ; *(façade)* revocar ; *(déprécier)* rebajar
ravin *nm.* barranco
ravir *v. tr.* encantar ; *(enlever)* secuestrar
raviser (se) *v. pr.* cambiar de parecer
ravissant,-e *adj.* encantador(a)
raviver *v. tr.* reanimar
rayer *v. tr.* rayar ; *(effacer)* borrar
rayonnement *nm.* irradiación *nf.* ; *(fig)* resplandor
rayonner *v. intr.* radiar, irradiar ; *(fig)* resplandecer
rayure *nf.* raya
re + *infinitif* volver a + *infinitif*
réaction *nf.* reacción
réactionnaire *adj. et nm/f.* reaccionario(a)
réagir *v. intr.* reaccionar
réalisateur,-trice *adj. et nm/f.* realizador(a) ; *(cinéma)* director(a)
réaliser *v. tr.* realizar
réalisme *nm.* realismo
réalité *nf.* realidad
réapparaître *v. intr.* reaparecer
rébarbatif,-ive *adj.* repelente
rebâtir *v. tr.* reedificar
rebelle *adj. et nm/f.* rebelde
rebeller (se) *v. pr.* rebelarse
rébellion *nf.* rebelión
reboiser *v. tr.* repoblar con árboles
rebondir *v. intr.* rebotar
rebut *nm.* desecho
rebuter *v. tr. (dégoûter)* repugnar ; *(décourager)* desanimar
récalcitrant,-e *adj.* recalcitrante
récapituler *v. tr.* recapitular
recenser *v. tr.* empadronar
récent,-e *adj.* reciente
réception *nf.* recepción
recette *nf. (d'argent)* ingreso *nm.* ; *(d'impôts)* recaudación ; *(cuisine et fig.)* receta
receveur,-euse *nm/f. (d'impôts)* recau dador(a) ; *(poste)* jefe
recevoir *v. tr.* recibir ; *(examen)* aprobar
rechange *nm.* recambio
recharger *v. tr.* rellenar, recargar
réchaud *nm.* (*électrique, à gaz*) hornillo ; (*à alcool)* infiernillo
réchauffer *v. tr.* recalentar ; *(fig)* reanimar
recherche *nf.* busca, búsqueda ; *(policière, scientifique)* investigación ; *(raffinement)* refinamiento *nm.* ; *(affectation)* afectación
rechercher *v. tr.* buscar
rechute *nf.* recaída
récidiver *v. intr.* reincidir
récipient *nm.* recipiente
réciprocité *nf.* reciprocidad
réciter *v. tr.* recitar
réclamation *nf.* reclamación
réclame *nf.* propaganda
réclamer *v. tr.* reclamar ; exigir
récolte *nf.* cosecha, recolección
récolter *v. tr.* cosechar, recolectar
recommander *v. tr.* recomendar ; *(un lettre)* certificar
recommencer *v. tr.* recomenzar, reanudar, volver a (*+ infinitif)* • *v. intr.* volver a empezar
récompenser *v. tr.* recompensar
réconciliation *nf.* reconciliación
réconcilier *v. tr.* reconciliar
réconforter *v. tr.* reconfortar
reconnaisance *nf.* reconocimiento *nm.*, *(gratitude)* agradecimiento
reconnaître *v. tr.* reconocer
reconstruire *v. tr.* reconstruir
record *nm.* marca *nf.* récord
recouvrir *v. tr.* recubrir ; *(cacher)* ocultar
récréation *nf.* recreo *nm.*
recrudescence *nf.* recrudecimiento *nm.*
recruter *v. tr.* contratar, reclutar
rectangle *adj. et nm.* rectángulo
rectifier *v. tr.* rectificar

rectitude *nf.* rectitud
recto *nm.* anverso
reçu *nm.* recibo
recueillir *v. tr.* recoger
reculé,-e *adj.* apartado(a) ; *(temps)* remoto(a)
récupérer *v. tr.* recuperar
récurer *v. tr.* fregar, limpiar
rédaction *nf.* redacción
reddition *nf.* rendición
rédiger *v. tr.* redactar
redoubler *v. tr.* redoblar ; (*une classe*) repetir • *v. intr.* *(vent, pluie)* arreciar
redoutable *adj.* temible
redouter *v. tr.* temer
redresser *v. tr.* enderezar
réduction *nf.* reducción
réduire *v. tr.* reducir
réévaluer *v. tr.* revaluar
référence *nf.* referencia
référer *v. tr.* referir
réfléchir *v. tr.* reflexionar ; *(miroir)* reflejar
refléter *v. tr.* reflejar
réflexe *nm.* reflejo
réflexion *nf.* reflexión
refluer *v. intr.* refluir
reflux *nm.* reflujo
réforme *nf.* reforma
réformer *v. tr.* reformar
refouler *v. tr.* rechazar ; *(fig)* reprimir
refrain *nm.* estribillo
réfrigérer *v. tr.* refrigerar
réfrigérateur *nm.* frigorífico, nevera *nf.*
refroidir *v. tr.* enfriar
refuge *nm.* refugio
réfugier (se) *v. pr.* refugiarse
refus *nm.* negativa *nf.* ; rechazo, rechazamiento
refuser *v. tr.* rechazar ; *(nier)* negar ; *(examen)* suspender • *v. intr.* negarse a
regard *nm.* mirada *nf.*
regarder *v. tr.* mirar ; *(concerner)* atañer
régime *nm.* régimen ; *(bananes)* racimo
région *nf.* región
régional,-e *adj.* regional
registre *nm.* registro
réglage *nm.* ajuste
règle *nf.* regla
règlement *nm.* reglamento ; *(paiement)* pago ; (*d'un conflit*) arreglo
réglementer *v. tr.* reglamentar
régler *v. tr.* rayar ; *(arranger)* arreglar ; *(payer)* pagar ; *(mécanisme)* ajustar
règne *nm.* reinado ; *(animal)* reino
régner *v. intr.* reinar
régression *nf.* regresión
regret *nm.* pesar, sentimiento
regretter *v. tr.* lamentar, sentir ; *(l'absence)* echar de menos
régularité *nf.* regularidad
régulier,-ière *adj.* regular
rein *nm.* riñón
reine *nf.* reina
réintégrer *v. tr.* reintegrar
rejaillir *v. intr.* brotar
rejeter *v. tr.* devolver ; *(repousser)* rechazar
rejoindre *v. tr.* reunir ; reunirse con
réjouir *v. tr.* regocijar, alegrar
réjouissant,-e *adj.* divertido(a)
relâcher *v. tr.* relajar ; *(libérer)* soltar
relancer *v. tr.* volver a lanzar ; *(pour obtenir)* acosar ; reactivar
relation *nf.* relación
relaxer *v. tr.* liberar • *v. pr.* relajarse
reléguer *v. tr.* relegar
relever *v. tr.* levantar, alzar ; *(salaire, niveau de vie)* mejorar ; *(erreur, point)* señalar ; *(manches)* arremangarse ; *(rehausser)* realzar ; *(défi)* aceptar ; *(remplacer)* relevar, sustituir
relief *nm.* relieve
relier *v. tr.* unir, enlazar ; *(livre)* encuadernar
religieux,-euse *adj. et nm/f.* religioso(a)
religion *nf.* religión
reliure *nf.* encuadernación
remanier *v. tr.* arreglar ; rehacer
remarquable *adj.* notable
remarquer *v. tr.* notar, observar
remboursement *nm.* reembolso
remède *nm.* remedio, medicina *nf.*
remédier *v. intr.* remediar
remercier *v. tr.* dar las gracias, agradecer ; *(renvoyer)* despedir

remettre *v. tr.* volver a poner ; *(rendre)* devolver ; *(rétablir)* restablecer ; *(donner)* dar, entregar ; *(ajourner)* aplazar • *v. pr.* volver a empezar ; recuperarse
remise *nf. (réduction)* rebaja ; *(livraison)* entrega ; *(envoi)* envío *nm.* ; *(d'une dette)* cancelación ; *(voiture)* cochera
rémission *nf.* remisión
remonte-pente *nm.* telesquí
remonter *v. intr.* volver a subir ; *(s'élever)* subir ; *(dans le temps)* remontarse • *v. tr.* volver a subir ; *(un mur)* levantar ; *(montre)* dar cuerda ; (*le moral*) animar ; *(théâtre)* reponer
remords *nm.* remordimiento
remorquer *v. tr.* remolcar
rempart *nm.* muralla *nf.*
remplaçant,-e *nm/f.* sustituto(a)
remplacer *v. tr.* sustituir
remplir *v. tr.* llenar ; (*un formulaire*) rellenar ; (*condition, promesse*) cumplir con ; (*rôle, fonction*) desempeñar
remuer *v. tr. (déplacer)* trasladar ; *(émouvoir)* conmover • *v. pr.* moverse
rémunération *nf.* remuneración
renaissance *nf.* renacimiento *nm.*
renard *nm.* zorro
rencontre *nf.* encuentro *nm.* ; *(entrevue)* entrevista
rencontrer *v. tr.* encontrar, encontrarse con
rendement *nm.* rendimiento
rendez-vous *nm.* cita *nf.*
rendre *v. tr.* devolver ; (*faire devenir)* hacer, volver ; *(un service)* hacer ; *(son)* emitir ; reproducir • *v. pr.* someterse ; ir
rêne *nf.* rienda
renfermer *v. tr.* (volver a) encerrar ; *(contenir)* contener
renflouer *v. tr.* poner a flote
renforcer *v. tr.* reforzar
renier *v. tr.* abjurar
renifler *v. tr.* oler, husmear
renommée *nf.* fama, reputación
renoncer *v. intr.* renunciar
renouer *v. tr.* volver a anudar ; reanudar
renouveau *nm.* renuevo, rebrote
renouveler *v. tr.* renovar
rénover *v. tr.* renovar
renseignement *nm.* información *nf.* informe *nm.*
renseigner *v. tr.* informar
rente *nf.* renta
rentrer *v. intr.* (volver a) entrar ; *(revenir)* volver ; *(classes, tribunaux*) reanudar ; *(s'emboiter)* encajar • *v. tr.* guardar ; meter
renverser *v. tr. (inverser)* invertir ; *(liquide)* derramar ; *(faire tomber)* volcar ; *(abattre)* derribar ; *(accident)* atropellar ; *(étonner)* asombrar • *v. pr.* caerse ; *(liquide)* derramarse
renvoi *nm. (restitution)* devolución *nf.* ; *(licenciement)* despido ; *(courrier)* reexpedición ; *(ajournement)* aplazamiento ; *(rot)* eructo
renvoyer *v. tr. (rendre)* devolver ; *(congédier)* despedir ; *(ajourner)* aplazar
répandre *v. tr.* derramar ; difundir ; exhalar
réparation *nf.* reparación
réparer *v. tr.* reparar
répartir *v. tr.* repartir
repas *nm.* comida *nf.*
repassage *nm.* planchado
repentir *nm.* arrepentimiento
repentir (se) *v. pr.* arrepentirse
répercussion *nf.* repercusión
répercuter *v. tr.* repercutir
repère *nm.* señal *nf.*
repérer *v. tr.* localizar • *v. pr.* orientarse
répertoire *nm.* repertorio
répéter *v. tr.* repetir ; (*musique, théâtre*) ensayar
répétition *nf.* repetición ; *(musique, théâtre)* ensayo *nm.*
répit *nm.* descanso
replet, -ète *adj.* rechoncho(a)
replier *v. tr.* replegar
répliquer *v. tr.* replicar
répondeur *nm.* contestador (automático)
répondre *v. tr. et intr.* contestar ; (*de quelqu'un)* responder de ; garantizar
réponse *nf.* contestación, respuesta
reportage *nm.* reportaje

reporter *v. tr.* (volver a) llevar ; *(différer)* aplazar ; trasladar • *v. pr.* referirse
repos *nm.* descanso
reposer *v. tr.* volver a poner ; *(l'esprit)* calmar • *v. intr.* descansar • *v. pr.* descansar
repousser *v. tr.* *(répugner)* repeler ; (*écarter, refuser*) rechazar ; *(déplacer)* empujar ; *(différer)* aplazar • *v. intr.* volver a crecer
reprendre *v. tr.* (volver a) tomar ; *(activité)* reanudar ; *(théâtre)* reponer ; *(corriger)* corregir ; *(recommencer)* rehacer ; *(forces)* recobrar
représailles *nfpl.* represalias
représentant,-e *nm/f.* representante
représentation *nf.* representación
répression *nf.* represión
réprimande *nf.* reprimenda
réprimer *v. tr.* reprimir
reprise *nf.* reanudación ; (*escrime, boxe*) asalto *nm.* ; (*cinéma, théâtre*) reposición ; (*appartement)* traspaso *nm.* ; *(couture)* remiendo *nm.* ; *(économique)* recuperación
réprobation *nf.* reprobación
reproche *nm.* reproche
reprocher *v. tr.* reprochar
reproduction *nf.* reproducción
reproduire *v. tr.* reproducir
reptile *nm.* reptil
république *nf.* república
répugnance *nf.* repugnancia
répugner *v. intr.* repugnar
répulsion *nf.* repulsión
réputation *nf.* reputación
requérir *v. tr.* requerir
requin *nm.* tiburón
rescapé,-e *nm/f.* superviviente
réservation *nf.* reserva
réserver *v. tr.* reservar
réservoir *nm.* depósito
résidence *nf.* residencia
résider *v. intr.* residir
résidu *nm.* residuo
résignation *nf.* resignación
résigner *v. tr.* resignar
résiliation *nf.* rescisión
résilier *v. tr.* rescindir
résistant,-e *adj. et nm/f.* resistente
résister *v. intr.* resistir
résolution *nf.* resolución
résonance *nf.* resonancia
résonner *v. intr.* retumbar
résoudre *v. tr.* resolver • *v. pr.* decidirse
respect *nm.* respeto
respectable *adj.* respetable
respectif,-ive *adj.* respectivo(a)
respectueux,-euse *adj.* respetuoso(a)
respiration *nf.* respiración
respirer *v. intr. et v. tr.* respirar
responsabilité *nf.* responsabilidad
responsable *adj.* responsable
ressembler *v. intr.* parecerse
ressentiment *nm.* resentimiento
ressentir *v. tr.* experimentar, sentir
resserrer *v. tr.* (volver a) apretar
ressort *nm.* muelle ; *(fig)* energía *nf.* ; *(compétence)* competencia *nf.*
ressortir *v. intr.* salir de nuevo ; *(contraster)* resaltar ; ***il ressort que*** resulta que
ressortissant,-e *nm/f.* súbdito(a)
ressource *nf.* recurso *nm.*
restaurer *v. tr.* restaurar
reste *nm.* resto
rester *v. intr.* quedar, quedarse
restitution *nf.* restitución
restreindre *v. tr.* restringir • *v. pr.* limitarse
restriction *nf.* restricción
résultat *nm.* resultado
résulter *v. intr.* resultar
résumé *nm.* resumen
résumer *v. tr.* resumir
résurrection *nf.* resurrección
retable *nm.* retablo
rétablir *v. tr.* restablecer
retard *nm.* retraso, tardanza *nf.*
retarder *v. tr.* retrasar, demorar ; *(ajourner)* aplazar ; *(montre)* atrasar
retenir *v. tr.* *(garder, déduire)* retener ; *(réserver)* reservar ; *(se rappeler)* recordar ; *(réprimer)* contener ; *(arrêter)* detener • *v. pr.* *(s'accrocher)* agarrarse
rétention *nf.* retención

réticence *nf.* reticencia
retirer *v. tr. (ôter)* quitar ; *(faire sortir)* sacar ; *(un bénéfice)* sacar • *v. pr.* retirarse
rétorquer *v. tr.* contestar
retoucher *v. tr.* retocar
retour *nm.* vuelta *nf.* regreso ; *(d'un envoi)* devolución *nf.*
retourner *v. tr.* volver ; *(remuer)* revolver ; *(rendre)* devolver ; *(à l'expéditeur)* reexpedir ; *(émouvoir)* conmover • *v. pr.* volverse
retraite *nf.* retiro *nm. ; (travailleur)* jubilación
retraitement *nm.* reprocesamiento
rétrécir *v. tr.* estrechar
rétribuer *v. tr.* retribuir
rétribution *nf.* retribución
retrouver *v. tr.* (volver a) encontrar ; *(rejoindre)* reunirse • *v. pr.* encontrarse
réunion *nf.* reunión
réunir *v. tr.* reunir
réussir *v. intr. (obtenir)* conseguir, lograr ; *(dans la vie)* triunfar, tener éxito • *v. tr.* acertar ; *(par habileté)* salir bien
réussite *nf.* éxito *nm.,* triunfo *nm.*
revanche *nf. desquite nm.*
rêvasser *v. intr.* soñar despierto(a)
rêve *nm.* sueño, ensueño
réveil *nm.* despertar ; *(pendule)* despertador
réveiller *v. tr.* despertar
révéler *v. tr.* revelar
revendication *nf.* reinvindicación
revendiquer *v. tr.* reivindicar
revenir *v. intr. (rentrer)* volver ; *(se rappeler)* recordar ; *(à soi)* volver (en sí) ; *(se dédire)* retractarse ; *(plaire)* agradar ; *(coûter)* salir ; *(échoir)* corresponder
revenu *nm.* renta *nf.*
rêver *v. intr et tr.* soñar
réverbère *nm.* farol
revêtir *v. tr.* vestir, vestirse
rêveur,-euse *adj. et nm/f.* soñador(a)
réviser *v. tr.* revisar
révision *nf.* revisión
révisionnisme *nm.* revisionismo
revoir *v. tr.* volver a ver ; revisar
révolte *nf.* rebelión
révolter *v. tr.* sublevar, rebelar
révolution *nf.* revolución
révolutionnaire *adj. et nm/f.* revolucionario(a)
revolver *nm.* revólver
revue *nf.* revista
rez-de-chaussée *nm. invar.* planta baja *nf.*
rhétorique *nf.* retórica
rhum *nm.* ron
rhumatisme *nm.* reuma
rhume *nm.* resfriado
riche *adj. et nm/f.* rico(a)
richesse *nf.* riqueza
ricochet *nm.* rebote
rictus *nm.* rictus
ride *nf.* arruga
rideau *nm.* cortina *nf. ; (transparent)* visillo ; *(théâtre)* telón
rider *v. tr.* arrugar
ridicule *adj.* ridículo(a)
ridiculiser *v. tr.* ridiculizar
rien *pron. indéf.* nada • *nm.* nadería *nf.*
rigidité *nf.* rigidez
rigoureux,-euse *adj.* riguroso(a)
rime *nf.* rima
rimer *v. intr.* rimar
rinçage *nm.* enjuague ; *(linge)* aclarado
rincer *v. tr.* enjuagar ; *(linge)* aclarar
riposter *v. intr* replicar
rire *v. intr.* reír, reírse
rire *nm.* risa *nf.*
risée *nf.* mofa
risible *adj.* risible
risque *nm.* riesgo
risquer *v. tr.* arriesgar
rite *nm.* rito
rituel,-elle *adj. et nm.* ritual
rival,-e *adj. et nmlf* rival
rivaliser *v. intr.* rivalizar
rive *nf.* orilla
rivière *nf.* río *nm.*
rixe *nf.* riña, pelea
riz *nm.* arroz
robe *nf.* vestido *nm.*
robinet *nm.* grifo, llave *nf.*

robuste *adj.* robusto(a)
roche *nf.* roca
rocher *nm.* peña *nf.* ; peñasco
rôder *v. intr.* vagabundear ; merodear
roi *nm.* rey
rôle *nm.* papel ; función *nf.*
romain,-e *adj. et nm/f.* romano(a)
roman,-e *adj. (art)* románico(a) • *nm.* novela *nf.*
romancier,-ère *nm/f.* novelista
romanesque *adj.* novelesco(a)
romantique *adj. et nm/f.* romántico(a)
romantisme *nm.* romanticismo
romarin *nm.* romero
rompre *v. tr.* romper ; *(casser)* quebrar, romper
rompu,-e *adj. (cassé)* roto(a) ; *(épuisé)* molido(a), *(habitué)* avezado(a)
rond,-e *adj.* redondo(a) ; *(ivre)* trompa • *nm.* redondel, anillo ; *(argent)* perra *nf.*
rondelle *nf.* arandela ; *(tranche)* rodaja
rondeur *nf.* redondez
ronflement *nm.* ronquido
ronfler *v. intr.* roncar ; *(feu, moteur)* zumbar
ronger *v. tr.* roer ; *(les vers)* carcomer ; *(la rouille)* corroer ; *(fig)* consumir
rose *nf.* rosa
rosier *nm.* rosal
rossignol *nm.* ruiseñor
rot *nm.* eructo
rôti *nm.* asado
rôtir *v. tr.* asar
rotonde *nf.* rotonda
roublardise *nf.* astucia
roucouler *v. intr.* arrullar
roue *nf.* rueda
rouge *adj. et nm.* rojo(a) ; *(du visage)* rubor ; *(à lèvres)* carmín *(fard)* colorete ; *(vin)* tinto
rouge-gorge *nm.* petirrojo
rougeole *nf.* sarampión *nm.*
rouget *nm.* salmonete
rougeur *nf.* rubor *nm.*
rougir *v. tr.* enrojecer • *v. intr.* enrojecer, ponerse colorado
rouille *nf.* herrumbre, orín *nm.*
rouiller *v. tr.* oxidar
rouleau *nm.* rollo ; *(pièces)* cartucho
roulement *nm.* circulación *nf.* ; *(tonnerre)* trueno ; *(ouvriers)* relevo
rouler *v. tr.* hacer rodar, rodar ; *(mettre en rouleau)* enrollar ; *(cigarette)* liar ; *(tromper)* estafar • *v. intr. (circulation)* rodar ; *(tomber)* caerse ; *(porter sur)* girar sobre
route *nf.* carretera
routier *nm.* camionero
routine *nf.* rutina
roux, rousse *adj. et nm/f.* pelirrojo(a)
royal,-e *adj.* real
royaliste *adj. et nm/f* monárquico(a)
royaume *nm.* reino
ruade *nf.* coz
rubrique *nf.* rúbrica
ruche *nf.* colmena
rucher *nm.* colmenar
rude *adj.* rudo(a)
rudesse *nf.* rudeza
rudimentaire *adj.* rudimentario(a)
rue *nf.* calle
ruée *nf.* riada, avalancha
ruelle *nf.* callejuela
rugir *v. intr.* rugir
rugissement *nm.* rugido
rugueux,-euse *adj.* rugoso(a)
ruine *nf.* ruina
ruiner *v. tr.* arruinar
ruisseau *nm.* arroyo
rupture *nf.* rotura ; *(fig)* ruptura
rural,-e *adj.* rural
ruse *nf.* ardid *nm.*
rustique *adj.* rústico(a)
rythme *nm.* ritmo

S

s *nm. inv.* s *nf.*
sable *nm.* arena *nf.*
saborder *v. tr.* barrenar ; *(fig.)* hacer fracasar
sabot *nm.* zueco ; *(du cheval)* casco,
sabotage *nm.* sabotaje
saboter *v. tr* sabotear ; *(travailler mal)* chapucear
sabre *nm.* sable
sac *nm. (pour marchandises)* saco ; *(à main)* bolso ; *(en papier, plastique)* bolsa ; *(en toile)* talego ; *(pillage)* saqueo
saccade *nf.* sacudida
saccager *v. tr.* saquear
sacerdotal,-e *adj.* sacerdotal
sachet *nm.* bolsita *nf.*, saquito ; sobre
sacré,-e *adj.* sagrado(a) ; *(exclam. fam)* maldito(a)
sacrer *v. tr.* consagrar ; coronar
sacrifice *nm.* sacrificio
sacrifier *v. tr.* sacrificar
sacrilège *nm.* sacrilegio
sacristie *nf.* sacristía
sadique *adj. et nm/f.* sádico(a)
safran *nm.* azafrán
sagacité *nf.* sagacidad
sage *adj.* prudente ; moderado(a) ; tranquilo(a) • *nm.* sabio
sage-femme *nf.* comadrona
saignée *nf.* sangría
saigner *v. tr.* sangrar
sain,-e *adj.* sano(a)
saint,-e *adj.* santo(a), san *(devant un prénom masculin, sauf s'il commence par* To *ou* Do ; *(sacré)* sagrado(a) • *nm/f.* santo(a)
saisie *nf. (d'un journal)* retirada ; *(informatique)* recogida ; *(justice)* incautación
saisir *v. tr.* agarrar, coger ; *(l'occasion)* aprovechar ; *(comprendre)* entender ; *(surprendre)* sorprender ; *(justice)* embargar • *v. pr.* apoderarse
saison *nf. (époque)* tiempo *nm.* ; época ; *(calendrier)* estación ; *(touristique, musicale, etc.)* temporada
salade *nf.* ensalada ; *(fig.) (situation confuse)* lío *nm.*
saladier *nm.* ensaladera *nf.*
salaire *nm.* salario, sueldo
salarié,-e *adj. et nm/f.* asalariado(a)
sale *adj.* sucio(a) ; malo(a)
saler *v. tr.* salar
saleté *nf.* suciedad
salière *nf.* salero *nm.*
salive *nf.* saliva
saliver *v. intr.* salivar
salle *nf.* sala
salon *nm.* salón ; exposición *nf.*
salopette *nf.* mono *nm.*
saltimbanque *nm.* saltimbanqui
saluer *v. tr.* saludar
salut *nm.* salvación *nf.* ; saludo ; *(interj.)* ¡hola! ; ¡adiós!
salutation *nf.* salutación, saludo *nm.*
samedi *nm.* sábado
sanatorium *nm.* sanatorio
sanction *nf.* sanción
sanctuaire *nm.* santuario
sandale *nf.* sandalia
sandwich *nm.* bocadillo
sang *nm.* sangre *nf.*
sanglier *nm.* jabalí
sangloter *v. intr.* sollozar
sanitaire *adj.* sanitario(a)
sans *prép.* sin
sans-gêne *adj.* descarado(a) • *nm.* descaro
sans-logis *nm/f.* sin techo
santé *nf.* salud ; *(publique)* sanidad
saphir *nm.* zafiro
sapin *nm.* abeto
sapinière *nf.* abetal *nm.*, abetar *nm.*
sarbacane *nf.* cerbatana
sarcasme *nm.* sarcasmo
sarcastique *adj.* sarcástico(a)
sardane *nf.* sardana

sardine *nf.* sardina
sarment *nm.* sarmiento
satellite *adj. et nm.* satélite
satiété *nf.* saciedad
satin *nm.* satén, raso
satire *nf.* sátira
satisfaction *nf.* satisfacción
satisfaire *v. tr.* satisfacer
saturer *v. tr.* saturar
satyre *nm.* sátiro
sauce *nf.* salsa
saucisse *nf.* salchicha, longaniza
sauf, sauve *adj.* salvo(a)
sauf *prép.* salvo, excepto
sauf-conduit *nm.* salvoconducto
saumon *nm.* salmón
saupoudrer *v. tr.* espolvorear
saut *nm.* salto, brinco
sauter *v. intr.* saltar ; *(exploser)* estallar • *v. tr.* saltar ; *(cuisine)* saltear
sauterelle *nf.* saltamontes *nm.*
sauvage *adj.* salvaje
sauvagerie *nf.* crueldad
sauver *v. tr.* salvar, librar • *v. pr.* escaparse ; *(liquide)* salirse
sauvetage *nm.* salvamento
sauveteur, sauveur *nm.* salvador
savane *nf.* sabana
savant,-e *adj. et nm/f.* sabio(a)
savate *nf.* chancleta
saveur *nf.* sabor *nm.*
savoir *v. tr.* saber
savoir *nm.* saber, sabiduría *nf.*
savon *nm.* jabón
savonner *v. tr.* enjabonar
savonnette *nf.* pastilla de jabón
savourer *v. tr.* saborear
savoureux,-euse *adj. et nm/f.* sabroso(a)
scabreux,-euse *adj.* escabroso(a)
scandale *nm.* escándalo
scandaliser *v. tr.* escandalizar
scaphandre *nm.* escafandra *nf*
scaphandrier *nm.* buzo
sceau *nm.* sello
scélérat,-e *adj. et nm/f.* perverso(a)
scellé *nm.* sello
sceller *v. tr.* sellar ; *(fixer)* empotrar
scénario *nm.* guión
scène *nf.* escena ; *(lieu)* escenario *nm.*
scepticisme *nm.* escepticismo
schéma *nm.* esquema
schématique *adj.* esquemático(a)
scie *nf.* sierra
sciemment *adv.* a sabiendas
science *nf.* ciencia
scientifique *adj. et nm/f.* científico(a)
scier *v. tr.* aserrar
scierie *nf.* aserradero *nm.*
scinder *v. tr.* fraccionar, dividir
scintillant,-e *adj.* centelleante
scintiller *v. intr.* centellear
scission *nf.* escisión
scolaire *adj.* escolar
score *nm.* marca *nf.*
scorpion *nm.* alacrán
scrupule *nm.* escrúpulo
scruter *v. tr.* escudriñar
scrutin *nm.* escrutinio
sculpter *v. tr.* esculpir
sculpteur *nm.* escultor
sculpture *nm.* escultura *nf.*
se *pron. pers.* se
séance *nf.* sesión
séant,-e *adj.* conveniente
seau *nm.* cubo
sec, sèche *adj.* seco(a) ; *(maigre)* enjuto(a) ; *(fruit)* paso(a)
sécession *nf.* secesión
sécheresse *nf.* sequía ; *(ton, cœur)* sequedad
second,-e *adj.* segundo(a)
secondaire *adj.* secundario(a)
seconde *nf.* segundo *nm.*
seconder v. tr. secundar
secouer *v. tr.* sacudir
secourir *v. tr.* socorrer
secours *nm.* socorro
secousse *nf.* sacudida
secret,-ète *adj. et nm.* secreto(a)
secrétaire *nm/f.* secretario(a) ; *(meuble)* escritorio
sécrétion *nf.* secreción
sectarisme *nm.* sectarismo
secte *nf.* secta
secteur *nm.* sector

section *nf.* sección
séculaire *adj.* secular
sécurité *nf.* seguridad
sédatif *nm.* sedante
sédentaire *adj.* sedentario(a)
séduction *nf.* seducción
séduire *v. tr.* seducir
séduisant,-e *adj.* seductor(ora)
seiche *nf.* sepia
seigle *nm.* centeno
sein *nm.* seno ; *(poitrine)* pecho
seize *adj. et nm. inv.* diez y seis, dieciséis
seizième *adj.* decimosexto(a)
séjour *nm. (lieu et durée)* estancia *nf.*
séjourner *v. intr.* vivir
sel *nm.* sal *nf.*
sélectionner *v. tr.* seleccionar
selle *nf. (équitation)* silla ; *(vélo, moto)* sillín *nm.*
selon *prép.* según
semailles *nfpl.* siembra *nf.*
semaine *nf.* semana
semblable *adj.* parecido(a) • *nm.* semejante
semblant *nm.* apariencia *nf.*
sembler *v. intr.* parecer
semelle *nf.* suela
semer *v. tr.* sembrar
semestre *nm.* semestre
semeur,-euse *nm/f.* sembrador(a)
séminariste *nm.* seminarista
semoule *nf.* sémola
sénat *nm.* senado
sénateur *nm.* senador
sénilité *nf.* senilidad
sens *nm.* sentido
sensation *nf.* sensación
sensationnel,-elle *adj.* sensacional
sensé,-e *adj.* sensato(a)
sensibilité *nf.* sensibilidad
sensible *adj.* sensible
sensiblerie *nf.* sensiblería
sensualité *nf.* sensualidad
sentence *nf.* sentencia
senteur *nf.* olor *nm.*, perfume *nm.*
sentier *nm.* sendero, senda *nf.*
sentiment *nm.* sentimiento
sentimental,-e *adj.* sentimental
sentinelle *nf.* centinela *nm.*
sentir *v. tr.* sentir ; *(odorat)* oler
séparable *adj.* separable
séparation *nf.* separación
séparer *v. tr.* separar
sept *adj. et nm. inv.* siete
septennat *nm.* septenio
septembre *nm.* septiembre
septième *adj.* séptimo(a)
septuagénaire *adj.* septuagenario(a)
sépulcre *nf.* sepulcro
sépulture *nf.* sepultura
séquestrer *v. tr.* secuestrar
serein,-e *adj.* sereno(a)
sérénade *nf.* serenata
sérénité *nf.* serenidad
série *nf.* serie
sérieux,-euse *adj.* serio(a) • *nm.* seriedad *nf.*
serin *nm.* canario
seringue *nf.* jeringuilla
serment *nm.* juramento ; *(fig.)* promesa *nf.*
sermon *nm.* sermón
serpent *nm.* serpiente *nf.*
serpenter *v. intr.* serpentear
serpillière *nf.* bayeta
serre *nf.* invernadero *nm.* • *nfpl. (oiseau)* garras
serrer *v. tr.* apretar, cerrar, *(fig.)* oprimir
serrure *nf.* cerradura
serrurerie *nf.* cerrajería
serrurier *nm.* cerrajero
servante *nf.* sirvienta
serveur,-euse *nm/f.* camarero(a) ; *(informatique)* distribuidor de información
serviable *adj.* servical
service *nm.* servicio ; *(pourboire)* propina *nf.*
serviette *nf. (table)* servilleta ; *(toilette)* toalla ; *(cartable)* cartera
servile *adj.* servil
servir *v. tr.* servir ; *(client)* atender
serviteur *nm.* servidor
ses *adj. poss.* sus
session *nf.* sesión
seuil *nm.* umbral

seul,-e *adj.* solo(a) ; único(a)
seulement *adv.* sólo, únicamente
sévère *adj.* severo(a)
sévérité *nf.* severidad
sexagénaire *adj. et nm/f* sexagenario(a)
sexe *nm.* sexo
sexuel,-elle *adj.* sexual
si *conj.* si • *adv. (oui)* sí, *(tellement)* tan • *nm. (musique)* si
sidérurgie *nf.* siderurgia
siècle *nm. siglo*
siège *nm.* sede *nf.*, oficina central *nf.* ; *(meuble)* asiento ; *(député)* escaño ; *(phénomène, douleur)* foco ; *(militaire)* sitio
sien, sienne *adj. et pron. poss.* suyo(a)
sieste *nf.* siesta
sifflement *nm.* silbido
siffler *v. tr. et intr.* silbar ; *(avec un sifflet)* pitar
sifflet *nm.* silbato, pito
signal *nm.* señal *nf.*
signaler *v. tr.* señalar ; *(faire observer)* advertir
signataire *nm.* firmante
signe *nm.* signo ; señal *nf.* ; seña *nf.*
signer *v. tr.* firmar • *v. pr.* santiguarse
significatif,-ive *adj. et nm/f.* significativo(a)
signifier *v. tr.* significar
silence *nm.* silencio
silencieux,-euse *adj. et nm/f.* silencioso(a)
silhouette *nf.* silueta
sillon *nm.* surco
similitude *nf.* similitud
simple *adj. (pur)* simple, mero(a) ; *(non compliqué)* sencillo(a) ; fácil
simplicité *nf.* sencillez ; *(naïveté)* simpleza
simplifier *v. tr.* simplificar
simulation *nf.* simulación
simuler *v. tr.* simular
simultané,-e *adj.* simultáneo(a)
sincère *adj.* sincero(a)
singe *nm.* mono, mona
singulier,-ière *adj. et nm/f.* singular
sinistre *adj. et nm.* siniestro(a)
sinon *conj. (sans quoi)* si no ; *(sauf)* sino
sirop *nm. (médicament)* jarabe ; *(fruits)* almíbar
sit-in *nm.* sentada *nf.*
sitôt *adv.* tan pronto
situation *nf.* situación
situer *v. tr.* situar
six *adj. et nm. inv.* seis
sixième *adj. et nm.* sexto(a)
skieur,-euse *adj. et nm/f* esquiador(a)
slogan *nm.* lema, eslogan
snobisme *nm.* esnobismo
sobre *adj.* sobrio(a)
sobriété *nf.* sobriedad
sobriquet *nm.* apodo
sociable *adj.* sociable
social,-e *adj.* social
socialisme *nm.* socialismo
société *nf.* sociedad
socle *nm.* pedestal
soda *nm.* soda *nf.*
sœur *nf.* hermana
sofa *nm.* sofá
soi *pron. pers.* sí, sí mismo(a)
soi-disant *adj. inv.* supuesto(a) • *loc. adv.* según dicen
soie *nf.* seda
soif *nf.* sed
soigner *v. tr.* cuidar ; *(maladie)* curar ; *(travail, détails)* esmerarse en ; *(client, invité)* atender
soigneux,-euse *adj. et nm/f.* cuidadoso(a) ; esmerado(a)
soin *nm.* cuidado ; esmero
soir *nm.* tarde *nf.* ; *(le soleil une fois couché)* noche *nf.*
soirée *nf.* noche ; *(veillée)* velada
soit *conj.* o sea, es decir • *adv.* bueno
soixante *adj. et nm. inv.* sesenta
soixantième *adj.* sexagésimo(a)
soja *nm.* soja *nf.*
sol *nm.* suelo ; *(musique)* sol
soldat *nm.* soldado
solde *nf.* sueldo *nm.* • *nm. (d'un compte)* saldo *nm.* • *nmpl.* rebajas *nfpl.*
solder *v. tr.* saldar, liquidar
sole *nf.* lenguado *nm.*

soleil *nm.* sol
solennité *nf.* solemnidad
solfège *nm.* solfeo
solidaire *adj.* solidario(a)
solidarité *nf.* solidaridad
solide *adj.* sólido(a)
solidité *nf.* solidez
solitaire *adj. et nm/f.* solitario(a)
solitude *nf.* soledad
solliciter *v. tr.* solicitar
sollicitude *nf.* solicitud
solution *nf.* solución
sombre *adj.* sombrío(a), oscuro(a)
sombrer *v. intr.* zozobrar
sommaire *adj. et nm.* sumario(a)
somme *nf. (addition)* suma ; *(d'argent)* cantitad • *nm.* sueño
sommeil *nm.* sueño
sommet *nm.* cumbre *nf.*
somnambulisme *nm.* sonambulismo
somnifère *nm.* somnífero
somptueux,-euse *adj.* suntuoso(a)
son, sa, ses *adj. poss.* su, sus
son *nm.* son, sonido
sondage *nm.* sondeo
songer *v. intr.* pensar
sonner *v. tr.* sonar ; *(l'heure)* dar ; *(à la porte)* llamar
sonnerie *nf. (téléphone, sonnette, réveil)* ; timbre *nm.* ; *(cloche)* repique *nm.*
sonnette *nf.* timbre *nm.*
sonore *adj.* sonoro(a)
sonorité *nf.* sonoridad
sorbet *nm.* sorbete
sorcier,-ière *nm/f.* brujo(a)
sort *nm.* suerte *nf. ; sortilegio* ; destino
sorte *nf.* clase, tipo *nm.,* especie
sortie *nf.* salida
sortilège *nm.* sortilegio
sortir *v. intr.* salir, salirse • *v. tr. (extraire)* sacar ; *(un livre)* publicar
sot, sotte *adj.* tonto(a)
sottise *nf.* tontería
sou *nm.* perra *nf.*
souche *nf. (arbre)* cepa ; *(carnet)* matriz ; *(fig.)* origen *nm.*
souci *nm.* preocupación *nf.*
soucier (se) *v. pr.* preocuparse por
soucieux,-euse *adj.* preocupado(a)
soucoupe *nf.* platillo *nm.*
soudain *adv.* de repente
soudain,-e *adj.* repentino(a)
souder *v. tr.* soldar
soudure *nf.* soldadura
souffle *nm. (air)* soplo ; *(respiration)* aliento
souffler *v. intr (vent)* soplar ; *(haleter)* resoplar • *v. tr. (feu, verre, bougie)* soplar ; *(détruire)* volar ; *(théâtre, leçon)* apuntar ; *(subtiliser)* birlar
souffleter *v. tr.* abofetear
souffleur *nm. (de verre)* soplador ; *(théâtre)* apuntador
souffrance *nf.* sufrimiento *nm.*
souffrant,-e *adj.* enfermo(a)
souffrir *v. intr.* padecer, sufrir • *v. tr.* aguantar, tolerar ; admitir ; permitir ; *(froid, faim, soif)* pasar
soufre *nm.* azufre
souhait *nm.* deseo, anhelo
souhaiter *v. tr.* desear
soûl,-e *adj. (fam.)* borracho(a)
soulagement *nm.* alivio
soulager *v. tr.* aliviar
sous-officier *nm.* suboficial
sous- sol *nm.* subsuelo
soustraction *nf.* sustracción
soustraire *v. tr.* sustraer, robar
sous-traitant *nm.* subcontratista
sous-traiter *v. tr.* subcontratar
sous-vêtement *nm.* prenda interior *nf.*
soutenir *v. tr.* sostener ; *(thèse)* defender ; afirmar
souterrain,-e *adj. et nm.* subterráneo(a)
soutien *nm.* sostén, apoyo
soutien-gorge *nm.* sujetador, sostén
soutirer *v. tr. (fig.)* sonsacar
souvenir *nm.* recuerdo
souvenir (se) *v. pr.* acordarse, recordar
souvent *adv.* a menudo
spacieux,-euse *adj.* espacioso(a)
spatial,-e *adj.* espacial
spécial,-e *adj.* especial
spécialiste *nm.* especialista
spécialité *nf.* especialidad

spécifier *v. tr.* especificar
spécifique *adj. et nm.* específico(a)
spécimen *nm.* espécimen, muestra *nf.*
spectacle *nm.* espectáculo
spectaculaire *adj.* espectacular
spectateur,-trice *nm/f.* espectador(a)
spéculateur,-trice *nm/f.* especulador(a)
spéculation *nf.* especulación
spéculer *v. intr.* especular
spéléologie *nf.* espeleología
sphère *nf.* esfera
sphinx *nm.* esfinge *nf.*
spirale *nf.* espiral
spiritisme *nm.* espiritismo
spiritualité *nf.* espiritualidad
spirituel,-elle *adj.* espiritual ; *(drôle)* ingenioso(a)
splendeur *nf.* esplendor *nm.*
splendide *adj.* espléndido(a)
spontané,-e *adj.* espontáneo(a)
sport *nm.* deporte
sportif,-ive *adj.* deportivo(a) • *nm/f.* deportista
squelette *nm.* esqueleto
stabiliser *v. tr.* estabilizar
stabilité *nf.* estabilidad
stable *adj.* estable
stade *nm.* estadio
stage *nm.* prácticas *nfpl. ; (de formation)* cursillo
stagiaire *nm/f.* practicante
stagnation *nf.* estancamiento
stagner *v. intr.* estancarse
stalactite *nf.* estalactita
stalagmite *nf.* estalagmita
stand *nm. (foire)* caseta *nf. ; (de tir)* barraca *nf.* de tiro al blanco
standard *adj. inv. et nm.* estándar ; *(téléphone)* centralita *nf.*
standardiste *nm/f.* telefonista
station *nf. (métro)* estación ; *(bus, taxis)* parada ; *(radio)* emisora ; *(posture)* posición
stationnaire *adj.* estacionario(a)
stationnement *nm.* estacionamiento
stationner *v. intr.* estacionarse, aparcar
statique *adj.* estático(a)
statistique *adj. et nf.* estadístico(a)
statue *nf.* estatua
stature *nf.* estatura
statut *nm.* estatuto
sténodactylographe *nf.* taquimeca
steppe *nf.* estepa
stéréophonie *nf.* estereofonía
stérile *adj.* estéril
stériliser *v. tr.* esterilizar
stérilité *nf.* esterilidad
sternum *nm.* esternón
stimuler *v. tr.* estimular
stock *nm.* existencias *nfpl.*
stocker *v. tr.* almacenar
stoïcisme *nm.* estoicismo
stoïque *adj. et nm/f.* estoico(a)
stopper *v. tr. (un vêtement)* zurcir ; *(arrêter)* parar, detener
store *nm.* persiana *nf. ; (magasin)* toldo
stratège *nm.* estratega
stratégie *nf.* estragegia
stratosphère *nf.* estratosfera
strict,-e *adj.* estricto(a)
structure *nf.* estructura
studieux,-euse *adj.* estudioso(a)
studio *nm.* estudio
stupéfaction *nf.* estupefacción
stupéfiant,-e *adj. et nm.* estupefaciente
stupeur *nf.* estupor *nm.*
stupide *adj.* estúpido(a)
stupidité *nf.* estupidez
style *nm.* estilo
stylo *nm.* estilográfica *nf.*
subir *v. tr.* sufrir, experimentar
subit,-e *adj.* súbito(a)
subjectif,-ive *adj.* subjetivo(a)
subjonctif *nm.* subjuntivo
sublime *adj.* sublime
subordonner *v. tr.* subordinar
subornation *nf.* soborno *nm.*
subside *nm.* subsidio
subsidiaire *adj.* subsidiario(a)
subsistance *nf.* subsistencia
subsister *v. intr.* subsistir
substance *nf.* sustancia
substantif *nm.* sustantivo
subtil,-e adj. sutil
subtilité *nf.* sutileza
subvenir *v. intr.* subvenir

subvention *nf.* subvención
subversif,-ive *adj.* subversivo(a)
suc *nm.* jugo
succès *nm.* éxito
successeur *nm.* sucesor
successif,-ive *adj.* sucesivo(a)
succinct,-e *adj.* sucinto(a)
succomber *v. intr.* sucumbir
succulent,-e *adj.* suculento(a)
sucer *v. tr.* chupar
sucre *nm.* azúcar
sucrer *v. tr.* echar azúcar en
sucrier,-ière *adj. et nm.* azucarero(a)
sud *nm.* sur
sud-est *nm.* sudeste
sud-ouest *nm.* sudoeste
suédois,-e *adj. et nm/f.* sueco(a)
suer *v. tr. et intr.* sudar
sueur *nf.* sudor *nm.*
suffire *v. intr.* bastar, ser suficiente
suffisant,-e *adj.* suficiente ; *(vaniteux)* presumido(a)
suffixe *nm.* sufijo
suggérer *v. tr.* sugerir
suggestion *nf.* sugestión
suicide *nm.* suicidio
suie *nf.* hollín *nm.*
suif *nm.* sebo
suinter *v. tr.* rezumar
suisse *adj. et nm/f.* suizo(a)
suite *nf.* continuación ; *(escorte)* séquito *nm. ; (résultat)* consecuencia ; *(série)* sucesión ; *(hôtel)* apartamento *nm.*
suivant,-e *adj.* siguiente
suivre *v. tr.* seguir
sujet *nm.* asunto ; *(raison)* motivo ; *(grammaire)* sujeto
sujet,-ette *adj.* expuesto(a)
superbe *adj.* soberbio(a) • *nf.* orgullo *nm.*
supercherie *nf.* superchería
superficie *nf.* superficie
superficiel,-elle *adj.* superficial
superflu,-e *adj.* superfluo(a)
supérieur,-e *adj.* superior • *nm/f.* superior(a)
supériorité *nf.* superioridad
supermarché *nm.* supermercado
superstition *nf.* superstición
suppléant,-e *adj. et nm. lf.* suplente
suppléer *v. tr.* suplir
supplément *nm.* suplemento
supplémentaire *adj.* suplementario(a)
supplique *nf.* súplica
support *nm.* soporte ; *(fig.)* sostén
supporter *v. tr.* soportar ; sostener
supposer *v. tr.* suponer
supposition *nf.* suposición
suppression *nf.* supresión
supprimer *v. tr.* suprimir
suprématie *nf.* supremacía
suprême *adj.* supremo(a)
sur *prép.* sobre ; en ; encima de ; hacia a ; por ; tras
sûr,-e *adj.* seguro(a)
surcharger *v. tr.* sobrecargar *(de travail)* abrumar
surdité *nf.* sordera
surdoué,-e *adj. et nm/f.* superdotado(a)
surélever *v. tr.* sobrealzar
sûreté *nf.* seguridad
surexciter *v. tr.* sobreexcitar
surface *nf.* superficie
surgir *v. intr.* surgir
surhumain,-e *adj.* sobrehumano(a)
sur-le-champ *adv.* en el acto
surlendemain *nm.* dos días después
surmenage *nm.* agotamiento
surmener *v. tr.* extenuar
surmonter *v. tr. (être au-dessus)* dominar ; *(un obstacle)* vencer
surnaturel,-elle *adj.* sobrenatural
surnom *nm.* apodo
surnommer *v. tr.* apodar
surpasser *v. tr.* aventajar, superar
surplus *nm.* excedente
surpopulation *nf.* superpoblación
surprendre *v. tr.* sorprender
surprise *nf.* sorpresa
surréalisme *nm.* surrealismo
sursis *nm.* prórroga *nf.,* plazo
surtout *adv.* sobre todo
surveillant,-e *nm/f.* vigilante
surveiller *v. tr.* vigilar
survenir *v. intr* sobrevenir
survêtement *nm.* chandal
survie *nf.* supervivencia

survivant,-e *nm/f.* superviviente
survivre *v. intr.* sobrevivir
survoler *v. tr.* volar por encima
susceptible *adj.* susceptible
suspect,-e *adj. et nm/f.* sospechoso(a)
suspendre *v. tr.* colgar, interrumpir
suspension *nf.* suspensión
susurrer *v. intr.* susurrar
sveltesse *nf.* esbeltez
syllabe *nf.* sílaba
symbole *nm.* símbolo
symboliser *v. tr* simbolizar
symétrie *nf.* simetría
sympathie *nf.* simpatía
sympathiser *v. intr.* simpatizar
symphonie *nf.* sinfonía
syncope *nf.* síncope *nm.*
syndical,-e *adj.* sindical
syndicat *nm.* sindicato
synonyme *adj. et nm.* sinónimo(a)
synthèse *nf.* síntesis
synthétiser *v. tr.* sintetizar
systématiser *v. tr.* sistematizar
système *nm.* sistema

T

t *nm. inv.* t *nf.*
tabac *nm.* tabaco
table *nf.* mesa ; *(arithmétique)* tabla ; *(des matières)* índice *nm.*
tableau *nm.* cuadro ; *(d'affichage)* tablón ; *(de bord)* tablero (de mando) ; *(noir)* encerado, pizarra *nf.*
tabler *v. intr.* contar con
tablier *nm.* delantal
tabouret *nm.* taburete
tache *nf.* mancha ; *(fig.)* defecto
tâche *nf.* tarea, labor
tacher *v. tr.* manchar
tâcher *v. intr.* tratar de, procurar
tacheter *v. tr.* salpicar
taciturne *adj.* taciturno(a)
tact *nm.* tacto
taillader *v. tr.* acuchillar
taille *nf.* *(action)* corte *nm. ; (hauteur)* talla ; *(couture)* talle *nm. ; (grandeur)* tamaño *nm. ; (d'un vêtement)* número *nm. ; (d'un arbre)* poda ; *(d'une pierre)* tallado *nm.*
taille-crayon *nm.* sacapuntas
tailler *v. tr.* cortar ; *(arbre)* podar ; *(pierre)* tallar ; *(crayon)* sacar punta.
tailleur *nm.* sastre ; *(de pierres)* cantero
taire *v. tr.* callar, callarse
talent *nm.* talento
talon *nm.* *(pied, chaussette)* talón ; *(chaussure)* tacón ; *(chèque)* matriz *nf.*
talonner *v. tr.* seguir de cerca ; *(fig.)* acosar
talus *nm.* talud
tambour *nm.* tambor
tamiser *v. tr.* tamizar
tampon *nm.* *(bouchon)* tapón ; *(cachet)* sello ; *(de la poste)* matasellos
tamponner *v. tr.* *(boucher)* taponar ; *(timbrer)* sellar
tandis que *loc. conj.* mientras (que)
tangent,-e *adj. et nf.* tangente
tanière *nf.* guarida
tanin *nm.* tanino
tank *nm.* tanque
tanner *v. tr.* *(cuir)* curtir ; *(fig.)* cargar
tant *adv.* tanto *(tellement)* ; ***tant de*** tanto(a, -os, -as) ; ***tant... que*** tanto(-a, -os, - as)... que ; ***tant que*** mientras (que)
tante *nf.* tía
tantôt *adv.* *(après-midi)* esta tarde ; *(il y a peu)* hace poco ; *(sous peu)* dentro de poco ; ***tantôt... tantôt*** unas veces..., otras
taon *nm.* tábano

tapage *nm.* alboroto, escándalo
taper *v. tr. (battre)* pegar, golpear ; *(à la machine)* escribir a máquina ; *(emprunter)* dar un sablazo • *v. intr.* pegar ; *(à la machine)* escribir a máquina
tapir (se) *v. pr.* agazaparse
tapis *nm. (sol)* alfombra *nf.* ; *(mur)* tapiz ; *(table)* tapete
tapisser *v. tr.* tapizar ; *(avec du papier)* empapelar ; *(recouvrir)* cubrir
tapisserie *nf. (art)* tapicería ; *(sur le mur)* tapiz *nm.* ; *(sur un meuble)* tapicería ; *(tenture)* colgadura
taquiner *v. tr.* hacer rabiar
tard *adv.* tarde
tarder *v. intr.* tardar
tardif,-ive *adj.* tardío(a)
tare *nf.* tara
targette *nf.* pestillo *nm.*
tarif *nm.* tarifa *nf.*
tarir *v. tr.* secar, agotar
tarte *nf.* tarta
tartine *nf.* rebanada de pan
tas *nm.* pila, montón *nm.*
tasse *nf.* taza
tasser *v. tr.* comprimir ; *(mettre en tas)* apilar ; *(aplatir)* apisonar ; *(des personnes)* apiñar • *v. pr. (s'affaisser)* hundirse ; *(fig.) (se calmer)* arreglarse
tâter *v. tr.* tentar, tocar ; *(sonder)* sondear, tantear
taudis *nm.* cuchitril
taupe *nf.* topo *nm.*
taureau *nm.* toro
taurillon *nm.* novillo
tauromachie *nf.* tauromaquia
taux *nm. (bancaire, d'intérêt, de change, de base)* tipo ; *(de croissance, de chômage, d'inflation)* tasa *nf.* ; *(d'invalidité)* coeficiente ; precio
taverne *nf.* taberna
taxe *nf.* tasa ; impuesto *nm.* ; ***taxe à la valeur ajoutée (TVA)*** impuesto al valor añadido
taxer *v. tr. (les prix)* tasar ; poner un impuesto, gravar
taxi *nm.* taxi
tchèque *adj. et nm/f.* checo(a)
te *pron. pers.* te
technicien,-ienne *nm.* técnico *nm.*, especialista
technique *adj. et nf.* técnico(a)
technocrate *nm/f.* tecnócrata
technologie *nf.* tecnología
teindre *v. tr.* teñir
teinte *nf.* tinte *nm.* ; *(fig.)* matiz *nm.*
teinture *nf.* tinte *nm.*
teinturerie *nf.* tintorería
tel, telle *adj. indéf.* tal • *pron. indéf.* alguien, quien
télécommande *nf.* mando *nm.* a distancia, telemando *nm.*
téléfilm *nm.* telenovela *nf.*
télégramme *nm.* telegrama
télématique *nf.* telemática
télépathie *nf.* telepatía
téléphérique *nm.* teleférico
téléphone *nm.* teléfono
téléphoner *v. tr. et intr.* telefonear
télescope *nm.* telescopio
télescoper *v. tr.* chocar de frente
télésiège *nm.* telesilla
téléski *nm.* telesquí
téléspectateur,-trice *nm/f.* telespectador(a), televidente
télétraitement *nm.* teleproceso
téléviser *v. tr.* televisar
téléviseur *nm.* televisor
télévision *nf.* televisión
tellement *adv. (devant un adj.)* tan ; *(devant un nom)* tanto (-a, -os, -as)
témérité *nf.* temeridad
témoigner *v. tr.* testimoniar
témoin *nm.* testigo ; *(de mariage)* padrino, madrina *nf.*
tempe *nf.* sien
tempérament *nm.* temperamento
température *nf.* temperatura
tempérer *v. tr.* templar
tempête *nf.* tempestad, temporal *nm.* ; *(sur terre)* tormenta
temple *nm.* templo
templier *nm.* templario
temporaire *adj.* temporal
temporel,-elle *adj.* temporal
temps *nm.* tiempo

tenable *adj.* defendible
ténacité *nf.* tenacidad
tenailles *nfpl.* tenazas
tendance *nf.* tendencia
tendre *adj.* tierno(a)
tendre *v. tr.* tender ; *(piège)* armar ; *(le bras)* alargar ; *(la main)* tender
tendresse *nf.* ternura, cariño *nm.*
tendu,-e *adj.* tenso(a), tirante
ténèbres *nfpl.* tinieblas
tenir *v. tr.* tener ; *(retenir)* retener, sujetar ; *(diriger)* llevar, estar encargado(a) ; *(sa parole)* cumplir(con) ; *(une réunion)* celebrar • *v. intr. (être attaché)* estar sujeto(a), unido(a) ; *(résister)* resistir ; *(durer)* durar ; *(dans un espace)* caber ; *(couleur, colle)* agarrar ; *(à quelqu'un, à quelque chose)* tener apego • *v. pr. (par la main, la taille)* cogerse de ; *(se trouver)* estar, estarse ; *(se comporter)* portarse
tennis *nm.* tenis
tension *nf.* tensión
tentative *nf.* tentativa
tente *nf. (cirque)* carpa *; (camping)* tienda de campaña
tenter *v. tr. (séduire)* tentar ; *(essayer)* intentar
terme *nm. (délai)* plazo ; *(mot)* término, palabra *nf. ; (fin)* término, fin
terminaison *nf.* terminación
terminal,-e *adj. et nm.* terminal
terminer *v. tr.* terminar, acabar
terminus *nm.* final de línea
terne *adj.* apagado(a)
terrain *nm.* terreno ; *(football)* campo ; *(à bâtir)* solar
terrasse *nf. (toiture)* azotea ; *(café)* terraza
terre *nf.* tierra, suelo *nm.*
terrestre *adj.* terrestre
terreur *nf.* terror *nm.*
terrible *adj.* terrible
terrifier *v. tr.* aterrar
terrine *nf.* barreño *nm.*
territoire *nm.* territorio
territorial,-e *adj.* territorial
terroir *nm.* patria chica *nf.*, terruño
terroriser *v. tr.* aterrorizar
tes *adj. poss. pl.* tus
test *nm.* test, prueba *nf.*
testament *nm.* testamento
tête *nf.* cabeza ; *(visage)* rostro *nm. ;* cara
tête-à-tête *nm.* conversación a solas *nf.*
téter *v. tr.* mamar
têtu,-e *adj.* testarudo(a)
texte *nm.* texto
textile *adj. et nm.* textil
thé *nm.* té
théâtre *nm.* teatro
théière *nf.* tetera
thème *nm. (sujet)* tema ; traducción inversa *nf.*
théologie *nf.* teología,
théorème *nm.* teorema
théoricien,-ienne *nm/f.* teórico(a)
théorie *nf.* teoría
théorique *adj.* teórico(a)
thérapeutique *adj. et nf.* terapéutico(a)
thermomètre *nm.* termómetro
thèse *nf.* tesis
thon *nm.* atún
thorax *nm.* tórax
thym *nm.* tomillo
tibia *nm.* tibia *nf.*
tic *nm.* tic
ticket *nm. (de transport)* billete ; *(de spectacle)* entrada *nf.*
tiède *adj.* tibio(a)
tiédeur *nf.* tibieza
tiédir *v. intr.* entibiarse
tien, tienne *adj. et pron. poss.* tuyo(a)
tige *nf. (plante)* tallo *nm. ; (baguette)* varilla
tigre, tigresse *nm/f.* tigre
tilleul *nm. (arbre, fleur, infusion)* tila *nf.*
timbre *nm. (sonnette, sonorité, fiscal)* timbre ; *(poste)* sello
timbrer *v. tr.* sellar
timidité *nf.* timidez
tintement *nm.* tintineo
tir *nm.* tiro
tirage *nm. (feu)* tiro ; *(photo)* tiraje ; *(loterie)* sorteo ; *(édition)* tirada *nf.*
tire-bouchon *nm.* sacacorchos
tirelire *nf.* hucha

tirer *v. tr. (amener vers soi)* tirar de ; *(étirer)* estirar ; *(un rideau)* correr ; *(profit, conclusion, d'embarras)* sacar ; *(éditer)* tirar ● *v. intr. (avec une arme)* tirar ; (feu) tirar ; *(sur une couleur)* tirar ● *v. pr. (s'en aller)* pirarse ; *(d'un mauvais pas)* salir bien
tiret *nm.* raya *nf.*
tiroir *nm.* cajón
tisane *nf.* tisana
tissage *nm.* tejido
tisser *v. tr.* tejer
tisserand,-e *nm/f.* tejedor(a)
tisseur,-euse *nm/f.* tejedor(a)
tissu *nm.* tejido, tela *nf.*
titan *nm.* titán
titre *nm.* título
tituber *v. intr.* titubear
titulaire *adj. et nm/f.* titular
toast *nm.* tostada *nf. ; (discours)* brindis
toboggan *nm.* tobogán
toi *pron. pers. (sujet)* tú ; *(après une préposition)* ti ● ***avec toi*** contigo
toile *nf.* tela ; *(peinture)* lienzo *nm.*
toilette *nf.* aseo *nm.* ; *(s'habiller et se préparer)* arreglo *nm. ; (vêtement)* vestimenta *nf.* ● *nfpl.* servicios *nmpl.*
toit *nm.* tejado, techo
toiture *nf.* tejado *nm.*
tolérer *v. tr.* tolerar
tomate *nf.* tomate *nm.*
tombe *nf.* tumba, sepultura
tombeau *nm.* tumba *nf.*, sepulcro
tombée *nf.* caída
tomber *v. intr.* caer, caerse ; *(fièvre, prix)* bajar ; *(tomber malade)* enfermar
tombola *nf.* rifa
tome *nm.* tomo
ton, ta, tes *adj. poss.* tu, tus
ton *nm.* tono
tonalité *nf.* tonalidad
tondre *v. tr. (animal)* esquilar ; *(cheveux, gazon)* cortar ; *(fam.) (dépouiller)* pelar
tonifier *v. tr.* tonificar
tonique *adj. et nm.* tónico(a)
tonne *nf.* tonelada
tonneau *nm.* tonel ; *(bateau)* tonelada *nf. ; (accident de voiture)* vuelta de campana *nf.*
tonnelier *nm.* tonelero
tonner *v. impers.* tronar
tonnerre *nm.* trueno
tonte *nf. (animal)* esquileo *nm. ; (gazon)* corte *nm.*
topaze *nf.* topacio *nm.*
topographie *nf.* topografía
torche *nf.* tea, antorcha
torcher *v. tr.* limpiar ; *(travailler vite et mal)* chapucear
torchon *nm.* paño de cocina
tordre *v. tr.* torcer
toréador *nm.* torero
tornade *nf.* tornado *nm.*
torpeur *nf.* entorpecimiento *nm.*
torpille *nf.* torpedo *nm.*
torréfier *v. tr.* tostar
torrent *nm.* torrente
torse *nm.* torso
torsion *nf.* torsión
tort *nm.* daño, perjuicio ; culpa *nf.*, error
torticolis *nm.* tortícolis *nm. ou nf.*
tortiller *v. tr.* retorcer
tortionnaire *nm.* verdugo
tortue *nf.* tortuga
torture *nf.* tortura, tormento *nm.*
torturer *v. tr.* torturar, atormentar
tôt *adv.* temprano, pronto
total,-e *adj. et nm.* total
totalité *nf.* totalidad
touche *nf. (peinture)* pincelada ; *(pêche)* picada ; *(fam.) (allure)* pinta
toucher *v. tr. (entrer en contact)* localizar ; *(atteindre)* alcanzar ; *(argent)* cobrar ; *(émouvoir)* conmover ; *(concerner)* ; concernir ; *(être limitrophe)* lindar con
toucher *nm.* tacto
touffe *nf. (herbe)* mata ; *(cheveux)* mechón *nm.*
touffu,-e *adj.* espeso(a)
toujours *adv.* siempre ; *(encore)* todavía
toupie *nf.* peonza
tour *nf.* torre
tour *nm.* torno ; circunferencia *nf. ; (parcours, promenade)* vuelta *nf.* ; *(cadran)* revolución *nf. ; (d'adresse)* número ; *(ruse, méchanceté)* jugada *nf.*, faena *nf. ; (taille)* anchura *nf. ; (aspect)* cariz

tourbillon *nm. (d'air)* torbellino ; *(d'eau)* remolino
tourisme *nm.* turismo
touriste *nm/f.* turista
tourmente *nf.* tormenta
tourmenter *v. tr.* atormentar
tournant,-e *adj.* giratorio(a)
tournant *nm.* vuelta *nf.*
tourne-disque *nm.* tocadiscos
tournée *nf.* gira, viaje *nm.*
tourner *v. tr.* girar, dar vueltas ; *(les pages)* pasar ; *(la tête)* volver ; *(un film)* rodar • *v. intr.* girar, dar vueltas ; *(lait)*
cortarse ; *(vin)* agriarse ; *(devenir)* volverse, ponerse • *v. pr.* volverse
tournesol *nm.* girasol
tournevis *nm.* destornillador
tourterelle *nf.* tórtola
tousser *v. intr.* toser
tout, toute, tous, toutes *adj. et pron.* todo, a, os, as • *adv.* enteramente ; *(devant un adjectif)* muy • *nm.* el todo, todo
toutefois *adv.* sin embargo
toux *nf.* tos
toxicomane *nm/f.* drogadicto(a)
toxicomanie *nf.* drogadicción
toxique *adj.* tóxico(a)
trac *nm. (fam.)* nerviosismo
tracas *nm.* inquietud *nf.*
trace *nf.* rastro *nm.*, huella ; indicio *nm.*
tracer *v. tr.* trazar
tracteur *nm.* tractor
traction *nf.* tracción
tradition *nf.* tradición
traduction *nf.* traducción
traduire *v. tr.* traducir
trafic *nm.* tráfico, circulación *nf.* ; ***trafic de drogue,*** narcotráfico
trafiquant,-e *nm/f.* traficante
tragédie *nf.* tragedia
tragique *adj.* trágico(a)
trahir *v. tr.* traicionar
trahison *nf.* traición
train *nm.* tren ; *(allure)* marcha *nf.*, paso *nm.*
traîneau *nm.* trineo
traîner *v. tr.* tirar de, remolcar, arrastrar *(fig.)* llevar, arrastrar • *v. intr. (être derrière)* quedarse atrás ; *(ne pas être à sa place)* no estar en su sitio ; *(durer)* hacerse largo ; *(flâner)* vagabundear • *v. pr.* arrastrarse, andar con dificultad
trait *nm.* rasgo, característica *nf.* ; *(ligne)* raya *nf.* ; *(flèche)* flecha *nf.* ; *(mot blessant)* pullazo ; *(d'esprit)* agudeza *nf.* • *nmpl. (visage)* facciones *nfpl.*
traite *nf.* tirada ; *(vache)* ordeño *nm.* ; *(commerce)* letra de cambio
traité *nm.* tratado
traitement *nm.* tratamiento ; *(informatique)* proceso de datos
traiter *v. tr.* tratar ; negociar ; *(informatique)* procesar
traître,-esse *adj. et nm/f.* traidor(a)
tramway *nm.* tranvía
tranchant,-e *adj.* cortante ; *(fig.)* • *nm.* filo
tranche *nf. (pain)* rebanada ; *(jambon)* lonja ; *(viande)* tajada ; *(saucisson, poisson, fromage)* raja ; *(de vie)* episodio *nm.* ; *(loterie)* sorteo *nm.*
tranchée *nf.* trinchera
trancher *v. tr.* cortar ; *(fig.)* zanjar • *v. intr.* decidir ; *(contraster)* contrastar
tranquille *adj.* tranquilo(a)
tranquilliser *v. tr.* tranquilizar
transaction *nf.* transacción
transatlantique *adj.* transatlántico(a) • *nm. (bateau)* transatlántico ; *(siège)* tumbona *nf.*
transcription *nf.* transcripción
transcrire *v. tr.* transcribir
transférer *v. tr.* transferir
transfert *nm. (de fonds)* transferencia *nf.* ; *(de magasin)* traspaso ; *(déplacement)* traslado
transfigurer *v. tr.* transfigurar
transformation *nf.* transformación
transformer *v. tr.* transformar
transgresser *v. tr.* transgredir
transition *nf.* transición
transitoire *adj.* transitorio(a)
translucide *adj.* translúcido(a)
transmettre *v. tr.* transmitir
transmission *nf.* transmisión

transparence *nf.* transparencia
transparent,-e *adj. et nm.* transparente
transpercer *v. tr.* atravesar
transpiration *nf.* transpiración
transpirer *v. intr.* transpirar
transplantation *nf.* transplante *nm.*
transplanter *v. tr.* trasplantar
transport *nm.* transporte
transporter *v. tr.* transportar
transporteur *nm.* transportista
trapèze *nm.* trapecio
trappe *nf.* trampa
trapu,-e *adj.* rechoncho(a)
traquenard *nm.* trampa *nf.*
traquer *v. tr.* acosar
traumatisme *nm.* trauma
travail *nm.* trabajo, labor *nf.*, obra *nf.*
travailler *v. tr.* trabajar ; *(inquiéter)* agitar, preocupar • *v. intr.* trabajar ; estudiar ; *(le bois)* combarse
travailleur,-euse *adj. et nm/f.* trabajador(a)
travers *nm.* defecto ; ***de travers*** al revés ; ***à tort et à travers*** a tontas y a locas
traversée *nf.* travesía
traverser *v. tr.* atravesar, cruzar ; *(transpercer)* calar
travesti,-e *adj.* disfrazado(a)
travestir *v. tr.* disfrazar
trébucher *v. intr.* tropezar
trèfle *nm.* trébol
tréfonds *nm.* lo más íntimo
treillage *nm.* enrejado
treille *nf.* parra
treize *adj. et nm. inv.* trece
treizième *adj.* decimotercio(a)
tremblement *nm.* temblor
trembler *v. intr.* temblar
tremper *v. tr.* mojar ; *(imbiber)* remojar
tremplin *nm.* trampolín
trentaine *nf.* unos(as) treinta
trente *adj. et nm. inv.* treinta
trentième *adj.* trigésimo(a)
trépas *nm.* muerte *nf.*, óbito
trépasser *v. intr.* fallecer, morir
trépied *nm.* trípode
très *adv.* muy
trésor *nm.* tesoro
tressaillir *v. intr.* estremecerse
tresser *v. tr.* trenzar
tréteau *nm.* caballete • *nmpl. (théâtre)* tablas *nfpl.*
trêve *nf.* tregua
triangle *nm.* triángulo
tribord *nm.* estribor
tribu *nf.* tribu
tribunal *nm.* tribunal
tribune *nf.* tribuna
tricher *v. intr.* hacer trampas
tricheur,-euse *nm/f.* tramposo(a)
tricolore *adj.* tricolor
tricot *nm.* punto ; *(pull)* jersey
tricoter *v. tr.* hacer punto
tricycle *nm.* triciclo
trier *v. tr.* escoger, separar, clasificar
trigonométrie *nf.* trigonometría
trillion *nm.* trillón
trilogie *nf.* trilogía
trimestriel,-elle *adj.* trimestral
tringle *nf.* varilla
trinité *nf.* trinidad
trinôme *nm.* trinomio
trinquer *v. intr.* brindar ; beber ; *(fam.) (payer)* pagar el pato
trio *nm.* trío
triomphe *nm.* triunfo
triompher *v. intr.* triunfar
tripe *nf.* tripa • *nfpl. (cuisine)* callos *nmpl.*
triple *adj.* triple
triptyque *nm.* tríptico
triste *adj.* triste
tristesse *nf.* tristeza
triumvirat *nm.* triunvirato
trivial,-e *adj.* trivial
trivialité *nf.* trivialidad
troc *nm.* trueque, cambalache
troglodyte *adj. et nm/f.* troglodita
trois *adj. et nm. inv.* tres
troisième *adj.* tercero(a)
trolley *nm.* trole
trombe *nf.* tromba
tromblon *nm.* trabuco
trombone *nm.* clip
trompe *nf.* trompa

tromper *v. tr.* engañar ; *(échapper)* burlar • *v. pr. (se leurrer)* engañarse ; *(commettre une erreur)* equivocarse
trompette *nf.* trompeta
trompeur,-euse *adj. et nm/f.* engañador (a)
tronc *nm.* tronco
tronçonner *v. tr.* cortar en trozos
trône *nm.* trono
tronquer *v. tr.* truncar
trop *adv.* demasiado ; ***trop de*** demasiado(a, os, as)
trophée *nm.* trofeo
tropical,-e *adj.* tropical
tropique *nm.* trópico
tropisme *nm.* tropismo
troquer *v. tr.* trocar, cambiar
trot *nm.* trote
trotter *v. intr.* trotar ; *(marcher beaucoup)* corretear
trottoir *nm.* acera *nf.*
trou *nm.* agujero, orificio ; *(de mémoire)* fallo ; *(de serrure)* ojo ; *(petit village)* villorio ; *(dans une route)* bache
trouble *adj.* turbio(a) confuso(a) • *nm. (agitation)* disturbio emoción *nf.* • *nmpl. (désordre)* disturbios ; *(de la santé)* trastornos
troubler *v. tr.* enturbiar ; *(agiter)* turbar, trastornar ; impresionar
trouer *v. tr.* agujerear
troupe *nf. (militaire)* tropa ; *(de gens)* banda ; *(d'oiseaux)* bandada ; *(de comédiens)* compañía
troupeau *nm.* rebaño, manada *nf.*
trousseau *nm.* manojo *; (de mariée)* equipo ; *(de bébé)* canastilla *nf.*
trouver *v. tr.* encontrar, hallar ; *(par hasard)* dar con ; *(ressentir)* experimentar ; *(inventer)* descubrir ; *(avoir l'impression)* parecer
truc *nm.* truco ; *(chose)* chisme ; *(mécanisme)* mecanismo
trucage *nm.* falsificación *nf.* ; *(cinéma)* efectos especiales *nmpl.*
truffe *nf.* trufa
truie *nf.* marrana
truite *nf.* trucha
truquer *v. tr.* falsificar
tsar *nm.* zar
tsarine *nf.* zarina
t-shirt *nm.* niqui
tu *pron. pers.* tú
tsigane *nm/f.* gitano(a) ; cíngaro(a)
tuant,-e *adj. (fam.)* agobiante
tube *nm.* tubo
tuberculose *nf.* tuberculosis
tubulaire *adj.* tubular
tuer *v. tr.* matar
tuerie *nf.* matanza, carnicería
tueur,-euse *nm/f.* matador(a), asesino(a)
tuile *nf.* teja ; *(fam.)* contratiempo *nm.*
tulipe *nf.* tulipán *nm.*
tumeur *nf.* tumor *nm.*
tumultueux,-euse *adj.* tumultuoso(a)
tunique *nf.* túnica
tunnel *nm.* túnel
turban *nm.* turbante
turbine *nf.* turbina
turbulence *nf.* turbulencia
turbulent,-e *adj.* turbulento(a)
turc, turque *adj. et nm/f.* turco(a)
turquoise *nf.* turquesa
tutelle *nf.* tutela
tutoyer *v. tr.* tuteau
tuyau *nm.* tubo ; *(fam.) (renseignement)* noticia confidencial
tuyauterie *nf.* tubería
tympan *nm.* tímpano
type *nm.* tipo
typhon *nm.* tifón
typhus *nm.* tifus
typographie *nf.* tipografía
tyran *nm.* tirano
tyrannie *nf.* tiranía
tyranniser *v. tr.* tiranizar

U

u *nm. inv.* u *nf.*
ulcère *nm.* úlcera *nf.*
ulcérer *v. tr.* ulcerar
U. LM. *nm.* ultraligero
ultérieur,-e *adj.* ulterior
ultimatum *nm.* ultimátum
ultra *adj. et nm/f.* extremista, ultra
un, une *adj. num. et art. indéf.* uno(a), un *devant un nom masculin singulier* • *pron. indéf.* uno (-a, -os, -as) ; *la une d'un journal* la primera plana
unanimité *nf.* unanimidad
uni,-e *adj.* unido(a) ; *(surface)* llano(a) ; *(couleurs)* liso(a)
unifier *v. tr.* unificar
uniforme *adj. et nm.* uniforme
uniformiser *v. tr.* uniformar, uniformizar
unilatéral,-e *adj.* unilateral
union *nf.* unión
unique *adj.* único(a)
unir *v. tr.* unir
unité *nf.* unidad
univers *nm.* universo
universalité *nf.* universalidad
universel,-elle *nf.* universal
universitaire *adj. et nm/f.* universitario(a)
université *nf.* universidad
uranium *nm.* uranio
urbaniser *v. tr.* urbanizar
urbanité *nf.* urbanidad
urgence *nf.* urgencia, emergencia
urgent,-e *adj.* urgente
urine *nf.* orina
us *nmpl.* usos
usage *nm. (utilisation)* uso, empleo ; *(coutume)* uso, costumbre *nf.*
usagé,-e adj. usado(a)
usager *nm.* usuario
user *v. tr.* gaster ; *(consommer)* usar, consumir ; *(détériorer)* desgastar ; *(forces, santé)* debilitar • *v. intr.* usar, hacer uso, emplear
usine *nf.* fábrica
usité,-e *adj.* en uso
ustensile *nm.* utensilio
usufruit *nm.* usufructo
usurier,-ère *nm/f.* usurero(a)
usurper *v. tr.* usurpar
ut *nm.* do
utile *adj.* útil
utilisateur,-trice *nm/f.* usuario(a)
utilisation *nf.* utilización
utiliser *v. tr.* utilizar
utilitaire *adj.* utilitario(a)
utilité *nf.* utilidad
utopie *nf.* utopía
utopique *adj.* utópico(a)
utopiste *adj. et nm/f.* utopista

v *nm. inv.* v *nf.*
va *interj.* ¡anda!, ¡vamos!, ¡venga!
vacance *nf.* vacante • *nfpl.* vacaciones
vacancier *nm.* veraneante
vacant,-e *adj.* vacante ; desocupado(a), libre
vacarme *nm.* alboroto, estrépito
vaccin *nm.* vacuna *nf.*
vacciner *v. tr.* vacunar
vache *nf.* vaca
vaciller *v. intr.* vacilar
vagabond,-e *adj.* vagabundo(a)
vagabonder *v. intr.* vagabundear
vagin *nm.* vagina *nf.*
vague *adj.* vago(a) • *nm.* vaguedad *nf.* • *nf.* ola

vaillant,-e *adj.* valiente
vain,-e *adj.* vano(a)
vaincre *v. tr.* vencer
vainqueur *adj. et nm.* vencedor
vaisseau *nm.* buque, nave *nf.*
vaisselle *nf.* vajilla
val *nm.* valle
valable *adj.* válido(a), valedero(a)
valeur *nf.* valor *nm.*
valeureux,-euse *adj.* valeroso(a)
valide *adj.* válido(a)
validité *nf.* validez
valise *nf.* maleta
vallée *nf.* valle *nm.*
vallon *nm.* vallecito
valoir *v. tr et intr.* valer
valoriser *v. tr.* valorizar
valse *nf.* vals *nm.*
vampire *nm.* vampiro
vandale *nm.* vándalo
vandalisme *nm.* vandalismo
vanille *nf.* vainilla
vanité *nf.* vanidad
vaniteux,-euse *adj. et nm/f.* vanidoso(a)
vantail *nm.* hoja *nf.*
vantard,-e *adj. et nm/f.* jactancioso(a)
vantardise *nf.* jactancia
vanter *v. tr.* alabar • *v. pr.* jactarse
vapeur *nf.* vapor *nm.*
variable *adj. et nf.* variable
variant,-e *adj. et nf.* variante
variation *nf.* variación
varier *v. tr. et intr.* variar
variété *nf.* variedad
vase *nm.* vaso ; *(à fleurs)* florero *nm.* • *nf.* limo *nm.*, fango *nm.*
vaseline *nf.* vaselina
vaseux,-euse *adj.* limoso(a) *(fatigué)* hecho(a) polvo ; *(confus)* oscuro(a)
vaste *adj.* extenso(a)
vautour *nm.* buitre
veau *nm.* ternero ; *(viande)* ternera *nf.* ; *(cuir)* becerro
vecteur *nm.* vector
vedette *nf.* lancha motora ; *(artiste)* estrella ; *(d'opéra)* divo(a)
végétal,-e *adj. et nm.* vegetariano(a)
végétation *nf.* vegetación
véhémence *nf.* vehemencia
véhicule *nm.* vehículo
veille *nf.* vela ; *(jour d'avant)* víspera, el día antes
veillée *nf.* velada ; *(funèbre)* velatorio *nm.*
veiller *v. tr. et intr.* velar ; *(faire attention à)* cuidar (de)
veilleur,-euse *nm/f.* vigilante
veilleuse *nf.* lamparilla de noche ; *(appareil à gaz)* piloto *nm.*
veine *nf.* vena ; *(chance)* suerte
vêler *v. intr.* parir
velléité *nf.* veleidad
vélo *nm. (fam.)* bici *nf.*, bicicleta *nf.*
véloce *adj.* veloz
vélocité *nf.* velocidad
vélodrome *nm.* velódrorno
velours *nm.* terciopelo
velu,-e *adj.* velludo(a)
vendable *adj.* vendible
vendange *nf.* vendimia
vendangeur,-euse *nm/f.* vendimiador(a)
vendeur,-euse *nm/f.* vendedor(a) ; *(d'un magasin)* dependiente(a)
vendre *v. tr.* vender
vendredi *nm.* viernes
vénéneux,-euse *adj.* venenoso(a)
vénérer *v. tr.* venerar
vengeance *nf.* venganza
venger *v. tr.* vengar
venimeux,-euse *adj.* venenoso(a)
venin *nm.* veneno
venir *v. intr.* venir ; llegar ; *(à l'esprit)* ocurrírsele a uno ; ***venir de*** *(+ infinitif)* acabar de *(+ infinitif)*
vénitien,-ne *adj. et nm/f.* veneciano(a)
vent *nm.* viento
vente *nf.* venta
ventilateur *nm.* ventilador
ventilation *nf.* ventilación
ventiler *v. tr.* ventilar ; *(fig.)* repartir
ventre *nm.* vientre
ventru,-e *adj.* barrigudo(a)
vêpres *nfpl.* vísperas
ver *nm.* gusano
véracité *nf.* veracidad
véranda *nf.* veranda

verbal,-e *adj.* verbal
verbe *nm.* verbo ; palabra *nf.*
verbosité *nf.* verbosidad
verdâtre *adj.* verdoso(a)
verdict *nm.* veredicto
verdure *nf.* verde *nm* ; verdor *nm.* ; vegetación
verger *nm.* vergel
verglas *nm.* hielo
véridique *adj.* verídico(a)
vérification *nf.* comprobación
vérifier *v. tr.* comprobar
véritable *adj.* verdadero(a)
vérité *nf.* verdad
vermicelle *nm.* fideos *nmpl.*
vermine *nf.* miseria ; *(fig)* gentuza
vermoulu,-e *adj.* carcomido(a)
verni,-e *adj. (chanceux)* afortunado(a)
vernir *v. tr.* barnizar ; *(le cuir)* charolar
vernis *nm.* barnizado ; *(cuir)* charol
vernissage *nm.* barnizado ; inauguración *nf.*
verre *nm. (matière)* vidrio ; *(montre, lunette)* cristal ; *(pour boire)* vaso, copa *nf.* • *nmpl. (lunettes)* gafas *nfpl.*
verroterie *nf.* abalorio *nm.*
verrou *nm.* cerrojo
verrouiller *v. tr.* cerrar con cerrojo
verrue *nf.* verruga
vers *nm.* verso • *prép. (direction)* hacia ; *(temps)* a eso de, hacia, sobre
versement *nm. (sur un compte)* ingreso ; *(paiement)* pago
verser *v. tr.* echar, derramar ; *(de l'argent sur un compte)* ingresar ; *(payer)* pagar ; *(un véhicule)* volcar
versification *nf.* versificación
version *nf.* versión ; traducción directa
verso *nm.* vuelta *nf.*
vert,-e *adj. et nm.* verde
vertébral,-e *adj.* vertebral
vertébré,-e *adj.* vertebrado(a)
vertical,-e *adj. et nf.* vertical
vertige *nm.* vértigo
vertu *nf.* virtud
vertueux,-euse *adj.* virtuoso(a)
verve *nf.* locuacidad
verveine *nf.* verbena
vessie *nf.* vejiga
veste *nf.* chaqueta, americana
vestiaire *nm.* guardarropa
vestibule *nm.* vestíbulo
vestige *nm.* vestigio, huella *nf.*
veston *nm.* chaqueta *nf.*, americana *nf.*
vêtement *nm.* vestido, ropa *nf.*
vétéran *nm.* veterano
vétérinaire *adj. et nm/f.* veterinario(a)
vêtir *v. tr.* vestir
veto *nm.* veto
veuf, veuve *adj. et nm/f.* viudo(a)
veuvage *nm.* viudez *nf.*
vexation *nf.* vejación
vexer *v. tr.* vejar ; molestar • *v. pr.* picarse
via *prép.* vía, por
viabilité *nf.* viabilidad
viaduc *nm.* viaducto
viande *nf.* carne
vibration *nf.* vibración
vibrer *v. intr.* vibrar
vicaire *nm.* vicario
vice *nm.* vicio
vice versa *loc. adv.* viceversa
vicieux,-euse *adj.* vicioso(a)
victime *nf.* víctima
victoire *nf.* victoria, triunfo *nm.*
victorieux,-euse *adj.* victorioso(a)
victuailles *nfpl.* vituallas
vide *adj.* vacío(a) • *nm.* vacío ; *(fig)* vanidad *nf.*
vider *v. tr.* vaciar ; *(expulser)* echar ; *(épuiser)* agotar
vie *nf.* vida
vieil *adj.* viejo
vieillard *nm.* anciano, viejo
vieillesse *nf.* vejez
vieillir *v. tr. et intr* envejecer
vierge *adj. et nf.* virgen
vieux, vieille *adj.* viejo(a) ; antiguo(a) • *nm/f.* viejo(a), anciano(a)
vif, vive *adj.* vivo(a) ; intenso(a)
vigilance *nf.* vigilancia
vigne *nf. (vignoble)* viña ; *(plante)* vid
vigneron,-ne *nm/f.* viticultor(a)
vignette *nf.* viñeta ; *(voiture)* patente
vignoble *nm.* viñedo, viña *nf.*

vigoureux,-euse *adj.* vigoroso(a)
vigueur *nf.* vigor *nm.*
vil,-e *adj.* vil
vilain,-e *adj.* feo(a) ; malo(a)
villa *nf.* chalet *nm.*, chalé *nm.*
village *nm.* pueblo, aldea *nf.*
villageois,-e *adj. et nm/f.* aldeano(a)
ville *nf.* ciudad
vin *nm.* vino
vinaigre *nm.* vinagre
vinaigrette *nf.* vinagreta
vindicatif,-ive *adj.* vindicativo(a)
vingt *adj. et nm. inv.* veinte
vingtaine *nf.* unos(as) veinte
vingtième *adj.* vigésimo(a)
vinicole *adj.* vinícola
viol *nm.* violación *nf.*
violation *nf.* violación
violence *nf.* violencia
violent,-e *adj.* violento(a)
violer *v. tr.* violar
violet,-te *adj.* morado(a) • *nm.* violeta • *nf.* violeta
violon *nm.* violín ; *(cachot)* calabozo
violoncelle *nm.* violoncelo
vipère *nf.* víbora
virage *nm.* curva *nf. ; (fig)* giro, sesgo
virement *nm. (bancaire)* transferencia *nf.* ; (postal) giro
virer *v. intr. (tourner)* virar, girar ; *(opinion, couleur)* cambiar • *v. tr. (sur une banque)* transferir ; *(à la poste)* girar
virginité *nf.* virginidad
virgule *nf.* coma
virilité *nf.* virilidad
virtuel,-elle *adj.* virtual
virtuose *nm/f.* virtuoso(a)
vis *nf.* tornillo *nm.*
visa *nm. (passeport)* visado ; *(accord)* visto bueno
visage *nm.* rostro, cara *nf.*, semblante
visée *nf.* puntería ; *(fig)* intención
viser *v. tr.* apuntar a ; *(fig)* aspirar a ; *(un document)* visar
visibilité *nf.* visibilidad
visible *adj.* visible
vision *nf.* vision
visionnaire *adj. et nm/f.* visionario(a)
visite *nf.* visita
visiteur,-euse *nm/f.* visitante
visser *v. tr.* atornillar
visuel,-elle *adj.* visual
vital,-e *adj.* vital
vitamine *nf.* vitamina
vite *adj.* de prisa, pronto
vitesse *nf.* velocidad
viticulteur *nm.* viticultor
vitrail *nm.* vidriera *nf.*
vitre *nf.* cristal *nm.*
vitrifier *v. tr.* vitrificar
vitrine *nf. (meuble)* vitrina ; *(magasin)* escaparate *nm.*
vivace *adj.* vivaz
vivacité *nf.* vivacidad
vivant,-e *adj.* vivo(a), viviente ; *(endroit)* animado(a) • *nm.* vivo, viviente
vivier *nm.* vivero
vivoter *v. intr.* ir tirando
vivre *v. intr.* vivir
vivres *nmpl.* víveres
vocabulaire *nm.* vocabulario
vocation *nf.* vocación
vœu *nm.* voto
vogue *nf.* boga
voguer *v. intr.* navegar
voici *prép.* he aquí ; éste(a) es, éstos(as) son
voie *nf.* vía ; *(route, autoroute)* carril *nm.*
voilà *prép.* he allí, ahí ; éste(a)es, éstos(as) son ; *(temps)* hace
voile *nm.* velo • *nf.* vela
voiler *v. tr. (se couvrir la tête)* velar ; *(cacher)* ocultar, tapar • *v. pr. (voix, regard)* empañarse ; *(ciel)* nublarse ; *(se courber)* alabearse
voilette *nf.* velo *nm.*
voilier *nm.* velero
voir *v. tr. et intr.* ver
voire *adv.* hasta
voisin,-e *adj. et nm/f.* vecino(a)
voiture *nf.* coche *nm.*
voix *nf.* voz ; *(élection)* voto *nm.*
vol *nm. (locomotion)* vuelo ; *(d'oiseaux)* bandada *nf.* ; *(appropriation illicite)* robo, hurto
volage *adj.* infiel

volaille *nf.* aves de corral *nfpl.*
volant,-e *adj.* volador(a) • *nm.* volante
volcan *nm.* volcán
volée *nf.* *(vol)* vuelo *nm.* ; *(d'oiseaux)* bandada ; *(cloches)* repique *nm.* ; *(de marches)* tramo *nm.* ; *(de coups)* paliza
voler *v. intr.* volar • *v. tr.* *(dérober)* robar, hurtar
volet *nm.* contraventana *nf.*
voleur,-euse *adj. et nm/f.* ladrón(ona)
volière *nf.* pajarera
volontaire *adj. et nm.* voluntario(a)
volonté *nf.* voluntad
volontiers *adv.* con mucho gusto
volt *nm.* voltio
voltage *nm.* voltaje
volume *nm.* volumen ; *(débit d'eau)* caudal
volumineux,-euse *adj.* voluminoso(a)
volupté *nf.* voluptuosidad
voluptueux,-euse *adj.* voluptuoso(a)
vomir *v. tr. et intr.* vomitar
vomissement *nm.* vómito
vorace *adj.* voraz
voracité *nf.* voracidad
vos *adj. poss. pl.* vuestros(as) ; *(en vouvoyant)* sus, de usted, de ustedes
vote *nm.* *(voix)* voto ; *(action)* votación *nf.*
voter *v. intr.* votar
votre *adj. poss.* vuestro(a) ; *(en vouvoyant)* su, de usted, de ustedes
votre (le) *pr. poss.* el(la) vuestro(a) ; *(en vouvoyant)* el(la) suyo(a)
vouer *v. tr.* consagrar ; ***voué à l'échec*** condenado al fracaso
vouloir *v. tr. et intr.* querer
vouloir *nm.* voluntad *nf.*
vous *pron. pers.* *(en tutoyant) (sujet)* vosotros(as) ; *(complément)* os ; *(en vouvoyant) (sujet)* usted(es) ; *(complément)* le (la, los, las), le (les)
voûte *nf.* bóveda
voûté,-e *adj.* abovedado ; *(personne)* encorvado(a)
voyage *nm.* viaje
voyager *v. intr.* viajar
voyageur,-euse *nm/f.* viajero(a)
voyant-e *adj.* vistoso(a), llamativo(a) • *nm.* *(qui voit)* vidente ; *(lumineux)* piloto
voyelle *nf.* vocal
voyou *nm.* golfo, granuja
vrac (en) *loc. adv.* a granel
vrai,-e *adj.* verdadero(a) • *nm.* verdad *nf.*
vraisemblable *adj.* verosímil
vrombir *v. intr.* zumbar
vulgaire *adj.* vulgar
vulnérable *adj.* vulnerable

w *nm. inv.* w *nf.*
wagon *nm.* vagón, coche
wagon-lit *nm.* coche cama
wagon-restaurant *nm.* coche comedor
wagonnet *nm.* vagoneta *nf.*
wallon,-ne *adj. et nm/f.* valón(a)
water, water-closet *nm.* servicios *nmpl.*
water-polo *nm.* water-polo
watt *nm.* vatio
week-end *nm.* fin de semana
western *nm.* película del Oeste
wisigoth,-e *adj. et nm/f.* visigodo(a)

x *nm. inv.* x *nf.* ; equis ; ***les rayons X*** los rayos equis
xénon *nm.* *(gaz)* xenón
xénophile *adj. et nm/f.* xenófilo(a)
xénophobe *adj. et nm/f.* xenófobo(a)
xénophobie *nf.* xenofobia
xylophone *nm.* xilófono

y

y *nm. inv.* y *nf*
y *adv.* ahí, allí, allá ; en (de, a) él (ella, ellos, ellas), en eso
yacht *nm.* yate
yankee *adj. et nm/f.* yanqui
yaourt *nm.* yogur
yard *nm.* yarda *nf.*
yen *nm.* yen
yeux *nmpl.* ojos
yogourt *nm.* yogur
yougoslave *adj. et nm/f.* yugoslavo(a)
youyou *nm.* canoa *nf.*

z

z *nm. inv.* z *nf.*
zèbre *nm.* cebra *nf.*
zébrer *v. tr.* rayar
zébu *nm.* cebú
zèle *nm.* celo
zélé,-e *adj.* celoso(a)
zénith *nm.* cenit
zéphyr *nm.* céfiro
zéro *nm.* cero
zeste *nm. (d'orange, de citron)* cáscara *nf.*
zézayer *v. intr.* cecear
zigzag *nm.* zigzag
zigzaguer *v. intr.* zigzaguear
zinc *nm. (métal)* cinc ; *(comptoir de café)* mostrador
zizanie *nf.* cizaña
zodiaque *nm.* zodíaco
zone *nf.* zona
zoo *nm.* parque zoológico
zoologie *nf.* zoología
zoologique *adj.* zoológico(a)
zut *interj. fam.* ¡cáscaras!, ¡caramba!

ESPAGNOL • FRANÇAIS
ESPAÑOL • FRANCÉS

A

a *nf.* a *nm. inv.*
a *prép.* à, auprès, avec, dans, en, par, pour, près, vers
abacería *nf.* épicerie
abacero,-a *nm/f.* épicier(ière)
abad *nm.* abbé
abajo *adv.* en-dessous, en bas, vers le bas, à bas
abalanzar *v. tr.* lancer • *v. pr.* s'élancer
abalorio *nm.* verroterie *nf.*
abandonado,-a *adj.* abandonné(e) ; négligé(e)
abandonar *v. tr.* abandonner ; négliger • *v. pr.* se laisser aller ; se négliger
abandono *nm.* abandon ; laisser-aller
abanicarse *v. pr.* s'éventer
abanico *nm.* éventail
abaratamiento *nm.* baisse *nf.*
abaratar *v. tr.* baisser le prix
abarcar *v. tr.* encercler, entourer ; *(fig)* comprendre, contenir ; *(h. am.)* monopoliser
abarrotar *v. tr.* remplir, surcharger
abarrotería *nf. (h. am)* bazar *nm. (alimentation, quincaillerie)*
abastecer *v. tr.* approvisionner, fournir
abastecido,-a *adj.* approvisionné(e)
abastecimiento *nm.* approvisionnement
abasto *nm.* approvisionnement
abatido,-a *adj.* abattu(e)
abatir *v. tr.* abattre ; *(fig)* abattre, décourager • *v. pr.* se décourager
abdicación *nf.* abdication
abdicar *v. tr.* abdiquer
abdomen *nm.* abdomen
abdominal *adj.* abdominal(e)
abecé *nm.* ABC, alphabet
abecedario *nm.* abécédaire, alphabet
abedul *nm.* bouleau
abeja *nf.* abeille
abejar *nm.* rucher
abejero,-a *nm/f.* apiculteur(trice)
abejorro *nm.* bourdon
aberración *nf.* aberration
aberrante *adj.* aberrant(e)
abertura *nf.* ouverture
abeto *nm.* sapin
abierto,-a *adj.* ouvert(e)
abismo *nm.* abîme
ablación *nf.* ablation
ablandamiento *nm.* ramollissement, assouplissement
ablandar *v. tr.* ramollir ; assouplir • *v. pr.* se ramollir, s'assouplir
abnegación *nf.* abnégation, dévouement *nm.*
abnegado,-a *adj.* dévoué(e)
abnegarse *v. pr.* se dévouer
abochornado,-a *adj.* honteux(euse)
abochornar *v. tr.* faire honte, avoir honte de
abofetear *v. tr.* gifler
abogacía *nf.* barreau *nm.*, profession d'avocat
abogado,-a *nm/f.* avocat(e)
abogar *v. intr.* plaider
abolición *nf.* abolition
abolir *v. tr.* abolir
abolladura *nf.* bosse
abollar *v. tr.* bosseler, cabosser
abombado,-a *adj.* bombé(e)
abominable *adj.* abominable
abominar *v. tr.* détester
abonado,-a *adj.* qui a du crédit ; crédité(e)
abonado,-a *nm/f.* abonné(e)
abonar *v. tr.* payer, déposer de l'argent ; mettre de l'engrais • *v. pr.* s'abonner
abono *nm.* paiement ; engrais
abordable *adj.* abordable
abordar *v. tr.* aborder
aborrecer *v. tr.* détester, haïr
aborrecible *adj.* haïssable, détestable
aborrecimiento *nm.* haine *nf.*
abortar *v. tr.* avorter
aborto *nm.* avortement, fausse couche *nf.* ; *(fam)* avorton
abrasador,-a *adj.* brûlant(e)
abrasar *v. tr.* embraser ; *(agric.)* griller, brûler

abrasivo,-a *adj.* abrasif(ive)
abrazar *v. tr.* étreindre, embrasser *(cause)*
abrazo *nm.* accolade *nf.*
abrebotellas *nm. inv.* ouvre-bouteilles
abrecartas *nm. inv.* coupe-papier
abrelatas *nm. inv.* ouvre-boîtes
abrevadero *nm.* abreuvoir
abrevar *v. tr.* abreuver
abreviar *v. tr.* abréger, écourter
abreviatura *nf.* abréviation
abrigado,-a *adj.* abrité(e) ; bien couvert(e)
abrigarse *v. pr.* se couvrir, s'habiller chaudement
abrigo *nm.* manteau ; abri
abril *nm.* avril
abrir *v. tr.* ouvrir ; percer ; creuser • *v. pr.* s'ouvrir
abrochar *v. tr.* attacher, boutonner
abrogación *nf.* abrogation
abrogar *v. tr.* abroger
abroncar *v. tr. (fam)* engueuler
abrumado,-a *adj.* accablé(e)
abrumar *v. tr.* accabler
abrupto,-a *adj.* abrupt(e)
absceso *nm.* abcès
absentismo *nm.* absentéisme
absentista *adj. et nm/f.* absentéiste
absolución *nf.* absolution, acquittement *nm.*
absolutamente *adv.* absolument
absolutismo *nm.* absolutisme
absoluto,-a *adj.* absolu(e)
absolver *v. tr.* absoudre, acquitter
absorbente *adj.* absorbant(e)
absorber *v. tr.* absorber
absorción *nf.* absorption
absorto,-a *adj.* absorbé(e)
abstención *nf.* abstention
abstencionismo *nm.* abstentionnisme
abstencionista *adj. et nm/f.* abstentionniste
abstenerse *v. pr.* s'abstenir
abstinencia *nf.* abstinence
abstracción *nf.* abstraction
abstracto,-a *adj.* abstrait(e)
abstraer *v. tr.* abstraire
absurdo,-a *adj.* absurde • *nm.* absurdité *nf.*
abuchear *v. tr.* huer
abuelita *nf. (fam)* grand-maman
abuelito *nm. (fam)* grand-papa
abuelo,-a *nm/f.* grand-père, grand-mère
abúlico,-a *adj.* apathique
abultado,-a *adj.* volumineux(euse)
abultar *v. tr.* grossir ; encombrer
abundancia *nf.* abondance
abundante *adj.* abondant(e)
abundar *v. tr.* abonder
aburrido,-a *adj.* ennuyeux(euse), ***ser aburrido***, être ennuyeux ; ***estar aburrido***, s'ennuyer
aburrimiento *nm.* ennui
aburrir *v. tr.* ennuyer • *v. pr.* s'ennuyer
abusar *v. tr.* tromper
abusivo,-a *adj.* abusif(ive)
abusón,-ona *nm/f.* profiteur(euse)
abyecto,-a *adj.* abject(e)
acá *adv.* ici, là, près
acabado,-a *adj.* achevé(e), fini(e)
acabar *v. tr.* achever, finir, terminer • *v. pr.* s'achever
acacia *nf.* acacia *nm.*
academia *nf.* école, académie
académico,-a *adj.* académique
académico,-a *nm/f.* académicien(ienne)
acaecer *v. intr.* avoir lieu
acalorado,-a *adj.* qui a chaud ; emporté(e), passionné(e)
acampada *nf.* camping *nm.*
acampar *v. tr.* camper
acantilado,-a *adj.* escarpé(e)
acantilado *nm.* falaise *nf.*
acaparamiento *nm.* accaparement
acaparar *v. tr.* accaparer
acaramelado,-a *adj.* caramélisé(e)
acariciar *v. tr.* caresser • *v. pr.* se caresser
acarreador *nm.* transporteur
acarrear *v. tr.* transporter, emporter ; *(fig)* provoquer, occasionner
acartonar *v. tr.* durcir • *v. pr. (fam)* se ratatiner
acaso *adv.* peut-être, à la rigueur, au cas où
acatar *v. tr.* observer, respecter

acatarrarse *v. pr.* s'enrhumer
acaudalado,-a *adj.* riche
acaudalar *v. tr.* accumuler
acaudillar *v. tr.* commander, diriger, prendre la tête de
acceder *v. tr.* consentir, accéder
accesible *adj.* accessible
acceso *nm.* entrée *nf.* ; accession *nf.*
accesorio *nm.* accessoire
accesorio,-a *adj.* accessoire
accesorista *nm/f.* accessoiriste
accidentado,-a *adj.* accidenté(e) ; *(fig)* mouvementé(e)
accidental *adj.* accidentel(le)
accidentarse *v. pr.* avoir un accident
accidente *nm.* accident
acción *nf.* acte *nm.*, action
accionar *v. tr.* faire marcher
accionariado *nm.* actionnariat
accionario,-a *nm/f.* actionnaire
accionista *nm/f.* actionnaire
acebo *nm.* houx
acechar *v. tr.* guetter
acecho *nm.* guet
aceite *nm.* huile *nf.*
aceiteras *nfpl.* huilier *nm.*
aceitoso,-a *adj.* gras(se), huileux(euse)
aceituna *nf.* olive
aceitunero,-a *nm/f.* marchand(e) d'olives
aceleración *nf.* accélération
acelerador *nm.* accélérateur
acelerar *v. tr.* accélérer • *v. pr.* s'emballer
acelga *nf.* bette
acento *nm.* accent
acentuación *nf.* accentuation
acentuar *v. tr.* accentuer
acepción *nf.* acception
aceptación *nf.* acceptation ; succès *nm.*
aceptar *v. tr.* accepter
acequia *nf.* canal d'irrigation *nm.*
acera *nf.* trottoir *nm.*
acerado,-a *adj.* acéré(e)
acerbo,-a *adj.* acerbe
acerca de *loc. adv.* au sujet de
acercar *v. tr.* rapprocher
acero *nm.* acier
acérrimo,-a *adj.* acharné(e)
acertado,-a *adj.* judicieux(euse) ; justifié(e)
acertar *v. tr.* atteindre ; réussir ; arriver à
acertijo *nm.* devinette *nf.*
acervo *nm.* tas ; patrimoine
acetona *nf.* acétone
achacar *v. tr.* attribuer
achacoso,-a *adj.* malade
achampañado,-a *adj.* champagnisé(e)
achaque *nm.* malaise
achicar *v. tr.* diminuer ; intimider • *v. pr.* céder, (*fam*) se dégonfler
achicoria *nf.* chicorée
achispado,-a *adj.* ivre
acicate *nm.* éperon ; *(fig)* stimulant
acidez *nf.* acidité
ácido,-a *adj. et nm.* acide
acierto *nm.* bonne réponse *nf.* ; succès
aclamación *nf.* acclamation
aclamar *v. tr.* acclamer, proclamer
aclaración *nf.* éclaircissement *nm.*
aclarar *v. tr.* éclaircir ; rincer ; *(fig)* expliquer, tirer au clair • *v. pr.* s'expliquer
aclaratorio,-a *adj.* explicatif(ive)
aclimatar *v. tr.* acclimater • *v. pr.* s'adapter
acné *nf.* acné
acobardar *v. tr.* faire peur à • *v. pr.* avoir peur
acogedor,-a *adj.* accueillant(e)
acoger *v. tr.* accueillir, recevoir • *v. pr.* recourir à
acogida *nf.* accueil *nm.*
acolchado,-a *adj.* matelassé(e)
alcochar *v. tr.* capitonner, matelasser
acometedor,-a *adj.* agressif(ive), combatif(ive), entreprenant(e)
acometer *v. tr.* attaquer ; se lancer dans, entreprendre
acomedita *nf.* attaque, assaut *nm.* ; raccordement *nm.*
acomodado,-a *adj.* arrangé(e) ; riche, aisé(e)
acomodador,-a *nm/f.* ouvreur(euse)
acomodamiento *nm.* arrangement, aménagement
acomodar *v. tr.* aménager ; faire asseoir ; se mettre à l'aise

acomodaticio,-a *adj.* accommodant(e)
acompañado,-a *adj.* accompagné(e)
acompañante *nm/f.* compagnon, compagne
acompañar *v. tr.* accompagner ; raccompagner ; tenir compagnie
acompasar *v. tr.* rythmer
acomplejar *v. tr.* complexer • *v. pr.* avoir des complexes
acondicionado,-a *adj.* aménagé(e) ; climatisé(e)
acondicionador *nm.* climatiseur
acondicionamiento *nm.* aménagement ; climatisation *nf.*
acondicionar *v. tr.* aménager ; climatiser
acongojar *v. tr.* angoisser • *v. pr.* s'affoler
aconsejar *v. tr.* conseiller
acontecer *v. intr.* arriver, survenir
acontecimiento *nm.* événement
acopio *nm.* surabondance *nf.*
acoplar *v. tr.* ajuster, adapter • *v. pr.* s'entendre
acorazado,-a *adj.* blindé(e) • *nm.* cuirassé
acorazar *v. tr.* blinder
acordar *v. tr.* décider convenir de • *v. pr.* se rappeler, de souvenir de
acorde *adj.* d'accord *nm.* accord de musique • dut *nm.* accord
acordeón *nm.* accordéon
acordeonista *nm/f.* accordéoniste
acordonar *v. tr.* lacer
acorralado,-a *adj.* traqué(e), acculé(e)
acorralar *v. tr.* traquer, acculer
acortamiento *nm.* raccourcissement
acortar *v. tr.* raccourcir, écourter
acosar *v. tr.* traquer, harceler
acoso *nm.* poursuite *nf.*, harcèlement *nm.*
acostar *v. tr.* coucher • *v. pr.* se coucher
acostumbrado,-a *adj.* habitué(e)
acostumbrar *v. tr.* habituer • *v. intr.* avoir l'habitude de • *v. pr.* s'habituer
acotación *nf.* annotation
acotamiento *nm. (h. am.)* bas-côté
acotar *v. tr.* annoter ; délimiter
acrecentamiento *nm.* accroissement
acrecentar *v. tr.* accroître, augmenter
acreditado,-a *adj.* reconnu(e) ; accrédité(e)
acreditar *v. tr.* prouver, attester, accréditer
acreedor,-ora *adj.* créditeur(trice) • *nm/f.* créancier(ière)
acribillar *v. tr.* cribler ; (*fig)* bombarder
acrílico *adj.* acrylique
acristalar *v. tr.* vitrer
acrobacia *nf.* acrobatie
acróbata *nm/f.* acrobate
acrobático,-a *adj.* acrobatique
acrópolis *nf.* acropole
acta *nf.* acte *nm.* ; procès-verbal *nm.*
actitud *nf.* attitude
activamente *adv.* activement
activar *v. tr.* activer, déclencher
actividad *nf.* activité
activo,-a *adj.* actif(ive)
activo *nm.* actif, avoir
acto *nm.* acte ; cérémonie *nf.*
actor,-triz *nm/f.* acteur(trice)
actuación *nf.* conduite ; rôle *nm.*, jeu *nm.*
actual *adj.* actuel(le)
actualidad *nf.* actualité
actualización *nf.* mise à jour
actualizar *v. tr.* actualiser, renouveler
actuar *v. intr.* agir
acuarela *nf.* aquarelle
acuario *nm.* aquarium
acuartelar *v. tr.* consigner
acuático,-a *adj.* aquatique
acuciante *adj.* pressant(e)
acuciar *v. tr.* presser, harceler
acuchillar *v. tr.* poignarder
acudir *v. intr.* se rendre à, se présenter
acueducto *nm.* aqueduc
acuerdo *nm.* accord
acuidad *nf.* acuité
acumulación *nf.* accumulation, capitalisation
acumular *v. tr.* accumuler ; capitaliser
acumulativo,-a *adj.* cumulatif(ive)
acunar *v. tr.* bercer
acuoso,-a *adj.* aqueux(euse)
acurrucarse *v. pr.* se blottir
acusación *nf.* accusation
acusado,-a *adj.* accusé(e)
acusador,-a *nm/f.* accusateur(trice)
acústico,-a *adj.* acoustique
acústica *nf.* acoustique

adagio *nm.* adage
adamascado,-a *adj.* damassé(e)
adamascar *v. tr.* damasser
adaptación *nf.* adaptation
adaptador *nm.* adaptateur
adaptar *v. tr.* adapter • *v. pr.* s'adapter
adecuación *nf.* adéquation
adecuado,-a *adj.* adéquat(e)
adecuar *v. tr.* adapter • *v. pr.* s'adapter
adefesio *nm. (fam)* horreur *nf.*
adehala *nf.* prime
adelantado,-a *adj.* avancé(e) ; en avance
adelantamiento *nm.* avance *nf.* ; avancement ; dépassement ; doublement
adelantar *v. tr.* avancer ; dépasser ; doubler • *v. intr.* progresser, avancer • *v. pr.* s'avancer
adelante *adj.* en avant, plus loin
adelanto *nm.* avance *nf.* ; progrès
adelgazamiento *nm.* amaigrissement
adelgazar *v. tr.* mincir • *v. intr.* maigrir
ademán *nm.* geste
ademanes *nmpl.* manières *nfpl.*
además *adv.* en plus, de plus, en outre
adentrarse *v. pr.* s'enfoncer, pénétrer
adentro *adv.* dedans, à l'intérieur
adentros *nmpl.* for intérieur *nm.*
adepto,-a *adj.* adepte, partisan(e)
adeudar *v. tr.* devoir ; débiter
adeudo *nm.* dette *nf.*
adherencia *nf.* adhérence
adherente *nm/f.* adhérent(e), partisan(e)
adherir *v. tr.* adhérer, coller
adhesión *nf.* adhésion
adhesivo,-a *adj.* adhésif(ive)
adicción *nf.* dépendance
adición *nf.* addition
adicional *adj.* additionnel(le), supplémentaire
adicionar *v. tr.* additionner
adicto,-a *adj.* dépendant(e)
adiestramiento *nm.* dressage
adiestrar *v. tr.* dresser ; entraîner
adinerado,-a *adj.* nanti(e), qui a de l'argent
adinerarse *v. pr.* s'enrichir
adiós *nm.* adieu, au revoir
adiposo,-a *adj.* adipeux(euse)
aditamiento *nm.* supplément, addition *nf.*
aditivo,-a *adj.* additif(ive)
adivinación *nf.* divination
adivinanza *nf.* devinette
adivinar *v. tr.* deviner
adivino *nm.* devin
adjetivo *nm.* adjectif
adjudicación *nf.* adjudication
adjudicador,-a *nm/f.* adjudicateur(trice)
adjudicar *v. tr.* adjuger, attribuer • *v. pr.* s'adjuger, s'attribuer
adjudicatario *nm.* adjudicataire
adjuntar *v. tr.* inclure ; joindre
adjunto,-a *adj.* adjoint(e) ; ci-joint(e)
administración *nf.* administration
administrados *nmpl.* administrés
administrador,-a *nm/f.* administrateur(trice), régisseur *nm.*
admirable *adj.* admirable
admiración *nf.* admiration
admirador,-a *nm/f.* admirateur(trice)
admirar *v. tr.* admirer ; étonner • *v. pr.* s'étonner
admisible *adj.* admissible
admisión *nf.* admission
admitir *v. tr.* admettre
adobar *v. tr.* faire mariner
adobe *nm.* brique crue *nf.*
adobo *nm.* marinade *nf.*
adoctrinamiento *nm.* endoctrinement
adoctrinador,-a *adj.* riche d'enseignements
adoctrinar *v. tr.* endoctriner ; enseigner
adolecer *v. intr.* souffrir de
adolescencia *nf.* adolescence
adolescente *adj. et nm/f.* adolescent(e)
adonde *adv.* où
adondequiera *adv.* n'importe où
adopción *nf.* adoption
adoptar *v. tr.* adopter
adoptivo,-a *adj.* adoptif(ive)
adoquín *nm.* pavé
adorable *adj.* adorable
adoración *nf.* adoration
adorar *v. tr.* adorer
adormecer *v. tr.* endormir • *v. pr.* s'endormir, s'assoupir
adornar *v. tr.* décorer ; orner
adorno *nm.* décoration *nf.* ornement
adosar *v. tr.* adosser • *v. pr.* s'adosser

adquirir *v. tr.* acquérir
adquisición *nf.* acquisition
adrede *adv.* exprès
aduana *nf.* douane
aduanar *v. tr.* payer des droits de douane
aduanero,-a *adj. et nm/f.* douanier(ière)
adueñarse *v. pr.* s'emparer
adular *v. tr.* flatter
adulterio *nm.* adultère
adúltero,-a *adj.* adultère
adulto,-a *adj. et nm/f.* adulte
advenir *v. intr.* arriver, advenir
adverbio *nm.* adverbe
adversario,-a *adj. et nm/f.* adversaire
adversidad *nf.* adversité
advertencia *nf.* mise en garde ; observation
advertir *v. tr.* constater, remarquer
aeración *nf.* aération
aéreo,-a *adj.* aérien(ienne)
aeródromo *nm.* aérodrome
aeromodelo *nm.* modèle réduit
aeronauta *nm/f.* aéronaute
aeronáutico,-a *adj.* aéronautique • *nf.* aéronautique
aeropostal *adj.* aéropostal(e)
aeropuerto *nm.* aéroport
aerosol *nm.* aérosol
aerostato *nm.* aérostat
aerovía *nf.* couloir aérien *nm.*
afable *adj.* affable
afamado,-a *adj.* célèbre
afán *nm.* ardeur *nf.* ; désir
afanarse *v. pr.* s'efforcer de
afear *v. tr.* enlaidir
afección *nf.* affection
afectación *nf.* affectation
afectado,-a *adj.* maniéré(e) ; affecté(e)
afectar *v. tr.* feindre ; toucher, affecter
afectividad *nf.* affectivité
afectivo,-a *adj.* affectif(ive)
afectuoso,-a *adj.* affectueux(euse)
afeitado *nm.* rasage
afeitar *v. tr.* raser • *v. pr.* se raser
aferrarse *v. pr.* s'accrocher à
afianzamiento *nm.* caution *nf.*
afianzar *v. tr.* garantir, cautionner
afición *nf.* penchant *nm.*, goût *nm.*
aficionado,-a *adj. et nm/f.* amateur *nm.*
afilar *v. tr.* affilier
afín *adj.* voisin(e)
afinar *v. tr.* accorder ; peaufiner
afincarse *v. pr.* s'établir
afincado,-a *adj.* établi(e)
afinidad *nf.* affinité
afirmación *nf.* affirmation
afirmar *v. tr.* affirmer ; conforter
afirmativo,-a *adj.* affirmatif(ive)
aflicción *nf.* affliction
afligir *v. tr.* affliger
aflojamiento *nm.* relâchement
aflorar *v. tr.* effleurer
afluencia *nf.* affluence ; flot *nm.*
afluente *nm.* affluent
afluir *v. intr.* affluer
aflujo *nm.* afflux
afonía *nf.* extinction de voix
afónico,-a *adj.* aphone
afortunado,-a *adj.* chanceux(euse)
afrenta *nf.* affront *nm.*
africano,-a *adj.* africain(e)
afro *adj. inv.* afro
afrontar *v. tr.* affronter ; confronter
afta *nf.* aphte *nm.*
afuera *adv.* dehors, à l'extérieur
afueras *nfpl.* les environs *nmpl.*
agachar *v. tr.* baisser • *v. pr.* se baisser
agalla *nf.* ouïe • *nfpl. (fig.)* cran *nm.*
ágape *nm.* agape *nf.*
agarrada *nf.* empoignade
agarrado,-a *adj.* accroché(e) ; *(fam)* radin(e)
agarrar *v. tr.* attraper, saisir • *v. pr.* s'accrocher
ágata *nf.* agate
agazaparse *v. pr.* se tapir
agencia *nf.* agence ; succursale
agenciar *v. tr.* faire des démarches
agenda *nf.* agenda *nm.* ; programme *nm.*
agente *nm.* agent
agigantado,-a *adj.* gigantesque
ágil *adj.* agile, vif(ive)
agilidad *nf.* agilité
agilizar *v. tr.* faciliter
agio *nm.* agio
agitación *nf.* agitation

agitador,-a *adj.* agitateur(trice)
agitado,-a *adj.* agité(e)
agitar *v. tr.* agiter ; s'agiter, remuer
aglomeración *nf.* agglomération ; foule
aglomerar *v. tr.* agglomérer • *v. pr.* s'amasser
aglutinar *v. tr.* agglutiner • *v. pr.* s'agglutiner
agnóstico,-a *adj. et nm/f.* agnostique
agobiado,-a *adj.* épuisé(e)
agobiar *v. tr.* épuiser
agobio *nm.* étouffement, épuisement
agolparse *v. pr.* s'attrouper
agonía *nf.* agonie
agonizante *adj.* agonisant(e)
agonizar *v. intr.* agoniser
agorafobia *nf.* agoraphobie
agosteño,-a *adj.* aoûtien(ne)
agosto *nm.* août ; temps des moissons
agotado,-a *adj.* épuisé(e)
agotador,-a *adj.* épuisant(e)
agotamiento *nm.* épuisement
agotar *v. tr.* épuiser
agraciado,-a *adj.* charmant(e), qui a de la chance
agradable *adj.* agréable
agradar *v. intr.* agréer, plaire
agradecer *v. tr.* remercier, être reconnaissant(e)
agradecimiento *nm.* gratitude *nf.*, remerciement
agrado *nm.* plaisir
agrandar *v. tr.* agrandir
agrario,-a *adj.* agraire
agravación *nf.* aggravation, alourdissement *nm.* des impôts
agravante *adj.* aggravant(e)
agravar *v. tr.* aggraver • *v. pr.* s'aggraver
agravio *nm.* offense *nf.*
agredir *v. tr.* attaquer
agregado *nm.* attaché
agregado,-a *adj.* ajouté(e)
agregar *v. tr.* ajouter
agresión *nf.* agression
agresividad *nf.* agressivité
agresivo,-a *adj.* agressif(ive)
agresor,-a *nm/f.* agresseur *nm.*
agriar *v. tr.* rendre aigre
agrícola *adj.* agricole
agricultor,-a *nm/f.* agriculteur(trice)
agricultura *nf.* agriculture
agridulce *adj.* aigre-doux
agrietar *v. tr.* gercer ; lézarder • *v. pr.* se crevasser
agrimensor *nm.* arpenteur
agrio,-a *adj.* aigre, âpre
agrios *nmpl.* les agrumes
agroalimentario,-a *adj.* agro-alimentaire
agronomía *nf.* agronomie
agrónomo,-a *adj. et nm/f.* agronome
agrupación *nf.* groupe *nm.*
agrupamiento *nm.* regroupement
agrupar *v. tr.* grouper
agua *nf.* eau
aguacate *nm.* avocat ; avocatier
aguacero *nm.* averse *nf.*
aguado,-a *adj.* coupé(e) d'eau
aguafiestas *nm. inv.* rabat-joie
aguafuerte *nf.* eau-forte
aguamarina *nf.* aigue-marine
aguanieve *nf.* neige fondue
aguantar *v. tr.* supporter, ***no lo aguanto*** je ne le supporte pas • *v. intr.* retenir • *v. pr.* se retenir
aguante *nm.* patience *nf.*, résistance *nf.*
aguar *v. tr.* couper d'eau ; gâcher
aguardar *v. tr. et intr.* attendre
aguardiente *nf.* eau-de-vie
agudeza *nf.* finesse
agudizar *v. tr.* aiguiser, accentuer
agudo,-a *adj.* pointu(e), aigu(ë)
agüero *nm.* augure
aguijón *nm.* aiguillon
águila *nf.* aigle *nm.*
aguileño,-a *adj.* aquilin
aguilucho *nm.* aiglon
aguinaldo *nm.* étrennes *nfpl.*
agüista *nm/f.* curiste
aguja *nf.* aiguille, aiguillage *nm.*
agujerear *v. tr.* faire un trou
agujero *nm.* trou
agujetas *nfpl.* courbatures
aguzar *v. tr.* aiguiser ; *(fig)* affiner
¡ah! *interj.* ah !
ahí *adv.* là
ahijado,-a *nm/f.* filleul(le)
ahínco *nm.* acharnement

ahíto,-a *adj.* repu(e), rassasié(e)
ahogado,-a *adj.* noyé(e) ; étouffé(e)
ahogar *v. tr.* noyer • *v. pr.* se noyer, s'étouffer
ahogo *nm.* étouffement
ahondamiento *nm.* approfondissement
ahondar *v. tr.* approfondir • *v. pr.* s'enfoncer
ahora *adv.* maintenant
ahorcado,-a *nm/f.* pendu(e)
ahorcar *v. tr.* pendre ; se pendre
ahorrado,-a *adj.* économe
ahorrador,-a *nm/f.* épargnant(e)
ahorrar *v. tr.* épargner
ahorro *nm.* épargne *nf.*, économies *nfpl.*
ahuecar *v. tr.* creuser, évider
ahumado,-a *adj.* fumé(e)
ahumar *v. tr.* fumer ; enfumer
ahuyentar *v. tr.* chasser
airado,-a *adj.* irrité(e)
airar *v. tr.* mettre en colère
aire *nm.* air ; allure *nf.*
airear *v. tr.* aérer • *v. pr.* s'aérer
airoso,-a *adj.* gracieux(euse)
aislacionismo *nm.* isolationisme
aislado,-a *adj.* isolé(e)
aislamiento *nm.* isolement
aislar *v. tr.* isoler
ajardinamiento *nm.* aménagement d'espaces verts
ajardinar *v. tr.* aménager en espaces verts
ajedrecista *nm/f.* joueur(euse) d'échecs
ajedrez *nm.* échecs *nmpl.*
ajeno,-a *adj.* d'autrui, étranger(ère)
ajetreado,-a *adj.* affairé(e), occupé(e)
ajetrearse *v. pr.* s'affairer
ajetreo *nm.* agitation *nf.*
ajo *nm.* ail
ajuar *nm.* trousseau de mariée
ajustado,-a *adj.* serré(e), moulant(e)
ajustar *v. tr.* ajuster, conclure • *v. pr.* s'adapter
ajuste *nm.* ajustage, réglage
ajusticiado,-a *nm/f.* condamné(e) à mort
ajusticiamiento *nm.* exécution *nf.*
ajusticiar *v. tr.* exécuter
al *(contraction de la prép.* **a** *et de l'article* **el***)* au, chez, dans
ala *nf.* aile, bord *nm.*
alabanza *nf.* louange
alabar *v. tr.* vanter, louer
alabastro *nm.* albâtre
alacena *nf.* placard *nm.*
alacrán *nm.* scorpion
aladelta *nf.* deltaplane *nm.*
alado,-a *adj.* ailé(e)
alamar *nm.* brandebourg
alambicado,-a *adj.* alambiqué(e)
alambique *nm.* alambic
alambrada *nf.* grillage *nm.*
alambrado *nm.* grillage
alambrado,-a *adj.* grillagé(e)
alambrar *v. tr.* grillager
alambre *nm.* fil de fer
alameda *nf.* allée de peupliers, allée, promenade
álamo *nm.* peuplier
alarde *nm.* déploiement, *(fig)* étalage
alargador *nm.* rallonge *nf.*
alargamiento *nm.* prolongement
alargar *v. tr.* rallonger ; étirer
alarido *nm.* hurlement
alarma *nf.* alarme
alarmante *adj.* alarmant(e)
alarmar *v. tr.* alerter, alarmer
alarmista *adj.* alarmiste
alba *nf.* aube
albacea *nm/f.* exécuteur(trice) testamentaire
albahaca *nf.* basilic *nm.*
albañil *nm.* maçon
albañilería *nf.* maçonnerie
albarán *nm.* bon de livraison
albaricoque *nm.* abricot
albaricoquero *nm.* abricotier
albatros *nm.* albatros
albedrío *nm.* libre arbitre
alberca *nf.* bassin *nm.* ; *(h. am.)* piscine
albergar *v. tr.* loger
albergue *nm.* auberge *nf.* ; hébergement
albino,-a *adj.* albinos
albóndiga *nf.* boulette de viande
albor *nm.* blancheur *nf.*, lueur *nf.* du jour
alborada *nf.* petit matin *nm.*
albornoz *nm.* peignoir de bain
alborotador,-a *nm/f.* agitateur(trice)
alborotamiento *nm.* vacarme
alborotar *v. tr.* chahuter • *v. pr.* s'affoler

alboroto *nm.* tapage, agitation *nf.*
alborozo *nm.* allégresse *nf.*
albufera *nf.* marécage *nm.*
albricias *nfpl.* cadeau *nm.*, présent *nm.*
álbum *nm.* album
albúmina *nf.* albumine
alcachofa *nf.* artichaut *nm.*
alcahuete,-a *nm/f.* entremetteur(euse)
alcade,-desa *nm/f.* maire(sse)
alcadía *nf.* mairie
alcance *nm.* portée *nf.* ; ***al alcance de la mano*** à portée de la main
alcanfor *nm.* camphre
alcantarilla *nf.* égout *nm.*
alcanzar *v. tr.* atteindre ; saisir
alcaparra *nf.* câpre
alcázar *nm.* château, alcazar
alcoba *nf.* chambre à coucher
alcohol *nm.* alcool
alcoholemia *nf.* alcoolémie, taux *nm.* d'alcool dans le sang
alcohólico,-a *adj. et nm/f.* alcoolique
Alcorán (el) *n. pr. m.* le Coran
alcornoque *nm.* chêne-liège • *adj.* ignorant(e)
alcurnia *nf.* lignée
aldaba *nf.* heurtoir de porte *nm.*
aldea *nf.* petit village *nm.*
aldeano,-a *adj.* villageois(e)
aleación *nf.* alliage *nm.*
aleatorio,-a *adj.* aléatoire
aleccionar *v. tr.* instruire ; former
aledaño,-a *adj.* voisin(e)
alegación *nf.* allégation
alegar *v. tr.* alléguer
alegato *nm.* plaidoirie *nf.*
alegoría *nf.* allégorie
alegrar *v. tr.* réjouir • *v. pr.* se réjouir
alegre *adj.* gai(e), joyeux(euse)
alegría *nf.* joie, gaieté
alejado,-a *adj.* éloigné(e)
alejamiento *nm.* éloignement
alejar *v. tr.* éloigner • *v. pr.* s'éloigner
alemán,-ana *adj.* allemand(e) • *nm/f.* Allemand(e)
Alemania *n. pr.* Allemagne
alentador,-a *adj.* encourageant(e)
alentar *v. tr.* encourager
alergia *nf.* allergie
alérgico,-a *adj.* allergique
alero *nm.* auvent
alerta *nf.* alerte
alertar *v. tr.* alerter
aleta *nf.* nageoire, palme
aletargado,-a *adj.* endormi(e)
aletargar *v. tr.* engourdir • *v. pr.* s'endormir
aletazo *nm.* coup d'aile
alfa *nf.* alpha *nm.*
alfabético,-a *adj.* alphabétique
alfabetización *nf.* alphabétisation
alfabetizar *v. tr.* alphabétiser
alfabeto *nm.* alphabet
alfalfa *nf.* luzerne
alfarería *nf.* poterie
alafarero *nm.* potier
alféizar *nm.* rebord
alférez *nm.* sous-lieutenant
alfiler *nm.* épingle *nf.*
alfombra *nf.* tapis *nm.*
alfombrar *v. tr.* couvrir de tapis
alfombrilla *nf.* carpette, paillasson *nm.*
alforjas *nfpl.* besace *nf.*
alga *nf.* algue
algarabía *nf.* charabia *nm.*
álgebra *nf.* algèbre
álgido,-a *adj.* culminant(e)
algo *pr. ind.* quelque chose • *adv.* un peu
algodón *nm.* coton
alguacil *nm.* huissier
alguien *pr. ind.* quelqu'un
algún *adj. (forme apocopée de* ***alguno****)* un, une, quelque, aucun(e)
alhaja *nf.* bijou *nm.* ; joyau *nm.*
alhelí *nm.* giroflée *nf.*
alianza *nf.* alliance
aliar *v. tr.* allier • *v. pr.* s'allier
alicaído,-a *adj.* abattu(e)
alicates *nmpl.* pince *nf.*
aliciente *nm.* attrait ; encouragement
alienación *nf.* aliénation
alienar *v. tr.* aliéner • *v. pr.* devenir fou
aliento *nm.* haleine *nf.* ; souffle
aligeramiento *nm.* soulagement
aligerar *v. tr.* alléger, soulager
alijo *nm.* marchandise *nf.* de contrebande
alimaña *nf.* bête nuisible
alimentación *nf.* alimentation, nourriture

alimentar *v. tr.* alimenter, nourrir • *v. pr.* s'alimenter, se nourrir
alimentario,-a *adj.* alimentaire ; qui concerne l'alimentation
alimenticio,-a *adj.* alimentaire, nutritif(ive)
alimentista *nm/f.* personne qui touche une pension alimentaire
alimento *nm.* aliment, nourriture *nf.*
alineación *nf.* alignement *nm.*
alinear *v. tr.* aligner
aliñar *v. tr.* assaisonner
aliño *nm.* assaisonnement
alisar *v. tr.* lisser
alioli *nm.* aïoli
alistado *nm.* engagé volontaire
alistamiento *nm.* engagement ; inscription *nf.*
alistar *v. tr.* recruter, inscrire • *v. pr.* s'enrôler, s'inscrire
aliviar *v. tr.* calmer, soulager
alivio *nm.* soulagement, réconfort
aljibe *nm.* citerne *nf.*
allá *adv.* là-bas
allanar *v. tr.* aplanir, niveler ; pacifier
allegado,-a *adj.* voisin(e), proche • *nm/f.* parent(e), proche ; ***los allegados,*** l'entourage
allí *adv.* là, là-bas, jusqu'alors
alma *nf.* âme
almacén *nm.* magasin ; entrepôt ; dépôt ; *(h. am.)* épicerie *nf.*
almacenado,-a *adj.* emmagasiné(e), stocké(e)
almacenaje *nm.* stockage, entreposage
almacenamiento *nm.* stockage, emmagasinage, entreposage
almacenar *v. tr.* emmagasiner, entreposer, stocker
almacenaro *nm.* magasinier ; *(h. am)* épicier
almadraba *nf.* pêche au thon
almanaque *nm.* almanach
almeja *nf.* clovisse, palourde
almena *nf.* créneau *nm.*
almendra *nf.* amande ; diamant taillé en forme d'amande
almendro *nm.* amandier
almíbar *nm.* sirop de sucre
almidón *nm.* amidon
almidonar *v. tr.* amidonner
almirante *nm.* amiral
almirez *nm.* mortier
almohada *nf.* oreiller *nm.*, coussin *nm.*
almohadilla *nf.* coussinet *nm.*, coussin *nm.*
almoneda *nf.* vente aux enchères, soldes *nmpl.*
almonedear *v. tr.* vendre aux enchères, vendre au rabais, solder
almorranas *nfpl.* hémorroïdes
almorzar *v. intr.* déjeuner, prendre un en-cas
almuerzo *nm.* déjeuner
alocación *nf.* allocation, attribution
alocado,-a *adj.* irréfléchi(e)
alocución *nf.* allocution
alojado,-a *adj.* logé(e)
alojamiento *nm.* logement
alojar *v. tr.* loger, héberger • *v. pr.* se loger
alondra *nf.* alouette
alpaca *nf.* alpaga *nm.*
alpargata *nf.* espadrille
alpinismo *nm.* alpinisme
alpino,-a *adj.* alpin(e)
alquería *nf.* ferme, exploitation agricole
alquilado,-a *adj.* loué(e)
alquilar *v. tr.* louer
alquiler *nm.* location, *nf.* loyer
alquimia *nf.* alchimie
alquitrán *nm.* goudron
alquitranar *v. tr.* goudronner
alrededor *adv.* autour
alrededores *nmpl.* environs, alentours
altanero,-a *adj.* hautain(e)
altar *nm.* autel
altavoz *nm.* haut-parleur
alteración *nf.* changement *nm.* ; modification
alterar *v. tr.* modifier, changer ; altérer, détériorer
altercado *nm.* altercation *nf.*
altercar *v. intr.* se disputer
alternancia *nf.* alternance
alternar *v. tr.* faire alterner • *v. intr.* fréquenter
alternativa *nf.* alternative
alternativamente *adv.* à tour de rôle
alternativo,-a *adj.* alternatif(ive)
alteza *nf.* altesse
altímetro *nm.* altimètre
altiplano *nm.* haut plateau

altísimo,-a *adj.* très haut(e), très grand(e)
altisonante *adj.* emphatique, pompeux(euse)
altitud *nf.* altitude
altivez *nf.* morgue
altivo,-a *adj.* hautain(e)
alto *adj.* haut(e), grand(e)
alto *nm.* hauteur *nf.*
altoparlante *nm.* haut-parleur
altruismo *nm.* altruisme
altruista *adj.* altruiste
altura *nf.* hauteur, sommet *nm.*, niveau *nm.*
alubia *nf.* haricot blanc *nm.*
alucinación *nf.* hallucination
alucinado,-a *adj.* halluciné(e) ; stupéfait(e)
alucinamiento *nm.* effarement, stupéfaction *nf.*
alucinante *adj.* hallucinant(e), effarant(e)
alucinar *v. tr. et intr.* halluciner, effarer
alucinógeno,-a *adj.* hallucinogène
alud *nm.* avalanche *nf.*
aludir *v. intr.* faire allusion, évoquer
alumbrado *nm.* éclairage
alumbramiento *nm.* éclairage ; accouchement
alumbrar *v. tr.* éclairer ; enfanter
aluminio *nm.* aluminium
alumno,-a *nm/f.* élève
alusión *nf.* allusion
aluvión *nm.* alluvion *nf.* ; *(fig)* crue *nf.*
alvéolo, alveolo *nm.* alvéole *nf.*
alza *nf.* hausse
alzamiento *nm.* révolte *nf.*
alzar *v. tr.* lever, élever ; soulever • *v. pr.* se lever, se soulever
amabilidad *nf.* amabilité
amable *adj.* aimable
amadrinar *v. tr.* être la marraine de
amaestrar *v. tr.* dresser
amaestramiento *nm.* dressage
amagar *v. tr.* annoncer ; faire mine de
amago *nm.* signe avant-coureur, menace *nf.*
amainar *v. intr.* faiblir
amalgama *nm.* amalgame
amalgamar *v. tr.* amalgamer
amamantar *v. tr.* allaiter
amancebarse *v. pr.* vivre en concubinage
amanecer *v. impers.* commencer à faire jour
amanecer *nm.* lever du jour, aube *nf.*
amanerado,-a *adj.* efféminé(e), maniéré(e)
amansar *v. tr.* apprivoiser ; *(fig)* calmer
amante *adj.* ami(e) ; amant(e)
amante *nm/f.* amant *nm.* , maîtresse *nf.*
amañar *v. tr.* truquer, falsifier
amaño *nm.* ruse *nf.*
amapola *nf.* coquelicot *nm.*
amar *v. tr.* aimer
amargar *v. intr.* avoir un goût amer • *v. tr.* donner un goût amer
amargo,-a *adj.* amer(ère)
amargura *nf.* amertume
amarillo,-a *adj.* jaune
amarra *nf.* amarre ; relations *nfpl.*
amasadera *nf.* pétrin *nm.*
amasadero *nm.* fournil
amasar *v. tr.* pétrir de la pâte
amasijo *nm.* pâte à pain *nf.*, mortier
amatista *nf.* améthyste
amazona *nf.* amazone
ámbar *nm.* ambre
ambición *nf.* ambition
ambicionar *v. tr.* ambitionner
ambicioso,-a *adj.* ambitieux(euse)
ambientación *nf.* ambiance
ambiente *nm.* ambiance *nf.* ; atmosphère *nf.*
ambiente *adj.* ambiant(e)
ambigüedad *nf.* ambiguïté
ámbito *nm.* enceinte *nf.* ; cadre ; sphère *nf.*
ambivalencia *nf.* ambivalence
ambivalente *adj.* ambivalent(e)
ambos,-as *adj.* les deux, tous les deux
ambulancia *nf.* ambulance
ambulante *adj.* mobile
ambulatorio *nm.* dispensaire
amenaza *nf.* menace
amenazador,-a *adj.* menaçant(e)

amenazar *v. tr.* menacer
ameno,-a *adj.* agréable
americanismo *nm.* américanisme
americano,-a *adj.* américain(e) • *nm/f.* Américain(e)
ametralladora *nf.* mitrailleuse
ametrallar *v. tr.* mitrailler
amianto *nm.* amiante
amigable *adj.* amiable
amigdala *nf.* amygdale
amigo,-a *nm/f.* ami(e)
aminoración *nf.* diminution, réduction
aminorar *v. tr.* réduire, diminuer
amistad *nf.* amitié, connaissance, relation
amistoso,-a *adj.* amical(e)
amnesia *nf.* amnésie
amnésico,-a *adj.* amnésique
amnistía *nf.* amnistie
amnistiar *v. tr.* amnistier
amo *nm.* maître, propriétaire
amojonar *v. tr.* borner, délimiter
amolar *v. tr.* aiguiser
amonestación *nf.* réprimande
amonestar *v. tr.* réprimander, donner un avertissement ; publier les bans de
amoniaco *nm.* ammoniac *nf.*
amontilado *nm.* vin de Xerès très sec
amontonamiento *nm.* amoncellement, entassement
amontonar *v. tr.* entasser • *v. pr.* s'entasser
amor *nm.* amour
amoral *adj.* amoral(e)
amoratado,-a *adj.* violacé(e)
amordazar *v. tr.* bâilloner, museler
amorfo,-a *adj.* amorphe
amorío *nm.* flirt
amoroso,-a *adj.* aimant(e), amoureux(euse)
amortajar *v. tr.* ensevelir
amortiguador *nm.* amortisseur
amortiguar *v. tr.* amortir
amortización *nf.* amortissement *nm.*
amortizar *v. tr.* amortir
amotinar *v. tr.* soulever • *v. pr.* se mutiner
amovible *adj.* amovible
amparar *v. tr.* protéger ; se réfugier
amparo *nm.* protection *nf.* ; abri
amperio *nm.* ampère
ampliación *nf.* extension ; élargissement *nm.*
ampliar *v. tr.* amplifier, agrandir
amplificación *nf.* amplification
amplificar *v. tr.* amplifier, agrandir
amplio,-a *adj.* ample, large
amplitud *nf.* ampleur, étendue
ampolla *nf.* ampoule *(sur la peau)*
amputación *nf.* amputation
amputar *v. tr.* amputer
amueblar *v. tr.* meubler
amuleto *nm.* amulette *nf.*
anacronismo *nm.* anachronisme
anagrama *nm.* anagramme *nf.*
anal *adj.* anal(e)
analfabetismo *nm.* analphabétisme
analfabeto,-a *adj.* analphabète
análisis *nm.* analyse *nf.*
analista *nm/f.* analyste
analítico,-a *adj.* analytique
analizar *v. tr.* analyser • *v. pr.* s'analyser
anaquel *nm.* rayon, étagère *nf.*, tablette *nf.*
anaranjado,-a *adj.* orangé(e)
anarquía *nf.* anarchie
anárquico,-a *adj.* anarchique
anarquismo *nm.* anarchisme
anarquista *adj.* anarchiste
anatomía *nf.* anatomie
anatómico,-a *adj.* anatomique
ancestral *adj.* ancestral(e)
anciano,-a *adj.* âgé(e), vieux, vieille • *nm/f.* vieil homme, vieille femme
ancla *nf.* ancre ; ***echar, levar ancla*** jeter, lever l'ancre
anclar *v. tr. et intr.* ancrer, mouiller
áncora *nf.* ancre
ancho,-a *adj.* large
anchoa *nf.* anchois *nm. (conserve)*
anchura *nf.* largeur
andaluz,-a *adj.* andalou(se), *nm/f.* Andalou(se)
andamio *nm.* échafaudage
andando *interj.* en avant ! allez !
andanza *nf.* aventure
andar *v. intr.* marcher ; aller, se porter ; parcourir
andar *nm.* démarche *nf.*, allure *nf.*

andas *nfpl.* brancard *nm.*
andén *nm.* quai *(de gare)*
andrajo *nm.* loque *nf.*, guenille *nf.*
andrajoso,-a *adj.* déguenillé(e), en loques
andrógino,-a *adj. et nm/f.* androgyne
anécdota *nf.* anecdote
anegar *v. tr.* inonder
anecdótico,-ca *adj.* anecdotique
anejo,-a *adj.* annexe • *nm.* annexe *nf.*
anemia *nf.* anémie
anémico,-a *adj.* anémique, anémié(e)
anémona *nf.* anémone
anestesia *nf.* anesthésie
anestesiar *v. tr.* anesthésier
anestesista *nm/f.* anesthésiste
anexar *v. tr.* annexer
anexión *nf.* annexion
anexionar *v. tr.* annexer
anexo,-a *adj.* annexe • *nm.* annexe *nf.*
anfiteatro *nm.* amphithéâtre
ánfora *nf.* amphore
ángel *nm.* ange ; *(fig)* charme
angelical *adj.* angélique
angina *nf.* angine ; ***tener anginas*** avoir une angine
anglicano,-a *adj.* anglican(e)
anglosajón,-ona *adj.* anglo-saxon(ne)
angora *nm.* angora
angosto,-a *adj.* étroit(e)
angostura *nf.* étroitesse
anguila *nf.* anguille
angular *adj.* angulaire
ángulo *nm.* angle
anguloso,-a *adj.* anguleux(euse)
angustia *nf.* angoisse
angustiado,-a *adj.* angoissé(e)
angustiar *v. tr.* angoisser • *v. pr.* s'angoisser
angustioso,-a *adj.* angoissant(e)
anhelante *adj.* désireux(euse)
anhelar *v. tr.* aspirer à
anhelo *nm.* désir, aspiration *nf.*
anidar *v. tr.* faire son nid
anillo *nm.* bague *nf.*, alliance *nf.*
ánima *nf.* âme
animación *nf.* animation
animado,-a *adj.* animé(e) ; en forme
animador,-a *adj. et nm/f.* animateur(trice)
animal,-e *adj. et nm.* animal ; brute *nf.*
animalada *nf.* bêtise
animar *v. tr.* animer, encourager
ánimo *nm.* esprit ; courage
animosidad *nf.* animosité
aniñado,-a *adj.* enfantin(e)
aniquilar *v. tr.* anéantir
anís *nm.* anis
aniversario *nm.* anniversaire
ano *nm.* anus
anoche *adv.* hier soir, la nuit dernière
anochecer *nm.* tombée de la nuit *nf.*
anodino,-a *adj.* anodin(e), quelconque
anomalía *nf.* anomalie
anonimato *nm.* anonymat
anónimo,-a *adj.* anonyme
anónimo *nm.* anonymat
anorac, anorak *nm.* anorak
anorexia *nf.* anorexie
anormal *adj.* anormal(e)
anotación *nf.* note, annotation
anotar *v. tr.* annoter, noter
anquilosar *v. tr.* ankyloser
ánsar *nm.* oie *nf.*
ansia *nf.* anxiété ; *(fig)* soif
ansiar *v. tr.* convoiter
ansiedad *nf.* anxiété
antagonismo *nm.* antagonisme
antagonista *adj.* antagoniste
antaño *adv.* autrefois
antártico,-a *adj.* antarctique
ante *nm.* daim
ante *prép.* devant
anteanoche *adv.* avant-hier soir
anteayer *adv.* avant-hier
antebrazo *nm.* avant-bras
antecámara *nf.* antichambre
antecedente *nm.* antécédent
antecedente *adj.* précédent(e)
antedata *nf.* antidate ; ***poner antedata*** antidater
antefechar *v. tr. (h. am.)* antidater
antelación *nf.* anticipation
antemano (de) *loc. adv.* d'avance
antena *nf.* antenne
anteojos *nmpl.* jumelles *nfpl.*
antepasado *nm.* ancêtre

anteponer *v. tr.* faire passer avant
anteproyecto *nm.* avant-projet
anterior *adj.* précédent(e), antérieur(e)
anterioridad *nf.* antériorité
anteriormente *adv.* antérieurement
antes *adv.* avant • **antes de** *prép.* avant
antesala *nf.* hall *nm.*
antiaéreo,-a *adj.* antiaérien(ne)
antiarrugas *adj. inv.* antirides
antibalas *adj. inv.* pare-balles
antibiótico *nm.* antibiotique
anticaspa *adj.* antipelliculaire
anticiclón *nm.* anticyclone
anticipación *nf.* anticipation, avance
anticipado,-a *adj.* anticipé(e), d'avance
anticipar *v. tr.* avancer ; être en avance
anticipo *nm.* avance *nf.* ; acompte
anticlericalismo *nm.* anticléricalisme
anticomunismo *nm.* anticommunisme
anticoncepción *nf.* contraception
anticonceptivo,-a *adj.* contraceptif(ive)
anticonformismo *nm.* anticonformisme
anticonformista *adj. et nm/f.* anticonformiste
anticongelante *nm.* antigel
anticonstitucional *adj.* anticonstitutionnel(le)
anticorrosivo,-a *adj.* anticorrosif(ive)
anticuado,-a *adj.* démodé(e), vieillot(te)
anticuario,-a *nm/f.* antiquaire
anticuerpo *nm.* anticorps
antidepresivo *nm.* antidépresseur
antideslizante *adj.* antidérapant(e)
antídoto *nm.* antidote
antifaz *nm.* masque
antigás *adj. inv.* antigaz
antigüedad *nf.* antiquité ; ancienneté
antiguo,-a *adj.* ancien(ne)
antiinflamatorio,-a *adj.* anti-inflammatoire
antílope *nm.* antilope *nf.*
antillano,-a *adj.* antillais(e) • *nm/f.* Antillais(e)
antiniebla *adj. inv.* antibrouillard
antioxidante *adj.* antirouille
antipatía *nf.* antipathie
antipático,-a *adj.* antipathique
antirreflejo *adj.* antireflet
antirrobo *nm.* antivol
antisemita *adj. et nm/f.* antisémite
antisemitismo *nm.* antisémitisme
antiséptico,-a *adj.* antiseptique • *nm.* antiseptique
antitanque *nm.* antichar
antitrust *adj. inv.* antitrust
antivirus *n. inv.* antiviral
antojadizo,-a *adj.* capricieux(euse)
antojarse *v. pr.* avoir envie de
antojo *nm.* envie *nf.* caprice
antología *nf.* anthologie
antorcha *nf.* torche
antropófago *nm/f.* anthropophage
antropología *nf.* anthropologie
antropólogo,-a *nm/f.* anthropologue
anual *adj.* annuel(le)
anualidad *nf.* annuité
anuario *nm.* annuaire
anubarrado,-a *adj.* nuageux(euse)
anudar *v. tr.* nouer
anulación *nf.* annulation
anular *nm.* annulaire
anular *v. tr.* annuler
anunciar *v. tr.* annoncer ; passer une annonce
anuncio *nm.* annonce *nf.* ; publicité *nf.*
anzuelo *nm.* hameçon
añadido,-a *adj.* ajouté(e)
añadidura *nf.* supplément *nm.*, complément *nm.* ajout *nm.*, addition
añadir *v. tr.* ajouter
añejo,-a *adj.* vieux, vieille
añicos *nmpl.* morceaux, miettes *nfpl.*
año *nm.* an, année *nf.* ; âge
añoranza *nf.* nostalgie, regret *nm.*
añorar *v. tr.* avoir la nostalgie, regretter
apacentamiento *nm.* pâturage
apacentar *v. tr.* faire paître
apacible *adj.* paisible, doux(ce)
apaciguamiento *nm.* apaisement
apaciguar *v. tr.* apaiser, calmer
apache *adj. et nm/f.* apache
apadrinamiento *nm.* parrainage
apadrinar *v. tr.* être le parrain de ; parrainer
apagado,-a *adj.* éteint(e) ; terne
apagar *v. tr.* éteindre ; étouffer ; atténuer
apagavelas *nm.* éteignoir

apagón *nm.* coupure de courant *nf.*
apalabrar *v. tr.* convenir verbalement de
apalancar *v. tr.* faire levier, forcer
apalear *v. tr.* rouer de coups
apañado,-a *adj.* habile, débrouillard(e)
apañarse *v. pr.* se débrouiller
aparador *nm.* buffet, vitrine *nf.*
aparato *nm.* appareil, poste
aparatoso,-a *adj.* pompeux(euse), ostentatoire
aparcar *v. tr.* garer • *v. pr.* se garer
aparcería *nf.* métayage *nm.*
aparcero,-a *nm/f.* métayer(ère)
aparear *v. tr.* accoupler *(animaux)*, mettre deux par deux • *v. pr.* s'accoupler
aparecer *v. intr.* apparaître, arriver
aparejo *nm.* harnais
aparentar *v. tr.* faire semblant
aparente *adj.* apparent(e)
aparentemente *adv.* apparemment
aparición *nf.* apparition ; parution
apariencia *nf.* apparence
apartado,-a *adj.* éloigné(e), retiré(e)
apartado *nm.* boîte postale *nf.*
apartadero *nm.* gare de triage *nf.*
apartadora *nf.* trieuse
apartamento *nm.* appartement
apartar *v. tr.* écarter, séparer
aparte *adv.* à part
apasionado,-a *adj.* passionné(e)
apasionamiento *nm.* passion *nf.*
apasionante *adj.* passionnant(e)
apasionar *v. tr.* passionner • *v. pr.* se passionner
apático,-a *adj.* apathique
apátrida *adj.* apatride
apear *v. tr.* faire descendre • *v. pr.* descendre
apechugar *v. tr.* assumer, faire face à
apedrear *v. tr.* lapider • *v. imp.* grêler
apego *nm.* attachement
apelación *nf.* appel *nm.*
apelar *v. intr.* faire appel
apelativo *nm.* surnom
apellidar *v. tr.* dénommer ; surnommer
apellido *nm.* nom de famille
apenas *adv.* à peine, tout juste
apéndice *nm.* appendice
apendicitis *nf.* appendicite
apergaminarse *v. pr.* se friper, se racornir
aperitivo *nm.* apéritif
apero *nm.* matériel agricole • *nmpl.* outils
apertura *nf.* ouverture
aperturista *nm/f.* réformateur(trice)
apesadumbrar *v. tr.* chagriner, attrister
apestar *v. intr.* puer, empester
apetecer *v. intr.* avoir envie de
apetecible *adj.* désirable
apetito *nm.* appétit
apetitoso,-a *adj.* appétissant(e)
apiadar *v. tr.* apitoyer • *v. pr.* s'apitoyer sur
apicultor,-a *nm/f.* apiculteur(trice)
apicultura *nf.* apiculture
apilar *v. tr.* empiler
apiñamiento *nm.* entassement
apiñar *v. tr.* entasser • *v. pr.* s'entasser
apio *nm.* céleri
apisonadora *nf.* rouleau compresseur *nm.*
aplacamiento *nm.* apaisement
aplacar *v. tr.* calmer
aplanar *v. tr.* aplanir
aplastamiento *nm.* écrasement
aplastar *v. tr.* écraser
aplaudir *v. intr.* applaudir
aplauso *nm.* applaudissement
aplazamiento *nm.* report
aplazar *v. tr.* reporter ; ajourner
aplicable *adj.* applicable
aplicación *nf.* application
aplicado,-a *adj.* appliqué(e)
aplicar *v. tr.* appliquer
aplomo *nm.* aplomb
apocado,-a *adj.* timide
apocalipsis *nf.* apocalypse
apodar *v. tr.* surnommer
apoderado *nm.* fondé de pouvoir
apoderar *v. tr.* donner une procuration, déléguer ses pouvoirs
apodo *nm.* surnom
apogeo *nm.* apogée
apolillarse *v. pr.* être mité(e), se miter
apolítico,-a *adj.* apolitique
apología *nf.* apologie
apoplegía *nf.* apoplexie
aporrear *v. tr.* cogner, taper, frapper

aportación *nf.* apport *nm.*
aportar *v. tr.* apporter
aporte *nm. (h. am)* apport
aposentar *v. tr.* loger • *v. pr.* se loger
aposento *nm.* chambre *nf.*
aposición *nf.* apposition
apósito *nm.* pansement
aposta *adv.* exprès
apostante *nm/f.* parieur(ieuse)
apostar *v. tr. et int.* parier
apóstol *nm.* apôtre
apostolado *nm.* apostolat
apostrofar *v. tr.* apostropher
apóstrofe *nm.* apostrophe *nf.*
apoteosis *nf.* apothéose
apoyar *v. tr.* appuyer • *v. pr.* s'appuyer
apoyo *nm.* appui, support, soutien
apreciable *adj.* appréciable
apreciación *nf.* appréciation
apreciar *v. tr.* apprécier, estimer
aprecio *nm.* estime *nf.*
apremiante *adj.* urgent(e), pressant(e)
apremiar *v. tr.* contraindre
apremio *nm.* contrainte *nf.*
aprender *v. tr.* apprendre
aprendiz,-a *nm/f.* apprenti(e)
aprendizaje *nm.* apprentissage
aprensión *nf.* appréhension
aprensivo,-a *adj.* craintif(ive)
apresar *v. tr.* saisir, capturer
apresurar *v. tr.* presser • *v. pr.* se presser
apretar *v. tr.* serrer, pincer
apretón *nm.* situation critique *nf.* ; poignée *nf.* de main
apretujar *v. tr.* tasser, serrer • *v. pr.* se serrer, se tasser
aprieto *nm.* situation difficile *nf.*
aprisa *adv.* vite
aprisionar *v. tr.* emprisonner
aprobación *nf.* approbation
aprobado *nm.* mention passable *nf.*, ***tiene un aprobado*** il a la mention passable
aprobado,-a *adj.* approuvé(e)
aprobar *v. tr.* approuver, adopter ; réussir un examen
aprontar *v. tr.* préparer rapidement
apropiación *nf.* appropriation
apropiado,-a *adj.* approprié(e)
apropiar *v. tr.* approprier • *v. pr.* s'approprier
aprovechable *adj.* utilisable
aprovechado,-a *nm/f.* protiteur(euse)
aprovechamiento *nm.* utilisation *nf.*, exploitation *nf.*
aprovechar *v. tr.* profiter de, se servir de
aprovechón,-ona *nm/f.* profiteur(euse)
aproximación *nf.* approximation, rapprochement *nm.*
aproximadamente *adv.* approximativement
aproximado,-a *adj.* approximatif(ive)
aproximar *v. tr.* approcher, rapprocher
aproximativo,-a *adj.* approximatif(ive)
aptitud *nf.* aptitude
apto,-a *adj.* apte
apuesta *nf.* pari *nm.*
apuesto,-a *adj.* élégant(e)
apuntar *v. tr.* noter, prendre des notes • *v. pr.* s'inscrire
apunte *nm.* note *nf.*
apuñalar *v. tr.* poignarder
apurado,-a *adj.* gêné(e), dans la gêne
apurar *v. tr.* finir, épuiser
apuro *nm.* gros ennui, difficulté *nf.*
aquel(-la, -los, -las) *adj. dém.* ce, cet, cette, ces
aquél(-la, -los, -las) *pron. dém.* celui-ci, celle-ci, ceux-ci, celles-ci
aquelarre *nm.* sabat
aquí *adv.* ici
aquietar *v. tr.* tranquilliser • *v. pr.* se tranquilliser
ara *nf.* pierre d'autel
árabe *adj.* arabe • *nm/f.* Arabe
arabesco *nm.* arabesque *nf.*
arada *nf.* labourage *nm.* ; terre labourée
arado *nm.* charrue *nf.*
arancel *nm.* tarif douanier
arancelario,-a *adj.* douanier(ière)
araña *nf.* araignée
arañar *v. tr.* griffer
arañazo *nm.* coup de griffe
arar *v. tr.* labourer
arbitraje *nm.* arbitrage
arbitrar *v. tr.* arbitrer
arbitrariedad *nf.* arbitraire *nm.*

arbitrario,-a *adj.* arbitraire
árbitro *nm.* arbitre
árbol *nm.* arbre
arbolado,-a *adj.* planté(e) d'arbres
arbolar *v. tr.* arborer
arboleda *nf.* bois *nm.*
arboricultura *nf.* arboriculture
arbusto *nm.* arbuste
arca *nf.* coffre *nm.*
arcaico,-a *adj.* archaïque
arcaísmo *nm.* archaïsme
arcángel *nm.* archange
arcanos *nmpl.* secrets
arce *nm.* érable
arcén *nm.* grand coffre, bas côté de la route
archipiélago *nm.* archipel
archivador *nm.* classeur
archivar *v. tr.* classer
archivista *nm/f.* archiviste
arcilla *nf.* argile
arco *nm.* arc
arcón *nm.* grand coffre
arder *v. intr.* brûler
ardid *nm.* ruse *nf.*
ardiente *adj.* ardent(e), brûlant(e)
ardilla *nf.* écureuil *nm.*
ardor *nm.* ardeur *nf.*, brûlure *nf.*
arduo,-a *adj.* ardu(e)
área *nf.* zone, surface
arena *nf.* sable *nm.*
arenga *nf.* harangue
arenoso,-a *adj.* sablonneux(euse)
arenque *nm.* hareng
arete *nm.* boucle d'oreilles *nf.*
argamasa *nf.* mortier *nm.*
argelino,-a *adj.* algérien(ne) • *nm/f.* Algérien(ne)
argolla *nf.* anneau *nm.*, alliance *nf.*
argot *nm.* argot, jargon
argótico,-a *adj.* argotique
argumentación *nf.* argumentation
argumentar *v. intr. et tr.* argumenter
argumento *nm.* argument, sujet
aridez *nf.* aridité
árido,-a *adj.* aride
arisco,-a *adj.* farouche, bourru(e)
arista *nf.* arête
aristocracia *nf.* aristocratie
aristócrata *nm/f.* aristocrate
aristocrático,-a *adj.* aristocratique
aritmética *nf.* arithmétique
aritmético,-a *adj.* arithmétique
arlequín *nm.* arlequin
arma *nf.* arme
armada *nf.* flotte
armado,-a *adj.* armé(e)
armador *nm.* armateur
armadura *nf.* armure
armamento *nm.* armement
armar *v. tr.* armer • *v. pr.* s'armer
armario *nm.* armoire *nf.*, placard *nm.*
armazón *nm.* armature *nf.*, carcasse *nf.*
armenio,-a *adj.* arménien(ne) • *nm/f.* Arménien(ne)
armería *nf.* armurerie
armero *nm.* armurier
armiño *nm.* hermine *nf.*
armisticio *nm.* armistice
armonía *nf.* harmonie
armonización *nf.* harmonisation
armonizar *v. tr.* harmoniser
arnés *nm.* harnais
aro *nm.* anneau, bague *nf.*
aroma *nm.* parfum
aromático,-a *adj.* aromatique
aromatizar *v. tr.* aromatiser
arpa *nf.* harpe
arpegio *nm.* arpège
arpillera *nf.* serpillière
arpón *nm.* harpon
arponear *v. tr.* harponner
arquear *v. tr.* courber
arqueo *nm.* cambrure *nf.* ; caisse *nf.*
arqueología *nf.* archélogie
arqueológico,-a *adj.* archéologique
arqueólogo,-a *nm/f.* archéologue
arquero *nm.* tireur à l'arc
arquetipo *nm.* archétype
arquitecto *nm.* architecte
arquitectura *nf.* architecture
arrabal *nm.* faubourg
arraigado,-a *adj.* enraciné(e)
arraigar *v. tr.* enraciner
arraigo *nm.* enracinement, attachement
arrancado,-a *adj.* arraché(e)
arrancamiento *nm.* arrachement
arrancar *v. tr.* arracher ; démarrer

arranque *nm.* arrachement ; démarrage
arras *nfpl.* arrhes
arrasar *v. tr.* aplanir ; dévaster
arrastrar *v. tr.* traîner ; entraîner
arrastre *nm.* déplacement ; entraînement
arrebatar *v. tr.* arracher ; ravir
arrebato *nm.* emportement ; extase *nf.*
arrecife *nm.* récif
arreglado,-a *adj.* rangé(e)
arreglar *v. tr.* arranger, ranger
arreglo *nm.* arrangement
arrellanarse *v. pr.* s'asseoir confortablement
arremangar *v. tr.* retrousser
arremeter *v. intr.* se jeter sur, s'en prendre à
arremetida *nf.* attaque
arrendador *nm.* bailleur, loueur
arrendamiento *nm.* location *nf.*, loyer
arrendar *v. tr.* louer
arrepentido,-a *adj.* repenti(e)
arrepentimiento *nm.* repentir
arrepentirse *v. pr.* se repentir
arrestar *v. tr.* mettre aux arrêts
arresto *nm.* arrestation *nf.*
arriba *adv.* en haut, là-haut, au-dessus
arribar *v. intr.* accoster
arribista *adj. et nm/f.* arriviste
arriero *nm.* muletier
arriesgado,-a *adj.* risqué(e)
arriesgar *v. intr.* risquer • *v. pr.* se risquer
arrimar *v. tr.* appocher • *v. pr.* s'approcher
arrinconado,-a *adj.* laissé(e) à l'écart
arrinconar *v. tr.* mettre à l'écart, laisser de côté
arrocería *nf.* rizière
arrocero,-a *adj.* rizicole
arrodillarse *v. pr.* se mettre à genoux
arrogancia *nf.* arrogance
arrogante *adj.* arrogant(e)
arrogarse *v. pr.* s'arroger
arrojar *v. tr.* jeter ; mettre en évidence
arrojo *nm.* courage
arrollador,-a *adj.* irrésistible, éblouissant(e)
arrollar *v. tr.* entraîner ; renverser
arropar *v. tr.* couvrir, protéger
arrostrar *v. tr.* affronter, faire face
arroyo *nm.* ruisseau
arroz *nm.* riz
arrubiado,-a *adj.* blondinet(te)
arruga *nf.* ride ; pli *nm.*
arrugar *v. tr.* rider, froisser • *v. pr.* se rider, se froisser
arruinar *v. tr.* ruiner • *v. pr.* se ruiner
arrullar *v. intr.* roucouler
arrumaco *nm.* câlinerie *nf.*
arrumar *v. tr.* empiler ; arrimer
arrumbar *v. tr.* mettre au rebut
arsenal *nm.* arsenal
arsénico *nm.* arsenic
arte *nm.* art
artefacto *nm.* appareil
arteria *nf.* artère
artesa *nf.* pétrin *nm.* ; auge *nf.*
artesanado *nm.* artisanat
artesanal *adj.* artisanal(e)
artesanía *nf.* artisanat *nm.*
artesano,-a *nm/f.* artisan(e)
artesano,-a *adj.* artisanal(e)
artesonado *nm.* plafond à caissons
articulación *nf.* articulation
articulado,-a *adj.* articulé(e)
articular *v. tr.* articuler
articulista *nm/f.* éditorialiste
artículo *nm.* article, ***artículo de prensa*** article de presse
artífice *nm/f.* artisan(e)
artificial *adj.* artificiel(le)
artificio *nm.* artifice
artilugio *nm.* engin
artillería *nf.* artillerie
artillero *nm.* artilleur
artimaña *nf.* ruse, piège *nm.*
artista *nm/f.* artiste
artrosis *nf.* arthrose
arzobispo *nm.* archevêque
as *nm.* as
asa *nf.* anse
asado,-a *adj.* rôti(e)
asador *nm.* broche *nf.* ; rôtisserie *nf.*
asalariado,-a *nm/f.* salarié(e)
asalmonado,-a *adj.* saumoné(e)
asaltante *nm/f.* attaquant(e)
asaltar *v. tr.* attaquer

asalto *nm.* assaut
asamblea *nf.* assemblée
asar *v. tr.* rôtir ; griller
ascendencia *nf.* ascendance
ascendente *adj.* ascendant(e) • *nm.* ascendant
ascender *v. intr.* monter ; être promu(e)
ascención *nf.* ascension
ascenso *nm.* avancement, promotion *nf.*
ascensor *nm.* ascenseur
asceta *nm/f.* ascète
ascético,-a *adj.* ascétique
asco *nm.* dégoût
ascua *nf.* braise
asear *v. tr.* nettoyer, arranger • *v. pr.* faire sa toilette, se préparer
asechar *v. tr.* tendre des pièges
asediar *v. tr.* assiéger
asedio *nm.* siège
asegurado,-a *adj.* assuré(e)
asegurador *nm.* assureur
asegurar *v. tr.* assurer
asemejarse *v. pr.* se ressembler
asentamiento *nm.* installation *nf.*
asentar *v. tr.* implanter, installer • *v. pr.* s'installer, s'établir
asentimiento *nm.* assentiment
asentir *v. intr.* acquiescer
aseo *nm.* toilette *nf.* ; propreté *nf.*
asepsia *nf.* aseptie
asequible *adj.* accessible
aserción *nf.* assertion
aserradero *nm.* scierie *nf.*
aserrar *v. tr.* scier
asesinar *v. tr.* assassiner
asesinato *nm.* assassinat
asesino,-a *adj.* assasin(ne)
asesino *nm.* assassin
asesor,-a *adj. et nm/f.* conseiller(ière)
asesoramiento *nm.* assistance *nf.*, conseil
asesorar *v. tr.* conseiller
asesoría *nf.* bureau de conseil *nm.*
aseveración *nf.* affirmation
aseverar *v. tr.* affirmer
asfalto *nm.* asphalte
asfixia *nf.* asphyxie
asfixiar *v. tr.* asphyxier • *v. pr.* s'asphyxier
así *adv.* ainsi
Asia *n. pr. f.* Asie
asiático,-a *adj.* asiatique • *nm/f.* Asiatique
asidero *nm.* manche ; soutien
asiduidad *nf.* assiduité
asiduo,-a *adj.* assidu(e)
asiento *nm.* siège ; place *nf.* ; écriture *nf.* comptable
asignación *nf.* allocation ; affectation
asignar *v. tr.* assigner ; affecter
asignatura *nf.* matière d'étude
asilo *nm.* asile
asimilación *nf.* assimilation
asimilar *v. tr.* assimiler
asimismo *adv.* aussi, de même
asir *v. tr.* prendre, saisir
asistencia *nf.* assistance, secours *nm.*
asistenta *nf.* femme de ménage
asistente *nm/f.* assistant(e)
asistido,-a *adj.* assisté(e)
asistir *v. tr.* assister, secourir
asma *nf.* asthme *nm.*
asmático,-a *adj.* asthmatique
asno *nm.* âne
asociación *nf.* association
asociado,-a *adj.* associé(e)
asociar *v. tr.* associer • *v. pr.* s'associer
asolador,-a *adj.* destructeur(trice)
asolamiento *nm.* ravage
asolar *v. tr.* dévaster
asomar *v. intr.* apparaître • *v. pr.* se pencher
asombrado,-a *adj.* étonné(e)
asombrar *v. tr.* étonner, stupéfier • *v. pr.* s'étonner
asombro *nm.* étonnement, surprise *nf.*
asombrosa,-a *adj.* étonnant(e), stupéfiant(e)
asomo *nm. (fig)* indice, ombre, signe
aspa *nf.* aile
aspavientos *nmpl.* simagrées *nfpl.*
aspecto *nm.* aspect, apparence *nf.*
aspereza *nf.* aspérité, rugosité
áspero,-a *adj.* rugeux(euse), rêche, revêche
aspiración *nf.* aspiration
aspirante *nm/f.* candidat(e)
aspirar *v. tr. et intr.* aspirer

aspirina *nf.* aspirine
asquear *v. tr.* dégoûter
asquerosidad *nf.* saleté
asqueroso,-a *adj.* dégoûtant(e), répugnant(e)
asta *nf.* manche *nm.*
asterisco *nm.* astérisque
astilla *nf.* éclat *nm. (bois ou pierre)*
astillero *nm.* chantier naval
astracán *nm.* astrakan
astral *adj.* astral(e)
astreñir *v. tr.* astreindre
astringente *adj.* astringent(e)
astro *nm.* astre
astrología *nf.* astrologie
astrólogo,-a *nm/f.* astrologue
astronauta *nm/f.* astronaute
astronomía *nf.* astronomie
astrónomo,-a *nm/f.* astronome
astucia *nf.* astuce
astuto,-a *adj.* astucieux(euse), rusé(e)
asumir *v. tr.* assumer
asunto *nm.* sujet, question *nf.*
asustadizo,-a *adj.* craintif(ive)
asustar *v. tr.* faire peur, effrayer • *v. pr.* avoir peur
asustado,-a *adj.* effrayé(e)
atacar *v. tr.* attaquer
atadura *nf.* lien *nm.* ; contrainte *nf.*
atajar *v. intr.* couper, prendre un raccourci
atajo *nm.* raccourci
atañer *v. intr.* concerner
ataque *nm.* attaque *nf.* ; crise *nf.*, ***ataque de risa*** fou rire
atar *v. tr.* attacher
atardecer *nm.* crépuscule ; tombée du jour *nf.*
atareado,-a *adj.* occupé(e)
atascamiento *nm.* enlisement
atascar *v. tr.* boucher • *v. pr.* se boucher
atasco *nm.* embouteillage, bouchon ; entrave *nf.*
ataúd *nm.* cercueil
ataviar *v. tr.* parer • *v. pr.* se parer
atávico,-a *adj.* atavique
atavismo *nm.* atavisme
ateísmo *nm.* athéisme
atemorizar *v. tr.* effrayer
atenazar *v. tr.* tenailler
atención *nf.* attention ; égard *nm.* • courtoisie *nf.*
atender *v. tr.* servir, répondre, satisfaire ; soigner, s'occuper de
atenerse *v. pr.* s'en tenir à
atentado *nm.* attentat
atentamente *adv.* attentivement
atentar *v. intr.* attenter
atento,-a *adj.* attentif(ive), ***estar atento*** être attentif, écouter ; attentionné(e), ***ser atento*** être attentionné
atenuante *nm.* circonstance atténuante *nf.*
atenuar *v. tr.* atténuer
ateo,-a *adj.* athée
aterrador,-a *adj.* terrifiant(e), effroyable
aterrar *v. tr.* terrifier
aterrizaje *nm.* atterrissage
aterizar *v. intr.* atterrir
aterrorizar *v. tr.* terroriser
atesoramiento *nm.* thésaurisation *nf.*
atesorar *v. tr.* accumuler, économiser
atestación *nf.* attestation, déclaration
atestado *nm.* constat
atestar *v. tr.* remplir, attester
atestiguación *nf.* témoignage *nm.*, déposition
atestiguar *v. tr.* témoigner de
atiborrar *v. tr.* bourrer
ático *nm.* appartement au dernier étage
atildado,-a *adj.* soigné(e)
atinar *v. intr.* trouver ; réussir
atizar *v. tr.* attiser
atlántico,-a *adj.* atlantique, ***océano Atlántico*** océan Atlantique
atlas *nm.* atlas
atleta *nm/f.* athlète
atlético,-a *adj.* athlétique
atletismo *nm.* athlétisme
atmósfera *nf.* atmosphère
atmosférico,-a *adj.* atmosphérique
atolondrado,-a *adj.* étourdi(e)
atolondramiento *nm.* étourderie *nf.*
atolladero *nm.* pétrin, impasse *nf.*
atómico,-a *adj.* atomique
átomo *nm.* atome
atónito,-a *adj.* stupéfait(e)
átono,-a *adj.* atone

atontado,-a *adj.* étourdi(e), abruti(e)
atontar *v. tr.* étourdir, abrutir
atormentar *v. tr.* torturer • *v. pr.* se torturer
atornillar *v. tr.* visser
atorrante *adj. (h. am.)* feignant(e)
atosigar *v. tr.* harceler
atracador,-a *nm/f.* gangster
atracar *v. tr.* amarrer ; attaquer • *v. pr.* se gaver, se bourrer
atracción *nf.* attraction, charme *nm.*
atraco *nm.* hold-up, vol à main armée
atractivo *nm.* attrait, charme
atractivo,-a *adj.* attirant(e)
atraer *v. tr.* attirer
atragantarse *v. pr.* s'étrangler
atrancar *v. tr.* boucher ; barricader, bloquer
atrapar *v. tr.* attraper ; piéger
atrás *adv.* derrière, en arrière, arrière ; plus tôt, avant
atrasado,-a *adj.* en retard
atraso *nm.* retard
atrasos *nmpl.* arriérés
atravesar *v. tr.* traverser ; mettre en travers • *v. pr.* se mettre en travers, s'interposer
atrayente *adj.* séduisant(e)
atreverse *v. pr.* oser
atrevido,-a *adj.* audacieux(euse) ; insolent(e)
atrevimiento *nm.* hardiesse *nf.* ; insolence *nf.*
atribución *nf.* attribution
atribuir *v. tr.* attribuer
atributo *nm.* attribut
atrocidad *nf.* atrocité
atrofiar *v. tr.* atrophier
atronar *v. tr.* assourdir
atropellado,-a *adj.* précipité(e)
atropellar *v. tr.* renverser ; piétiner
atropello *nm.* accident ; bousculade *nf.*
atroz *adj.* atroce
atuendo *nm.* toilette *nf.*, tenue *nf.*
atún *nm.* thon
atunero *nm.* thonier
aturdimiento *nm.* étourderie *nf.*
aturdir *v. tr.* étourdir, abasourdir
audacia *nf.* audace
audaz *adj.* audacieux(euse)
audición *nf.* audition
audiencia *nf.* auditoire *nm.*, audience
audímetro *nm.* audimètre
audiovisual *adj.* audiovisuel(le)
auditor,-a *nm/f.* auditeur(trice)
auditoría *nf.* audit *nm.*, contrôle *nm.*
auditorio *nm.* auditoire ; auditorium
auditórium *nm.* auditorium
auge *nm.* apogée, essor
augurar *v. tr.* augurer
aula *nf.* salle de classe
aullar *v. intr.* hurler
aullido *nm.* hurlement
aumentar *v. tr.* augmenter
aumento *nm.* augmentation *nf.*, hausse *nf.* ; grossissement *nm.*
aun *adv.* même
aún *adv.* encore
aunar *v. tr.* rassembler, réunir, conjuguer
aunque *conj.* quoique, bien que ; *(avec le subjonctif)* même si
aureola *nf.* auréole
aureolar *v. tr.* auréoler
aurora *nf.* aurore
auscultar *v. tr.* ausculter
ausencia *nf.* absence
ausentarse *v. pr.* s'absenter
ausente *adj.* absent(e)
ausentismo *nm.* absentéisme
austeridad *nm.* austérité
austero,-a *adj.* austère
austral *adj.* austral(e)
Australia *n. pr. f.* Australie
australiano,-a *adj.* australien(ne) • *nm/f.* Australien(ne)
austríaco,-a *adj.* autrichien(ne) • *nm/f.* Autrichien(ne)
autarcía *nf.* autarcie
autenticidad *nf.* authenticité
auténtico,-a *adj.* authentique
autista *adj. et nm/f.* autiste
auto *nm.* auto *nf.*, voiture *nf.*
autobiografía *nf.* autobiographie
autobús *nm.* autobus, bus
autocar *nm.* autocar
autocine *nm.* drive-in
autóctono,-a *adj. et nm/f.* autochtone
autodefensa *nf.* autodéfense

autodeterminación *nf.* autodétermination
autodidacto,-a *adj. et nm/f.* autodidacte
autoescuela *nf.* auto-école
autoestop, autostop *nm.* auto-stop, ***hacer autoestop*** faire du stop
autofinanciación *nf.* autofinancement *nm.*
autogestion *nf.* autogestion
autógrafo *nm.* autographe
automación *nf.* automation
autómata *nm.* automate
automaticidad *nf.* automaticité
automático,-a *adj.* automatique
automatismo *nm.* automatisme
automatización *nf.* automatisation
automatizar *v. tr.* automatiser
automóvil *nm.* automobile *nf.*
automovilismo *nm.* automobilisme
automovilista *nm/f.* automobiliste
autonomía *nf.* autonomie
autonomista *adj. et nm/f.* autonomiste
autónomo,-a *adj.* autonome
autopista *nf.* autoroute
autopsia *nf.* autopsie
autopsiar *v. tr.* autopsier
autor,-a *nm/f.* auteur
autoridad *nf.* autorité
autoritario,-a *adj.* autoritaire
autoritarismo *nm.* autoritarisme
autorización *nf.* autorisation ; licence
autorizar *v. tr.* autoriser
autorradio *nm.* autoradio *nm. ou nf.*
autorretrato *nm.* autoportrait
autoservicio *nm.* libre-service
autovía *nf.* route à quatre voies
auxiliar *adj.* auxiliaire, d'appoint • *nm/f.* auxiliaire, assistant(e)
auxiliar *v. tr.* aider, assister
auxilio *nm.* aide*nf.* secours *nm.*
aval *nm.* aval, garantie *nf.*
avalancha *nf.* avalanche
avalar *v. tr.* avaliser, donner son aval
avance *nm.* avance, progrès ; bande-annonce *nf.*, film-annonce ; ***avance informativo*** flash d'information
avanzada *nf.* avancée
avanzar *v. intr.* avancer
avaricia *nf.* avarice
avariento,-a *adj.* avare
avaro,-a *adj.* avare
avasallar *v. tr.* asservir
avatar *nm.* avatar
ave *nf.* oiseau *nm.*
avecinar *v. tr.* domicilier • *v. pr.* se domicilier, s'approcher
avellana *nf.* noisette
avellano *nm.* noisetier
avena *nf.* avoine
avenencia *nf.* accord *nm.*, entente *nf.*
avenida *nf.* avenue
avenirse *v. pr.* s'accorder, s'entendre
aventajar *v. tr.* dépasser, surpasser
aventura *nf.* aventure
aventurar *v. tr.* aventurer • *v. pr.* s'aventurer
aventurero,-a *nm/f.* aventurier(ère)
avergonzado,-a *adj.* honteux(euse)
avergonzar *v. tr.* faire honte • *v. pr.* avoir honte
avería *nf.* avarie, panne
averiado,-a *adj.* en panne
averiarse *v. pr.* tomber en panne
averiguación *nf.* enquête, vérification
averiguar *v. tr.* vérifier, rechercher
aversión *nf.* aversion
avestruz *nf.* autruche
aviación *nf.* aviation
aviador,-a *nm/f.* aviateur(trice)
avidez *nf.* avidité
ávido,-a *adj.* avide
avinagrar *v. tr.* aigrir • *v. pr.* devenir aigre, s'aigrir
avío *nm.* attirail
avión *nm.* avion
avioneta *nf.* avion de tourisme *nm.*
avisado,-a *adj.* avisé(e), averti(e)
avisar *v. tr.* avertir, prévenir
aviso *nm.* avis, avertissement
avispa *nf.* guêpe
avispado,-a *adj.* vif, vive
avispón *nm.* frelon
avivar *v. tr.* raviver, aviver, stimuler
axila *nf.* aisselle
¡ay! *interj.* aïe !, oh !
aya *nf.* gouvernante
ayer *adv.* hier
ayuda *nf.* aide, secours *nm.*

ayudante *nm/f.* assistant(e)
ayudar *v. tr.* aider • *v. pr.* s'aider
ayunar *v. intr.* jeûner
ayuntamiento *nm.* mairie *nf.*, municipalité *nf.*
azabache *nm.* jais
azada *nf.* houe
azafata *nf.* hôtesse de l'air, hôtesse d'accueil
azafrán *nm.* safran
azahar *nm.* fleur d'oranger *nf.*
azar *nm.* hasard
azogue *nm.* mercure, vif-argent
azotaina *nf.* volée, raclée
azotar *v. tr.* frapper, fouetter • *v. pr.* s'abattre sur
azote *nm.* coup, coup de fouet, gifle *nf.* ; fessée *nf.*
azotea *nf.* terrasse
azteca *adj.* aztèque • *nm/f.* Aztèque
azúcar *nm.* sucre, ***echar azúcar*** sucrer
azucarado,-a *adj.* sucré(e)
azucarar *v. tr.* sucrer
azucarero *nm.* sucrier
azucena *nf.* lys *nm.*, lis *nm.*
azufre *nm.* soufre
azul *adj.* bleu(e)
azulejo *nm.* azulejo, carreau de faïence

B

b *nf.* b *nm. inv.*
baba *nf.* bave ; ***caérsele a uno la baba*** être aux anges
babear *v. intr.* baver
babero *nm.* bavette *nf.*, bavoir *nm.*
babor *nm.* bâbord
babosa *nf.* limace
babosear *v. tr.* baver
baboso,-a *adj.* baveux(euse)
babucha *nf.* babouche
bacalao *nm.* morue *nf.*
bacanal *nf.* orgie
bacarrá, bacará *nm.* baccara
bacilo *nm.* bacille
bacteria *nf.* bactérie
báculo *nm.* bâton ; crosse *nf.*
bache *nm.* trou, nid-de-poule
bachiller,-a *nm/f.* bachelier(ère)
bachillerato *nm.* baccalauréat ; études secondaires *nfpl.*
badajo *nm.* battant *(de cloche)*
badén *nm.* caniveau ; cassis
bagaje *nm.* bagage
bagatela *nf.* bagatelle
bahía *nf.* baie
bailador,-a *nm/f.* danseur(euse)
bailaor,-a *nm/f.* danseur(euse) de flamenco *nm/f.*
bailar *v. tr. et intr.* danser
bailarín,-ina danseur, danseuse
baile *nm.* danse *nf.* ; bal
bailongo *nm. (h. am.)* bal populaire
bailotear *v. intr.* guincher *(fam)*
baja *nf.* baisse, perte
bajada *nf.* descente, baisse
bajamar *nf.* basse mer
bajar *v. tr.* baisser ; descendre • *v. pr.* se baisser
bajeza *nf.* bassesse
bajal *nm. (h. am.)* plaine *nf.*
bajío *nm.* banc de sable
bajo,-a *adj.* bas(se)
bajo *adv.* bas • *prép.* sous
bajón *nm.* baisse *nf.* ; chute *nf.*
bajorrelieve *nm.* bas-relief
bala *nf.* balle
balacera *nf. (h. am.)* fusillade
balada *nf.* ballade
baladí *adj.* futile, insignifiant(e)
balance *nm. (écon.)* bilan, résultat
balancear *v. intr.* se balancer ; hésiter
balanceo *nm.* balancement ; roulis
balancín *nm.* rocking-chair ; fauteuil à bascule
balanza *nf.* balance ; ***balanza comercial*** balance commerciale
balar *v. intr.* bêler
balazo *nm.* blessure par balle *nf.* ; balle *nf.*

balbucear *v. intr.* balbutier
balbuceo *nm.* babillage, balbutiement
balcón *nm.* balcon
baldaquín *nm.* baldaquin
baldear *v. tr.* laver à grande eau
balde *nm.* seau
balde (en) *adv.* en vain
baldosa *nf.* carreau *nm.*, dalle *nf.*
Baleares (las) *n. prop. fpl.* les Baléares
baldosín *nm.* petit carreau
baleo *nm. (h. am.)* coup de feu
balido *nm.* bêlement
balística *nf.* balistique
balita *nf. (h. am.)* bille
baliza *nf.* balise
balneario *nm.* station *nf.* balnéaire ou thermale
balón *nm.* ballon
baloncesto *nm.* basket-ball
balonmano *nm.* hand-ball
balonvolea *nm.* volley-ball
balsa *nf.* radeau *nm.* ; étang *nm.* ; mare
bálsamo *nm.* baume
baluarte *nm.* rempart ; bastion
ballena *nf.* baleine
ballenero *nm.* baleinier
ballenero,-a *adj.* baleinier(ère)
ballet *nm.* ballet
bambú *nm.* bambou
banal *adj.* banal(e)
banana *nf. (h. am.)* banane
bananar *nf. (h. am.)* bananeraie
banasto *nm.* panier rond
banca *nf.* banque *(système)* ; banc *nm.*
bancario,-a *adj.* bancaire
bancarrota *nf.* banqueroute ; faillite
banco *nm.* banque *(établissement) nf.* ; banc *nm.*
banda *nf.* bande ; écharpe ; ruban *nm.* ; fanfare *nf.*
bandada *nf.* volée (*d'oiseaux*) ; banc *nm.* (*de poissons*)
bandazo *nm.* embardée *nf.*
bandeja *nf.* plateau *nm.*
bandera *nf.* drapeau *nm.* ; pavillon *nm.*
banderilla *nf.* banderille
banderillero *nm.* banderillero
banderín *nm.* fanion ; porte-drapeau
bandidaje *nm.* banditisme
bandido,-da *nm/f.* bandit
bandolero *nm.* bandit, brigand
bandurria *nf.* (*mus.*) mandore, petite mandoline espagnole
banjo *nm.* banjo
banquero,-era *nm/f.* banquier(ère)
banqueta *nf.* banquette
banquete *nm.* banquet, festin
banquillo *nm.* petit banc
banquisa *nf.* banquise
bañada *nf. (h. am.)* bain *nm.*
bañadera *nf. (h. am.)* baignoire
bañador *nm.* maillot de bain
bañar *v. tr.* baigner • *v. pr.* se baigner
bañera *nf.* baignoire
bañista *nm/f.* baigneur(euse)
baño *nm.* bain ; enduit
baobab *nm.* baobab
baptisterio *nm.* baptistère
bar *nm.* bar
barahúnda *nf.* bruit *nm.*, tapage *nm.*
baraja *nf.* jeu de cartes *nm.*
barajar *v. tr.* battre (*les cartes*) ; évoquer, mettre en avant
baranda, barandilla *nf.* rampe, balustrade
baratija *nf.* babiole ; camelote
baratillero *nm.* brocanteur
barato,-a *adj.* bon marché • *adv.* bon marché
barba *nf.* menton *nm.* ; barbe *nf.*
barbacoa *nf.* barbecue *nm.*
barbado,-a *adj.* barbu(e)
barbaridad *nf.* énormité, bêtise ; atrocité ; horreur
barbarie *nf.* barbarie
barbarismo *nm.* barbarisme
barbecho *nm.* jachère *nf.*
barbería *nf.* boutique du coiffeur
barbero *nm.* coiffeur *(pour hommes)*
barbilampiño,-a *adj.* imberbe • *nm.* jeunot
barbirrojo,-a *adj.* à la barbe rousse
barbilla *nf.* menton *nm.*
barbitúrico *nm.* barbiturique
barbudo,-a *adj.* barbu(e)
barca *nf.* barque
barcaza *nf.* péniche
Barcelona *n. prop.* Barcelone
barcelonés,-esa *adj.* barcelonais(e)
barco *nm.* bateau

baremo *nm.* barème
barítono *nm.* baryton
barniz *nm.* vernis
barnizar *v. tr.* vernir
barómetro *nm.* baromètre
barón,-esa *nm/f.* baron(ne)
barra *nf.* barre ; bâton *nm.* ; bar *nm.*
barraca *nf.* baraque ; stand *nm.*
barragán,-ana *nm/f.* concubin(ne)
barranco *nm.* précipice, ravin
barrena *nf.* mèche, foret *nm.*
barrenar *v. tr.* forer ; perforer
barrendero,-a *nm/f.* balayeur(euse)
barreño *nm.* bassine *nf.*
barrer *v. tr.* balayer
barrera *nf.* barrière
barriada *nf.* quartier *nm.*
barrido *nm.* balayage
barriga *nf.* ventre *nm.*
barrigón,-ona *adj.* bedonnant(e), qui a du ventre
barril *nm.* tonneau
barrio *nm.* quartier
barro *nm.* boue *nf.*
barroco,-a *adj.* baroque
barroso,-a *adj.* boueux(euse)
bártulos *nmpl.* affaires *nfpl.* ***liar los bártulos*** plier bagages
barullo *nm.* boucan, bazar
basar *v. tr.* baser
basca *nf.* mal au cœur *nm.*
báscula *nf.* bascule
base *nf.* base
básico,-a *adj.* basique
basílica *nf.* basilique
¡basta! *interj.* ça suffit !
bastante *adj.* assez de, suffisant • *adv.* assez
bastar *v. intr.* suffire
bastardo,-a *adj. et nm/f.* bâtard(e)
bastidor *nm.* châssis • *nmpl.* coulisses *nfpl.*
basto,-a *adj.* grossier(ière)
bastón *nm.* canne *nf.* ; bâton *nm.*
basura *nf.* ordures *nfpl.*
basurero *nm.* éboueur ; décharge *nf.*
bata *nf.* robe de chambre
batalla *nf.* bataille
batallón *nm.* bataillon
batería *nf.* batterie
batida *nf.* battue ; rafle
batido,-a *adj.* fouetté(e)
batidora *nf.* mixeur *nm.*
batín *nm.* veste d'intérieur *nf.*
batir *v. tr.* battre, vaincre ; fouetter *(cuisine)*
batracios *nmpl.* batraciens
baturrillo *nm.* fatras
baturro *adj. et nm/f.* paysan(ne) aragonais(e)
batuta *nf.* baguette de chef d'orchestre
baúl *nm.* malle *nf.*
bautismo *nm.* baptême *(sacrement)*
bautizar *v. tr.* baptiser
bautizo *nm.* baptême
bayeta *nf.* flanelle
bayoneta *nf.* baïonnette
baza *nf.* pli *nm.* ; levée ; atout *nm.*
bazar *nm.* bazar
beatificación *nf.* béatification
beato,-a *adj.* dévot(e), *(fam)* bigot(e)
bebé *nm.* bébé
bebedor,-a *nm/f.* buveur(euse)
beber *v. tr. et intr.* boire
bebida *nf.* boisson
bebido,-a *adj.* ivre
beca *nf.* bourse
becario,-a *nm/f.* boursier(ière)
becerro,-a *nm/f.* veau, génisse
beduino,-a *adj.* bédouin(e)
begonia *nf.* bégonia *nm.*
béisbol *nm.* base-ball
bélico,-a *adj.* belliqueux(euse)
beligerante *adj.* belligérant(e)
bellaco,-a *nm/f.* coquin(e) ; scélérat(e)
belleza *nf.* beauté
bello,-a *adj.* beau (belle)
bellota *nf. (bot.)* gland *nm.*
bemol *nm.* bémol
bendecir *v. tr.* bénir
bendición *nf.* bénédiction
bendito,-a *adj.* béni(e), bénit(e)
benefactor,-a *nm/f.* bienfaiteur(trice)
beneficencia *nf.* bienfaisance
beneficiar *v. intr. et pr.* bénéficier ; tirer profit de
beneficio *nm.* bénéfice ; bienfait
benéfico,-a *adj.* bénéfique
benévolo,-a *adj.* bénévole

benigno,-a *adj.* bénin(igne) ; (*température*) doux (douce)
berenjena *nf.* aubergine
berlina *nf.* berline
berrear *v. intr.* beugler ; brailler
berrido *nm.* beuglement ; braillement
berriche *nm. (fam)* accès de colère
berro *nm.* cresson
berza *nf.* chou *nm.*
besar *v. tr.* embrasser • *v. pr.* s'embrasser
beso *nm.* baiser
bestia *nf.* bête ; *(fig)* brute
bestialidad *nf.* bestialité
best-seller *nm.* best-seller
besugo *nm.* daurade *nf.* ; *(fam)* abruti
besuquearse *v. pr.* se bécoter
betún *nm.* cirage
biberón *nm.* biberon
biblia *nf.* bible
bibliografía *nf.* bibliographie
biblioteca *nf.* bibliothèque
bibliotecario,-a *nm/f.* bibliothécaire
bicarbonato *nm.* bicarbonate
bíceps *nm.* biceps
bici *nf. (fam)* vélo *nm.*
bicicleta *nf.* bicyclette
bicolor *adj.* bicolore
bicho *nm.* bête *nf.* ; bestiole *nf.*
bidé *nm.* bidet
biela *nf.* bielle
bien *nm.* bien • *adv.* bien • *conj.* soit
bienestar *nm.* bien-être
bienhechor,-a *adj. et nm/f.* bienfaiteur(trice)
bienintencionado,-a *adj.* bien intentionné(e)
bienvenida *nf.* bienvenue
bies *nm.* biais
bife *nm. (h. am.)* bifteck
bifurcación *nf.* bifurcation
bigamia *nf.* bigamie
bígamo,-a *adj.* bigame • *nm/f.* bigame
bigarrado,-a *adj.* bigarré(e)
bigote *nm.* moustache *nf.*
bigotudo,-a *adj.* moustachu(e)
bikini *nm.* bikini
bilateral *adj.* bilatéral(e)
bilbaíno,-a *adj.* de Bilbao
biliar *adj.* biliaire
bilingüe *adj.* bilingue
bilingüismo *nm.* bilinguisme
bilis *nf.* bile
billar *nm.* billard
billete *nm.* billet
billetero *nm.* portefeuille
billón *nm.* billion
binario,-a *adj.* binaire
binóculo *nm.* binocle
biodegradable *adj.* biodégradable
biografía *nf.* biographie
biología *nf.* biologie
biombo *nm.* paravent
bioquímica *nf.* biochimie
birlar *v. tr.* faucher ; piquer
birria *nf. (fam)* mocheté ; horreur
bis *adv.* bis
bisabuelo,-a *nm/f.* bisaïeul(e), arrière-grand-père *nm.* ; arrière-grand-mère *nf.*
bisagra *nf.* charnière
bisanual *adj.* bisannuel(le)
bisel *nm.* biseau
bisexual *adj.* bisexuel(le)
bisiesto *adj.* bissextile
bisonte *nm.* bison
bisoño,-a *adj.* novice • *nm/f.* novice
bistec *nm.* bifteck
bisturí *nm.* bistouri
bisutería *nf.* bijouterie fantaisie ; toc *nm.*
bizantino,-a *adj.* byzantin(e)
bizarría *nm/f.* courage *nm.*, bravoure *nf.*, générosité *nf.*
bizco,-a *adj.* bigle, louche
bizcocho *nm.* biscuit ; gâteau
biznieto,-a *nm/f.* arrière-petit-fils, arrière-petite-fille
bizquear *v. intr.* loucher
blanco,-a *adj.* blanc (blanche) • *nm.* cible *nf.* ; but *nm.*
blancor *nm.*, **blancura** *nf.* blancheur
blando,-a *adj.* mou (molle) ; doux (douce)
blandura *nf.* molesse ; douceur
blanquear *v. tr.* blanchir
blanqueo *nm.* blanchissage ; blanchiment
blasfemia *nf.* blasphème *nm.*
blasón *nm.* blason
bledo *nm.* blette *nf.*
blindado,-a *adj.* blindé(e)
blindaje *nm.* blindage

blindar *v. tr.* blinder
bloquear *v. tr.* bloquer
bloqueo *nm.* blocus ; blocage
blusa *nf.* corsage *nm.*, chemisier *nm.*
boa *nf.* boa *nm.*
bobada *nf.* bêtise, sottise
bobina *nf.* bobine
bobo,-a *adj. et nm/f.* sot(te), idiot(e)
boca *nf.* bouche
bocacalle *nf.* entrée de rue
bocadillo *nm.* sandwich
bocado *nm.* bouchée *nf.* ; morsure *nf.*
bocanada *nf.* gorgée, bouffée
bocazas *nm. (fam)* grande gueule *nf.*
boceto *nm.* ébauche *nf.*
bocina *nf.* avertisseur *nm.*
bocinazo *nm.* coup de klaxon
bochorno *nm.* chaleur lourde *nf.* ; honte *nf.*
boda *nf.* noce, mariage *nm.*
bodega *nf.* cave à vin ; cellier *nm.*
bodegón *nm.* nature morte (*peinture*) ; taverne *nf.*, bistro *nm.*
bofe *nm.* poumon, mou
bofetón *nm.* gifle *nf.*
boga *nf.* vogue ; mode
bogar *v. intr.* ramer ; naviguer
bohemio,-a *adj. et nm/f.* bohémien(ne), tzigane
boicoteo *nm.* boycott
boicotear *v. tr.* boycotter
boina *nf.* béret *nm.*
boj *nm.* buis
bol *nm.* bol
bola *nf.* boule ; bille
bolera *nf.* bowling *nm.* ; boulodrome *nm.*
boletín *nm.* bulletin, communiqué
boleto *nm. (h. am.)* billet, bulletin
bólido *nm.* bolide
boliche *nm.* bilboquet ; cochonnet
bolígrafo *nm.* stylo-bille
Bolivia *n. prop. f.* Bolivie
boliviano,-a *adj.* bolivien(ienne) • *nm/f.* Bolivien(ienne)
bolladura *nf.* bosse
bollar *v. tr.* cabosser
bollo *nm.* brioche *nf.* ; pain au lait *nm.*
bolo *nm.* quille *nf.*
bolsa *nf.* bourse, sac *nm.* ; poche *nf.*
bolsillo *nm.* poche *nf.* ; porte-monnaie *nm.*
bolsita *nf.* sachet *nm.*
bolsista *nm. (éco)* boursier
bolso *nm.* sac *(à main)*
bomba *nf.* bombe ; pompe
bombardear *v. tr.* bombarder
bombardeo *nm.* bombardement
bombear *v. tr.* pomper
bombero *nm.* sapeur-pompier ; pompiste
bombilla *nf.* ampoule
bombo *nm.* (*mus.*) grosse caisse *nf.* ; bruit *nm.*
bombón *nm.* bonbon au chocolat
bonbona *nf.* bonbonne
bombonera *nf.* bonbonnière
bonaerense *adj.* de Buenos Aires
bonanza *nf.* prospérité
bondad *nf.* bonté
bondadoso,-a *adj.* bon(ne)
bonetería *nf. (h. am.)* mercerie
bonificación *nf.* remise, rabais *nm.*
bonificar *v. tr.* bonifier ; faire une remise
bonito,-a *adj.* joli(e)
bonito *nm.* thon
bono *nm.* bon ; obligation *nf.*
bonobus *nm.* carte d'abonnement pour le bus *nf.*
boom *nm.* boom
boqueada *nf.* dernier soupir *nm.*
boquear *v. intr.* ouvrir la bouche ; être mourant(e)
boquerón *nm.* anchois (*frais*)
boquete *nm.* brèche *nf.*
boquiaberto,-a *adj.* bouche bée
boquilla *nf.* fume-cigare *nm.* ; fume-cigarette *nm.*
borbotear *v. intr.* bouillonner
borbotón *nm.* bouillonnement
borceguí *nm.* brodequin
bordado *nm.* broderie *nf.*
bordado,-a *adj.* brodé(e)
bordar *v. tr.* broder
borde *nm.* bord • *adj.* grossier(ière)
bordear *v. tr.* border ; longer
bordillo *nm.* bordure *nf.* ; bord *nm.*
bordo *nm. (mar.)* bord ; ***a bordo*** à bord
bordón *nm.* bourdon
bordoncillo *nm.* rengaine *nf.*
boreal *adj.* boréal(e)
borne *nm.* borne *nf.* (*électrique)*

borrable *adj.* effaçable
borrachera *nf.* ivresse
borracho,-a *adj.* ivre
borrador *nm.* brouillon
borrar *v. tr.* effacer ; rayer
borrasca *nf.* tempête
borrego *nm.* mouton
borreguil *adj.* grégaire
borrico *nm.* âne ; baudet
borriquito *nm. (fam)* bourricot
borrón *nm.* tache *nf.*
borroso,-a *adj.* flou(e)
bosque *nm.* forêt *nf.*
bosquejo *nm.* ébauche *nf.* ; esquisse *nf.*
bostezar *v. intr.* bâiller
bostezo *nm.* bâillement
bota *nf.* gourde (*en cuir*) ; botte
botadura *nf.* lancement d'un bateau *nm.*
botánica *nf.* botanique
botánico,-a *adj.* botanique • *nm/f.* botaniste
botar *v. tr.* jeter, lancer • *v. intr.* bondir, sauter
bote *nm.* canot ; bocal, pot, boîte *nf.* ; bond
botella *nf.* bouteille
botellín *nm.* canette *nf.*
botica *nf.* pharmacie
boticario,-a *nm/f.* pharmacien(ne)
botijo *nm.* cruche *nf.*
botín *nm.* butin ; bottine *nf.*
botiquín *nm.* armoire à pharmacie *nf.*
botón *nm.* bouton
botones *nm.* groom
bóveda *nf.* voûte
bovino,-a *adj.* bovin(e)
bovidos *nmpl.* bovidés, bovins
boxeador *nm.* boxeur
boxeo *nm.* boxe *nf.*
boya *nf.* bouée
boyante *adj.* prospère
boyerizo, boyero *nm.* bouvier
boycot, boycotear, boycoteo v. boicot, boicotear, boicoteo
bozal *nm.* muselière *nf.*
bozo *nm.* duvet
braceaje *nm.* brassage
bracear *v. intr.* nager la brasse
braceo *nm.* brasse *nf.* (*natation*)
braga *nf.* **bragas** *nfpl.* culotte
bragueta *nf.* braguette
braguetazo *nm. (fam)* mariage d'intérêt
brama *nf.* rut *nm.*
bramante *nm.* ficelle *nf.*
bramar *v. intr.* bramer
bramido *nm.* mugissement ; rugissement
branquias *nfpl.* branchies
brasa *nf.* braise
brasero *nm.* brasero
Brasil *n. prop. m.* Brésil
brasil *nm.* bois du Brésil, Brésil
brasileño,-a *adj.* brésilien(ne) • *nm/f.* Brésilien(ne)
braveza *nf.* bravoure
bravo,-a *adj.* brave ; sauvage, indompté(e)
bravo *interj.* bravo
bravura *nf.* bravoure ; férocité
braza *nf.* brasse
brazada *nf.* brassée, brasse
brazal *nm.* brassard
brazalete *nm.* bracelet ; brassard
brazo *nm.* bras
brea *nf.* goudron *nm.*
brebaje *nm.* breuvage
brecha *nf.* brèche
brega *nf.* dispute, querelle
bregar *v. intr.* se battre ; se démener
breña *nf.* broussaille
brete *nm.* difficulté *nf.*, embarras *nm.*
breva *nf.* figue-fleur
breve *adj.* bref(ève)
brevedad *nf.* brièveté
brevemente *adv.* brièvement
breviario *nm.* bréviaire
bribón,-ona *adj.* coquin(e)
bricolador *nm.* bricoleur
bricolage, bricolaje *nm.* bricolage
bricolar *v. intr.* bricoler
bricolero *nm.* bricoleur
brida *nf.* bride
brigada *nf.* brigade • *nm.* adjudant
brillante *adj.* brillant(e)
brillantez *nf.* éclat *nm.* ; splendeur *nf.*
brillar *v. intr.* briller
brillo *nm.* éclat
brincar *v. intr.* sauter, bondir
brinco *nm.* saut, bond
brindar *v. intr.* trinquer, porter un toast

brindis *nm.* toast, petit discours
brío *nm.* brio, entrain
brioso,-a *adj.* énergique
brisa *nf.* brise
británico,-a *adj.* britannique • *nm/f.* Britannique
brocha *nf.* blaireau *nm.* ; brosse *nf.*
broche *nm.* agrafe *nf.* ; fermoir *nm.*
broma *nf.* plaisanterie
bromear *v. intr.* plaisanter
bromista *adj. et nm/f.* blagueur(euse)
bronca *nf.* bagarre ; réprimande
bronce *nm.* bronze
bronceado,-a *adj.* bronzé(e)
bronco(p)neumonia *nf.* broncho-pneumonie
bronquio *nm.* bronche *nf.*
bronquitis *nf.* bronchite
brotar *v. intr.* pousser ; naître
brote *nm.* bourgeon, pousse *nf.*
bruja *nf.* sorcière
brujería *nf.* sorcellerie
brujo,-a *adj.* encorcelleur(euse)
brújula *nf.* boussole
bruma *nf.* brume
bruñido *nm.* polissage, brunissage
bruñir *v. tr.* polir, brunir
brusco,-a *adj.* brusque
brutal *adj.* brutal(e)
bruto,-a *adj.* bouché(e) ; brut(e) • *nf.* brute
bucal *adj.* buccal(e)
buceador *nm.* plongeur
bucear *v. intr.* plonger, faire de la plongée (*sous-marine*)
buceo *nm.* plongée sous-marine *nf.*
bucle *nm.* boucle *nf.*
buche *nm.* jabot *(fam)* ; estomac, panse
buda *nm.* bouddha
budismo *nm.* bouddhisme
buen (*apocope de* ***bueno***)
buenaventura *nf.* bonne aventure
bueno,-a *adj.* bon(ne)
buey *nm.* bœuf
búfalo *nm.* buffle
bufanda *nf.* écharpe
bufar *v. intr.* souffler, s'ébrouer ; fulminer
bufete *nm.* cabinet (*d'affaires*)
buhardilla *nf.* mansarde
búho *nm.* hibou
buitre *nm.* vautour
bujía *nf.* bougie
bulbo *nm.* bulbe
bulevar *nm.* boulevard
bulto *nm.* volume ; paquet ; bosse *nf.*
bulla *nf.* bruit *nm.*
bullicio *nm.* tapage ; tumulte
bullir *v. intr.* bouillir ; grouiller ; fourmiller ; foisonner
bumerán *nm.* boomerang
buñuelo *nm.* beignet
buque *nm.* navire, vaisseau
burbujear *v. intr.* faire des bulles
burbuja *nf.* bulle
burdo,-a *adj.* grossier(ière)
burgalés,-esa *adj. et nm/f.* de Burgos
burgués,-esa *adj.* bourgeois(e)
burguesía *nf.* bourgeoisie
buril *nm.* burin
burla *nf.* moquerie ; plaisanterie
burlar *v. intr.* plaisanter • *v. tr.* tromper • *v. pr.* se moquer
burlón,-ona *adj.* moqueur(euse)
buró *nm.* bureau
burocracia *nf.* bureaucratie
burócrata *nm/f.* bureaucrate
burro,-a *nm/f.* âne(sse) • *adj.* bête
busca *nf.* recherche
buscador,-a *adj.* chercheur(euse)
buscar *v. tr.* chercher
búsqueda *nf.* recherche
busto *nm.* buste
butaca *nf.* fauteuil *nm.*
butano *nm.* butane
butifarra *nf.* saucisse
buzo *nm.* plongeur, scaphandrier
buzón *nm.* boîte aux lettres *nf.*

C

c *nf.* c *nm. inv.*
cabal *adj.* juste ; accompli(e)
cábala *nf.* cabale ; kabbale
cabalgada *nf.* chevauchée
cabalgar *v. intr.* chevaucher
cabalístico,-a *adj.* cabalistique
caballa *nf.* maquereau *nm.*
caballar *adj.* chevalin(e)
caballeresco,-a *adj.* chevaleresque
caballeriza *nf.* écurie
caballero *nm.* homme ; monsieur ; chevalier
caballete *nm.* tréteau
caballista *nm.* cavalier
caballito *nm.* petit cheval • *nmpl.* manège de chevaux de bois *nm. sing.*
caballo *nm.* cheval
cabaña *nf.* cabane ; cheptel *nm.*
cabaret *nm.* cabaret
cabecear *v. intr.* hocher la tête
cabecera *nf.* chevet *nm.*
cabecero *nm.* appui-tête
cabecilla *nm.* chef de file
cabellera *nf.* chevelure
cabello *nm.* cheveu
caber *v. intr.* tenir dans, contenir
cabestrillo *nm. (bandage)* écharpe *nf.*
cabeza *nf.* tête • *nm.* chef
cabezada *nf.* coup de tête *nm.*
cabezal *nm.* traversin
cabezón,-ona *adj.* têtu(e) ; entêté(e)
cabezota *nm. (fam)* tête de mule
cabida *nf.* contenance
cabina *nf.* cabine
cable *nm.* câble
cablear *v. tr.* câbler
cabo *nm.* bout, pointe *nf.* ; cap *nm.*
cabotaje *nm.* cabotage
cabra *nf.* chèvre
cabrearse *v. pr.* se mettre en colère
cabreo *nm. (fam)* rogne *nf.* ; colère *nf.*
cabrero *nm.* chevrier
cabritilla *nf.* peau de cheveau
cabrito *nm.* chevreau
cabro,-a *nm/f. (h. am.) (fam)* gamin(e)
cabrón *nm.* bouc ; *(fam)* ordure *nf.*, salaud
cacahuete *nm.* arachide *nf.*, cacahuète *nf.*
cacao *nm.* cacao ; *(fam)* pagaille *nf.* ; ***¡qué cacao!*** quelle pagaille !
cacatúa *nf.* cacatoès *nm.*
cacería *nf.* chasse, partie de chasse
cacerola *nf.* casserole, faitout *nm.*
cacique *nm.* cacique, chef
caco *nm. (fam)* filou, voleur
cacofonía *nf.* cacophonie
cacto, cactus *nm.* cactus
cachalote *nm.* cachalot
cacharrería *nf.* boutique où sont vendues des poteries
cacharrero,-a *nm/f.* fabricant(e), marchand(e) de poteries
cacharro *nm.* pot
cachear *v. tr.* fouiller (*quelqu'un*)
cacheo *nm.* fouille *nf.*
cachemir *nm.* cachemire
cachetada *nf. (h. am.) (fam)* gifle
cachete *nm.* joue *nf.*
cachiporra *nf.* matraque
cachito *nm.* petit morceau
cachondeo *nm. (fam)* rigolade *nf.*
cachorro,-a *nm/f.* chiot
cada *adj.* chaque ; tous les, toutes les
cadalso *nm.* échafaud
cadáver *nm.* cadavre
cadavérico,-a *adj.* cadavérique
cadena *nf.* chaîne
cadencia *nf.* cadence
cadera *nf.* hanche
caducar *v. intr.* expirer
caduceo *nm.* caducée
caducidad *nf.* caducité, péremption
caduco,-a *adj.* caduc, caduque
caer *v. intr.* tomber ; se trouver ; *(fig)* aller, ***caer bien/mal*** aller bien/mal
café *nm.* café, ***café con leche*** café au lait ; ***café descafeinado*** café décaféiné ; ***café solo*** café noir
cafeína *nf.* caféine

cafetera *nf.* cafetière
cafetería *nf.* cafétéria, snack-bar *nm.*
cafetín *nm.* bistro
cafre *adj.* grossier(ière)
cagada *nf.* excrément *nm.* ; *(fam)* connerie
cagar *v. intr. (fam)* chier
caída *nf.* chute ; baisse
caído,-a *adj.* affaibli(e)
caimán *nm.* caïman ; personne rusée *nf.*
caja *nf.* boîte ; coffre *nm.*
cajero,-a *nm/f.* caissier(ière)
cajetilla *nf.* boîte, paquet *nm.*
cajón *nm.* tiroir ; caisse ; fourre-tout *nm.*
cal *nf.* chaux
cala *nf.* calanque ; crique
calabacín *nm.* courgette *nf.*
calabaza *nf.* citrouille ; courge ; calebasse
calabozo *nm.* cachot
calada *nf.* bouffée
calado *nm.* broderie *nf.* ; tirant d'eau *nm.*
calafatear *v. tr.* calfeutrer
calamar *nm.* calamar, encornet
calambre *nm.* décharge *nf.* électrique ; crampe *nf.*
calamidad *nf.* calamité, catastrophe
calamitoso,-a *adj.* désastreux(euse) ; catastrophique
calandra *nf.* calandre
calar *v. tr.* tremper ; pénétrer • *v. pr.* se tremper, se mouiller
calavera *nf.* tête de mort ; *(fam)* tête brûlée
calcar *v. tr.* calquer, décalquer
calcáreo,-a *adj.* calcaire
calceta *nf.* bas *nm.*
calcetín *nm.* chaussette *nf.*
calcinar *v. tr.* calciner
calcio *nm.* calcium
calco *nm.* calque
calcomanía *nf.* décalcomanie
calculador,-a *adj. et nm/f.* calculateur(trice)
calculadora *nf.* calculette ; calculatrice
calcular *v. tr.* calculer ; estimer ; supposer
cálculo *nm.* calcul
caldear *v. tr.* chauffer, réchauffer
caldera *nf.* chaudière
calderilla *nf.* petite monnaie
caldero *nm.* chaudron
caldo *nm.* bouillon ; cru (*vin*)
calefacción *nf.* chauffage *nm.*
calendario *nm.* calendrier
calentador *nm.* chauffe-eau
calentador,-a *adj.* chauffant(e)
calentamiento *nm.* réchauffement
calentar *v. tr.* chauffer ; *(fig) (fam)* frapper • *v. pr.* se réchauffer
calentura *nf.* fièvre
calesa *nf.* calèche
calesero *nm.* cocher
caleta *nf.* petit port *nm.* ; crique *nf.*
calibrar *v. tr.* calibrer, mesurer
calibre *nm.* calibre ; jauge *nf.* ; taille *nf.*
calidad *nf.* qualité
cálido,-a *adj.* chaud(e) ; chaleureux(euse)
calidoscopio *nm.* kaléidoscope
calientaplatos *nm. inv.* chauffe-plats
caliente *adj.* chaud(e)
calificación *nf.* qualification ; note
calificado,-a *adj.* qualifié(e)
calificar *v. tr.* qualifier
calificativo,-a *adj.* qualificatif(ive)
caligrafía *nf.* calligraphie
cáliz *nm.* calice
caliza *nf.* calcaire *nm.*
calizo,-a *adj.* calcaire
callar *v. pr.* se taire • *v. tr.* taire, garder secret
calle *nf.* rue
callejear *v. intr.* flâner
callejón *nm.* ruelle *nf.*
callejuela *nf.* ruelle
callista *nm/f.* pédicure
callo *nm.* durillon
calma *nf.* calme *nm.*
calmante *nm.* calmant, tranquillisant
calmar *v. tr.* calmer • *v. pr.* se calmer
calmoso,-a *adj.* indolent(e)
caló *nm.* langue *nf.* des gitans
calor *nm.* chaleur *nf.*
caloría *nf.* calorie
calumnia *nf.* calomnie
calumniar *v. tr.* calomnier
calumnioso,-a *adj.* calomnieux(euse)
caluroso,-a *adj.* chaud(e) ; chaleureux(euse)
calva *nf.* calvitie

calvario *nm.* calvaire
calvero *nm.* clairière *nf.*
calvo,-a *adj.* chauve
calva *nf.* crâne chauve *nm.*
calzada *nf.* chaussée
calzado,-a *adj.* chaussé(e)
calzado *nm.* chaussure *nf.*
calzador *nm.* chausse-pied
calzar *v. tr.* chausser • *v. pr.* se chausser
calzón *nm.* culotte *nf.* ; slip *nm.*
calzoncillos *nmpl.* caleçon *nm. sing.* ; slip *nm. sing.*
cama *nf.* lit *nm.*
camafeo *nm.* camée, camaïeu
camaleón *nm.* caméléon
cámara *nf.* chambre ; caméra, appareil photo *nm.* • *nm.* cameraman, cadreur
camarada *nm/f.* camarade
camarera *nf.* serveuse
camarero *nm.* garçon *(de café)* ; serveur
camarilla *nf.* lobby *nm.*
camarín *nm.* loge *nf. (de théâtre)*
camarón *nm.* crevette grise *nf.*
camarote *nm.* cabine *nf. (de bateau)*
cambalache *nm. (fam)* troc ; brocante *nf.*
cambiado,-a *adj.* changé(e)
cambiadizo,-a ; cambiante *adj.* changeant(e)
cambiar *v. tr. et int.* changer ; échanger • *v. pr.* se changer
cambio *nm.* change ; changement ; échange ; monnaie *nf.* • *loc. adv.* ***en cambio*** en revanche
cambista *nm.* cambiste
camelar *v. tr. (fam)* flatter ; baratiner
camelo *nm. (fam)* baratin
camello *nm.* chameau ; dealer, trafiquant de drogue
cameraman *nm.* caméraman
camilla *nf.* brancard *nm.*
camillero *nm.* brancardier
caminante *nm/f.* marcheur(euse)
caminar *v. intr.* marcher • *v. tr.* parcourir
caminata *nf.* grande promenade
camino *nm.* chemin ; route *nf.*
camión *nm.* camion ; *(h. am.)* autobus
camisa *nf.* chemise
camiseta *nf.* tee-shirt *nm.* ; maillot de corps *nm.*
camisón *nm.* chemise de nuit *nf.*
camomila *nf.* camomille
camorra *nf. (fam)* bagarre
campamento *nm.* campement
campana *nf.* cloche ; hotte
campanario *nm.* clocher
campanilla *nf.* clochette ; sonnette
campaña *nf.* campagne
campeón,-ona *nm/f.* champion(ne)
campeonato *nm.* championnat
campero,-a *adj.* de la campagne
campesino,-a *adj.* paysan(ne) • *nm/f.* paysan(ne)
campestre *adj.* champêtre
camping *nm.* camping
campista *nm/f.* campeur(euse)
campo *nm.* champ ; campagne *nf.* ; terrain *nm.* ; secteur *nm.*
camposanto *nm.* cimetière
campus *nm.* campus
camuflar *v. tr.* camoufler
cana *nf.* cheveu blanc *nm.*
canal *nm.* canal ; gouttière *nf.* ; conduit ; chaîne de télévision *nf.*
canalización *nf.* canalisation
canalizar *v. tr.* canaliser
canalla *nm/f.* canaille
canalón *nm.* gouttière *nf.*
canapé *nm.* canapé *(d'apéritif)*
canario *nm.* canari
Canarias (las) *n. prop. fpl.* Canaries (les)
canasta *nf.* panier *nm.*
canastilla *nf.* layette ; corbeille
canasto *nm.* corbeille *nf.*
cancán *nm.* french-cancan ; jupon
cancela *nf.* grille
cancelación *nf.* annulation
cancelar *v. tr.* annuler ; résilier ; solder
cáncer *nm.* cancer
cancerígeno,-a *adj.* cancérigène
canceroso,-a *adj.* cancéreux(euse)
cancha *nf.* terrain *nm.* (*de sport*)
canciller *nm.* chancelier ; ministre
canción *nf.* chanson
candado *nm.* cadenas
candela *nf.* chandelle
candelabro *nm.* candélabre
candelaria *nf.* Chandeleur

candelero *nm.* chandelier
candente *adj.* incandescent(e) ; brûlant(e)
candidato *nm.* candidat
candidatura *nf.* candidature
cándido,-a *adj.* candide
candil *nm.* lampe à huile *nf.*
candor *nm.* candeur *nf.*
canela *nf.* canelle
canelones *nmpl.* cannelonis
cangrejo *nm.* crabe
canguro *nm.* kangourou ; baby-sitter *nm/f.*
caníbal *adj. et nm/f.* cannibale
canibalismo *nm.* cannibalisme
canica *nf.* bille
canícula *nf.* canicule
canilla *nf.* canette
canino,-a *adj.* canin(e)
canjear *v. tr.* échanger
cano,-a *adj.* blanc, blanche
canoa *nf.* canot *nm.*
canónigo *nm.* chanoine
canonizar *v. tr.* canoniser
canotaje *nm.* canotage
cansado,-a *adj.* fatigué(e) ; fatigant(e)
cansancio *nm.* fatigue *nf.*
cansar *v. tr.* fatiguer ; lasser • *v. pr.* se fatiguer
cantador,-a *nm/f.* chanteur(euse)
cantaor,-a *nm/f.* chanteur(euse) de flamenco
cantante *nm/f.* chanteur(euse) d'opéra
cantante *adj.* chantant(e)
cantar *v. tr. et intr.* chanter
cantar *nm.* chanson *nf.*
cántaro *nm.* cruche *nf.*
cantata *nf.* cantate
cantatriz *nf.* cantatrice
cante jondo *nm.* chant flamenco
cantera *nf.* carrière *(de pierres)*
cantero *nm.* tailleur de pierres
cantidad *nf.* quantité ; somme ; montant *nm.*
cantimplora *nf.* gourde
cantina *nf.* cantine ; *(h. am.)* café *nm.*
canto *nm.* chant ; bord, côté ; tranche *nf.* ; caillou
canturrear, canturriar *v. intr.* chantonner
canuto *nm.* tube, étui ; *(fam)* joint, pétard
caña *nf.* roseau *nm.* ; tige *nf.* ; canne *nf.*
cáñamo *nm.* chanvre
cañaveral *nm.* plantation de canne à sucre *nf.*
cañería *nf.* canalisation
caño *nm.* tube, tuyau
cañón *nm.* canon ; tuyau ; canyon
caoba *nf.* acajou *nm.*
caos *nm.* chaos
caótico,-a *adj.* chaotique
capa *nf.* cape ; couche
capacidad *nf.* capacité
capacitación *nf.* formation ; qualification
capacitado,-a *adj.* qualifié(e)
capacitar *v. tr.* rendre capable de ; former
capar *v. tr.* châtrer
capataz *nm.* contremaître ; chef
capaz *adj.* capable
capazo *nm.* cabas
capear *v. tr.* faire des passes avec la cape *(tauromachie)* ; fuir, contourner
capellán *nm.* aumônier
caperuza *nf.* capuchon *nm.*
capilar *adj.* capillaire
capilla *nf.* chapelle
capitalismo *nm.* capitalisme
capitalista *adj. et nm/f.* capitaliste
capitalizar *v. tr.* capitaliser
capitán *nm.* capitaine
capitanear *v. tr.* commander
capitulación *nf.* capitulation
capitular *v. intr.* capituler
capítulo *nm.* chapitre
capó *nm.* capot
capón *nm.* chapon
capota *nf.* capote *(de voiture)*
capotazo *nm.* passe de cape *nf.* *(tauromachie)*
capote *nm.* manteau ; cape *(tauromachie)*
capricornio *nm.* capricorne
capricho *nm.* caprice ; petit plaisir
caprichoso,-a *adj.* capricieux(euse)
cápsula *nf.* capsule ; gélule
captar *nf.* capter ; saisir, comprendre
captura *nf.* capture
capturar *v. tr.* capturer
capucha *nf.* capuchon *nm.*

capuchina *nf.* capucine
capuchino *nm.* cappucino
capullo *nm.* bouton *(fleur)* ; cocon
caqui, kaki *nm.* kaki
cara *nf.* visage *nm.* ; figure ; face ; mine, air *nm.*
carabela *nf.* caravelle
carabina *nf.* carabine
carabinero *nm.* carabinier ; douanier
caracol *nm.* escargot
caracola *nf.* conque
carácter *nm.* caractère
característica *nf.* caractéristique
caracterizar *v. tr.* caractériser
caramba *interj. (fam)* ça alors ! zut !
carámbano *nm.* glaçon
carambola *nf.* carambolage *nm.*
caramelo *nm.* bonbon ; caramel
carátula *nf.* couverture, pochette ; masque *nm.*
caravana *nf.* caravane
carbón *nm.* charbon
carbonato *nm.* carbonate
carboncillon *nm.* fusain
carbonero,-a *adj. et nm/f.* charbonnier(ière)
carbonizar *v. tr.* carboniser
carbono *nm.* carbone
carburador *nm.* carburateur
carburante *nm.* carburant
carburar *v. tr.* carburer
carburo *nm.* carbure
carcajada *nf.* éclat *nm.* de rire
cárcel *nf.* prison
carcelero,-a *nm/f.* gardien(ne) *(de prison)*
carcoma *nf.* ver *nm. (à bois)*
cardán *nm.* cardan
cardenal *nm.* cardinal ; bleu *(coup)*
cárdeno,-a *adj.* violet(te)
cardíaco,-a *adj.* cardiaque • *nm/f.* cardiaque
cárdigan *nm.* cardigan
cardiograma *nm.* cardiogramme
cardiólogo,-a *nm/f.* cardiologue
cardo *nm.* chardon
carecer *v. intr.* manquer
carencia *nf.* carence
carenado *nm.* carénage
carestía *nf.* manque *nm.*, cherté *nf.*
careta *nf.* masque *nm.*
carga *nf.* cargaison ; charge
cargamento *nm.* cargaison *nf.*
cargante *adj. (fam)* pénible ; embêtant(e)
cargar *v. tr.* charger • *v. intr.* prendre, porter
cargo *nm.* charge *nf.* ; poste *nm.* (*emploi*) ; accusation *nf.* ; débit *nm.*
Caribe (El) *n. prop. m.* les Caraïbes *nmpl.*
caricatura *nf.* caricature
caricaturizar *v. tr.* caricaturer
caricia *nf.* caresse
caridad *nf.* charité
caries *nf. inv.* carie
carillón *nm.* carillon
cariño *nm.* affection *nf.*, tendresse *nf.*
cariñoso,-a *adj.* affectueux(euse)
carisma *nm.* charisme
carismático,-a *adj.* charismatique
caritativo,-a *adj.* caritatif(ive)
cariz *nm.* aspect, allure *nf.* ; tournure *nf.*
carmelita *nm/f.* carme, carmélite
carmesí *adj.* cramoisi(e)
carmín *adj. inv.* carmin • *nm.* carmin *(couleur)*
carnada *nf.* appât *nm.*
carnal *adj.* charnel(le)
carnaval *nm.* carnaval
carne *nf.* chair ; viande
carné, carnet *nm.* carte *nf.*, carnet *nm.* ; permis *nm.*
carnero *nm.* mouton
carnicería *nf.* boucherie
carnicero,-a *nm/f.* boucher(ère)
carnívoro,-a *adj. et nm/f.* carnivore
carnoso,-a *adj.* charnu(e)
caro,-a *adj.* cher(ère)
carpa *nf.* carpe ; tente
carpeta *nf.* chemise *(papeterie)*
carpintería *nf.* menuiserie ; charpenterie
carpintero *nm.* menuisier ; charpentier
carraca *nf.* crécelle
carraspera *nf.* enrouement *nm.*
carrera *nf.* course ; parcours *nm.* ; cursus *nm. (d'études)* ; carrière *(profession) nf.* ; rue *nf.*
carreta *nf.* charrette
carrete *nm.* bobine *nf.* ; pellicule (*photo*) ; ruban *nm.*

carretera *nf.* route
carretero *nm.* charretier
carretilla *nf.* brouette
carril *nm.* voie *nf.* ; rail *nm.*
carrillo *nm.* joue *nf.*
carrito *nm.* chariot *(de supermarché)* ; caddie
carro *nm.* charrette *nf.* ; *(h. am.)* voiture *nf.*
carrocería *nf.* carrosserie
carromato *nm.* roulotte *nf.*
carroña *nf.* charogne
carroza *nf.* carrosse *nm.*
carta *nf.* lettre
cartabón *nm.* équerre *nf.*
cartapacio *nm.* cartable
cartearse *v. pr.* s'écrire, échanger une correspondance, se mettre en rapport avec
cartel *nm.* affiche *nf.*
cártel *nm.* cartel
cartera *nf.* portefeuille *nm.* ; porte-documents *nm.*
carterista *nm.* pickpocket
cartero *nm.* facteur
cartílago *nm.* cartilage
cartilla *nf.* livret *nm.*
cartografía *nf.* cartographie
cartomancia *nf.* cartomancie
cartomántico,-a *nm/f.* cartomancien(ne)
cartón *nm.* carton
cartuchera *nf.* cartouchière
cartucho *nm.* cartouche *nf.*
cartulina *nf.* bristol *nm.*
casa *nf.* maison
casaca *nf.* casaque ; ***volver casaca*** retourner sa veste
casación *nf.* cassation
casado,-a *adj.* marié(e)
casamiento *nm.* mariage
casar *v. tr.* marier • *v. pr.* se marier
cascabel *nm.* grelot
cascada *nf.* cascade
cascado,-a *adj.* fêlé(e)
cascadura *nf.* fêlure
cascanueces *nm. inv.* casse-noix
cascar *v. tr.* casser ; *(fam)* cogner
cáscara *nf.* coquille ; écorce ; peau
cascarrabias *nm/f.* grincheux(euse)
casco *nm.* casque ; coque *nf.* ; sabot *nm.*
caserío *nm.* maison de campagne *nf.* ; ferme *nf.* ; hameau *nm.*
casero,-a *adj.* ménager(ère) ; casanier(ière)
caserón *nm.* bâtisse *nf.*
caseta *nf.* maisonnette ; stand *nm.* ; cabine
casete *nm.* cassette *nf.* (*appareil*) • *nf.* cassette *(bande)*
casi *adv.* presque
casilla *nf.* guichet *nm.* ; casier *nm.*
casillero *nm.* casier
casino *nm.* casino ; club privé
caso *nm.* cas ; affaire *nf.* *(droit)* ; ***hacer caso*** prêter attention à
caspa *nf.* pellicules (*dans les cheveux)* *nfpl.*
casta *nf.* lignée ; race
castaña *nf.* châtaigne, marron *nm.*
castaño,-a *adj.* châtain(e)
castaño *nm.* châtaigner, marronnier
castañuela *nf.* castagnette
castellano,-a *adj.* castillan(e) • *nmf.* Castillan(e)
castellano *nm.* castillan (*langue)*
castidad *nf.* chasteté
castigar *v. tr.* punir
castigo *nm.* punition *nf.*
Castilla *n. prop. f.* Castille
castillo *nm.* château
casto,-a *adj.* chaste
castración *nf.* castration
castrar *v. tr.* castrer
castrense *adj.* militaire
casual *adj.* fortuit(e)
casualidad *nf.* hasard *nm.*
cataclismo *nm.* cataclysme
catacumbas *nfpl.* catacombes
catador,-a *nm/f.* dégustateur(trice)
catafalco *nm.* catafalque
catalán *nm.* catalan (*langue)*
catalán,-ana *adj.* catalan(e) • *nm/f.* Catalan(e)
catalejo *nm.* longue-vue *nf.*
catálisis *nf.* catalyse
catalítico,-a *adj.* catalytique
catalogar *v. tr.* classer ; cataloguer
catálogo *nm.* catalogue
Cataluña *n. prop. f.* Catalogne

catamarán *nm.* catamaran
cataplasma *nm.* cataplasme
catar *v. tr.* goûter, déguster
catarata *nf.* cataracte ; cascade
catarro *nm.* rhume
catarsis *nf.* catharsis
catastro *nm.* cadastre
catástrofe *nf.* catastrophe
catastrófico,-a *adj.* catastrophique
catavinos *nm. inv.* taste-vin
catecismo *nm.* catéchisme
cátedra *nf.* chaire
catedral *nf.* cathédrale
categoría *nf.* classe ; rang *nm.* ; catégorie *nf.*
categórico,-a *adj.* catégorique
cátodo *nm.* cathode *nf.*
catolicismo *nm.* catholicisme
católico,-a *adj. et nm.* catholique
catorce *adj. et nm. inv.* quatorze
catre *nm. (fam)* pieu ; lit
cauce *nm.* canal, lit (*d'un cours d'eau)*
caución *nf.* garantie
caucho *nm.* caoutchouc
caudal *nm.* débit *(d'eau)* ; fortune *nf.*
caudaloso,-a *adj.* abondant(e)
caudillo *nm.* chef
causa *nf.* cause
causalidad *nf.* causalité
causar *v. tr.* causer ; être à l'origine de
cáustico,-a *adj.* caustique
cautela *nf.* précaution
cauteloso,-a *adj.* prudent(e)
cauterizar *v. tr.* cautériser
cautivar *v. tr.* capturer ; captiver
cautivo,-a *adj. et nm/f.* captif(ive)
cauto,-a *adj.* avisé(e)
cava *nm.* « champagne » catalan
cavar *v. tr.* creuser, bêcher
caverna *nf.* caverne
cavernoso,-a *adj.* caverneux(euse)
caviar *nm.* caviar
cavidad *nf.* cavité
caza *nf.* chasse ; gibier *nm.*
cazador,-a *nm/f.* chasseur(euse)
cazadora *nf.* blouson *nm.*
cazar *v. tr.* chasser
cazatalentos *nm. inv.* chasseur de têtes
cazarecompensas *nm. inv.* chasseur de primes
cazo *nm.* faitout, casserole *nf.* ; louche *nf.*
cazuela *nf.* faitout *nm.* ; ragoût *nm.*
cazurro,-a *adj.* renfermé(e)
cebada *nf.* orge
cebar *v. tr.* alimenter ; gaver • *v. pr.* s'acharner sur quelqu'un
cebo *nm.* appât
cebolla *nf.* oignon *nm.*
cebolleta *nf.* ciboulette
cebra *nf.* zèbre
cecear *v. intr.* zézayer
ceceo *nm.* zézaiement
cecina *nf.* viande séchée
cedazo *nm.* tamis
ceder *v. tr.* céder • *v. intr.* céder à/sur
cedro *nm.* cèdre
cédula *nf.* billet *nm.* ; *(h. am.)* carte d'identité *nf.*
cegar *v. tr.* aveugler ; boucher • *v. intr.* être aveuglant(e)
ceguera *nf.* cécité ; aveuglement *nm.*
ceja *nf.* sourcil *nm.*
celar *v. tr.* surveiller ; dissimuler
celda *nf.* cellule
celebración *nf.* célébration
celebrar *v. tr.* célébrer ; tenir ; faire l'éloge de • *v. pr.* avoir lieu
célebre *adj.* célèbre
celebridad *nf.* célébrité
celeste *adj.* céleste
celibato *nm.* célibat
celo *nm.* zèle ; rut • *nmpl.* jalousie *nf.*
celosía *nf.* jalousie (*de fenêtre*)
celoso,-a *adj.* jaloux(ouse) ; exigeant(e)
célula *nf.* cellule
celular *adj.* cellulaire • *nm.* téléphone portable
celulitis *nf.* cellulite
celuloide *nm.* celluloïd
celulosa *nf.* cellulose
cementerio *nm.* cimetière
cemento *nm.* ciment
cena *nf.* dîner *nm.*
cenador *nm.* tonnelle *nf.*
cenar *v. intr.* dîner
cenefa *nf.* bordure
cenicero *nm.* cendrier
cenit *nm.* zénith
ceniza *nf.* cendre

censar *v. tr.* recenser
censo *nm.* recensement ; taxe *nf.* d'habitation
censor *nm.* censeur
censura *nf.* censure
censurar *v. tr.* censurer ; reprocher
centella *nf.* éteincelle, éclair *nm.*
centellear *v. intr.* scintiller
centelleo *nm.* scintillement
centenar *nm.* centaine *nf.*
centenario *nm.* centenaire
centenario,-a *adj. et nm/f.* centenaire
centeno *nm.* seigle
centígrado *nm.* centigrade
centímetro *nm.* centimètre
céntimo *nm.* centime
centinela *nm.* sentinelle *nf.*
centollo *nm.* tourteau
central *adj.* central(e)
central *nf.* centrale
centralismo *nm.* centralisme
centralita *nf.* standard *nm.* (*de téléphone*)
centrar *v. tr.* centrer ; concentrer • *v. pr.* se concentrer
céntrico,-a *adj.* central(e)
centrífugo,-a *adj.* centrifuge
centro *nm.* centre
centuplicar *v. tr.* centupler
centurión *nm.* centurion
ceñir *v. tr.* mouler ; serrer • *v. pr.* se serrer
cepa *nf.* cep *nm.* ; souche *nf.*
cepillar *v. tr.* brosser
cepillo *nm.* brosse *nf.*
cepo *nm.* piège (*de chasse*) ; cep
cera *nf.* cire
cerámica *nf.* céramique
cerbatana *nf.* sarbacane
cerca *nf.* clôture
cerca de *adv.* près de
cercado *nm.* clôture *nf.*
cercanía *nf.* proximité • *nfpl.* environs *nmpl.*, banlieue *nf.*
cercano,-a *adj.* proche
cercar *v. tr.* encercler ; clôturer
cerco *nm.* cercle ; encadrement ; cordon
cerdo,-a *nm/f.* porc, truie
cereal *nm.* céréale *nf.*
cerebral *adj.* cérébral(e)
cerebro *nm.* cerveau
ceremonia *nf.* cérémonie
ceremonial *nm.* cérémonial
cereza *nf.* cerise
cerezo *nm.* cerisier
cerilla *nf.* allumette
cernedera *nf.* tamis *nm.*
cerner *v. tr.* tamiser
cero *nm.* zéro
cerrado,-a *adj.* fermé(e) ; renfermé(e)
cerradura *nf.* serrure
cerrajero *nm.* serrurier
cerrar *v. tr.* fermer ; conclure
cerrazón *nf.* obscurité ; obstination
cerro *nm.* colline *nf.*
cerrojo *nm.* verrou
certamen *nm.* concours
certeza *nf.* certitude
certificación *nf.* attestation
certificado *nm.* certificat
certificado,-a *adj.* recommandé(e)
certificar *v. tr.* certifier ; prouver ; envoyer en recommandé
cervato *nm.* faon
cervecería *nf.* brasserie
cerveza *nf.* bière
cervical *adj.* cervical(e)
cerviz *nf.* nuque
cesar *v. tr.* révoquer • *v. intr.* cesser ; démissionner
cese *nm.* arrêt, cessation *nf.* ; révocation *nf.*
césped *nm.* pelouse *nf.*
cesta *nf.* panier *nm.*
cesto *nm.* panier, corbeille *nf.*
cesura *nf.* césure
cetro *nm.* sceptre
chabacanada *nf.* vulgarité
chabacano,-a *adj.* vulgaire
chabacano *nm. (h. am.)* abricotier ; abricot
chabola *nf.* bidonville *nm.*
chacal *nm.* chacal
chacalín *nm. (h. am.)* crevette *nf.*
chácara *nf. (h. am.)* ferme
chacarero,-a *nm/f. (h. am.)* fermier(ière)
chacolí *nm.* chacoli *(vin du Pays basque)*
chacha *nf. (fam)* bonne
cháchara *nf.* bavardage *nm.* ; *(fam)* papotage *nm.*

chacharear *v. intr. (fam)* papoter
chafar *v. tr.* écraser ; froisser
chagra *nm/f. (h. am.)* paysan(ne) • *nf. (h. am.)* ferme
chal *nm.* châle
chalado,-a *adj.* dingue, cinglé(e)
chaladura *nf.* lubie ; excentricité
chalar *v. tr.* rendre fou (folle)
chalé, chalet *nm.* pavillon ; maison de campagne *nf.*
chaleco *nm.* gilet
chalote *nf.* échalote
chalupa *nf.* chaloupe
chamal *nm. (h. am.)* couverture *nf.*
chamán *nm.* chamane
chamanto *nm. (h. am.)* poncho
chámara *nf.* flambée
chamarra *nf.* blouson *nm.*
chamba *nf. (fam)* chance
chambelán *nm.* chambellan
champán, champaña *nm.* champagne
champanera *nf.* seau à champagne *nm.*
champiñón *nm.* champignon de Paris
champú *nm.* shampooing
chamuscar *v. tr.* flamber • *v. pr.* se brûler
chance *nm. (h. am.)* occasion *nf.*
chancla *nf.* sandale, savate
chancleta *nf.* sandale
chandal *nm.* survêtement
chantaje *nm.* chantage
chantajear *v. tr.* faire chanter
chanza *nf.* plaisanterie
chapa *nf.* plaque ; badge *nm.* ; jeton *nm.*
chapado,-a *adj.* plaqué(e)
chapar *v. tr.* plaquer
chaparrón *nm.* averse *nf.* ; *(fam)* savon *nm.*
chapista *nm.* tôlier
chapopote *nm. (h. am.)* bitume
chapotear *v. intr.* patauger
chaqué *nm.* jaquette *nf.*
chaqueta *nf.* veste ; blazer *nm.*
charada *nf.* charade
charanga *nf.* fanfare
charca *nf.* mare
charco *nm.* flaque *(d'eau) nf.*
charcutería *nf.* charcuterie
charcutero,-a *nm/f.* charcutier(ière)
charla *nf.* bavardage *nm.* ; discussion *nf.*
charlar *v. intr.* bavarder
charlatán *nm.* camelot
charlatán,-ana *adj.* bavard(e)
charlatanería *nf.* charlatanerie
charol *nm.* cuir verni
chárter *nm.* charter
chasco *nm.* déception *nf.* ; plaisanterie *nf.*
chasis *nm.* châssis
chasquear *v. tr.* jouer un tour ; fair claquer
chatarra *nf.* ferraille
chatarrero *nm.* ferrailleur
chateo *nm.* action de faire la tournée des bars
chato *nm.* verre de vin
chauvinismo *nm.* chauvinisme
chauvinista *adj. et nm/f.* chauvin(e)
chaval,-a *nm/f. (fam)* gamin(e)
cheque *nm.* chèque
chequear *v. tr.* faire un bilan de santé
chequeo *nm.* bilan de santé, contrôle
chequera *nf. (h. am.)* carnet de chèques *nm.*
chicano *nm.* Mexicain émigré aux États-Unis
chicle *nm.* chewing-gum
chico,-a *nm/f.* garçon, fille
chico,-a *adj.* petit(e)
chicoria *nf.* chicorée
chicharra *nf.* cigale
chiche *nm. (h. am.)* bibelot
chichón *nm.* bosse *nf. (sur la tête)*
chiflado,-a *adj. (fam)* cinglé(e) ; mordu(e)
chiflar *v. tr. (fam)* adorer • *v. intr.* siffler • *v. pr.* raffoler de
chile *nm.* piment
Chile *n. prop. m.* Chili
chileno,-a *adj.* chilien(ne) • *nm/f.* Chilien(ne)
chillar *v. intr.* crier ; grincer
chillido *nm.* cri ; grincement
chillón,-ona *adj.* criard(e)
chimenea *nf.* cheminée
chimpancé *nm.* chimpanzé
chinche *nf.* punaise *(insecte)*
chincheta *nf.* punaise *(clou)*
chino,-a *adj.* chinois(e) ; *(h. am.)* métis(isse) indien(ne)
chip *nm.* puce *nf. (informatique)*
chipirón *nm.* calmar

chiquillo,-a *nm/f.* gamin(e)
chiquito,-a *adj.* tout petit, toute petite • *nm/f.* petit(e)
chiribita *nf.* étincelle
chirlo *nm.* balafre *nf.*
chiringuito *nm. (fam)* buvette *nf.*
chirriar *v. intr.* grincer
chirrido *nm.* grincement
chisme *nm.* commérage
chismorrear *v. intr.* faire des commérages
chismorreo *nm.* commérage
chispa *nf.* étincelle
chispazo *nm.* étincelle *nf.*
chisporrotear *v. intr.* crépiter
chisporroteo *nm.* crépitement
chiste *nm.* plaisanterie *nf.* ; blague *nf.*
chistera *nf.* chapeau haut de forme ; chistera
chistoso,-a *adj.* drôle • *nm/f.* blagueur (euse)
chivato,-a *nm/f.* mouchard(e)
chivo,-a *nm/f.* chevreau *nm.*, chevrette *nf.*
chocante *adj.* choquant(e)
chocar *v. intr.* heurter ; s'accrocher ; choquer
choclo *nm. (h. am.)* maïs tendre
chocolate *nm.* chocolat ; *(fam)* haschich
chocolatería *nf.* chocolaterie
chocho,-a *adj.* gâteux(euse)
chófer *nm.* chauffeur
chopera *nf.* peupleraie
chopo *nm.* peuplier noir
choque *nm.* choc, collision *nf.*
choricería *nf.* charcuterie
chorizo *nm.* chorizo ; *(fam)* voleur
chorlito *nm.* linotte *nf.*
chorrear *v. intr.* goutter ; ruisseler
chorro *nm.* jet ; flot
choza *nf.* cabane, hutte
chubasco *nm.* averse *nf.*
chuchería *nf.* sucrerie ; babiole
chulada *nf.* désinvolture ; vantardise
chulería *nf.* crânerie, vantardise
chuleta *nf.* côtelette ; *(fam)* antisèche
chulo,-a *adj.* effronté(e)
chupado,-a *adj.* maigre, squelettique
chupar *v. tr.* sucer ; absorber
chupatintas *nm. inv.* gratte-papier
chupete *nm.* tétine *nf.*
churrasco *nm.* grillade *nf.*
churrería *nf.* boutique de beignets
churro *nm.* beignet
chutar *v. intr.* lancer, shooter • *v. pr.* se shooter *(drogue)*
cianuro *nm.* cyanure
ciática *nf.* sciatique
cicatero,-a *adj. (fam)* pingre
cicatriz *nf.* cicatrice
cicatrización *nf.* cicatrisation
cicatrizar *v. tr. et intr.* cicatriser
cíclico *adj.* cyclique
ciclismo *nm.* cyclisme
ciclista *nm/f.* cycliste
ciclo *nm.* cycle
ciclón *nm.* cyclone
cíclope *nm.* cyclope
ciego,-a *adj.* aveugle • *nm/f.* aveugle
cielo *nm.* ciel
cien *adj.* voir **ciento**
ciénaga *nf.* bourbier *nm.*
cieno *nm.* boue *nf.* ; vase *nf.*
ciencia *nf.* science
científico *nm.* scientifique
científico,-a *adj.* scientifique
ciento *adj. et nm.* cent
cierre *nm.* fermeture *nf.*
cierto,-a *adj.* certain(e)
ciervo *nm.* cerf
cifra *nf.* chiffre *nm.*
cifrar *v. tr.* coder ; chiffrer • *v. pr.* se chiffrer
cigala *nf.* langoustine
cigarra *nf.* cigale
cigarrillo *nm.* cigarette *nf.*
cigarro *nm.* cigarette *nf.* ; cigare *nm.*
cigüeña *nf.* cigogne
cilantro *nm.* coriandre *nf.*
cilíndrico,-a *adj.* cylindrique
cilindro *nm.* cylindre
cima *nf.* sommet *nm.*
cimentar *v. tr.* fonder ; cimenter
cimiento *nm.* fondations *nfpl.* ; bases *nfpl.*
cinc *nm.* zinc
cincelar *v. tr.* ciseler
cinco *adj. et nm. inv.* cinq
cincuenta *adj. et nm. inv.* cinquante

cincuentena *nf.* cinquantaine
cincha *nf.* sangle
cine *nm.* cinéma
cinemateca *nf.* cinémathèque
cinematográfico,-a *adj.* cinématographique
cíngaro,-a *adj.* tzigane • *nm/f.* Tzigane
cínico,-a *adj. et nm/f.* cynique
cinismo *nm.* cynisme
cinta *nf.* ruban *nm.* ; bande *nf.* magnétique
cintura *nf.* taille
cinturón *nm.* ceinture *nf.* ; périphérique *(boulevard) nm.*
ciprés *nm.* cyprès
circo *nm.* cirque
circuito *nm.* circuit
circulación *nf.* circulation
circular *adj.* circulaire • *nf.* circulaire
circular *v. intr.* circuler ; être en circulation
círculo *nm.* cercle
circundar *v. tr.* entourer
circunferencia *nf.* circonférence
circunscribir *v. tr.* circonscrire
circunspección *nf.* circonspection
circunspecto,-a *adj.* circonspect(e)
circunstancia *nf.* circonstance
cirio *nm.* cierge
cirrosis *nf.* cirrhose
ciruela *nf.* prune
ciruelo *nm.* prunier
cirugía *nf.* chirurgie
cirujano *nm.* chirurgien
cisne *nm.* cygne
cisterna *nf.* citerne ; chasse d'eau
cita *nf.* rendez-vous *nm.* ; citation *nf.*
citar *v. tr.* convoquer, citer
cítricos *nmpl.* agrumes
ciudad *nf.* ville
ciudadanía *nf.* citoyenneté
ciudadano,-a *adj.* citoyen(ne) ; citadin(e) • *nm/f.* citoyen(ne)
civil *adj.* civil(e)
civilización *nf.* civilisation
civilizado,-a *adj.* civilisé(e)
civilizar *v. tr.* civiliser
civismo *nm.* civisme
clamar *v. tr.* clamer, crier • *v. intr.* implorer
clamoroso,-a *adj.* retentissant(e)
clan *nm.* clan
clandestino,-a *adj.* clandestin(e)
clandestinidad *nf.* clandestinité
clara *nf.* blanc *(d'œuf) nm.*
clarear *v. tr.* éclaircir ; poindre
claridad *nf.* clarté
clarificar *v. tr.* clarifier
clarín *nm.* clairon
clarinete *nm.* clarinette *nf.* • *nm/f.* clarinettiste
clarividencia *nf.* clairvoyance
clarividente *adj.* clairvoyant(e)
claro,-a *adj.* clair(e)
claro *interj.* bien sûr
clase *nf.* classe ; genre *nm.*, sorte *nf.* ; cours *nm.*
clásico,-a *adj.* classique
clasificación *nf.* classement *nm.*
clasificar *v. tr.* classer • *v. pr.* se classer
claustro *nm.* cloître ; réunion *nf.*
claustrofobia *nf.* claustrophobie
claustrófobo,-a *adj.* claustrophobe • *nm/f.* claustrophobe
cláusula *nf.* clause
clausura *nf.* clôture
clausurar *v. tr.* clôturer ; fermer
clavado,-a *adj.* coulé(e) ; *(fam)* planté(e)
clavar *v. tr.* planter, clouer ; fixer
clave *nf.* clef, clé ; code *nm.*
clavel *nm.* œillet
clavero *nm.* giroflier
clavícula *nf.* clavicule
clavo *nm.* clou ; clou de girofle
clemencia *nf.* clémence
clemente *adj.* clément(e)
cleptómano,-a *adj.* cleptomane • *nm/f.* cleptomane
cleptomanía *nf.* cleptomanie
clerecía *nf.* clergé *nm.*
clerical *adj.* clérical(e)
clérigo *nm.* prêtre
cliente *nm/f.* client(e)
clientela *nf.* clientèle
clima *nm.* climat
climático,-a *adj.* climatique
climatización *nf.* climatisation
climatizar *v. tr.* climatiser

clínica *nf.* clinique
clínico,-a *adj.* clinique
clip *nm.* trombonne ; clip
clítoris *nm.* clitoris
cloaca *nf.* égoût *nm.*
cloquear *v. intr.* glousser
clorado,-a *adj.* chloré(e)
clorhídrico,-a *adj.* chlorhydrique
cloro *nm.* chlore
clorofila *nf.* chlorophylle
cloroformo *nm.* chloroforme
cloruro *nm.* chlorure
club *nm.* club
coacción *nf.* pression
coágulo *nm.* caillot *(sang)*
coalición *nf.* coalition
coartada *nf.* alibi *nm.*
coartar *v. tr.* entraver ; limiter
cobarde *adj. et nm.* lâche
cobardía *nf.* lâcheté
cobayo *nm.* cobaye
cobertizo *nm.* hangar ; remise *nf.*
cobertura *nf.* couverture
cobijar *v. tr.* abriter • *v. pr.* s'abriter ; se réfugier
cobijo *nm.* abri ; protection *nf.*
cobrador *nm.* encaisseur
cobrar *v. tr.* encaisser ; toucher ; prendre
cobre *nm.* cuivre
cobrizo,-a *adj.* cuivré(e)
cobro *nm.* encaissement
coca *nf.* coca *(plante)* ; *(fam)* coke *(cocaïne)*
cocaína *nf.* cocaïne
cocción *nf.* cuisson
cocer *v. intr.* cuire
cocido *nm.* pot-au-feu
cocido,-a *adj.* cuit(e)
cociente *nm.* quotient
cocina *nf.* cuisine ; cuisinière *(appareil)*
cocinar *v. tr.* faire la cuisine, cuisiner
cocinero,-a *nm/f.* cuisinier(ière)
coco *nm.* cocotier ; noix de coco *nf.*
cocodrilo *nm.* crocodile
cóctel *nm.* cocktail
coctelera *nf.* shaker *nm.*
coche *nm.* voiture *nf.* ; wagon *nm.*
cochecito *nm.* fauteuil roulant ; voiture *nf.* d'enfant
cochera *nf.* garage *nm.* ; dépôt *nm.*
cochero *nm.* cocher
cochinillo *nm.* cochon de lait
cochino,-a *adj.* cochon(ne)
codazo *nm.* coup de coude
codear *v. intr.* pousser du coude • *v. pr.* se fréquenter
codicia *nf.* cupidité
codiciar *v. tr.* convoiter
codicioso,-a *adj.* cupide
codificación *nf.* codage *nm.*
código *nm.* code
codo *nm.* code
codorniz *nf.* caille
coeficiente *nm.* coefficient
coercitivo,-a *adj.* coercitif(ive)
coetáneo,-a *adj.* contemporain(e) • *nm/f.* contemporain(e)
coexistencia *nf.* coexistence
coexistir *v. intr.* coexister
cofia *nf.* coiffe
cofradía *nf.* confrérie, corporation
cofre *nm.* coffre
coger *v. tr.* prendre ; attraper ; cueillir • *v. pr.* s'accrocher, se prendre
cogestión *nf.* cogestion
cogida *nf.* coup de corne *nm.* ; cueillette *nf.*
cogollo *nm.* cœur ; bourgeon
cogulla *nf.* cagoule
cohecho *nm.* dessous-de-table
cohechar *v. tr.* corrompre
coherencia *nf.* cohérence
coherente *adj.* cohérent(e)
cohesión *nf.* cohésion
cohete *nm.* fusée *nf.*
cohibir *v. tr.* intimider
cohorte *nf.* cohorte
coincidencia *nf.* coïncidence
coincidir *v. intr.* coïncider
coito *nm.* coït
cojear *v. intr.* boiter
cojín *nm.* coussin
cojinete *nm.* coussinet
cojo,-a *adj. et nm/f.* boiteux(euse)
cojón *nm. (fam)* couille *nf.* ; testicule *nm.*
col *nf.* chou *nm.*
cola *nf.* queue ; traîne ; colle

colaboración *nf.* collaboration
colaborador,-ora *nm/f.* collaborateur(trice)
colaborar *v. intr.* collaborer
colada *nf.* lessive
colador *nm.* passoire *nf.* ; filtre *nm.*
colapsar *v. tr.* entraver ; paralyser
colapso *nm.* chute *nf.* ; baisse *nf.*
colar *v. tr.* filtrer ; écouler ; glisser • *v. pr. (fam)* se faufiler
colcha *nf.* couvre-lit *nm.*
colchón *nm.* matelas
colchoneta *nf.* matelas pneumatique *nm.*
colear *v. intr.* remuer la queue
colección *nf.* collection
coleccionista *nm/f.* collectionneur(euse)
colecta *nf.* collecte
colectividad *nf.* collectivité
colectivismo *nm.* collectivisme
colectivizar *v. tr.* collectiviser
colectivo,-a *adj.* collectif(ive)
colega *nm/f.* collègue
colegial *adj.* scolaire
colegial,-a *nm/f.* collégien(ne)
colegio *nm.* école *nf.* • ordre *(médecins, etc.*
cólera *nm.* choléra • *nf.* colère
colesterol *nm.* cholestérol
coleta *nf.* queue ; couette *(cheveux)*
colgado,-a *adj.* pendu(e) ; suspendu(e)
colgador *nm.* portemanteau ; étendoir
colgar *v. tr.* pendre ; accrocher ; coller • *v. intr.* pendre ; suspendre • *v. pr.* se pendre ; se suspendre
coliflor *nf.* chou-fleur *nm.*
colilla *nf.* mégot *nm.*
colina *nf.* colline
colindante *adj.* limitrophe ; voisin(e)
colisión *nf.* collision
collar *nm.* collier
colmado,-a *adj.* plein(e)
colmar *v. tr.* combler ; remplir
colmena *nf.* ruche
colmillo *nm.* canine *nf.* ; croc *nm.* ; défense *nf.* d'éléphant
colmo *nm.* comble
colocación *nf.* emplacement *nm.* ; placement *nm.* ; emploi *nm.*
colocar *v. tr.* mettre ; placer
Colombia *n. prop. f.* Colombie *nf.*
colombiano,-a *adj.* colombien(ne) ; *nm/f.* Colombien(ne)
colon *nm.* côlon
colonia *nf.* colonie ; eau de Cologne
colonial *adj.* colonial(e)
colonialismo *nm.* colonialisme
colonizar *v. tr.* coloniser
colono *nm.* colon, fermier
coloquial *adj.* parlé(e)
coloquio *nm.* discussion *nf.* ; colloque *nm.*
color *nm.* couleur *nf.*
colorado,-a *adj.* rouge
colorante *nm.* colorant
colorear *v. tr.* colorier, colorer
colorete *nm.* fard *(maquillage)*
colorido *nm.* coloris ; couleur *nf.*
colosal *adj.* colossal(e)
columna *nf.* colonne
columnista *nm/f.* éditorialiste
columpiar *v. tr.* balancer • *v. pr.* se balancer
columpio *nm.* balançoire *nf.*
colusión *nf.* collusion
colza *nf.* colza *nm.*
coma *nf.* virgule • *nm.* coma
comadrona *nf.* sage-femme
comadreja *nf.* belette
comandante *nm.* commandant
comarca *nf.* région
comba *nf.* corde *(à sauter)* ; courbure
combate *nm.* combat
combatiente *nm.* combattant
combatir *v. intr.* combattre
combatividad *nf.* combativité
combativo,-a *adj.* combatif(ive)
combinación *nf.* combinaison ; manœuvre
combinado *nm.* cocktail
combinar *v. tr.* organiser ; combiner
combustible *nm.* combustible
combustión *nf.* combustion
comedia *nf.* comédie
comediante *nm/f.* comédien(ne)
comedido,-a *adj.* réservé(e)
comedor *nm.* salle à manger *nf.*
comensal *nm/f.* convive
comentar *v. tr.* commenter
comentario *nm.* commentaire
comenzar *v. tr.* commencer
comer *v. tr.* manger

comercial *adj.* commercial(e)
comercialización *nf.* commercialisation
comercializar *v. tr.* commercialiser
comerciar *v. intr.* faire du commerce
comercio *nm.* commerce
comestible *adj.* comestible
cometa *nf.* cerf-volant *nm.* • *nm.* comète *nf.*
cometer *v. tr.* commettre
cometido *nm.* mission *nf.* ; devoir *nm.*
comezón *nf.* démangeaison
comicios *nmpl.* élections *nfpl.*
cómico,-a *adj.* comique • *nm/f.* acteur(trice) comique
comida *nf.* nourriture ; déjeûner *nm.* ; repas *nm.*
comienzo *nm.* début ; commencement
comino *nm.* cumin
comisaría *nf.* commissariat *nm.*
comisario *nm.* commissaire
comisión *nf.* commission
comisionar *v. tr.* mandater
comisionista *nm/f.* commissionnaire
comité *nm.* comité
comitiva *nf.* cortège *nm.*
como *adv.* comme ; en tant que ; que • *conj.* comme ; ***como si*** *loc. conj.* comme si
cómo *adv.* comment
cómoda *nf.* commode
comodidad *nf.* confort *nm.*
cómodo,-a *adj.* confortable
compacto,-a *adj.* compact(e)
compadecer *v. tr.* compatir ; avoir pitié de • *v. pr.* se plaindre
compaginar *v. tr.* concilier • *v. pr.* aller de pair
compañerismo *nm.* camaraderie *nf.*
compañero,-a *nm/f.* compagnon (compagne) ; collègue ; camarade
compañía *nf.* compagnie
comparable *adj.* comparable
comparación *nf.* comparaison
comparar *v. tr.* comparer
comparativo,-a *adj.* comparatif(ive)
comparecer *v. intr.* comparaître
compartimiento *nm.* compartiment
compartir *v. tr.* partager
compás *nm.* compas ; mesure *nf.* ; rythme *nm.*
compasión *nf.* compassion
compatible *adj.* compatible
compatriota *nm/f.* compatriote
compendio *nm.* précis ; résumé
comprenetrarse *v. pr.* s'entendre ; se compléter
compensación *nf.* compensation
compensar *v. tr.* compenser
competencia *nf.* concurrence ; compétence
competente *adj.* compétent(e)
competición *nf.* compétition
competidor,-ora *nm/f.* concurrent(e)
competir *v. intr.* concourir, être en compétition
compilación *nf.* compilation
compilar *v. tr.* compiler
compinche *nm. (fam)* copain
complacer *v. tr.* faire plaisir
complejo *nm.* complexe
complejo,-a *adj.* complexe
complementar *v. tr.* compléter • *v. pr.* se compléter
complemento *nm.* complément
completar *v. tr.* compléter
completo,-a *adj.* complet(ète)
complexión *nf.* constitution, complexion
complicación *nf.* complication
complicado,-a *adj.* compliqué(e)
complicar *v. tr.* compliquer • *v. pr.* se compliquer
cómplice *nm/f.* complice
compló *nm.* complot
componente *nm.* composante *nf.* • *adj.* composant(e)
componer *v. tr.* composer • *v. pr.* se composer
comportamiento *nm.* comportement
comportar *v. tr.* supporter ; tolérer • *v. pr.* se comporter, se conduire
composición *nf.* composition
compositor,-a *nm/f.* compositeur(trice)
compostura *nf.* réparation ; maintien *nm.*
compota *nf.* compote
compra *nf.* achat *nm.*
comprador,-a *nm/f.* acheteur(euse)
comprar *v. tr.* acheter
compraventa *nf.* achat et vente

comprender *v. tr.* comprendre • *v. pr.* se comprendre
comprensión *nf.* compréhension
comprensivo,-a *adj.* compréhensif(ive)
comprensa *nf.* compresse ; serviette *(hygiénique)*
compresión *nf.* compression
comprimido,-a *adj.* comprimé(e)
comprimir *v. tr.* comprimer
comprobante *adj.* probant(e) • *nm.* preuve *nf.*
comprobar *v. tr.* vérifier
comprometer *v. tr.* compromettre ; impliquer • *v. pr.* s'engager à ; se fiancer
comprometido,-a *adj.* engagé(e)
compromiso *nm.* promesse *nf.* ; engagement *nm.* ; fiançailles *nfpl.*
compuerta *nf.* vanne
compulsar *v. tr.* compulser
compulsivo,-a *adj.* compulsif(ive)
computadora *nf.* ordinateur *nm.*
comulgante *nm/f.* communiant(e)
comulgar *v. intr.* communier
común *adj.* commun(e) ; courant(e)
comunicación *nf.* communication
comunicado *nm.* communiqué
comunicar *v. tr.* communiquer ; transmettre
comunidad *nf.* communauté
comunión *nf.* communion
comunismo *nm.* communisme
comunista *nm/f.* communiste • *adj.* communiste
comunitario,-a *adj.* communautaire
con *prép.* avec
conato *nm.* tentative *nf.*
cóncavo,-a *adj.* concave
concebible *adj.* concevable
concebir *v. tr.* concevoir
conceder *v. tr.* accorder, concéder
concejo *nm.* conseil municipal
concentración *nf.* concentration
concentrado *nm.* concentré
concentrado,-a *adj.* concentré(e)
concentrar *v. tr.* concentrer ; rassembler • *v. pr.* se rassembler
concéntrico,-a *adj.* concentrique
concepción *nf.* conception
concepto *nm.* concept
concernir *v. intr.* concerner
concertación *nf.* concertation
concertar *v. tr.* convenir • *v. intr.* concorder avec
concertista *nm/f.* concertiste
concesión *nf.* concession
concesionario *nm.* concessionnaire
concha *nf.* coquille ; carapace
conciencia *nf.* conscience
concienciar *v. tr.* faire prendre conscience • *v. pr.* prendre conscience
concierto *nm.* concert
conciliador,-a *adj.* conciliant(e) • *nm/f.* conciliateur(trice)
conciliar *v. tr.* concilier ; réconcilier
concilio *nm.* concile
concisión *nf.* concision
cónclave *nm.* conclave
concluir *v. tr.* terminer ; conclure • *v. pr.* s'achever
conclusión *nf.* conclusion
concluyente *adj.* concluant(e)
concordancia *nf.* concordance
concordar *v. tr.* mettre d'accord • *v. intr.* concorder • *v. pr.* se mettre d'accord
concordia *nf.* accord *nm.*
concretar *v. tr.* préciser ; convenir
concreto,-a *adj.* concret(ète)
concubinato *nm.* concubinage
concurrencia *nf.* assistance ; coïncidence
concurrido,-a *adj.* fréquenté(e)
concurrir *v. intr.* concourir ; participer à
concursante *nm/f.* participant(e)
concursar *v. intr.* concourir
concurso *nm.* concours
conde *nm.* comte
condecoración *nf.* décoration *(insigne)*
condecorar *v. tr.* décorer
condena *nf.* condamnation
condenado,-a *adj. et nm/f.* condamné(e)
condenar *v. tr.* condamner
condensado *nm.* condensé
condensar *v. tr.* condenser
condesa *nf.* comtesse
condescender *v. intr.* condescendre à
condición *nf.* condition
condicional *adj.* conditionnel(le)
condicionamiento *nm.* conditionnement
condicionar *v. tr.* conditionner

condimentar *v. tr.* assaisonner
condimento *nm.* condiment
condón *nm.* préservatif
condolerse *v. pr.* compatir à
cóndor *nm.* condor
conducción *nf.* conduite
conducir *v. tr. et intr.* conduire ; mener
conducto *nm.* conduit ; voie *nf.*
conductor,-a *nm/f.* conducteur(trice)
conectar *v. tr.* brancher ; raccorder • *v. pr.* se brancher, se raccorder
conejo *nm.* lapin
conexión *nf.* lien *nm.* ; branchement *nm.*
confección *nf.* confection
confeccionar *v. tr.* confectionner
confederación *nf.* confédération
confederar *v. tr.* confédérer
conferencia *nf.* conférence ; communication
conferir *v. tr.* conférer
confesar *v. tr.* avouer, confesser • *v. pr.* se confesser
confesionario *nm.* confessional
confesión *nf.* confession ; aveu *nm.*
confesor *nm.* confesseur
confeti *nm.* confetti
confiado,-a *adj.* confiant(e)
confianza *nf.* confiance
confiar *v. tr.* confier ; espérer
confidencia *nf.* confidence
confidencial *adj.* confidentiel(le)
confidente *nm/f.* confident(e) ; indicateur(trice) (*police)*
configuración *nf.* configuration
configurar *v. tr.* configurer
confinar *v. intr.* confiner ; exiler
confirmación *nf.* confirmation
confirmar *v. tr.* confirmer ; conforter
confiscación *nf.* confiscation
confiscar *v. tr.* confisquer
confite *nm.* sucrerie *nf.*
confitería *nf.* confiserie ; *(h. am.)* salon de thé *nm.*
confitero,-a *nm/f.* confiseur(euse)
confitura *nf.* confiture
conflicto *nm.* conflit
conflictual *adj.* conflictuel(le)
confluente *nm.* confluent
confluir *v. intr.* confluer ; converger
conformar *v. tr.* conformer • *v. pr.* se résigner
conforme *adj.* conforme • *conj.* à mesure que ; dès que
conformismo *nm.* conformisme
confortable *adj.* confortable
confortar *v. tr.* réconforter
confrontación *nf.* confrontation
confrontar *v. tr.* confronter
confundir *v. tr.* confondre, embrouiller • *v. pr.* se tromper
confusión *nf.* confusion
confuso,-a *adj.* confus(e)
congelación *nf.* congelation ; gel *nm.*
congelador *nm.* congélateur
congelar *v. tr.* congeler ; geler
congeniar *v. intr.* sympathiser
congénito,-a *adj.* congénital(e)
congestión *nf.* congestion
congestionar *v. tr.* congestionner
conglomerado *nm.* conglomérat
congoja *nf.* angoisse
congratular *v. tr.* congratuler ; féliciter • *v. pr.* se féliciter
congregación *nf.* congrégation
congregar *v. tr.* rassembler, réunir
congreso *nm.* congrès
congresista *nm/f.* congressiste
congrio *nm.* congre
conífero *nm.* conifère
conjetura *nf.* conjecture
conjeturar *v. tr.* conjecturer
conjugación *nf.* conjugaison
conjugar *v. tr. et intr.* conjuguer
conjunción *nf.* conjonction
conjuntivitis *nf.* conjonctivite
conjunto *nm.* ensemble
conjura *nf.* conjuration
conjurar *v. tr.* conspirer ; conjurer
conllevar *v. tr.* impliquer ; comporter
conmemoración *nf.* commémoration
conmemorar *v. tr.* commémorer
conmensurable *adj.* commensurable
conmigo *pron. pers.* avec moi
conmover *v. tr.* émouvoir • *v. pr.* s'émouvoir
connivencia *nf.* connivence
connotación *nf.* connotation

conocedor,-a *adj. et nm/f.* connaisseur(euse)
conocer *v. tr.* connaître, reconnaître • *v. pr.* se connaître
conocimiento *nm.* connaissance *nf.*
conque *conj.* ainsi donc, alors
conquista *nf.* conquête
conquistador,-a *adj. et nm/f.* conquérant(e) ; séducteur(trice)
conquistador *nm.* conquistador
conquistar *v. tr.* conquérir
consagración *nf.* consécration ; sacre *nm.*
consagrar *v. tr.* consacrer
consanguíneo,-a *adj.* consanguin(e)
consciente *adj.* conscient(e)
conscripción *nf.* conscription
consecución *nf.* réalisation
consecuencia *nf.* conséquence
consecuente *adj.* conséquent(e)
conseguir *v. tr.* obtenir ; atteindre
consejero,-a *adj. et nm/f.* conseiller(ère)
consejo *nm.* conseil
consenso *nm.* consensus
consentimiento *nm.* consentement
consentir *v. tr. et intr.* permettre ; consentir ; accepter
conserje *nm.* concierge
conserjería *nf.* conciergerie
conserva *nf.* conserve
conservación *nf.* conservation
conservador,-a *adj. et nm/f.* conservateur(trice)
conservante *nm.* conservateur *(chimie)*
conservar *v. tr.* conserver
conservatorio *nm.* conservatoire
considerable *adj.* considérable ; remarquable
consideración *nf.* considération
considerado,-a *adj.* considéré(e)
considerar *v. tr.* considérer
consigna *nf.* consigne
consignación *nf.* consignation
consignar *v. tr.* consigner
consigo *pron. pers.* avec toi ; avec lui(elle)
consiguiente *adj.* consécutif(ive)
consistente *adj.* consistant(e)
consistir *v. intr.* consister
consola *nf.* console
consolación *nf.* consolation
consolar *v. tr.* consoler
consolidación *nf.* consolidation
consolidar *v. tr.* consolider
consonancia *nf.* consonance ; harmonie
consonante *nf.* consonne
consorcio *nm.* consortium
conspiración *nf.* conspiration
conspirar *v. intr.* conspirer
constancia *nf.* constance
constante *adj.* constant(e)
constar *v. intr.* figurer ; se composer de
constelación *nf.* constellation
consternación *nf.* consternation
consternar *v. tr.* consterner
constipado,-a *adj.* enrhumé(e)
constipado *nm.* rhume
constiparse *v. pr.* s'enrhumer
constitución *nf.* constitution
constitutivo,-a *adj.* constitutif(ive)
constituir *v. tr.* constituer
constreñir *v. tr.* contraindre
construcción *nf.* construction
constructivo,-a *adj.* constructif
construir *v. tr.* construire
consuelo *nm.* consolation *nf.* ; réconfort *nm.*
consulta *nf.* consultation ; cabinet de consultation *nm.*
consultante *nm/f.* consultant(e)
consultar *v. tr.* consulter
consumición *nf.* consommation *(boisson)*
consumidor,-a consommateur(trice)
consumir *v. tr.* consommer ; consumer • *v. pr.* se consumer
consumo *nm.* consommation *nf.*
contabilidad *nf.* comptabilité
contabilizar *v. tr.* comptabiliser
contable *adj. et nm/f.* comptable
contacto *nm.* contact
contador *nm.* compteur ; comptable
contagiar *v. tr.* contaminer, transmettre • *v. pr.* se transmettre
contagio *nm.* contagion *nf.*
contagioso,-a *adj.* contagieux(euse)
contaminación *nf.* pollution, contamination
contaminar *v. tr.* polluer ; contaminer

contar *v. tr.* compter ; raconter
contemplación *nf.* contemplation
contemplar *v. tr.* contempler ; envisager
contemporáneo,-a *adj. et nm/f.* contemporain(e)
contener *v. tr.* contenir
contenido *nm.* contenu
contentar *v. tr.* contenter • *v. pr.* se contenter
contento,-a *adj.* content(e)
contento *nm.* contentement, joie *nf.*
contestación *nf.* réponse
contestar *v. tr. et intr.* répondre
contexo *nm.* contexte
contienda *nf.* combat *nm.* ; conflit *nm.*
contigo *pron. pers.* avec toi
contiguo,-a *adj.* contigu(üe)
continental *adj.* continental(e)
continente *nm.* continent ; contenant
continuación *nf.* continuation
continuamente *adv.* continuellement
continuar *v. tr. et intr.* continuer
continuo,-a *adj.* continu(e) ; continuel(le)
contorno *nm.* contour ; les alentours *nmpl.*
contorsión *nf.* contorsion
contra *prép.* contre • *nm.* contre
contraataque *nm.* contre-attaque *nf.*
contrabajo *nm.* contrebasse *nf.* ; contrebassiste *nm/f.*
contrabandista *nm.* contrebandier
contrabando *nm.* contrebande *nf.*
contracción *nf.* contraction
contracepción *nf.* contraception
contracorriente *nf.* contre-courant *nm.*
contractual *adj.* contractuel(le)
contrachapado *nm.* contreplaqué
contrachapar *v. tr.* contreplaquer
contradecir *v. tr.* contredire
contradicción *nf.* contradiction
contradictorio,-a *adj.* contradictoire
contraer *v. tr.* contracter
contraespionaje *nm.* contre-espionnage
contrahacer *v. tr.* contrefaire
contraindicación *nf.* contre-indication
contraluz *nm.* contre-jour
contraorden *nf.* contrordre *nm.*
contrapartida *nf.* contrepartie
contrapelo (a) *adj.* à rebrousse-poil ; à contre-cœur
contrapesar *v. tr.* contrebalancer
contrapeso *nm.* contrepoids
contraponer *v. tr.* opposer • *v. pr.* s'opposer
contrapunto *nm.* contrepoint
contrariedad *nf.* contrariété, ennui *nm.*
contrario,-a *adj.* contraire
contrarrestar *v. tr.* contrecarrer
contrasentido *nm.* contresens
contraseña *nf.* mot de passe *nm.*
contrastar *v. tr.* résister à • *v. intr.* contraster
contraste *nm.* contraste
contratación *nf.* embauche
contratar *v. tr.* embaucher, engager
contratiempo *nm.* contretemps
contratista *nm/f.* entrepreneur(euse)
contrato *nm.* contrat
contrayente *nm/f.* contractant(e)
contribución *nf.* contribution ; impôt *nm.*
contribuir *v. intr.* contribuer
contribuyente *nm/f.* contribuable
control *nm.* contrôle
controlar *v. tr.* surveiller, contrôler
controversia *nf.* controverse
controvertible *adj.* discutable
contumaz *adj.* opiniâtre
contundente *adj.* tranchant(e) ; convaincant(e)
contusión *nf.* contusion
convalecencia *nm.* convalescence
convalecente *adj. et nm/f.* convalescent(e)
convalidar *v. tr.* valider
convencer *v. tr.* convaincre
convencimiento *nm.* conviction *nf.*
convencional *adj.* conventionnel(le)
convenencia *nf.* convenance
conveniente *adj.* convenable
convenio *nm.* convention *nf.*
convenir *v. tr.* convenir • *v. pr.* s'entendre
convento *nm.* couvent
convergencia *nf.* convergence
convergente *adj.* convergent(e)
converger *v. intr.* converger
conversación *nf.* conversation
conversar *v. intr.* converser

conversión *nf.* conversion
convexo,-a *adj.* convexe
convicción *nf.* conviction
convidar *v. tr.* inviter
convicente *adj.* convaincant(e)
convivencia *nf.* cohabitation
convocar *v. tr.* convoquer
convocatoria *nf.* convocation ; session
convulsión *nf.* convulsion
convulsionar *v. tr.* convulsionner ; convulser
conyugal *adj.* conjugal(e)
coñac *nm.* cognac
cooperación *nf.* coopération
cooperar *v. intr.* coopérer
cooperativa *nf.* coopérative
cooperativo,-a *adj.* coopératif(ive)
cooptar *v. tr.* coopter
coordenada *nf.* coordonnée
coordenador,-a *nm/f.* coordinateur(trice)
coordinación *nf.* coordination
coordinar *v. tr.* coordonner
copa *nf.* coupe ; verre *nm.* ; cime *nf.* *(arbre)*
copeo *nm.* tournée *nf.* des bars
copia *nf.* copie
copiadora *nf.* photocopieuse
copiar *v. tr.* copier
copioso,-a *adj.* copieux(euse)
copla *nf.* chanson ; couplet *nm.*
copo *nm.* flocon
coproducción *nf.* coproduction
copropiedad *nf.* copropriété
copropietario,-a *nm/f.* copropriétaire
copular *v. tr.* copuler
coqueta *adj. et nf.* coquette
coquetear *v. intr.* minauder
coraje *nm.* courage
coral *nm.* corail
coraza *nf.* cuirasse
corazón *nm.* cœur
corbata *nf.* cravate
corcova *nf.* bosse
corcovado,-a *adj. et nm/f.* bossu(e)
corchete *nm.* agrafe *nf.* ; crochet *nm.*
corcho *nm.* liège
cordel *nm.* ficelle *nf.*
cordero,-a *nm/f.* agneau(elle)
cordial *adj.* cordial(e)
cordalidad *nf.* cordialité
cordillera *nf.* cordillère
cordón *nm.* cordon ; lacet
cordura *nf.* raison ; sagesse
coreografía *nf.* chorégraphie
corista *nm/f.* choriste
cornada *nf.* coup de corne *nm.*
cornamenta *nf.* cornes *nfpl.*
córnea *nf.* cornée
cornear *v. intr.* donner des coups de corne
corneja *nf.* corneille
corneta *nf.* clairon *nm.*
cornisa *nf.* corniche
cornudo,-a *adj.* cornu(e) ; *(fam)* cocu(e)
coro *nm.* chœur
corona *nf.* couronne
coronación *nf.* couronnement *nm.*
coronar *v. tr.* couronner
coronel *nm.* colonel
coronilla *nf.* sommet *nm.* de la tête
corpiño *nm.* bustier
corporación *nf.* corporation
corporativo,-a *adj.* corporatif(ive)
corpulencia *nf.* corpulence
corpulento,-a *adj.* corpulent(e)
corral *nm.* basse-cour *nf.*
correa *nf.* courroie ; laisse ; bracelet *nm.*
corrección *nf.* correction
correccional *adj.* correctionnel(le)
correcto,-a *adj.* correct(e)
corredera *nf.* coulisse ; glissière
corredor *nm.* coureur ; courtier ; corridor
correduría *nf.* courtage *nm.*
corregible *adj.* corrigible
corregir *v. tr.* corriger
correlación *nf.* corrélation
correlacionar *v. tr.* relier
correo *nm.* courrier
Correos *nmpl.* la Poste *nf.*
correr *v. intr.* courir ; couler ; passer ; connaître • *v. pr.* se pousser
correría *nf.* escapade
correspondencia *nf.* correspondance
corresponder *v. intr.* correspondre ; rendre
corresponsal *nm/f.* correspondant(e)
corrida *nf.* corrida

corrido (de) *adv.* par cœur
corriente *nf.* courant *nm.*
corriente *adj.* courant(e)
corro *nm.* cercle ; ronde *nf.* ; corbeille *nf. (Bourse)*
corroborar *v. tr.* corroborer
corroer *v. tr.* corroder ; ronger
corromper *v. tr.* corrompre ; pourrir
corrosión *nf.* corrosion
corrupción *nf.* corruption
corsario *nm.* corsaire
corsé *nm.* corset
cortacésped *nm. inv.* tondeuse *nf.* à gazon
cortado,-a *adj.* coupé(e) ; gercé(e) ; tourné(e)
cortadura *nf.* coupure
cortafuego *nm.* coupe-feu
cortante *adj.* coupant(e) ; cinglant(e)
cortapisa *nf.* entrave, restriction
cortar *v. tr.* couper ; tailler ; interrompre ● *v. pr.* se couper ; se gercer ; se tourner ; se troubler
cortaúñas *nm. inv.* coupe-ongles
corte *nm.* coupure *nf.* ; déchirure *nf.* ; coupe *nf.*
cortejar *v. tr.* courtiser
cortés *adj.* courtois(e)
cortesía *nf.* courtoisie
corteza *nf.* écorce ; croûte
cortijo *nm.* ferme *nf.*
cortina *nf.* rideau *nm.*
corto,-a *adj.* court
cortometraje *nm.* court-métrage
corzo *nm.* chevreuil
cosa *nf.* chose ● *nfpl.* affaires ; matériel *nm.*
cosecha *nf.* récolte
cosechadora *nf.* moissonneuse
cosechar *v. tr.* récolter
coseno *nm.* cosinus
coser *v. tr.* coudre
cosmético *nm.* cosmétique
cosmético,-a *adj.* cosmétique
cósmico,-a *adj.* cosmique
cosmogonía *nf.* cosmogonie
cosmopolita *adj. et nm/f.* cosmopolite
cosmos *nm.* cosmos
cosquillas *nfpl.* chatouilles
cosquilleo *nm.* chatouillement
cosquilloso,-a *adj.* chatouilleux(euse)
costa *nf.* côte *(mer)* ; dépense *nf.*, frais *nmpl.*
costar *v. intr.* coûter
coste *nm.* coût
costear *v. tr.* financer
costero,-a *adj.* côtier(ière)
costilla *nf.* côte, côtelette
costo *nm.* coût
costoso,-a *adj.* coûteux(euse)
costra *nf.* croûte
costumbre *nf.* habitude
costura *nf.* couture
costurera *nf.* couturière
costurero *nm.* corbeille *nf.* à ouvrages
cotejar *v. tr.* confronter
cotidiano,-a *adj.* quotidien(ne)
cotilla *nf.* commère
cotilleo *nm.* potins *nmpl.*
cotización *nf.* cotisation ; cotation
cotizar *v. intr.* cotiser
coto *nm.* terrain clos
cotorra *nf.* perruche
cotorrear *v. intr. (fam)* jacasser
coxis *nm.* coccyx
coxcojita *nf.* marelle
coyote *nm.* coyote
coyuntura *nf.* conjoncture
coyuntural *adj.* conjoncturel(le)
coz *nf.* ruade
crac *nm.* krash
cráneo *nm.* crâne
cráter *nm.* cratère
creación *nf.* création
creador,-a *adj. et nm/f.* créateur(trice)
crear *v. tr.* créer
creativo,-a *adj.* créateur(trice)
crecer v. *intr.* croître ; augmenter
crecido,-a *adj.* grand(e)
creciente *adj.* croissant(e)
crecimiento *nm.* croissance *nf.*
crédito *nm.* crédit
credo *nm.* credo
crédulo,-a *adj.* crédule
creencia *nf.* croyance
creer *v. tr. et intr.* croire
creído,-a *adj.* crédule
crema *nf.* crème ; cirage *nm.*

crematorio *nm.* crématorium
crematorio-,a *adj.* crématoire
crepe *nf.* crêpe
crepitar *v. intr.* crépiter
crepúsculo *nm.* crépuscule
crescendo *nm.* crescendo
crespo,-a *adj.* crépu(e)
crespón *nm.* crépon
cresta *nf.* crête
cretino,-a *adj. et nm/f.* crétin(e)
cría *nf.* élevage *nm.* ; allaitement *nm.*
crianza *nf.* allaitement *nm.* ; élevage *nm.*
criar *v. tr.* élever ; allaiter
criatura *nf.* enfant *nm.* ; créature *nf.*
crimen *nm.* crime
criminal *adj. et nm/f.* criminel(le)
criminalidad *nf.* criminalité
criminar *v. tr.* incriminer
crin *nm.* crin
crío *nm.* gosse, bébé
cripta *nf.* crypte
crisantemo *nm.* chrysanthème
crisis *nf.* crise
crispar *v. tr.* crisper
cristal *nm.* cristal ; vitre *nf.* ; verre *nm.*
cristalino,-a *adj.* cristallin(e)
cristalizar *v. tr.* cristalliser
cristianismo *nm.* christianisme
cristiano,-a *adj. et nm/f.* chrétien(ne)
criterio *nm.* critère
crítica *nf.* critique
criticar *v. tr.* critiquer
crítico *nm.* critique
crítico,-a *adj.* critique
croar *v. intr.* coasser
cromar *v. tr.* chromer
cromo *nm.* chromo, image *nf.*
crónica *nf.* chronique
cronista *nm.* chroniqueur
cronología *nf.* chronologie
cronológico,-a *adj.* chronologique
cronometrar *v. tr.* chronométrer
cronómetro *nm.* chronomètre
croquis *nm.* croquis
cruce *nm.* croisement
crucero *nm.* croisière *nf. ;* croiseur *nm.*
crucial *adj.* crucial(e)
crucificar *v. tr.* crucifier
crucigrama *nm.* mots croisés *nmpl.*
crudeza *nf.* rigueur ; dureté
crudo,-a *adj.* cru(e)
crudo *nm.* pétrole brut
cruel *adj.* cruel(le)
crueldad *nf.* cruauté
crujido *nm.* craquement
crujiente *adj.* craquant(e)
crujir *v. intr.* grincer, craquer
cruz *nf.* croix ; pile *(d'une pièce)*
cruzado,-a *adj.* barré(e) ; croisé(e)
cruzar *v. tr.* croiser ; traverser
cuaderno *nm.* cahier
cuadra *nf.* écurie ; *(h. am.)* pâté *nm.* de maisons
cuadrado *nm.* carré
cuadrado,-a *adj.* carré(e)
cuadragenario,-a *adj. et nm/f.* quadragénaire
cuadrante *nm.* cadran
cuadrar *v. intr.* cadrer ; tomber juste
cuadratura *nf.* quadrature
cuadricular *v. tr.* quadriller
cuadrilátero *nm.* quadrilatère
cuadrilla *nf.* bande ; troupe
cuadro *nm.* tableau ; carré
cuajado,-a *adj.* caillé(e) ; givré(e)
cuajar *v. intr.* cailler ; coaguler ; prendre
cual *pron. rel.* lequel, laquelle • *adv.* tel que, comme
cuál *adj. et pron. interrog.* quel, quelle, lequel, laquelle
cualidad *nf.* qualité
cualificación *nf.* qualification
cualquiera *adj. ind.* n'importe quel/quelle ; quelconque • *pron. ind.* n'importe qui, quiconque
cuando *adv.* quand
cuantía *nf.* quantité ; montant *nm.*
cuantificar *v. intr.* quantifier
cuantitativo,-a *adj.* quantitatif(ive)
cuanto *adv.* combien
cuanto,-a *adj.* tout(e) le/la • *pron.* tous, toutes ; ceux, celles qui ; tout ce que • *adv.* plus • *loc.* ***en cuanto*** dès que
cuarentena *nf.* quarantaine
cuartel *nm.* caserne *nf.*
cuartelada *nf.* putsch
cuarteto *nm.* quatuor, quartette
cuarto *nm.* chambre *nf.* ; pièce *nf.*

cuarto,-a *adj.* quatrième • *nm.* quart
cuarzo *nm.* quartz
cuatro *adj. et nm. inv.* quatre
cuatrocientos,-as *adj. et num.* quatre cents
Cuba *n. prop. nf.* Cuba
cuba *nf.* tonneau *nm.*
cubalibre *nm.* rhum-Coca
cubano,-a *adj.* cubain(e) • *nm/f.* Cubain(e)
cubero *nm.* tonnelier
cubertería *nf.* ménagère *(de couverts)*
cúbico,-a *adj.* cubique
cubierta *nf.* couverture ; pont *nm. (bateau)*
cubierto *nm.* couvert ; menu
cubierto,-a *adj.* couvert(e)
cubilete *nm.* gobelet
cubismo *nm.* cubisme
cubito *nm.* glaçon
cubo *nm.* cube ; seau
cubrecama *nm.* couvre-lit
cubrir *v. tr.* couvrir ; cacher
cucaña *nf.* mât de cocagne *nm.*
cucaracha *nf.* cafard *nm. (insecte)*
cucarda *nf.* cocarde
cuchara *nf.* cuillère
cucharada *nf.* cuillerée
cucharilla *nf.* petite cuillère
cucharón *nm.* louche *nf.*
cuchichear *v. intr.* chuchoter
cuchicheo *nm.* chuchotement
cuchilla *nf.* coutelas *nm.*
cuchillería *nf.* coutellerie
cuchillero *nm.* coutellier
cuchillo *nm.* couteau
cuclillo *nm.* coucou *(oiseau)*
cuco,-a *adj.* mignon(ne) ; rusé(e)
cuco *nm.* coucou
cucurucho *nm.* cornet
cuello *nm.* cou ; col ; goulet
cuenca *nf.* bassin *nm.* ; orbite *(de l'œil) nf.*
cuenco *nm.* plat ; terrine *nf.*
cuenta *nf.* compte *nm.* ; note, addition *nf.*
cuentagotas *nm. inv.* compte-gouttes
cuentista *nm/f.* conteur(euse) ; menteur(teuse)
cuento *nm.* conte ; histoire *nf. (mensonge)*
cuerda *nf.* corde ; ressort *nm.*
cuerdo,-a *adj.* sage • *nm/f.* sage
cuerno *nm.* corne *nf.*
cuero *nm.* cuir
cuerpo *nm.* corps
cuervo *nm.* corbeau
cuesta *nf.* côte *(pente)*
cuestión *nf.* question
cuestionario *nm.* questionnaire
cueva *nf.* grotte
cugulla *nf.* cagoule
cuidado *nm.* attention *nf.* ; soin *nm.* • *interj.* attention !
cuidadoso,-a *adj.* soigneux(euse)
cuidar *v. tr.* soigner, prendre soin de • *v. pr.* ménager, s'occuper de
culata *nf.* culasse
culebra *nf.* couleuvre
culebrón *nm.* feuilleton télévisé
culinario,-a *adj.* culinaire
culminación *nf.* sommet *nm.* ; point culminant *nm.*
culminar *v. intr.* culminer ; s'achever
culo *nm.* derrière, *(fam)* cul ; fond *(de bouteille)*
culpa *nf.* faute
culpabilidad *nf.* culpabilité
culpabilizar *v. intr.* culpabiliser
culpable *adj.* coupable
culpar *v. tr.* accuser
cultivable *adj.* cultivable
cultivador *nm/f.* cultivateur(trice)
cultivar *v. tr.* cultiver
cultivo *nm.* culture *(de la terre) nf.*
culto,-a *adj.* cultivé(e) *(personne)*
culto *nm.* culte
cultura *nf.* culture *(de l'esprit)*
cultural *adj.* culturel(le)
cumbre *nf.* sommet *nm.* ; faîte
cumpleaños *nm. inv.* anniversaire
cumplido,-a *adj.* poli(e) ; parfait(e) ; révolu(e)
cumplido *nm.* compliment ; politesse *nf.*
cumplidor,-a *adj.* digne de confiance
cumplimiento *nm.* accomplissement
cumplir *v. tr.* accomplir ; respecter ; faire ; expirer ; purger ; s'acquitter, faire son devoir
cumulativo,-a *adj.* cumulatif(ive)
cúmulo *nm.* série *nf.* ; cumulus *(nuage) nm.*

cuna *nf.* berceau *nm.*
cundir *v. intr.* se répandre
cuneta *nf.* caniveau *nm.* ; fossé *nm.*
cuñado,-a *nm/f.* beau-frère (belle-sœur)
cuño *nm.* poinçon
cuota *nf.* cotisation ; contribution
cupo *nm.* quota ; contingent
cupón *nm.* bon ; coupon
cúpula *nf.* coupole
cura *nm.* curé • *nf.* soin
curable *adj.* curable
curación *nf.* guérison
curado,-a *adj.* séché(e), salé(e) *(aliments)* ; guéri(e)
curadero,-a *nm/f.* guérisseur(euse)
curar *v. tr.* soigner ; sécher • *v. intr.* guérir • *v. pr.* se soigner
curativo,-a *adj.* curatif(ive)
curiosear *v. intr.* fouiner
curiosidad *nf.* curiosité
curioso,-a *adj. et nm/f.* curieux(euse)
currar *v. intr. (fam)* bosser
currante *nm/f. (fam)* bosseur(euse)
curro *nm. (fam)* boulot
currículum vitae *nm.* curriculum vitae
cursar *v. tr.* faire des études de ; envoyer
cursi *adj. et nm/f.* snob
cursillo *nm.* stage
curso *nm.* cours ; année scolaire *nf.*
cursor *nm.* curseur
curtido *nm.* tannage
curtido,-a *adj.* tanné(e)
curtir *v. tr.* tanner
curva *nf.* virage *nm.* ; courbe *nf.*
curvar *v. tr.* courber
curvo,-a *adj.* courbe
custodia *nf.* garde
custodiar *v. tr.* garder
cutáneo,-a *adj.* cutané(e)
cutis *nm.* peau *nf. (du visage)*
cuyo,-a *pron. rel.* dont ; duquel/de laquelle

D

d *nf.* d *nm. inv.*
dactilar *adj.* digital(e)
dádiva *nf.* don *nm.*
dadivoso,-a *adj.* généreux(euse)
dado *nm.* dé
dado,-a *adj.* donné(e) ; enclin(e) • ***dado que*** étant donné que
dalia *nf.* dahlia *nm.*
daltoniano,-a *adj.* daltonien(ne)
daltonismo *nm.* daltonisme
dama *nf.* dame
damnificar *v. tr.* endommager
danés,-esa *adj.* danois(e) • *nm/f.* Danois(e)
danza *nf.* danse
dañable *adj.* nuisible
dañar *v. tr.* abîmer, endommager
daño *nm.* mal ; préjudice ; dégât
dar *v. tr.* donner ; sonner ; rapporter • *v. pr.* se mettre à, s'adonner à
dardo *nm.* fléchette *nf.*
dársena *nf.* bassin *nm. (d'un port)*
dátil *nm.* datte *nf.*
dato *nm.* renseignement, donnée *nf.*
de *prép.* de ; en ; à
deambular *v. intr.* déambuler
debajo *adv.* dessous
debate *nm.* débat
debatir *v. intr.* débattre
debe *nm.* débit *(comptabilité)*
deber *nm.* devoir
deber *v. tr.* devoir • *v. pr.* être dû (due), se devoir à
debido,-da *adj.* dû (due) à ; nécessaire
débil *adj. et nm/f.* faible
debilidad *nf.* faiblesse
debilitación *nf.* affaiblissement *nm.*
debilitar *v. tr.* affaiblir • *v. pr.* s'affaiblir
debutar *v. intr.* débuter
débito *nm.* dettes *nfpl.* ; débit *nm. (comptabilité)*
década *nf.* décade
decadencia *nf.* décadence
decadente *adj.* décadent(e)
decaer *v. intr.* décliner, s'affaiblir ; s'aggraver

decano,-a *nm/f.* doyen(ne)
decapitar *v. tr.* décapiter
decatlón *nm.* décathlon
decelerador *nm.* ralentisseur
decena *nf.* dizaine
decencia *nf.* décence
decente *adj.* décent(e)
decepción *nf.* déception
decepcionar *v. tr.* décevoir
dechado *nm.* modèle, exemple
decibel, decibelio *nm.* décibel
decidir *v. tr.* décider • *v. pr.* se décider
decimal *adj.* décimal(e)
décimo,-a *adj. et nm.* dixième
decir *v. tr.* dire
decisión *nf.* décision
decisivo,-a *adj.* décisif(ive)
declaración *nf.* déclaration
declarar *v. tr.* déclarer • *v. pr.* se déclarer
declinar *v. intr.* décliner
declive *nm.* pente *nf.*
decodificador *nm.* décodeur
decomisar *v. tr.* saisir, confisquer
decomiso *nm.* saisie *nf.*
decoración *nf.* décoration
decorador,-a *nm/f.* décorateur(trice)
decorar *v. tr.* décorer
decorativo,-a *adj.* décoratif(ive)
decoro *nm.* décorum ; convenance *nf.*
decrecer *v. intr.* décroître
decrépito,-a *adj.* décrépit(e)
decretar *v. tr.* décréter
decreto *nm.* décret
dedal *nm.* dé à coudre
dédalo *nm.* dédale
dedicación *nf.* dévouement *nm.*
dedicar *v. tr.* dédier • *v. pr.* se consacrer à
dedicatoria *nf.* dédicace
dedillo (al) *loc. adv.* sur le bout des doigts
dedo *nm.* doigt
deducción *nf.* déduction
deducir *v. tr.* déduire
defección *nf.* défection
defecto *nm.* défaut
defender *v. tr.* défendre
defensa *nf.* défense
defensiva *nf.* défensive
defensor *nm.* défenseur
deficiencia *nf.* déficience
deficiente *adj.* déficient(e)
déficit *nm.* déficit
definición *nf.* définition
definir *v. tr.* définir
definitivo,-a *adj.* définitif(ive)
deflación *nf.* déflation
deflagración *nf.* déflagration
deformación *nf.* déformation
deformar *v. tr.* déformer
deforme *adj.* difforme
defraudar *v. tr.* frauder
defunción *nf.* décès *nm.*
degeneración *nf.* dégénérescence
degenerar *v. intr.* dégénérer
degollar *v. tr.* égorger
degradante *adj.* dégradant(e)
degradar *v. tr.* dégrader
dehesa *nf.* pâturage *nm.*
degustación *nf.* dégustation
dejadez *nf.* négligence, laisser-aller *nm.*
dejado,-a *adj.* négligent(e)
dejar *v. tr.* laisser ; ***dejar de*** cesser de ; ***no dejar de*** ne pas oublier de
deje *nm.* accent, intonation *nf.*
del *contraction de* de + el
delación *nf.* délation
delantal *nm.* tablier
delantero,-a *adj.* qui est devant
delatar *v. tr.* dénoncer
delegación *nf.* délégation
delegado,-a *adj.* délégué(e)
delegar *v. tr.* déléguer, mandater
deletrear *v. tr.* épeler
delfín *nm.* dauphin
delgadez *nf.* maigreur, minceur
delgado,-a *adj.* mince, maigre
deliberación *nf.* délibération
deliberar *v. intr.* délibérer
delicadeza *nf.* délicatesse
delicado,-a *adj.* délicat(e), fragile
delicia *nf.* délice *nm.*
delictivo,-a *adj.* délictueux(euse)
delimitar *v. tr.* délimiter
delincuencia *nf.* délinquance
delincuente *adj. et nm/f.* délinquant(e)
delinquir *v. intr.* commettre un délit
delineante *nm.* dessinateur industriel
delinear *v. tr.* dessiner des plans

delirante *adj.* délirant(e)
delirar *v. intr.* délirer
delirio *nm.* délire
delito *nm.* délit
demacrado,-a *adj.* émacié(e)
demagogia *nf.* démagogie
demágogo *nm.* démagogue
demanda *nf.* demande
demandante *nm/f.* demandeur(eresse)
demarcación *nf.* démarcation
demás *adj. et pron. ind.* autres
demasiado,-a *adj. et adv.* trop de
demente *adj.* dément(e)
democracia *nf.* démocratie
demócrata *adj. et nm/f.* démocrate
democrático,-a *adj.* démocratique
demografía *nf.* démographie
demográfico,-a *adj.* démographique
demonio *nm.* diable, démon
demora *nf.* délai *nm.*, retard *nm.*
demorar *v. tr.* retarder, différer
demostración *nf.* démonstration
demostrar *v. tr.* démontrer, montrer
denegación *nf.* dénégation
denegar *v. tr.* dénier, refuser
denigrar *v. tr.* dénigrer
denominación *nf.* dénomination
densidad *nf.* densité
denso,-a *adj.* dense
dentado,-a *adj.* denté(e), dentelé(e)
dentadura *nf.* denture, dents *nfpl.*
dentista *nm.* dentiste
dentro *adv.* dans, dedans
denuncia *nf.* dénonciation, plainte
denunciar *v. tr.* dénoncer, porter plainte
deontología *nf.* déontologie
deparar *v. tr.* procurer ; causer
departamento *nm.* département ; rayon *(magasin)* ; compartiment *(train)* ; *(h. am.)* appartement
dependencia *nf.* dépendance
depender *v. intr.* dépendre
dependiente *adj.* dépendant(e) • *nm/f.* vendeur(euse) ; employé(e)
depilación *nf.* épilation
depilar *v. tr.* épiler
deplorable *adj.* déplorable
deponer *v. tr.* déposer
deportación *nf.* déportation
deportar *v. tr.* déporter
deporte *nm.* sport
deportismo *nm.* pratique *nf.* du sport
deportista *adj. et nm/f.* sportif(ive)
depositar *v. tr.* déposer
depósito *nm.* entrepôt ; réservoir
depravar *v. tr.* dépraver
depreciación *nf.* dépréciation
depreciar *v. tr.* déprécier
depresión *nf.* dépression
depresivo,-a *adj.* dépressif(ive) ; déprimant(e)
deprimir *v. tr.* déprimer
depuración *nf.* épuration
depurar *v. tr.* épurer
derecha *nf.* droite
derecho *nm.* droit
derecho,-a *adj.* droit(e)
deriva *nf.* dérive
dermatología *nf.* dermatologie
dermatólogo,-a *nm/f.* dermatologue
derogación *nf.* dérogation
derogar *v. tr.* déroger à
derramamiento *nm.* effusion *nf.* ; écoulement *nm.*
derramar *v. tr.* répandre
derrame *nm.* écoulement, épanchement
derretir *v. tr.* fondre, faire fondre
derribar *v. tr.* démolir, renverser
derribo *nm.* démolition *nf.*
derrocar *v. tr. (fig)* démolir, renverser
derrochador,-ora *adj. et nm/f.* gaspilleur(euse)
derrochar *v. tr.* gaspiller, dilapider
derroche *nm.* gaspillage
derrota *nf.* défaite
derrotar *v. tr.* vaincre
derrotismo *nm.* défaitisme
derrotista *adj. et nm/f.* défaitiste
derrumbar *v. tr.* abattre • *v. pr.* s'écrouler
derrumbe *nm.* éboulement
desabrido,-a *adj.* fade ; maussade
desabrigar *v. tr.* découvrir
desabrochar *v. tr.* déboutonner
desacelerar *v. intr.* ralentir
desaceleración *nf.* décélération
desacertado,-a *adj.* erroné(e)
desacertar *v. intr.* se tromper
desacierto *nm.* erreur *nf.*

desaconsejar *v. tr.* déconseiller
desacostumbrase *v. pr.* perdre l'habitude
desacreditar *v. tr.* discréditer
desactivar *v. tr.* désamorcer
desacuerdo *nm.* désaccord
desafiar *v. tr.* défier
desafinar *v. tr.* désaccorder • *v. intr.* jouer, chanter faux
desafío *nm.* défi
desaforado,-a *adj.* démesuré(e) ; frénétique
desafortunado,-a *adj.* infortuné(e)
desafuero *nm.* infraction *nf.* ; écart *nm.*
desagradable *adj.* désagréable
desagradar *v. intr.* déplaire
desagrado *nm.* mécontentement
desagraviar *v. tr.* dédommager
desagravio *nm.* dédommagement
desagregar *v. tr.* désagréger
desaguar *v. tr.* assécher
desaguisado,-a *adj.* illégal(e) • *nm.* offense *nf.*
desahogar *v. tr.* réconforter • *v. pr.* se mettre à l'aise
desahogo *nm.* soulagement ; délassement
desahuciar *v. tr.* expulser ; condamner *(un malade)*
desahucio *nm.* expulsion *nf.*
desaire *nm.* mépris, dédain
desajustar *v. tr.* dérégler ; *(fig)* déranger
desajuste *nm.* dérèglement
desalentar *v. tr.* essoufler ; *(fig)* décourager
desaliento *nm.* découragement
desaliño *nm.* négligence *nf.*
desalmado,-a *adj.* cruel(le) • *nm/f.* sans-cœur
desalojar *v. tr.* déloger, expulser
desamortización *nf.* désamortissement
desamparar *v. tr.* abandonner
desamparo *nm.* détresse *nf.*
desangrar *v. tr.* saigner
desanimar *v. tr.* décourager
desánimo *nm.* découragement
desanudar *v. tr.* dénouer
desaparecer *v. intr.* disparaître
desaparición *nf.* disparition
desapego *nm.* manque d'intérêt
desaprobar *v. tr.* désapprouver
desaprovechar *v. tr.* ne pas profiter de
desarmar *v. tr.* désarmer, démonter
desarme *nm.* désarmement, démontage
desarraigar *v. tr.* déraciner
desarraigo *nm.* déracinement
desarreglar *v. tr.* déranger
desarreglo *nm.* désordre
desarrollar *v. tr.* développer
desarrollo *nm.* développement
desarticulación *nf.* désarticulation
desarticular *v. tr.* désarticuler, démanteler
desasir *v. tr.* lâcher • *v. pr.* se défaire
desasosiego *nm.* inquiétude *nf.*
desastre *nm.* désastre
desastroso,-a *adj.* désastreux(euse)
desatar *v. tr.* détacher, défaire
desatender *v. tr.* négliger
desatento,-a *adj.* inattentif(ive)
desatinar *v. intr.* dire des absurdités ; commettre une erreur
desatino *nm.* déraison *nf.* ; erreur *nf.*
desavenencia *nf.* désaccord *nm.*
desavenido,-a *adj.* brouillé(e)
desayunar *v. intr.* prendre le petit déjeuner
desayuno *nm.* petit déjeuner
desazón *nf.* fadeur ; *(fig)* contrariété
desbarajustar *v. tr.* mettre en désordre
desbarajuste *nm.* désordre
desbaratar *v. tr.* détruire ; défaire
desbloqueo *nm.* déblocage
desbocado,-a *adj.* débridé(e) ; insolent(e)
desbordar *v. intr.* déborder
desbravar *v. tr.* dresser, dompter
desbrozar *v. tr.* débroussailler
descafeinado *nm.* décaféiné
descalabrar *v. tr.* malmener
descalabro *nm.* échec ; désastre
descalzar *v. tr.* déchausser
desclazo,-a *adj.* pieds nus
descamación *nf.* desquamation
descaminar *v. tr.* égarer, fourvoyer
descamisado,-a *adj.* déguenillé(e)
descansar *v. intr.* reposer, se reposer
descansillo *nm.* palier

descanso *nm.* repos, halte *nf.* ; mi-temps *nf.*
descapotable *adj.* décapotable • *nm.* voiture décapotable *nf.*
descarado,-a *adj. et nm/f.* insolent(e)
descarga *nf.* déchargement *nm.*
descargadero *nm.* débarcadère
descargador *nm.* docker
descargar *v. tr.* décharger
descargo *nm.* déchargement
descarnar *v. tr.* décharner
descaro *nm.* effronterie *nf.* ; insolence *nf.*
descarriar *v. tr.* égarer, fourvoyer
descarrilamiento *nm.* déraillement ; *(fig)* égarement
descarrilar *v. intr.* dérailler
descartar *v. tr.* écarter
descendencia *nf.* descendance
descender *v. intr.* descendre
descendiente *adj. et nm/f.* descendant(e)
descenso *nm.* descente *nf.* ; déclin *nm.*
descentralización *nf.* décentralisation
descentralizar *v. tr.* décentraliser
descifrable *adj.* déchiffrable
descifrar *v. tr.* déchiffrer
desclasificación *nf.* déclassement *nm.*
desclasificar *v. tr.* déclasser
descolgar *v. tr.* dépendre, décrocher
descollar *v. intr.* surpasser ; distinguer
descolonización *nf.* décolonisation
descolonizar *v. tr.* décoloniser
descolorar *v. intr.* décolorer
descolorido,-a *adj.* décoloré(e)
descometido,-a *adj.* excessif(ive) ; insolent(e)
descomponer *v. tr.* décomposer ; déranger • *v. pr.* dérégler ; se dérégler ; *(fig)* se mettre en colère
descomposición *nf.* décomposition
descompostura *nf.* dérangement *nm.* ; négligence *nf.*
descompresión *nf.* décompression
descompuesto,-a *adj.* décomposé(e), dérangé(e)
descomunal *adj.* démesuré(e)
desconcertante *adj.* déconcertant(e)
desconcertar *v. tr.* déconcerter
desconcierto *nm.* désordre
desconectar *v. tr.* débrancher
desconfiado,-a *adj. et nm/f.* méfiant(e)
desconfianza *nf.* méfiance
desconfiar *v. intr.* se méfier
descongelación *nf.* décongélation ; dégivrage *nm.*
descongelar *v. tr.* décongeler ; dégivrer
descongestionar *v. tr.* décongestionner
desconocer *v. tr.* ne pas connaître
desconocido,-a *adj. et nm/f.* inconnu(e)
desconocimiento *nm.* ignorance *nf.*
desconsiderar *v. tr.* déconsidérer
desconsolar *v. tr.* affliger
desconsuelo *nm.* chagrin
descontar *v. tr.* déduire ; retenir
descontento,-a *adj.* mécontent(e) • *nm.* mécontentement
descontrolado,-a *adj.* incontrôlé(e)
desconvocar *v. tr.* annuler
descorazonamiento *nm.* découragement
descorchar *v. tr.* déboucher *(une bouteille)*
descorrer *v. tr.* tirer, ouvrir
descortés *adj. et nm/f.* impoli(e)
descoser *v. tr.* découdre
descoyuntamiento *nm.* luxation *nf.*
descoyuntar *v. tr.* déboîter ; luxer
descrédito *nm.* discrédit
descremado,-a *adj.* écrémé(e)
describir *v. tr.* décrire
descripción *nf.* description
descriptivo,-a *adj.* descriptif(ive)
descruzar *v. tr.* décroiser
descuartizar *v. tr.* dépecer, écarteler
descubierto,-a *adj.* découvert(e) • *nm.* découvert
descubridor,-a *adj. et nm/f.* découvreur(euse), inventeur(trice)
descubrimiento *nm.* découverte *nf.*
descubrir *v. tr.* découvrir
descuento *nm.* escompte, remise *nf.*, rabais *nm.*
descuidado,-a *adj.* négligent(e), négligé(e)
descuidar *v. tr.* négliger, oublier
descuido *nm.* négligence *nf. nm.*, oubli
desde *prép.* de, depuis
desdecirse *v. pr.* se dédire, se raviser
desdén *nm.* dédain, mépris

desdentar *v. tr.* édenter
desdeñar *v. tr.* dédaigner, mépriser
desdicha *nf.* malheur *nm.*
desdichado,-a *adj. et nm/f.* malheureux(euse)
desdoblamiento *nm.* dédoublement
desdramatizar *v. tr.* dédramatiser
deseable *adj.* désirable, souhaitable
desear *v. tr.* désirer, souhaiter
desecar *v. tr.* dessécher, assécher
desechable *adj.* jetable
desechar *v. tr.* rejeter, refuser
desecho *nm.* déchet, résidu
desembalar *v. tr.* déballer
desembarazar *v. tr.* débarrasser
desembarcadero *nm.* débarcadère
desembarcar *v. tr. et intr.* débarquer
desembarco *nm.* débarquement
desembarque *nm.* débarquement
desembocadura *nf.* embouchure
desembocar *v. intr.* déboucher
desembolsar *v. tr.* débourser, dépenser
desembolso *nm.* versement
desembragar *v. tr.* débrayer
desembrague *nm.* débrayage
desembrollar *v. tr.* débrouiller
desempacar *v. tr.* déballer
desempalmar *v. tr.* déconnecter
desempaque, desempaquetado *nm.* déballage
desempaquetar *v. tr.* déballer
desempeñar *v. tr.* exercer, remplir ● *v. pr.* payer ses dettes
desempleo *nm.* chômage, sous-emploi
desempolvar *v. tr.* dépoussiérer
desencadenamiento *nm.* déclenchement
desencadenar *v. tr.* déchaîner
desencajar *v. tr.* déboîter, luxer
desencargar *v. tr.* décommander
desenclavar *v. tr.* déclouer, débloquer
desenchufar *v. tr.* débrancher
desenfadado,-a *adj.* désinvolte
desenfado *nm.* aisance *nf.* ; désinvolture *nf.*
desenfreno *nm.* dévergondage ; déchaînement
desenganchar *v. tr.* décrocher ● *v. pr.* faire une cure de désintoxication
desengañar *v. tr.* détromper
desengaño *nm.* désillusion *nf.*
desenlace *nm.* dénouement
desenlazar *v. tr.* dénouer, résoudre
desenmarañar *v. tr.* démêler
desenmascarar *v. tr.* démasquer
desenredar *v. tr.* débrouiller, dénouer
desenrollar *v. tr.* dérouler
desenroscar *v. tr.* dévisser
desensibilizar *v. tr.* désensibiliser
desentenderse *v. pr.* se désintéresser
desenterrar *v. tr.* déterrer
desentonar *v. intr.* chanter faux
desenvolver *v. tr.* ouvrir *(un paquet)* ; développer ● *v. pr. (fig)* se débrouiller
desenvuelto,-a *adj.* désinvolte ; débrouillard(e)
deseo *nm.* désir, souhait
desequilibrar *v. tr.* déséquilibrer
desequilibrio *nm.* déséquilibre
deserción *nf.* désertion
desertar *v. tr.* déserter
desértico,-a *adj.* désertique
desesperación *nf.* désespoir *nm.*
desesperar *v. tr.* désespérer ● *v. intr.* désespérer ● *v. pr.* être désespéré
desestabilizar *v. tr.* destabiliser
desestimar *v. tr.* sous-estimer, mépriser
desfachatez *nf.* sans-gêne *nm.* ; culot *nm.*
desfalcar *v. tr.* défalquer ; escroquer
desfalco *nm.* déduction *nf.* ; escroquerie *nf.*
desfallecer *v. intr.* défaillir, s'évanouir
desfase *nm.* déphasage, décalage
desfavorable *adj.* défavorable
desfavorecer *v. tr.* défavoriser
desfigurar *v. tr.* défigurer
desfiladero *nm.* défilé *(en montagne)*
desfilar *v. intr.* défiler
desfile *nm.* défilé militaire
desforestación *nf.* déboisement *nm.*
desformación *nf.* déformation
desformar *v. tr.* déformer
desgana *nf.* dégoût *nm.*, répugnance *nf.*
desganar *v. tr.* couper l'appétit ● *v. pr.* perdre l'appétit
desgañitarse *v. pr.* s'égosiller
desgarrador,-a *adj.* déchirant(e)
desgarrar *v. tr.* déchirer
desgarro *nm.* déchirement, déchirure *nf.*
desgarrón *nm.* déchirure *nf.* ; accroc *nm.*

desgastar *v. tr.* user, abîmer
desgaste *nm.* usure *nf.*
desgobernar *v. tr.* désorganiser ; mal gouverner
desgobierno *nm.* désordre ; mauvaise administration *nf.*
desgracia *nf.* malheur *nm.* ; disgrâce *nf.*
desgraciado,-a *adj. et nm/f.* malheureux(euse)
desgravación *nf.* exonération, détaxe
desgravar *v. tr.* exonérer, détaxer
desgreñar *v. tr.* écheveler, ébouriffer
desguace *nm.* casse *nf.* *(voitures)* ; démontage *nm.*, démolition *nf.*
desguazar *v. tr.* mettre à la casse
deshabitado,-a *adj.* inhabité(e)
deshacer *v. tr.* défaire
deshelar *v. tr.* dégeler
desherbar *v. tr.* désherber
desheredado,-a *adj. et nm/f.* déshérité(e)
desheredar *v. tr.* déshériter
deshidratar *v. tr.* déshydrater
deshielo *nm.* dégel, dégivrage
deshilar *v. tr.* effilocher
deshilvanar *v. tr.* débâtir *(couture)*
deshinchar *v. tr.* dégonfler, désenfler
deshojar *v. tr.* effeuiller
deshollinador *nm.* ramoneur
deshollinar *v. tr.* ramoner
deshonor *nm.* déshonneur, honte *nf.*
deshonra *nf.* déshonneur *nm.*
deshonrar *v. tr.* déshonorer
deshora *nf.* heure indue
desidia *nf.* négligence
desidioso,-a *adj.* négligent(e)
desierto,-a *adj.* désert(e), désertique • *nm.* désert
designación *nf.* désignation, nomination
designar *v. tr.* désigner
designio *nm.* dessein
desigual *adj.* inégal(e)
desigualdad *nf.* inégalité, disparité
desilusionar *v. tr.* décevoir
desincrustación *nf.* détartrage *nm.*
desincrustar *v. tr.* détartrer
desinfectante *adj.* désinfectant(e) • *nm.* désinfectant
desinfectar *v. tr.* désinfecter
desinflar *v. tr.* dégonfler
desinterés *nm.* désintérêt, désintéressement
desistimiento *nm.* désistement
desistir *v. intr.* renoncer à, se désister
desleal *adj.* déloyal(e)
desligar *v. tr.* délier, détacher, dégager
deslindar *v. tr.* délimiter, borner
deslinde *nm.* délimitation *nf.* ; bornage *nm.*
desliz *nm.* faute *nf.* ; faiblesse *nf.*
deslizamiento *nm.* glissement ; *(fig)* tendance *nf.*
deslizar *v. tr. et intr.* glisser
deslucido,-a *adj.* terne, sans éclat
deslumbrante *adj.* éblouissant(e)
deslumbrar *v. tr.* éblouir
desmadre *nm.* *(fam)* foire *nf.* ; pagaille *nf.*
desmán *nm.* excès, abus
desmandarse *v. pr.* dépasser les bornes
desmantelamiento *nm.* démantèlement
desmantelar *v. tr.* démanteler
desmaquillador *nm.* démaquillant
desmaquillar *v. tr.* démaquiller
desmarcar *v. tr.* démarquer
desmayarse *v. pr.* s'évanouir
desmayo *nm.* évanouissement
desmedido,-a *adj.* démesuré(e)
desmedrar *v. tr.* détériorer • *v. intr.* baisser, décliner
desmejorarse *v. pr.* s'affaiblir, se dégrader
desmembramiento *nm.* démembrement
desmembrar *v. tr.* démembrer
desmentir *v. tr.* démentir
desmenuzar *v. tr.* mettre en miettes ; *(fig)* examiner dans le détail
desmerecer *v. tr.* démériter
desmesurado,-a *adj.* démesuré(e)
desmilitarizar *v. tr.* démilitariser
desmitificar *v. tr.* démythifier
desmontar *v. tr.* démonter
desmonte *nm.* déboisement ; terrassement ; déblaiement
desmoralizar *v. tr.* démoraliser
desmoronamiento *nm.* éboulement, effondrement
desmoronar *v. tr.* ébouler, abattre • *v. pr.* s'écrouler, se dégrader
desmovilizar *v. tr.* démobiliser

desnacionalizar *v. tr.* dénationaliser
desnatar *v. tr.* écrémer
desnaturalizar *v. tr.* dénaturer
desnieve *nm.* fonte des neiges *nf.*
desnivel *nm.* dénivellation *nf.*
desnudar *v. tr.* déshabiller ; *(fig)* dépouiller • *v. pr.* se déshabiller
desnudo,-a *adj.* nu(e)
desnutrición *nf.* malnutrition
desobedecer *v. tr. et intr.* désobéir
desobediente *adj.* désobéissant(e)
desocupado,-a *adj.* désoeuvré(e)
desodorante *nm.* déodorant
desolación *nf.* désolation
desolador,-a *adj.* désolant(e)
desorbitado,-a *adj.* exorbitant(e)
desorden *nm.* désordre
desordenado,-a *adj.* désordonné(e)
desordenar *v. tr.* mettre en désordre, déranger
desorganizar *v. tr.* désorganiser
desorientar *v. tr.* désorienter
despabilado,-a *adj.* éveillé(e), vif(ive)
despacio *adv.* lentement, doucement
despachar *v. tr.* expédier, envoyer ; vendre ; congédier
despacho *nm.* bureau ; expédition *nf.* ; vente *nf.*
desparejar *v. tr.* dépareiller
desparpajo *nm.* *(fam)* sans-gêne
desparramar *v. tr.* répandre ; dilapider
despecho *nm.* dépit
despedazar *v. tr.* dépecer
despedida *nf.* adieux *nmpl.*
despedir *v. tr.* congédier • *v. pr.* dire au revoir, quitter
despegar *v. tr.* décoller • *v. pr.* se détacher
despegue *nm.* décollage
despejar *v. tr.* dégager ; débarrasser • *v. pr.* s'éclaircir ; se dégager
despensa *nf.* garde-manger *nm.*
despeñadero *nm.* précipice
despeñar *v. tr.* jeter, précipiter
desperdiciar *v. tr.* gaspillar
desperdicio *nm.* déchet ; gaspillage
desesperezarse *v. pr.* s'étirer
desperfecto *nm.* défaut
despertador *nm.* réveille-matin
despertar *v. tr.* réveiller • *v. intr. et pr.* se réveiller, s'éveiller
despertar *nm.* réveil
despiadado,-a *adj.* impitoyable
despido *nm.* renvoi, licenciement
despierto,-a *adj.* éveillé(e)
despilfarrar *v. tr.* gaspiller
despilfarro *nm.* gaspillage
despistado,-a *adj. et nm/f.* distrait(e)
despistar *v. tr.* égarer, dérouter • *v. pr.* s'égarer
despiste *nm.* étourderie *nf.*
desplante *nm.* arrogance *nf.*
desplazamiento *nm.* déplacement
desplazar *v. tr.* déplacer
desplegar *v. tr.* déplier ; déployer
despliegue *nm.* déploiement
desplomarse *v. pr.* s'effondrer
desplome *nm.* écroulement ; effondrement
desplumar *v. tr.* déplumer
despoblación *nf.* dépeuplement *nm.*
despoblado,-a *adj.* dépeuplé(e)
despoblar *v. tr.* dépeupler
despojar *v. tr.* dépouiller
despojo *nm.* dépouillement ; butin
desposeer *v. tr.* déposséder
déspota *nm.* despote
despótico,-a *adj.* despotique
despotismo *nm.* despotisme
despreciar *v. tr.* mépriser
desprecio *nm.* mépris
desprender *v. tr.* détacher ; décoller • *v. pr.* se détacher
desprendimiento *nm.* détachement ; générosité *nf.*
despreocupado,-a *adj.* insouciant(e)
desprestigiar *v. tr.* discréditer
desprestigio *nm.* discrédit
desprevenido,-a *adj.* dépourvu(e), ***coger desprevenido*** prendre au dépourvu
desproporción *nf.* disproportion
despropósito *nm.* absurdité *nf.*
desproveer *v. pr.* démunir
después *adv.* après, plus tard, ensuite • **después de** *prép. après*
despuntar *v. intr.* bourgeonner ; se distinguer ; poindre *(le jour)*

desquiciar *v. tr.* sortir de ses gonds ; perturber
desquitar *v. tr.* dédommager
desquite *nm.* revanche *nf.*
desrizar *v. tr.* défriser
destacar *v. tr.* souligner ; distinguer • *v. pr.* se distinguer
destajo *nm.* forfait
destapar *v. tr.* ouvrir, découvrir • *v. pr.* se découvrir
destartalado,-a *adj.* délabré(e)
destello *nm.* éclat, lueur *nf.*, étincelle *nf.*
destemplado,-a *adj.* emporté(e) ; fiévreux(euse)
desteñir *v. tr.* déteindre
desterrar *v. tr.* exiler
destetar *v. tr.* sevrer
destiempo (a) *loc. adv.* à contre-temps
destierro *nm.* exil
destilación *nf.* distillation
destilar *v. tr.* distiller
destilería *nf.* distillerie
destinar *v. tr.* destiner ; affecter
destinatario,-a *nm/f.* destinataire
destino *nm.* destin ; destination *nf.* ; affectation *nf. (militaire)*
destitución *nf.* destitution
destituir *v. tr.* destituer
destornillador *nm.* tournevis
destornillar *v. tr.* dévisser
destreza *nf.* habileté
destronar *v. tr.* détrôner
destrozar *v. tr.* mettre en pièces ; abîmer
destrucción *nf.* destruction
destructor,-a *adj. et nm/f.* destructeur(trice)
destruir *v. tr.* détruire
desunión *nf.* désunion
desunir *v. tr.* désunir ; diviser
desuso *nm.* désuétude *nf.*
desvaído,-a *adj.* pâle ; flou(e)
desvalijar *v. tr.* dévaliser
desvalorización *nf.* dévalorisation
desvalorizar *v. tr.* dévaloriser, dévaluer
desván *nm.* grenier
desvanecer *v. tr.* dissiper • *v. pr.* se dissiper
desvanecimiento *nm.* évanouissement
desvarío *nm.* folie *nf.* ; absurdité *nf.*
desvencijado,-a *adj.* délabré(e) ; détraqué(e)
desventaja *nf.* désavantage *nm.*
desventura *nf.* malheur *nm.*
desvergüenza *nf.* insolence
desviación *nf.* déviation
desviar *v. tr.* détourner • *v. pr.* s'écarter
desvío *nm.* déviation *nf.*
detallar *v. tr.* détailler
detalle *nm.* détail ; attention *nf.*
detallista *nm/f.* détaillant(e)
detectar *v. tr.* détecter
detector *nm.* détecteur
detención *nf.* arrêt *nm.* ; détention *nf.*
detener *v. tr.* arrêter, garder • *v. pr.* s'attarder
detenidamente *adv.* attentivement
detergente *nm.* détergent
deteriorar *v. tr.* déteriorer • *v. pr.* se déteriorer
deterioro *nm.* détérioration *nf.*
déterminación *nf.* décision
determinar *v. tr.* déterminer ; décider • *v. pr.* se décider
detonante *adj.* détonnant(e)
detrás *adv.* derrière
deuda *nf.* dette
deudor,-a *adj.* débiteur(trice)
devaluación *nf.* dévaluation
devaluar *v. tr. et intr.* dévaluer
devanar *v. tr.* dévider
devaneo *nm.* divagation *nf.*
devengar *v. tr.* toucher *(de l'argent)*
deviación *nf.* déviation
devoción *nf.* dévotion
devolución *nf.* restitution
devolver *v. tr.* rendre ; renvoyer
devorar *v. tr.* dévorer
devoto,-a *adj. et nm/f.* pieux(euse)
dexteridad *nf.* dextérité
día *nm.* jour, journée *nf.*
diabetes *nf.* diabète *nm.*
diablo *nm.* diable
diablura *nf.* espièglerie
diabólico,-a *adj.* diabolique
diadema *nf.* diadème *nm.*
diáfano,-a *adj.* diaphane
diafragma *nm.* diaphragme
diagnóstico *nm.* diagnostic

diagonal *adj. et nf.* diagonal(e)
diagrama *nm.* diagramme
dialecto *nm.* dialecte
dialogar *v. intr.* dialoguer
diálogo *nm.* dialogue
diamante *nm.* diamant
diamantista *nm.* diamantaire
diámetro *nm.* diamètre
diapasón *nm.* diapason
diapositiva *nf.* diapositive
diario *nm.* journal, quotidien
diario,-a *adj.* quotidien(ne)
diarrea *nf.* diarrhée
dibujante *nm/f.* dessinateur(trice)
dibujar *v. tr.* dessiner
dibujo *nm.* dessin
dicción *nf.* diction
diccionario *nm.* dictionnaire
dicha *nf.* bonheur *nm.* ; chance *nf.*
dicharachero,-a *adj.* amusant(e)
dicho *nm.* dicton
dichoso,-a *adj.* heureux(euse) ; *(fam)* maudit(e)
diciembre *nm.* décembre
dicotomía *nf.* dichotomie
dictado *nm.* dictée *nf.*
dictador *nm.* dictateur
dictadura *nf.* dictature
dictáfono *nm.* dictaphone
dictamen *nm.* opinion *nf.* ; avis *nm.*
dictar *v. tr.* dicter
dictatorial *adj.* dictatorial(e)
didáctico,-a *adj. et nf.* didactique
diecinueve *adj. et nm. inv.* dix-neuf
dieciocho *adj. et nm. inv.* dix-huit
dieciséis *adj. et nm. inv.* seize
diecisiete *adj. et nm. inv.* dix-sept
diente *nm.* dent *nf.*
diesel *nm.* diesel
diestro,-a *adj.* habile
dieta *nf.* diète, régime *nm.* ; frais de déplacement *nmpl.*
dietético,-a *adj. et nf.* diététique
diez *adj. et nm. inv.* dix
diezmar *v. tr.* décimer
difamación *nf.* diffamation
difamar *v. tr.* diffamer
diferencia *nf.* différence ; différend *nm.*
diferencial *nm.* différentiel
diferenciar *v. tr.* différencier • *v. pr.* se distinguer
diferente *adj.* différent(e)
diferir *v. tr. et intr.* différer, retarder
difícil *adj.* difficile
difícilmente *adv.* difficilement
dificultad *nf.* difficulté
dificultar *v. tr.* rendre difficile
difteria *nf.* diphtérie
difuminar *v. tr.* estomper
difundir *v. tr.* diffuser ; répandre
difunto,-a *adj.* défunt(e)
difusión *nf.* diffusion
difuso,-a *adj.* diffus(e)
digerir *v. tr.* digérer
digestión *nf.* digestion
digital *adj.* digital(e)
dignidad *nf.* dignité
digno,-a *adj.* digne
digresión *nf.* digression
dilapidar *v. tr.* dilapider
dilatación *nf.* dilatation
dilatar *v. tr.* dilater ; retarder
dilema *nm.* dilemme
diletante *adj. et nm/f.* dilettante
diligencia *nf.* soin *nm.* ; diligence *nf.* ; démarche *nf.*
diligenciar *v. tr.* faire des démarches
diligente *adj.* diligent(e), appliqué(e)
diluir *v. tr.* diluer
diluvio *nm.* déluge
dimanar *v. intr.* découler ; provenir de
dimensión *nf.* dimension
diminutivo,-a *adj.* diminutif(ive)
diminutivo *nm.* diminutif
diminuto,-a *adj.* très petit(e), minuscule
dimisión *nf.* démission
dimitir *v. intr.* démissionner
dinámico,-a *adj.* dynamique
dinamismo *nm.* dynamisme
dinamita *nf.* dynamite
dinastía *nf.* dynastie
dineral *nm. (fam)* fortune *nf.*
dinero *nm.* argent
dintel *nm.* linteau
diócesis *nf.* diocèse *nm.*
dios,-a *nm/f.* dieu, déesse
diploma *nm.* diplôme
diplomacia *nf.* diplomatie

diplomado,-a *adj.* diplômé(e)
diplomático,-a *adj.* diplomatique
diplomático *nm.* diplomate
diputación *nf.* députation
diputado,-a *nm/f.* député(e)
diputar *v. tr.* députer
dique *nm.* digue *nf.*
dirección *nf.* direction ; adresse
directiva *nf.* directive
directivo *nm.* cadre de direction, dirigeant
directo,-a *adj.* direct(e)
director,-a *adj. et nm/f.* directeur(trice)
directorio *nm.* comité directeur
dirigente *nm.* dirigeant
dirigible *adj.* dirigeable
dirigir *v. tr.* diriger ; adresser • *v. pr.* s'adresser
dirigismo *nm.* dirigisme
dirigista *adj.* dirigiste
dirimir *v. tr.* annuler
discernimiento *nm.* discernement
discernir *v. tr.* discerner
disciplina *nf.* discipline
disco *nm.* disque
disconformidad *nf.* désaccord *nm.*
discontinuar *v. tr. et intr.* discontinuer
discordancia *nf.* discordance
discordia *nf.* discorde
discoteca *nf.* discothèque
discreción *nf.* discrétion
discrepancia *nf.* divergence
discrepar *v. intr.* être en désaccord
discreto,-a *adj.* discret(ète) ; réservé(e)
discriminación *nf.* discrimination
disculpa *nf.* excuse
disculpar *v. tr.* excuser • *v. pr.* s'excuser
discurso *nm.* discours
discusión *nf.* discussion
discutir *v. intr.* discuter ; se disputer
disecar *v. tr.* disséquer
diseminar *v. tr.* disséminer
diseñador,-a *nm/f.* dessinateur(trice)
diseñar *v. tr.* dessiner
diseño *nm.* dessin ; conception *nf.*
disertación *nf.* dissertation
disertar *v. intr.* disserter
disforme *adj.* difforme
disfraz *nm.* déguisement
disfrazar *v. tr.* déguiser • *v. pr.* se déguiser
disfrutar *v. tr.* profiter de
disgregar *v. tr.* désagréger ; disperser
disgusto *nm.* contrariété *nf.*
disidencia *nf.* dissidence
disidente *adj. et nm/f.* dissident(e)
disimular *v. tr.* dissimuler ; cacher
disimulo *nm.* dissimulation *nf.*
dislocar *v. tr.* disloquer
disminución *nf.* diminution
disminuir *v. tr. et intr.* diminuer
disociar *v. tr.* dissocier
disolución *nf.* dissolution
disolver *v. tr.* dissoudre ; disperser
disparar *v. tr.* tirer *(avec une arme)*
disparate *nm.* bêtise *nf.* ; idiotie *nf.*
disparidad *nf.* disparité
disparo *nm.* coup de feu ; flambée *nf.* *(des prix)*
dispendio *nm.* gaspillage
dispensar *v. tr.* dispenser ; donner
dispersar *v. tr.* disperser
disponer *v. tr. et intr.* disposer
disponibilidad *nf.* disponibilité
disposición *nf.* disposition
dispositivo *nm.* dispositif
distancia *nf.* distance
distanciar *v. tr.* éloigner • *v. pr.* s'éloigner
distensión *nf.* distension
distinción *nf.* distinction
distinguir *v. tr.* distinguer
distinto,-a *adj.* différent(e)
distraer *v. tr.* distraire • *v. pr.* se distraire
distribución *nf.* distribution
distribuidor,-a *nm/f.* distributeur(trice)
distribuir *v. tr.* distribuer, répartir
distrito *nm.* district, secteur, circonscription *nf.*
disturbio *nm.* trouble, émeute *nf.*
disuadir *v. tr.* dissuader
diasuasión *nf.* dissuation
disuasorio,-a *adj.* dissuasif(ive)
diurno,-a *adj.* diurne
divagar *v. intr.* divaguer ; errer
diván *nm.* divan
divergencia *nf.* divergence

diversidad *nf.* diversité
diversificar *v. tr.* diversifier
diversión *nf.* distraction ; diversion
divertido,-a *adj.* amusant(e)
divertir *v. tr.* divertir ; faire diversion ● *v. pr.* s'amuser
dividendo *nm.* dividende
dividir *v. tr.* diviser
divinidad *nf.* divinité
divino,-a *adj.* divin(e)
divisa *nf.* devise
divisar *v. tr.* apercevoir
división *nf.* division
divorciar *v. tr.* prononcer le divorce ● *v. pr.* divorcer
divorcio *nm.* divorce
divulgar *v. tr.* divulguer
dobladillo *nm.* ourlet
doblaje *nm.* doublage
doblar *v. tr.* doubler
doble *adj. et adv.* double
doblegar *v. tr.* soumettre ● *v. pr.* se soumettre
doblez *nf.* duplicité
doce *adj. et nm. inv.* douze
docena *nf.* douzaine
docente *adj. et nm/f.* enseignant(e)
dócil *adj.* docile
docilidad *nf.* docilité
doctor,-a *nm/f.* docteur
doctorado *nm.* doctorat
doctrina *nf.* doctrine
documentación *nf.* documentation ; papiers d'identité *nmpl.*
documental *adj. et nm.* documentaire
documentar *v. tr.* documenter ● *v. pr.* se documenter
documento *nm.* document
dogma *nm.* dogme
dólar *nm.* dollar
dolencia *nf.* douleur, infirmité
doler *v. intr.* faire mal ; avoir de la peine
dolor *nm.* douleur *nf.*
doloroso,-a *adj.* douloureux(euse)
doma *nf.* domptage *nm.*
domador,-a *nm/f.* dompteur(euse)
domar *v. tr.* dompter
domesticar *v. tr.* domestiquer
doméstico,-a *adj. et nm/f.* domestique
domiciliación *nf.* domiciliation
domiciliar *v. tr.* domicilier
domicilio *nm.* domicile ; siège social
dominación *nf.* domination
dominante *adj.* dominant(e)
dominar *v. tr.* dominer ● *v. pr.* se maîtriser
domingo *nm.* dimanche
dominguero,-a *adj.* du dimanche
dominio *nm.* domination ; propriété *nf.* ; maîtrise *nf.*
domótica *nf.* domotique
don *nm.* don ; *(devant un prénom masculin)* monsieur
donación *nf.* donation
donante *nm/f.* donateur(trice)
donar *v. tr.* faire don de
donde *adv.* où
dondequiera *adv.* n'importe où
doña *nf.* *(devant un prénom féminin)* madame
dopado *nm.* dopage
dopar *v. tr.* doper ● *v. pr.* se doper
doping *nm.* dopage
dorada *nf.* daurade
dorado,-a *adj.* doré(e)
dorar *v. tr.* dorer
dormir *v. tr. et intr.* dormir ● *v. pr.* s'endormir
dormitar *v. intr.* somnoler
dormitorio *nm.* chambre à coucher *nf.*
dorso *nm.* dos
dos *adj. et nm. inv.* deux
doscientos,-as *adj. et nm.* deux cents
dotar *v. tr.* doter ; fournir
dote *nf.* dot
dragar *v. tr.* draguer
dragón *nm.* dragon
drama *nm.* drame
dramático,-a *adj.* dramatique
dramatizar *v. tr.* dramatiser
drástico,-a *adj.* drastique
drenaje *nm.* drainage
droga *nf.* drogue
drogadicto,-a *nm/f.* drogué(e), toxicomane
droguería *nf.* droguerie
dromedario *nm.* dromadaire
dualidad *nf.* dualité

dualismo *nm.* dualisme
ducha *nf.* douche
duchar *v. tr.* doucher • *v. pr.* se doucher
duda *nf.* doute *nm.*
dudar *v. intr.* douter ; hésiter
duelo *nm.* duel ; deuil
duende *nm.* lutin ; charme
dueño,-a *nm/f.* maître(esse)
dulce *adj.* doux(douce) • *nm.* friandise *nf.*
dulcificar *v. tr.* adoucir
dulzor *nm.* douceur *nf.*
duna *nf.* dune
duodécimo,-a *adj.* douzième
dúplex *nm.* duplex
duplicación *nf.* reproduction
duplicado *nm.* duplicata • *adj.* bis
duplicar *v. tr.* doubler ; copier
duque,-esa *nm/f.* duc, duchesse
duración *nf.* durée
duradero,-a *adj.* durable
duramente *adv.* durement
durante *prép.* durant, pendant
durar *v. intr.* durer
dureza *nf.* dureté
duro *adv.* dur, durement
duro,-a *adj.* dur(e)

E

e *nf.* e *nm. inv.*
ebanista *nm.* ébéniste
ébano *nm.* ébène *nf.*
ebrio,-a *adj.* ivre
ebullición *nf.* ébullition
echar *v. tr.* lancer ; jeter ; verser ; faire ; congédier • *v. pr.* s'allonger, se coucher
ecléctico,-a *adj.* électique
eclesiástico,-a *adj.* et *nm.* ecclésiastique
eclipsar *v. tr.* éclipser
eclipse *nm.* éclipse *nf.*
eco *nm.* écho
ecología *nf.* écologie
ecológico,-a *adj.* écologique
ecologista *nm/f.* écologiste
economía *nf.* économie
económico,-a *adj.* économique
economista *nm/f.* économiste
ecuación *nf.* équation
Ecuador *n. prop. m.* Équateur
ecuatoriano,-a *adj.* équatorien(ne) *nm/f.* Équatorien(ne)
ecuestre *adj.* équestre
edad *nf.* âge *nm.* ***menor de edad*** mineur(e) ; ***prohibido para menores de edad*** interdit aux moins de dix-huit ans ; ***mayor de edad*** majeur(e) ; ***la Edad Media*** le Moyen Âge
edición *nf.* édition
edicto *nm.* édit
edificar *v. tr.* bâtir ; édifier
edificio *nm.* édifice, immeuble
edil *nm/f.* élu(e) ; municipal(e)
editor,-a *nm/f.* éditeur(trice)
editorial *nf.* maison d'édition • *nm.* éditorial
edredón *nm.* édredon
educación *nf.* éducation
educador,-a *nm/f.* éducateur(trice)
educar *v. tr.* éduquer
educativo,-a *adj.* éducatif(ive)
efectivo,-a *adj.* effectif(ive) • *nm.* espèces *nfpl.*, argent liquide *nm.*
efecto *nm.* effet
efectuar *v. tr.* effectuer
efervescente *adj.* effervescent(e)
eficacia *nf.* efficacité
eficaz *adj.* efficace
eficiente *adj.* efficace
efímero,-a *adj.* éphémère
efluvio *nm.* effluve
efracción *nf.* effraction
efusión *nf.* effusion
egoísmo *nm.* égoïsme
egoísta *adj. et nm/f.* égoïste
eje *nm.* axe ; essieu
ejecución *nf.* exécution
ejecutante *nm/f.* exécutant(e)
ejecutar *v. tr.* exécuter
ejecutivo *nm.* cadre
ejecutivo,-a *adj.* exécutif(ive)

ejemplar *adj. et nm.* exemplaire
ejemplo *nm.* exemple
ejercer *v. tr.* exercer
ejercicio *nm.* exercice
ejercitar *v. tr.* entraîner • *v. pr.* s'entraîner
ejército *nm.* armée *nf.*
el *art. déf. m/sing.* le, l', la
él, ella *pr. pers.* lui, il, elle
elaboración *nf.* élaboration
elaborar *v. tr.* élaborer
elástico,-a *adj. et nm.* élastique
elección *nf.* élection ; choix *nm.*
electo,-a *adj.* élu(e)
elector,-a *nm/f.* électeur(trice)
electorado *nm.* corps électoral
electoral *adj.* électoral(e)
electricidad *nf.* électricité
electricista *nm.* électricien
eléctrico,-a *adj.* électrique
electrificar *v. tr.* électrifier
electrocutar *v. tr.* électrocuter
electrochoque *nm.* électrochoc
electrodo *nm.* électrode *nf.*
electrodomésticos *nmpl.* appareils électroménagers
electrólisis *nf.* électrolyse
electrónico,-a *adj.* électronique • *nf.* électronique
elefante *nm.* éléphant
elegancia *nf.* élégance
elegante *adj.* élégant(e)
elegible *adj.* éligible
elegir *v. tr.* choisir ; élire
elemental *adj.* élémentaire
elemento *nm.* élément
elevación *nf.* élévation
elevado,-a *adj.* élevé(e)
elevar *v. tr.* élever
eliminación *nf.* élimination
eliminar *v. tr.* éliminer
eliminatorio,-a *adj.* éliminatoire
elipse *nf.* ellipse
elílptico,-a *adj.* elliptique
élite *nf.* élite
elocución *nf.* élocution
elocuencia *nf.* éloquence
elocuente *adj.* éloquent(e)
elogiar *v. tr.* louer, faire l'éloge de
elogio *nm.* éloge
elogioso,-a *adj.* élogieux(euse)
eludir *v. tr.* éluder
ello *pron. pers. neutre* cela, ça
ellos, ellas *pron. pers.* eux, ils, elles
emanación *nf.* émanation
emancipación *nf.* émancipation
emancipar *v. tr.* émanciper
embajada *nf.* ambassade
embajador,-a *nm/f.* ambassadeur(drice)
embalaje *nm.* emballage
embalse *nm.* barrage
embarazada *adj. (femme)* enceinte
embarazar *v. tr.* embarrasser ; faire un enfant à
embarazo *nm.* grossesse *nf.*
embarcación *nf.* embarcation
embarcar *v. tr.* embarquer
embarco *nm.* embarquement
embargar *v. tr.* saisir
embargo *nm.* saisie *nf.*, embargo *nm.*
embarque *nm.* embarquement
embeber *v. tr.* absorber ; imbiber
embeleso *nm.* ravissement
embellecer *v. tr. et intr.* embellir
embestir *v. tr.* attaquer
emblandecer *v. tr.* ramollir
emblema *nm.* emblème
embobar *v. tr.* ébahir
emborrachar *v. tr.* enivrer • *v. pr.* s'enivrer
emboscada *nf.* embuscade
embotellamiento *nm.* embouteillage
embotellar *v. tr.* embouteiller ; mettre en bouteille
embozar *v. tr.* cacher ; déguiser
embozo *nm.* rabat ; dissimulation *nf.*
embragar *v. intr. et tr.* embrayer
embrague *nm.* embrayage
embravecer *v. tr.* irriter • *v. pr.* s'irriter
embrear *v. tr.* goudronner
embriagado,-a *adj.* ivre
embriagar *v. tr.* enivrer, griser • *v. pr.* s'enivrer
embriaguez *nf.* ivresse
embrión *nm.* embryon
embrionario,-a *adj.* embryonnaire
embrolio *nm.* imbroglio
embrujar *v. tr.* ensorceler

embrutecer *v. tr.* abrutir • *v. pr.* s'abrutir
embudo *nm.* entonnoir
embuste *nm.* mensonge
embustero,-a *adj. et nm/f.* menteur (euse)
embutido *nm.* charcuterie *nf.*
emergencia *nf.* urgence ; exception
emerger *v. intr.* émerger
emigración *nf.* émigration
emigrante *nm/f.* émigrant(e)
emigrar *v. intr.* émigrer
eminente *adj.* éminent(e)
emir *nm.* émir
emirato *nm.* émirat
emisión *nf.* émission
emisor,-a *adj.* émetteur(trice)
emitir *v. tr.* émettre
emoción *nf.* émotion
emocionante *adj.* émouvant(e)
emotivo,-a *adj.* émotif(ive)
empachar *v. tr.* donner une indigestion • *v. pr.* avoir une indigestion
empadronamiento *nm.* recensement
empadronar *v. tr.* recenser
empalmar *v. tr.* raccorder, relier
empalme *nm.* raccordement ; correspondance *nf.*
empanada, empanadilla *nf.* friand *nm.*
empanar *v. tr.* paner
empañar *v. tr.* ternir ; embuer
empapar *v. tr.* tremper ; imbiber • *v. pr.* s'imbiber, pénétrer
empapelar *v. tr.* tapisser
empaquetar *v. tr.* emballer ; empaqueter
emparedar *v. tr.* emmurer
emparejar *v. tr.* assortir ; mettre par paire
emparentar *v. tr.* apparenter
empaste *nm.* plombage
empatar *v. tr.* égaliser
empecinado,-a *adj.* obstiné(e)
empedernido,-a *adj.* invétéré(e)
empedrado,-a *adj.* pavé(e)
empedrar *v. tr.* paver
empeine *nm.* cou-de-pied
empellón *nm.* bousculade *nf.* ; poussée *nf.*
empeñar *v. tr.* gager • *v. pr.* s'obstiner
empeño *nm.* engagement ; obstination *nf.*
empeorar *v. tr.* empirer, aggraver
empequeñecer *v. tr.* rapetisser
emperador *nm.* empereur
emperatriz *nf.* impératrice
empezar *v. tr. et intr.* commencer
empiezo *nm. (h. am.)* commencement
empinado,-a *adj.* en pente
empinar *v. tr.* dresser • *v. pr.* se dresser
empinar el codo lever le coude
empírico,-a *adj.* empirique
empirismo *nm.* empirisme
empleado,-a *nm/f.* employé(e)
emplear *v. tr.* employer
empleo *nm.* emploi ; fonction *nf.*
empobrecer *v. tr.* appauvrir • *v. pr.* s'appauvrir
empobrecimiento *nm.* appauvrissement
empolvar *v. tr.* couvrir de poussière • *v. pr.* se poudrer
empollar *v. tr.* couver
emprendedor,-a *adj.* entreprenant(e)
emprender *v. tr.* entreprendre
empresa *nf.* entreprise
empresariado *nm.* patronat
empresarial *adj.* patronal(e)
empresario,-a *nm/f.* chef d'entreprise
empréstito *nm.* emprunt
empujar *v. tr. et intr.* pousser • *v. pr.* se pousser
empujón *nm.* bousculade *nf.* ; poussée *nf.*
empuñar *v. tr.* empoigner
emulación *nf.* émulation
emulsión *nf.* émulsion
en *prép.* dans ; en ; à
enaguas *nfpl.* jupon *nm.*
enajenación *nm.* aliénation *nf.*
enajenar *v. tr.* aliéner
enamorado,-a *adj. et nm/f.* amoureux(euse)
enamorar *v. tr.* séduire • *v. pr.* tomber amoureux(euse)
enano,-a *adj. et nm/f.* nain(e)
enardecer *v. tr.* exciter
encabezamiento *nm.* avant-propos ; en-tête *nf.*
encadenamiento *nm.* enchaînement
encadenar *v. tr.* enchaîner
encajar *v. tr.* emboîter, cadrer
encaje *nm.* dentelle *nf.* ; emboîtement *nm.*
encallar *v. intr.* échouer

encaminar *v. tr.* acheminer • *v. pr.* s'orienter vers
encandilar *v. tr.* éblouir
encantado,-a *adj.* enchanté(e)
encantador,-a *adj.* charmant(e)
encantar *v. tr.* adorer, aimer beaucoup
encanto *nm.* enchantement ; charme
encapotado,-a *adj.* couvert(e)
encapotarse *v. pr.* se couvrir
encaramar *v. tr.* jucher • *v. pr.* se hisser ; se percher
encarar *v. tr.* dévisager ; affronter ; faire face • *v. pr.* s'affronter
encarcelar *v. tr.* incarcérer, emprisonner
encarecer *v. tr.* augmenter le prix de
encarecimiento *nm.* augmentation *nf.*
encargado,-a *adj. et nm/f.* chargé(e) ; responsable
encargar *v. tr.* charger ; commander • *v. pr.* se charger de
encargo *nm.* commission *nf.* ; commande *nf.*
encariñar *v. tr.* attendrir • *v. pr.* s'attacher à
encarnar *v. tr.* incarner
encarnizado,-a *adj.* acharné(e)
encarnizarse *v. pr.* s'acharner
encarte *nm.* encart
encartonar *v. tr.* cartonner
encauzamiento *nm.* canalisation *nf.*
encauzar *v. tr.* canaliser ; aiguiller
encefalitis *nf.* encéphalite
encenagamiento *nm.* enlisement
encenagarse *v. pr.* s'embourber
encendedor *nm.* briquet
encender *v. tr.* allumer • *v. pr.* s'allumer, s'enflammer
encendido,-a *adj.* allumé(e) ; enflammé(e) • *nm.* allumage
encerado *nm.* tableau noir
encerar *v. tr.* cirer
encerrar *v. tr.* enfermer ; contenir
encerrona *nf.* réclusion ; piège *nm.*
encía *nf.* gencive
enciclopedia *nf.* encyclopédie
encima *adv.* dessus ; en plus ; en outre
encina *nf.* chêne vert
encinta *adj.* *(femme)* enceinte
enclavar *v. tr.* enclaver
enclave *nm.* enclave *nf.*
enclavijar *v. tr.* cheviller
enclenque *adj.* chétif(ive)
encoger *v. tr.* rétrécir ; contracter • *v. intr.* rétrécir
encolar *v. tr.* coller
encolerizar *v. tr.* mettre en colère • *v. pr.* se mettre en colère
encomendar *v. tr.* charger ; confier • *v. pr.* s'en remettre à
encomio *nm.* éloge
encono *nm.* haine *nf.* ; animosité *nf.*
encontrado,-a *adj.* contraire
encontrar *v. tr.* trouver ; rencontrer • *v. pr.* se trouver
encordar *v. tr.* mettre des cordes • *v. pr.* s'encorder
encrespar *v. tr.* irriter, mettre en colère ; friser *(cheveux)*
encrucijada *nf.* carrefour *nm.* ; croisement *nm.*
encuadernación *nf.* reliure
encuadernador,-a *nm/f.* relieur(euse)
encuadernar *v. tr.* relier
encuadrar *v. tr.* cadrer ; encadrer
encubierto,-a *adj.* caché(e)
encubridor,-a *nm/f.* complice
encubrimiento *nm.* dissimulation *nf.*
encubrir *v. tr.* dissimuler ; frauder
encuentro *nm.* rencontre *nf.* ; trouvaille *nf.* ; ***ir al encuentro de*** aller à la rencontre de
encuesta *nf.* enquête
encuestado,-a *nm/f.* personne interrogée
encuestador,-a *nm/f.* enquêteur(trice)
encuestar *v. tr.* enquêter ; interroger
encharcar *v. tr.* détremper ; inonder
enchufado,-a *adj. et nm/f.* *(fam)* pistonné(e)
enchufar *v. tr.* brancher ; *(fam)* pistonner
enchufe *nm.* prise de courant *nf.* ; piston *nm.* *(fam)*
endeble *adj.* faible
endémico,-a *adj.* endémique
endemoniado,-a *adj.* démoniaque
enderezar *v. tr.* redresser • *v. pr.* se redresser
endeudamiento *nm.* endettement
endeudarse *v. pr.* s'endetter

endibia *nf.* endive
endomingar *v. tr.* endimancher • *v. pr.* s'endimancher
endosar *v. tr.* endosser
endoso *nm.* endossement
endrina *nf.* prunelle *(fruit)*
endulzar *v. tr.* sucrer, adoucir
endurecer *v. tr.* durcir, endurcir • *v. pr.* s'endurcir
endurecimiento *nm.* durcissement
enemigo,-a *adj. et nm/f.* ennemi(e)
enemistad *nf.* inimitié
energía *nf.* énergie
enérgico,-a *adj.* énergique
enero *nm.* janvier
enervar *v. tr.* affaiblir
enfadar *v. tr.* fâcher, mettre en colère • *v. pr.* se fâcher, se mettre en colère
enfado *nm.* colère *nf.*
enfangarse *v. pr.* s'embourber
enfático,-a *adj.* emphatique
enfermar *v. intr.* tomber malade • *v. tr.* rendre malade
enfermedad *nf.* maladie
enfermería *nf.* infirmerie
enfermero,-a *nm/f.* infirmier(ière)
enfermizo,-a *adj.* maladif(ive)
enfermo,-a *adj. et nm/f.* malade
enfilada *nf.* enfilade
enflaquecer *v. intr.* maigrir • *v. tr.* amaigrir
enflaquecimiento *nm.* amaigrissement
enfocar *v. tr.* mettre au point ; envisager ; aborder
enfoque *nm.* mise au point *nf. (d'une image)* ; approche *nf.*
enfrentamiento *nm.* affrontement
enfrentar *v. tr.* affronter, opposer • *v. pr.* s'affronter
enfrente *adv.* en face
enfriamiento *nm.* refroidissement
enfriar *v. tr. et intr.* refroidir • *v. pr.* se refroidir, attraper froid
engalanar *v. tr.* parer, orner • *v. pr.* se parer
enganchar *v. tr.* accrocher ; enrôler ; atteler
engañar *v. tr.* tromper, duper
engañifa *nf. (fam)* duperie
engaño *nm.* tromperie *nf.*
engañoso,-a *adj.* trompeur(euse)
engarzar *v. tr.* enfiler ; enchaîner
engendrar *v. tr.* engendrer
englobar *v. tr.* englober
engordar *v. tr.* engraisser • *v. intr.* grossir
engorro *nm.* ennui
engorroso,-a *adj.* ennuyeux(euse)
engranaje *nm.* engrenage
engrandecer *v. tr.* agrandir ; exalter
engrandecimiento *nm.* agrandissement
engrasar *v. tr.* graisser
engrase *nm.* graissage
engrosar *v. tr.* grossir
enguatar *v. tr.* capitonner ; molletonner
engullir *v. tr.* engloutir
enhebrar *v. tr.* enfiler
enhiesto,-a *adj.* dressé(e)
enhorabuena *nf.* félicitations *nfpl.*
enigma *nm.* énigme *nf.*
enigmático,-a *adj.* énigmatique
enjabonar *v. tr.* savonner
enjaezar *v. tr.* harnacher
enjambre *nm.* essaim ; foule *nf.*
enjaular *v. tr.* mettre en cage ; *(fam)* coffrer, mettre en prison
enjoyar *v. tr.* orner de bijoux
enjuagar *v. tr.* rincer • *v. pr.* se rincer
enjugar *v. tr.* sécher ; essuyer
enjuiciar *v. tr.* poursuivre en justice
enjuto,-a *adj.* sec (sèche), maigre
enlace *nm.* liaison *nf.* ; lien ; correspondance *nf.* ; union *nf.* ; mariage *nm.*
enlatar *v. tr.* mettre en conserve
enlazar *v. tr.* lier, relier
enloquecer *v. tr.* adorer ; rendre fou (folle) • *v. intr.* devenir fou (folle)
enlosar *v. tr.* carreler, daller
enlucido *nm.* crépi
enmarañar *v. tr.* emmêler ; compliquer
enmarcar *v. tr.* encadrer
enmendar *v. tr.* corriger ; réparer
enmienda *nf.* correction, rectification
enmohecer *v. tr.* rouiller, moisir
enmudecer *v. tr.* faire taire ; *v. intr.* devenir muet(te)
enojadizo,-a *adj.* irritable
enojado,-a *adj.* en colère

enojar *v. tr.* irriter, fâcher • *v. pr.* se fâcher
enojo *nm.* colère *nf.*
enología *nf.* œnologie
enólogo *nm.* œnologue
enorgullecer *v. tr.* enorgueillir • *v. pr.* s'enorgueillir
enorme *adj.* énorme
enormidad *nf.* énormité
enraizar *v. intr.* s'enraciner
enramada *nf.* branchage *nm.*
enrarecer *v. tr.* raréfier • *v. pr.* se raréfier
enredo *nm.* confusion *nf.*
enrejado *nm.* grillage
enriquecer *v. tr.* enrichir • *v. pr.* s'enrichir
enrolar *v. tr.* enrôler
enrollar *v. tr.* enrouler, rouler ; *(fam)* être au parfum, *(fam)* sortir avec
enronquecerse *v. pr.* s'enrouer
enroscar *v. tr.* visser ; enrouler
ensalada *nf.* salade
ensalzar *v. tr.* louer, vanter
ensamblaje *nm.* assemblage
ensanchar *v. tr.* élargir ; agrandir
ensanche *nm.* agrandissement, élargissement
ensangrentar *v. tr.* ensanglanter
ensañarse *v. pr.* s'acharner
ensayar *v. tr.* tester • *v. intr.* répéter
ensayo *nm.* essai ; répétition *nf.*
enseguida, en seguida *adv.* tout de suite
ensenada *nf.* anse
enseñanza *nf.* enseignement *nm.*
enseñar *v. tr.* apprendre ; enseigner ; montrer
ensombrecer *v. tr.* assombrir
ensordecedor,-a *adj.* assourdissant(e)
ensorceder *v. tr.* assourdir • *v. intr.* devenir sourd(e)
ensuciar *v. tr.* salir • *v. pr.* se salir
ensueño *nm.* rêve
entablar *v. tr.* entamer, amorcer
entalladura *nf.* entaille
entallar *v. tr.* sculpter, graver ; ajuster
entarimado *nm.* plancher *(parquet)*
ente *nm.* être ; société *nf.*
entendedor,-a *adj. et nm/f.* connaisseur(euse)
entender *v. tr.* comprendre • *v. pr.* se comprendre, s'entendre
entendido,-a *adj.* compris(e) ; compétent(e)
entendimiento *nm.* entendement
enteramente *adv.* entièrement
enterarse *v. pr.* s'informer ; être au courant
entereza *nf.* fermeté ; intégrité
enternecer *v. tr.* attendrir • *v. pr.* s'attendrir
entero,-a *adj.* entier(ière)
enterrador *nm.* fossoyeur
enterrar *v. tr.* enterrer, ensevelir
entidad *nf.* entité ; société
entierro *nm.* enterrement
entonar *v. tr.* entonner • *v. intr.* chanter juste ; revigorer
entonces *adv.* alors
entontecer *v. tr.* abrutir
entornar *v. tr.* entrebâiller ; ouvrir à moitié
entorno *nm.* environnement
entorpecer *v. tr.* engourdir ; gêner
entrada *nf.* entrée ; saisie de données *(informatique)* ; billet *nm.* *(spectacle)*
entrampar *v. tr.* prendre au piège
entrañas *nfpl.* entrailles
entrañable *adj.* cher (ère) ; profond(e)
entrar *v. intr.* entrer ; commencer *(à)* ; rentrer, contenir
entre *prép.* entre ; parmi ; chez
entreabierto,-a *adj.* entrouvert(e)
entreabrir *v. tr.* entrouvrir
entreacto *nm.* entracte
entrecerrar *v. tr. (h. am.)* entrebâiller
entrecortar *v. tr.* entrecouper, hacher
entrecot(e) *nm.* entrecôte *nf.*
entrecruzar *v. tr.* entrecroiser
entrega *nf.* remise ; livraison
entregar *v. tr.* remettre, livrer • *v. pr.* se livrer ; se rendre
entrelazar *v. tr.* entrelacer
entremés *nm.* hors-d'œuvre
entremeter *v. tr.* insérer • *v. pr.* se mêler de
entremezclar *v. tr.* entremêler
entrenador *nm.* entraîneur

entrenamiento *nm.* entraînement
entrenar *v. tr.* entraîner • *v. pr.* s'entraîner
entrepierna *nf.* entrejambe
entresacar *v. tr.* choisir ; tirer
entresuelo *nm.* entresol
entretanto *adv.* pendant ce temps ; entretemps
entretener *v. tr.* amuser, distraire ; retarder • *v. pr.* s'amuser, se distraire
entretenido,-a *adj.* distrayant(e)
entretenimiento *nm.* passe-temps, distraction *nf.*
entretiempo *nm.* demi-saison *nf.*
entrever *v. tr.* entrevoir
entrevista *nf.* entrevue, entretien *nm.*
entrevistarse *v. pr.* avoir un entretien ; interviewer
entumecer *v. tr.* engourdir ; tuméfier • *v. pr.* s'engourdir
enturbiar *v. tr.* troubler
entusiasmar *v. tr.* enthousiasmer • *v. pr.* s'enthousiasmer
entusiasmo *nm.* enthousiasme
entusiasta *adj. et nm/f.* enthousiaste
enumeración *nf.* énumération
enumerar *v. tr.* énumérer
enunciación *nf.* énoncé *nm.*
envasado *nm.* conditionnement
envasar *v. tr.* conditionner
envase *nm.* conditionnement ; emballage
envejecer *v. tr. et intr.* vieillir
envejecimiento *nm.* vieillissement
envenenar *v. tr.* empoisonner
envergadura *nf.* envergure
envés *nm.* verso, envers
enviado,-a *adj. et nm/f.* envoyé(e)
enviar *v. tr.* envoyer
envidia *nf.* envie, jalousie
envidioso,-a *adj. et nm/f.* envieux (euse) ; jaloux(ouse)
envilecer *v. tr.* avilir
envío *nm.* envoi ; colis
envoltorio *nm.* emballage
envoltura *nf.* enveloppe ; emballage *nm.*
envolver *v. tr.* envelopper ; emballer
épico,-a *adj.* épique
epidemia *nf.* épidémie
epidermis *nf.* épiderme *nm.*
epilepsia *nf.* épilepsie
epílogo *nm.* épilogue
episcopado *nm.* épiscopat
episódico,-a *adj.* épisodique
episodio *nm.* épisode
época *nf.* époque
epopeya *nf.* épopée
equidad *nf.* équité
equidistante *adj.* équidistant(e)
equilátero,-a *adj.* équilatéral(e)
equilibrar *v. tr.* équilibrer
equilibrio *nm.* équilibre
equinoccio *nm.* équinoxe
equipaje *nm.* bagages *nmpl.*
equipamiento *nm.* équipement
equipar *v. tr.* équiper
equiparar *v. tr.* comparer (à)
equipo *nm.* équipe *nf.* ; équipement ; chaîne stéréo *nf.*
equivalencia *nf.* équivalence
equivalente *adj.* équivalent(e)
equivocación *nf.* erreur
equivocar *v. tr.* confondre • *v. pr.* se tromper
equívoco *adj.* équivoque
era *nf.* ère
erección *nf.* érection
erguir *v. tr.* dresser, lever • *v. pr.* se dresser
erigir *v. tr.* ériger
erizar *v. tr.* hérisser
ermita *nf.* ermitage *nm.*
ermitaño *nm.* ermite
erosión *nf.* érosion
erótico,-a *adj.* érotique
erotismo *nm.* érotisme
erradicar *v. tr.* déraciner
errante *adj.* errant(e)
errar *v. tr.* rater ; manquer ; se tromper de • *v. intr.* errer
error *nm.* erreur *nf.*
eructar *v. intr.* éructer
erudición *nf.* érudition
erudito,-a *adj.* érudit(e)
erupción *nf.* éruption
esbelto,-a *adj.* svelte
esbozar *v. tr.* ébaucher, esquisser
esbozo *nm.* ébauche *nf.*, esquisse *nf.*
escabeche *nm.* marinade *nf.*

escabroso,-a *adj.* scabreux(euse)
escabullirse *v. pr.* s'éclipser, filer
escafandro *nm.* scaphandre
escala *nf.* échelle ; gamme *(musique)* ; escale
escalada *nf.* escalade
escalar *v. tr.* escalader
escaldar *v. tr.* chauffer à blanc ; ébouillanter
escalera *nf.* escalier *nm.*
escalinata *nf.* perron *nm.*
escalofrío *nm.* frisson
escalonamiento *nm.* échelonnement
escalpelo *nm.* scalpel
escama *nf.* écaille ; paillette
escamar *v. tr.* écailler
escamotear *v. tr.* escamoter
escampar *v. intr.* cesser de pleuvoir
escandalizar *v. tr.* scandaliser • *v. pr.* se scandaliser
escándalo *nm.* scandale
escandaloso,-a *adj.* scandaleux(euse)
escandinavo,-a *adj.* scandinave • *nm/f.* Scandinave
escáner *nm.* scanner
escapada *nf.* escapade
escapar *v. intr. et pr.* échapper, fuir, s'échapper
escaparate *nm.* devanture *nf.* ; vitrine *nf.*
escapatoria *nf.* échappatoire ; échappée
escape *nm.* échappement ; fuite *nf.*
escarabajo *nm.* scarabée
escaramuza *nf.* accrochage *nm.*
escarcha *nf.* givre *nm.*
escardar *v. tr.* sarcler
escarlatina *nf.* scarlatine
escarmiento *nm.* leçon *nf.* ; expérience *nf.*
escarnio *nm.* raillerie *nf.* ; moquerie *nf.*
escarola *nf.* scarole
escarpado,-a *adj.* escarpé(e)
escasear *v. intr.* manquer de
escasez *nf.* pénurie ; disette
escaso,-a *adj.* insuffisant(e), rare
escayola *nf.* plâtre *nm.*
escena *nf.* scène
escenario *nm.* scène *nf.* ; cadre *nm.*, lieu *nm.*
escenografía *nf.* mise en scène
escepticismo *nm.* scepticisme
escéptico,-a *adj.* sceptique
escindirse *v. pr.* se scinder
escisión *nf.* fission ; scission
esclavitud *nf.* esclavage *nm.*
esclavizar *v. tr.* réduire en esclavage
esclavo,-a *adj. et nm/f.* esclave
esclava *nf.* bracelet *nm.* ; gourmette *nf.*
escoba *nf.* balai *nm.*
escobilla *nf.* balayette
escocer *v. intr.* brûler, cuire
escoger *v. tr.* choisir
escolar *adj.* scolaire
escolaridad *nf.* scolarité
escolarización *nf.* scolarisation
escolarizar *v. tr.* scolariser
escoliosis *nf.* scoliose
escolta *nf.* escorte
escoltar *v. tr.* escorter, encadrer
escombros *nmpl.* décombres
esconder *v. tr.* cacher • *v. pr.* se cacher
escondite *nm.* cachette *nf.*
escopeta *nf.* fusil *(de chasse)*
escoria *nf.* scorie
escorpión *nm.* scorpion
escote *nm.* décolleté ; frais *nmpl.*, écot
escotilla *nf.* écoutille
escozor *nm.* brûlure *nf.* ; piqûre *nf.*
escribir *v. tr.* écrire
escrito,-a *adj. et nm.* écrit(e)
escritura *nf.* écriture ; acte *nm.*
escrúpulo *nm.* scrupule
escrupuloso,-a *adj.* scrupuleux(euse)
escrutar *v. tr.* scruter
escrutinio *nm.* scrutin
escuadra *nf.* équerre ; escadre
escuálido,-a *adj.* maigre
escucha *nf.* écoute
escuchar *v. tr.* écouter
escudero *nm.* écuyer
escudo *nm.* bouclier, blason, écu
escuela *nf.* école
esculpir *v. tr.* sculpter
escultor,-a *nm/f.* sculpteur
escultura *nf.* sculpture
escupir *v. tr. et intr.* cracher
escupitajo *nm.* crachat
escurrir *v. tr.* égoutter
ese, esa, esos, esas *adj. dém.* ce, cet, cette, ces

ése, ésa, ésos, ésas *pron. dém.* celui-ci, celle-ci, ceux-ci, celles-ci
esencia *nf.* essence
esencial *adj.* essentiel(le)
esfera *nf.* sphère ; cadre *nm.* ; domaine *nm.*
esfinge *nm.* sphinx
esforzarse *v. pr.* s'efforcer
esfuerzo *nm.* effort
esfumar *v. intr.* estomper • *v. pr.* s'estomper
esgrima *nf.* escrime
esguince *nm.* entorse *nf.* ; foulure *nf.*
eslabón *nm.* chaînon
eslogan *nm.* slogan
esmalte *nm.* émail
esmerado,-a *adj.* soigné(e)
esmeralda *nf.* émeraude
esmerarse *v. pr.* s'appliquer
esmero *nm.* soin
esmoquin *nm.* smoking
esnob *adj. et nm/f.* snob
eso *pron. dém. neutre* cela, ça
esoterismo *nm.* ésotérisme
espabilado,-a *adj. et nm/f.* dégourdi(e)
espacial *adj.* spatial(e)
espaciar *v. tr.* espacer
espacio *nm.* espace ; place *nf.* ; programme *nm.* ; interligne *nm.* ; blanc *nm.*
espacioso,-a *adj.* spacieux(euse)
espada *nf.* épée
espalda *nf.* dos *nm.*
espantapájaros, espantajo *nm.* épouvantail
espantar *v. tr.* épouvanter ; faire fuir
espanto *nm.* frayeur *nf.* ; épouvante *nf.*
espantoso,-a *adj.* effrayant(e)
España *n. prop. f.* Espagne
español,-a *adj.* espagnol(e) • *nm/f.* Espagnol(e)
esparadrapo *nm.* sparadrap
esparcimiento *nm.* épanchement ; détente *nf.* ; repos *nm.*
esparcir *v. tr.* répandre, éparpiller • *v. pr.* se répandre
espárrago *nm.* asperge *nf.*
espasmo *nm.* spasme
espátula *nf.* spatule
especia *nf.* épice
especial *adj.* spécial(e)
especialidad *nf.* spécialité
especialista *nm/f.* spécialiste ; cascadeur(euse)
especialización *nf.* spécialisation
especializar *v. tr.* spécialiser • *v. pr.* se spécialiser
especie *nf.* espèce ; genre *nm.*, sorte *nf.*
especificar *v. tr.* spécifier
específico,-a *adj.* spécifique
espécimen *nm.* spécimen
espetacular *adj.* spectaculaire
espectáculo *nm.* spectacle
espectador,-a *nm/f.* spectateur(trice)
espectro *nm.* spectre
especulación *nf.* spéculation
especulador,-a *nm/f.* spéculateur(trice)
especular *v. intr.* spéculer
espejismo *nm.* mirage
espejo *nm.* miroir
espeleología *nf.* spéléologie
espeluzno *nm.* frisson *(d'horreur)*
espera *nf.* attente
esperanza *nf.* espoir *nm.*, espérance *nf.*
esperar *v. tr.* attendre ; espérer
esperma *nm.* sperme
esperpento *nm.* épouvantail
espesar *v. tr.* épaissir
espeso,-a *adj.* épais(se)
espesura *nf.* épaisseur ; fourré *nm.*
espía *nm/f.* espion(ne)
espiar *v. tr.* espionner ; épier
espiga *nf.* épi *nm.*
espigón *nm.* jetée *nf.*
espina *nf.* épine ; arête
espinaca *nf.* épinard *nm.*
espinazo *nm.* épine dorsale *nf.*
espinoso,-a *adj.* épineux(euse)
espionaje *nm.* espionnage
espiración *nf.* expiration
espiral *nf.* spirale
espiritismo *nm.* spiritisme
espíritu *nm.* esprit
espiritual *adj.* spirituel(le)
espléndido,-a *adj.* splendide ; généreux(euse)
esplendor *nm.* splendeur *nf.*
espliego *nm.* lavande *nf.*

espoliar *v. tr.* spolier
esponja *nf.* éponge
esponsales *nmpl.* fiançailles *nfpl.*
espontaneidad *nf.* spontanéité
espontáneo,-a *adj.* spontané(e)
esporádico,-a *adj.* sporadique
esposa *nf.* épouse • *nfpl.* menottes
esposo *nm.* époux
esprint *nm.* sprint
esprintar *v. intr.* sprinter
espuela *nf.* éperon *nm.* ; aiguillon *nm.*
espuma *nf.* écume ; mousse
esqueje *nm.* bouture *nf.*
esquela *nf.* faire-part *nm.*
esqueleto *nm.* squelette
esquema *nm.* schéma
esquemático,-a *adj.* schématique
esquematizar *v. tr.* schématiser
esquí *nm.* ski
esquiador,-a *nm/f.* skieur(euse)
esquiar *v. intr.* skier
esquilar *v. tr.* tondre
esquina *nf.* coin *nm.* ; angle *nm.*
esquivar *v. tr.* esquiver • *v. pr.* s'esquiver
esquizofrenia *nf.* schizophrénie
estabilidad *nf.* stabilité
estabilización *nf.* stabilisation
estabilizar *v. tr.* stabiliser
estable *adj.* stable
establecer *v. tr.* établir • *v. pr.* s'établir
establecimiento *nm.* établissement
estaca *nf.* pieu *nm.*
estación *nf.* saison ; gare ; station
estacional *adj.* saisonnier(ière)
estacionamiento *nm.* stationnement
estacionar *v. tr.* garer • *v. pr.* se garer
estadio *nm.* stade
estadista *nm.* homme d'État
estadístico,-a *adj.* statistique • *nm/f.* statisticien(ne)
estado *nm.* état ; État
estafa *nf.* escroquerie
estafador *nm.* escroc
estafar *v. tr.* escroquer
estallar *v. intr.* éclater, voler en éclats
estallido *nm.* explosion *nf.*
estamento *nm.* classe *nf.* ; couche *nf.* *(sociale)*
estameña *nf.* étamine
estampa *nf.* image ; estampe ; allure
estampado,-a *adj.* imprimé(e) • *nm.* imprimé
estampilla *nf.* cachet *nm.* ; label *nm.* ; *(h. am.)* timbre *nm.*
estancamiento *nm.* stagnation *nf.*
estancado,-a *adj.* stagnant(e)
estancia *nf.* séjour *nm.* ; appartement *nm.* ; pièce *nf.* ; *(h. am.)* ranch *nm.* ; ferme *nf.*
estanco *nm.* bureau de tabac
estanco,-a *adj.* étanche
estándar *adj. et nm.* standard
estanque *nm.* étang
estanqueidad *nf.* étanchéité
estante *nm.* étagère *nf.*
estantería *nf.* bibliothèque
estaño *nm.* étain
estar *v. intr.* être ; se trouver ; aller • *v. pr.* rester
estatua *nf.* statue
estatuir *v. tr. et intr.* statuer
estatura *nf.* stature
estatuto *nm.* statut
este *nm.* est
este, esta, estos, estas *adj. dém.* ce, cet, cette, ces
éste, ésta, éstos, éstas *pron. dém.* celui-ci, celle-ci, ceux-ci, celles-ci
estela *nf.* sillage *nm.* ; trace *nf.*
estenografía *nf.* sténographie
estepa *nf.* steppe
estera *nf.* natte
estereofónico,-a *adj.* stéréophonique
estereotipo *nm.* stéréotype
estéril *adj.* stérile
esterilidad *nf.* stérilité
esterilización *nf.* stérilisation
esteticista *nf.* esthéticienne
estético,-a *adj.* esthétique
estiércol *nm.* fumier
estigma *nm.* stigmate
estilismo *nm.* stylisme
estilista *nm/f.* styliste
estilizar *v. tr.* styliser
estilo *nm.* style ; classe *nf.*
estilográfica *nf.* stylo *nm.*
estima *nf.* estime
estimación *nf.* estimation
estimar *v. tr.* estimer ; apprécier

estimular *v. tr.* stimuler
estímulo *nm.* stimulant
estipular *v. tr.* stipuler
estirar *v. tr.* étirer • *v. pr.* s'étirer
estirón *nm.* saccade *nf.*, secousse *nf.*
estival *adj.* estival(e)
esto *pron. dém. neutre* ceci, cela
estocada *nf.* estocade
estofado *nm.* estouffade *nf. (cuisine)*
estoico,-a *adj.* stoïque
estómago *nm.* estomac
estoque *nm.* épée *nf.*
estorbar *v. tr.* gêner ; encombrer
estorbo *nm.* gêne *nf.* ; obstacle *nm.*
estornudar *v. intr.* éternuer
estornudo *nm.* éternuement
estrabismo *nm.* strabisme
estrado *nm.* estrade *nf.* ; tribune *nf.*
estrangulación *nf.* étranglement *nm.*
estrangular *v. tr.* étrangler
estraperlista *nm/f.* trafiquant(e)
estraperlo *nm.* marché noir
estratega *nm.* stratège
estrategia *nf.* stratégie
estratégico,-a *adj.* stratégique
estrato *nm.* strate *nf.*, couche *nf.*
estrechamiento *nm.* retrécissement
estrechar *v. tr.* rétrécir ; resserrer • *v. pr.* se serrer ; s'étreindre
estrechez *nf.* étroitesse
estrecho,-a *adj.* étroit(e) • *nm.* détroit
estrés *nm.* stress
estrella *nf.* étoile
estrellar *v. tr.* fracasser, briser • *v. pr.* s'écraser
estremecerse *v. tr. et pr.* trembler
estremecimiento *nm.* frisson
estrenar *v. tr.* étrenner ; débuter ; sortir *(pour la première fois)*
estreno *nm.* première *nf. (théâtre, film)*
estreñimiento *nm.* constipation *nf.*
estrépito *nm.* fracas
estrías *nfpl.* vergetures *nfpl.*
estribar *v. intr.* s'appuyer ; reposer sur
estribillo *nm.* refrain
estricto,-a *adj.* strict(e)
estridente *adj.* strident(e)
estrofa *nf.* strophe
estropear *v. tr.* abîmer
estructura *nf.* structure
estructural *adj.* structurel(le)
estructurar *v. tr.* structurer
estruendo *nm.* vacarme
estrujar *v. tr.* presser ; écraser ; exploiter
estuario *nm.* estuaire
estuco *nm.* stuc
estuche *nm.* étui, trousse *nf.*
estudiante *nm/f.* étudiant(e)
estudiantil *adj.* estudiantin(e)
estudiar *v. tr.* étudier
estudio *nm.* étude *nf.* ; atelier *nm.*, studio *nm.*
estudioso,-a *adj.* studieux(euse) • *nm.* spécialiste
estufa *nf.* poêle *nm.*
estupefacto,-a *adj.* stupéfait(e)
estupendamente *adv.* parfaitement, merveilleusement
estupendo,-a *adj.* formidable ; épatant(e)
estúpido,-a *adj.* stupide
estupor *nm.* stupeur *nf.*
etapa *nf.* étape
éter *nm.* ether
eternidad *nf.* éternité
eterno,-a *adj.* éternel(le)
ético,-a *adj.* éthique • *nf.* éthique
etimología *nf.* étymologie
etiqueta *nf.* étiquette ; label *nm.*
etnia *nf.* ethnie
eucalipto *nm.* eucalyptus
eufemismo *nm.* euphémisme
euforia *nf.* euphorie
eurodólar *nm.* eurodollar
Europa *n. prop. f.* Europe
europeo,-a *adj.* européen(ne) • *nm/f.* Européen(ne)
evacuación *nf.* évacuation
evacuar *v. tr.* évacuer
evadir *v. tr.* évider, éluder • *v. pr.* s'évader
evaluación *nf.* évaluation
evaluar *v. tr.* évaluer
evangelio *nm.* évangile
evaporación *nf.* évaporation
evaporar *v. tr.* évaporer • *v. pr.* s'évaporer
evasión *nf.* évasion
evento *nm.* événement
eventual *adj.* éventuel(le)

evicción *nf.* éviction
evidencia *nf.* évidence
evidente *adj.* évident(e)
evitar *v. tr.* éviter
evocación *nf.* évocation
evocar *v. tr.* évoquer
evolución *nf.* évolution
evolucionar *v. intr.* évoluer
exacerbar *v. tr.* exacerber
exactitud *nf.* exactitude
exacto,-a *adj.* exact(e)
exagerado,-a *adj.* exagéré(e)
exagerar *v. tr. et intr.* exagérer
exaltar *v. tr.* exalter • *v. pr.* s'exalter
examen *nm.* examen
examinador,-a *nm/f.* examinateur(trice)
examinar *v. tr.* examiner • *v. pr.* passer un examen
excavación *nf.* excavation ; fouille
excedente *adj.* excédentaire ; en disponibilité • *nm.* excédent
exceder *v. tr.* dépasser
excelente *adj.* excellent(e)
excepción *nf.* exception
excepcional *adj.* exceptionnel(le)
excepto *adv.* sauf, excepté
excesivo,-a *adj.* excessif(ive)
exceso *nm.* excès
excitación *nf.* excitation
excitar *v. tr.* exciter
exclamar *v. intr.* s'exclamer
excluir *v. tr.* exclure
exclusiva *nf.* exclusivité
excursión *nf.* excursion
excusar *v. tr.* excuser • *v. pr.* s'excuser
exento,-a *adj.* exempt(e)
exhibición *nf.* exposition ; présentation
exhortar *v. tr.* exhorter
exhumar *v. tr.* exhumer
exigencia *nf.* exigence
exigente *adj.* exigeant(e)
exigibilidad *nf.* exigibilité
exigible *adj.* exigible
exigir *v. tr.* exiger
exiguo,-a *adj.* exigu(ë)
exilio *nm.* exil
eximir *v. tr.* exempter ; exonérer
existencia *nf.* existence • *nfpl.* stocks *nmpl.*
existir *v. intr.* exister
éxito *nm.* succès
éxodo *nm.* exode
exoneración *nf.* exonération
exonerar *v. tr.* exonérer
exorbitante *adj.* exorbitant(e)
exótico,-a *adj.* exotique
exotismo *nm.* exotisme
expansión *nf.* expansion
expatriarse *v. pr.* s'expatrier
expectativa *nf.* attente ; expectative
expedición expédition ; envoi *nm.*
expediente *nm.* dossier ; affaire *nf.*
expedir *v. tr.* expédier
experiencia *nf.* expérience
experimentación *nf.* expérimentation
experimentar *v. tr.* expérimenter ; éprouver
experimento *nm.* expérience *nf.*
experto,-a *adj.* expert(e)
expiración *nf.* expiration
expirar *v. intr.* expirer
explanar *v. tr.* aplanir, niveler
explicación *nf.* explication
explicar *v. tr.* expliquer • *v. pr.* s'expliquer
explícito,-a *adj.* explicite
exploración *nf.* exploration
explorador,-a *nm/f.* explorateur(trice)
explorar *v. tr.* explorer
explosión *nf.* explosion
explotación *nf.* exploitation
explotar *v. tr.* exploiter • *v. intr.* exploser
expoliar *v. tr.* spolier
exponer *v. tr.* exposer
exportable *adj.* exportable
exportación *nf.* exportation
exportador,-a *adj. et nm/f.* exportateur(trice)
exportar *v. tr.* exporter
exposición *nf.* exposition ; risque *nm.* ; exposé *nm.*
expositor,-a *nm/f.* exposant(e)
exprés *nm.* express
expresar *v. tr.* exprimer • *v. pr.* s'exprimer
expresión *nf.* expression
exprimir *v. tr.* presser ; exploiter
expropiación *nf.* expropriation
expropiar *v. tr.* exproprier

expulsar *v. tr.* expulser
expulsión *nf.* expulsion
exquisito,-a *adj.* exquis(e)
éxtasis *nf.* extase
extender *v. tr.* étendre ; répandre ; libeller • *v. pr.* s'étendre
extensión *nf.* étendue ; poste *(téléphonique) nm.*
extenso,-a *adj.* étendu(e)
exterior *adj. et nm.* extérieur(e)
exterminar *v. tr.* exterminer
exterminio *nm.* extermination *nf.*
externo,-a *adj.* externe
extinción *nf.* extinction
extinguir *v. tr.* éteindre • *v. pr.* s'éteindre
extorsión *nf.* extorsion
extorsionar *v. tr.* extorquer
extra *adj.* extra • *nm.* extra ; doublure *nf.* ; figurant(e) *nm/f.*
extracción *nf.* extraction
extracto *nm.* extrait ; relevé
extradición *nf.* extradition
extraditar *v. tr.* extrader
extraer *v. tr.* extraire
extranjero,-a *adj. et nm/f.* étranger(ère)
extrañamiento *nm.* dépaysement
extrañar *v. tr.* étonner • *v. pr.* s'étonner
extraño,-a *adj.* étrange ; étranger(ère)
extraordinario,-a *adj.* extraordinaire
extravagante *adj.* extravagant(e)
extraviar *v. tr.* égarer, perdre • *v. pr.* s'égarer
extremo,-a *adj.* extrême • *nm.* extrémité *nf.*, recours *nm.*
exuberancia *nf.* exubérance
exultar *v. intr.* exulter
eyaculación *nf.* éjaculation
eyectable *adj.* éjectable

F

f *nf.* f *nm. inv.*
fa *nm.* fa *(musique)*
fábrica *nf.* usine ; fabrication
fabricación *nf.* fabrication
fabricante *nm.* fabricant
fabricar *v. tr.* construire, fabriquer
fábula *nf.* fable
fabuloso,-a *adj.* fabuleux(euse)
faceta *nf.* facette
facial *adj.* facial(e)
facies *nf.* faciès *nm.*
fácil *adj.* facile • *adv.* facilement
facilidad *nf.* facilité
facilitar *v. tr.* faciliter ; fournir, procurer
fácilmente *adv.* facilement
facsímil *nm.* fac-similé
factible *adj.* faisable
facticio,-a *adj.* factice
factor *nm.* facteur ; élément
factoría *nf.* usine ; agence
factura *nf.* facture
facturación *nf.* facturation ; chiffre d'affaires *nm.* ; enregistrement *nm. (bagages)*
facturar *v. tr.* facturer ; faire un chiffre d'affaires ; enregistrer
facultad *nf.* aptitude ; faculté
facultar *v. tr.* habiliter
facultativo,-a *adj.* facultatif(ive) ; universitaire
facundia *nf.* faconde
facha *nf. (fam)* allure ; aspect *nm.*
fachada *nf.* façade
faena *nf.* besogne, tâche
faenero *nm. (h. am.)* ouvrier agricole
fagot *nm.* basson
faisán *nm.* faisan
faja *nm.* fagot ; liasse *nf.*
falange *nf.* phalange
falaz *adj.* fallacieux(euse)
falbalá *nm.* falbala
falda *nf.* jupe ; pan *nm.* ; flanc *nm.*
falible *adj.* faillible
fálico,-a *adj.* phallique
falo *nm.* phallus
falsario,-a *nm/f.* faussaire
falseamiento *nm.* contrefaçon *nf.*

falsear *v. tr.* dénaturer ; fausser
falsedad *nf.* fausseté
falsificación *nf.* falsification ; faux *nm.*
falsificador,-a *adj. et nm/f.* faussaire
falsificar *v. tr.* falsifier
falso,-a *adj.* faux, fausse
falso *nm.* faux
falta *nf.* manque *nm.* ; faute *nf.*
faltante *adj.* manquant(e)
faltar *v. intr.* manquer ; rester
falto,-a *adj.* dépourvu(e)
falla *nf.* défaut *nm.* ; faille *nf.*
fallar *v. tr.* prononcer ; décerner • *v. intr.* manquer, échouer
fallecimiento *nm.* décès
fallo *nm.* sentence *nf.* ; jugement *nm.* ; erreur *nf.*
fama *nf.* réputation
famélico,-a *adj.* famélique
familia *nf.* famille
familiar *adj.* familial(e) ; familier(ière)
familiaridad *nf.* familiarité
familiarizar *v. tr.* familiariser • *v. pr.* se familiariser
famoso,-a *adj.* célèbre
fanático,-a *adj.* fanatique
fanatismo *nm.* fanatisme
fanatizar *v. tr.* fanatiser
fandango *nm.* fandango
fanfarrear *v. intr.* fanfaronner
fanfarria *nf.* fanfaronnade ; fanfare
fanfarrón,-ona *adj. et nm/f.* fanfaron(ne)
fanfarronear *v. intr.* fanfaronner
fangal *nm.* bourbier
fango *nm.* boue *nf.*
fangoso,-a *adj.* boueux(euse)
fantasía *nf.* fantaisie ; fantasme *nm.* ; imagination *nf.*
fantasma *nm.* fantôme ; fantasme
fantasmal *adj.* fantomatique
fantástico,-a *adj.* fantastique
fantoche *nm.* fantoche
farándula *nf.* farandole ; fête
fardo *nm.* ballot
farfalloso,-a *adj.* bègue
farfullar *v. tr.* bafouiller
faringe *nf.* pharynx *nm.*
faringitis *nf.* pharyngite
farmacéutico,-a *adj.* pharmaceutique • *nm/f.* pharmacien(ne)
farmacia *nf.* pharmacie
fármaco *nm.* médicament
faro *nm.* phare
farol *nm.* lanterne *nf.* ; lampadaire *nm.* ; *(fam.)* bluff *nm.*
farola *nf.* lampadaire *nm.*
fascículo *nm.* fascicule
fascinación *nf.* fascination
fascinante *adj.* fascinant(e)
fascinar *v. tr.* fasciner
fascismo *nm.* fascisme
fascista *adj. et nm/f.* fasciste
fase *nf.* phase
fastidiar *v. tr.* fatiguer ; dégoûter ; ennuyer
fastidio *nm.* dégoût ; ennui
fasto,-a *adj. et nm.* faste
fastuoso,-a *adj.* fastueux(euse)
fatal *adj.* fatal(e) ; très mauvais • *adv.* très mal
fatalidad *nf.* fatalité
fatalismo *nm.* fatalisme
fatídico,-a *adj.* fatidique
fatiga *nf.* fatigue • *nfpl.* difficultés, ennuis *nmpl.*
fatigar *v. tr.* fatiguer
fauna *nf.* faune
favor *nm.* faveur *nf.* ; service *nm.*
favorable *adj.* favorable
favorecer *v. tr.* favoriser ; avantager ; flatter
favorito,-a *adj. et nm/f.* favorit(e)
faz *nf.* face
fe *nf.* foi ; confiance ; certificat *nm.*
fealdad *nf.* laideur
febrero *nm.* février
febril *adj.* fébrile
febrilidad *nf.* fébrilité
fecal *adj.* fécal(e)
fechar *v. tr.* composter, dater
fechoría *nf.* méfait *nm.*
fécula *nf.* fécule *nm.*
fecundación *nf.* fécondation
fecundar *v. tr.* féconder
fecundo,-a *adj.* fécond(e)
fecha *nf.* date
federal *adj.* fédéral(e)
federar *v. tr.* fédérer

fehaciente *adj.* qui fait foi
felicidad *nf.* bonheur *nm.*
felicitación *nf.* félicitation • *nfpl.* vœux *nmpl.*
felicitar *v. tr.* féliciter ; souhaiter
felino,-a *adj.* félin(e) • *nm.* félin
feliz *adj.* heureux(euse)
felpa *nf.* peluche
felpudo *nm.* paillasson
femenino,-a *adj.* féminin(e)
feminidad *nf.* féminité
feminista *adj.* féministe
fémur *nm.* fémur
fenomenal *adj.* phénoménal(e)
fenómeno *nm.* phénomène • *adj.* formidable
feo,-a *adj.* laid(e), sale • *nm.* affront
feraz *adj.* fertile
féretro *nm.* cercueil
feria *nf.* foire *(commerciale)*
feriado,-a *adj.* férié(e)
fermentar *v. intr.* fermenter
fermento *nm.* ferment
ferocidad *nf.* férocité
feroz *adj.* féroce
ferretería *nf.* quincaillerie
ferrocarril *nm.* chemin de fer
ferroviario,-a *adj.* ferroviaire • *nm/f.* cheminot
fértil *adj.* fertile
fertilidad *nf.* fertilité
fertilizar *v. tr.* fertiliser
fervor *nm.* ferveur *nf.*
fervoroso,-a *adj.* fervent(e)
festival *nm.* festival
festividad *nf.* festivité
festón *nm.* feston
fetal *adj.* fœtal(e)
fetiche *nm.* fétiche
fetichismo *nm.* fétichisme
feto *nm.* fœtus
feudal *adj.* féodal(e)
feudo *nm.* fief
fiabilidad *nf.* fiabilité
fiable *adj.* fiable ; solvable
fiador,-a *nm/f.* garant(e)
fiambre *nm.* charcuterie *nf.* ; *(fam.)* cadavre *nm.*
fiambrera *nf.* gamelle
fianza *nf.* caution
fiar *v. tr.* se porter caution ; faire crédit • *v. pr.* avoir confiance en
fiasco *nm.* fiasco
fibra *nf.* fibre
fibrana *nf.* fibranne
fibroma *nm.* fibrome
ficción *nf.* fiction
ficticio,-a *adj.* fictif(ive)
ficha *nf.* fiche ; ticket *nm.* ; jeton *nm.*
fichar *v. tr.* ficher • *v. intr.* pointer
fichero *nm.* fichier
fidedigno,-a *adj.* digne de foi
fidelidad *nf.* fidélité
fideo *nm.* vermicelle
ficduciario,-a *adj.* fiduciaire
fiebre *nf.* fièvre
fiel *adj.* fidèle
fieltro *nm.* feutre
fiera *nf.* fauve *nm.* ; brute *nf.*
fiereza *nf.* sauvagerie
fiero,-a *adj.* féroce
fiesta *nf.* fête
figura *nf.* figure ; aspect *nm.* ; silhouette *nf.*
figurado,-a *adj.* figuré(e)
figurante *nm/f.* figurant(e)
figurar *v. tr.* figurer ; simuler • *v. pr.* se figurer
figurativo,-a *adj.* figuratif(ive)
figurín *nm.* dessin de mode
fijación *nf.* fixation
fijador *nm.* fixateur
fijar *v. tr.* fixer • *v. pr.* faire attention
fijo,-a *adj.* fixe
fila *nf.* file, rang *nm.*
filamento *nm.* filament
filantropía *nf.* philanthropie
filántropo,-a *adj.* philanthropique
filarmónico,-a *adj.* philharmonique
filatelia *nf.* philatélie
filatelista *nm/f.* philatéliste
filete *nm.* filet, bifteck
filiación *nf.* filiation
filial *adj.* filial(e) • *nf.* filiale
filigrana *nf.* filigrane *nm.*
Filipinas (las) *n. prop.* Philippines (les)
filipino,-a *adj.* philippin(e) • *nm/f.* Philippin(e)

film(e) *nm.* film
filmación *nf.* tournage *nm.*
filmar *v. tr.* filmer
filo *nm.* fil
filología *nf.* philologie
filón *nm.* filon
filosofía *nf.* philosophie
filósofo,-a *adj. et nm/f.* philosophe
filtración *nf.* filtrage *nm.* ; fuite *nf.*
filtrar *v. tr.* filtrer • *v. pr.* s'infiltrer
filtro *nm.* filtre
fin *nm.* but ; fin *nf.*
final *adj.* final(e) • *nm.* fin *nf.*
finalidad *nf.* but *nm.* ; finalité *nf.*
finalizar *v. tr.* achever • *v. intr.* terminer, prendre fin
financiación *nf.* financement *nm.*
financiar *v. tr.* financer
financiero,-a *adj. et nm/f.* financier(ière)
finca *nf.* ferme, propriété
fingir *v. intr.* feindre ; faire semblant
finlandés,-esa *adj.* finlandais(e) • *nm/f.* Finlandais(e)
fino,-a *adj.* fin(e) ; raffiné(e) ; poli(e)
finura *nf.* finesse
firma *nf.* signature ; société
firmamento *nm.* firmament
firmar *v. tr.* signer
firme *adj.* ferme, stable, constant(e) • *nm.* chaussée *nf.*, revêtement *nm.*
firmeza *nf.* fermeté
fiscal *adj.* fiscal(e) • *nm.* procureur
fiscalidad *nf.* fiscalité
fiscalización *nf.* contrôle fiscal *nm.*
fiscalizar *v. tr.* contrôler ; soumettre à un contrôle fiscal
fisco *nm.* fisc
fisgar *v. tr.* épier
física *nf.* physique
físico,-a *adj.* physique • *nm.* physique *(d'une personne)* • *nf.* science physique
fisiología *nf.* physiologie
fisiológico,-a *adj.* physiologique
fisionomía *adj.* physionomie
fisura *nf.* fissure
flácido,-a *adj.* flasque
flaco,-a *adj.* maigre
flagelación *nf.* flagellation
flagelo *nm.* fouet
flamante *adj.* flambant(e)
flamenco,-a *adj.* flamand(e) *nm.* • flamenco
flan *nm.* flan
flaquear *v. intr.* flancher ; faiblir
flaqueza *nf.* faiblesse, maigreur
flauta *nf.* flûte
flautista *nm/f.* flûtiste
fleco *nm.* frange *nf.*
flecha *nf.* flèche
flechazo *nm.* coup de flèche ; *(fig.)* coup de foudre
flema *nf.* flegme *nm.*
flemático,-a *adj.* flegmatique
fletar *v. tr.* affréter
flete *nm.* fret
flexibilidad *nf.* flexibilité
flexible *adj.* souple, flexible
flexibilizar *v. tr.* assouplir
flirtear *v. intr.* flirter
flojear *v. intr.* baisser ; faiblir
flojera *nf. (fam.)* flemme
flojo,-a *adj.* faible ; médiocre
flor *nf.* fleur
flora *nf.* flore
floración *nf.* floraison
florecer *v. intr.* fleurir ; être prospère
floreciente *adj.* florissant(e)
florete *nm.* fleuret
florido,-a *adj.* fleuri(e)
florista *nm/f.* fleuriste
floristería *nf.* magasin de fleurs *nm.*
flota *nf.* flotte *(marine)*
flotación *nf.* flottaison ; flottement *nm.*
flotador *nm.* bouée *nf.* ; flotteur *nm.*
flotante *adj.* flottant(e)
flotar *v. intr.* flotter
fluctuación *nf.* fluctuation
fluctuar *v. intr.* fluctuer ; hésiter
fluidez *nf.* fluidité
fluir *v. intr.* s'écouler
flujo *nm.* flux
flúor *nm.* fluor
fluorescente *adj.* fluorescent(e)
fluvial *adj.* fluvial(e)
fobia *nf.* phobie
foca *nf.* phoque *nm.*
foco *nm.* foyer ; projecteur
fofo,-a *adj.* flasque

fogata *nf.* flambée
fogón *nm.* foyer, fourneau
fogoso,-a *adj.* fougueux(euse)
folio *nm.* folio ; feuille de papier *nf.*
folklore *nm.* folklore
folkórico,-a *adj.* folkorique
follaje *nm.* feuillage
folletín *nm.* feuilleton
folleto *nm.* brochure *nf.* ; dépliant *nm.*, notice *nf.*
follón *nm. (fam.)* pagaille *nf.* ; chahut *nm.*
fomentar *v. tr.* favoriser, développer
fomento *nm.* développement ; aide *nf.*
fonda *nf.* auberge
fondo *nm.* fond ; fonds
fonético,-a *adj.* phonétique
fontanería *nf.* plomberie
fontanero *nm.* plombier
forajido,-a *adj.* hors-la-loi
foráneo,-a *adj.* étranger(ère)
forastero,-a *adj. et nm/f.* étranger(ère)
forcejear *v. intr.* résister ; lutter
forcejeo *nm.* effort, lutte *nf.*
forestal *adj.* forestier(ière)
forja *nf.* forge
forjar *v. tr.* forger • *v. pr.* se forger
forma *nf.* forme ; façon ; manière
formación *nf.* formation
formal *adj.* sérieux(euse) ; formel(le)
formalidad *nf.* formalité ; sérieux *nm.*
formalismo *nm.* formalisme
formalizar *v. tr.* régulariser ; normaliser
formar *v. tr.* former • *v. pr.* se former
formidable *adj.* formidable
fórmula *nf.* formule
formulación *nf.* formulation
formular *v. tr.* formuler
formulario *nm.* formulaire
foro *nm.* barreau *(d'avocat)* ; forum
forraje *nm.* fourrage
forrar *v. tr.* doubler ; couvrir
forro *nm.* doublure *nf.*
fortalecer *v. tr.* fortifier
fortalecimiento *nm.* renforcement
fortaleza *nf.* force ; forteresse
fortificar *v. tr.* fortifier
fortuito,-a *adj.* fortuit(e)
fortuna *nf.* fortune ; chance
forúnculo *nm.* furoncle
forzado,-a *adj.* contraint(e)
forzar *v. tr.* forcer
forzoso,-a *adj.* inévitable
forzudo,-a *adj.* fort(e) ; costaud
fosa *nf.* fosse
fosfato *nf.* phosphate *nm.*
fósforo *nm.* allumette *nf.* ; phosphore *nm.*
fósil *nm.* fossile
foso *nm.* fosse *nf.* ; tranchée *nf.*
foto *nf.* photo
fotocomposición *nf.* photocomposition
fotocopia *nf.* photocopie
fotocopiadora *nf.* photocopieuse
fotocopiar *v. tr.* photocopier
fotogénico,-a *adj.* photogénique
fotografía *nf.* photographie
fotográfico,-a *adj.* photographique
fracasar *v. intr.* échouer
fracción *nf.* fraction
fractura *nf.* fracture
fracturar *v. tr.* fracturer
fragancia *nf.* parfum *nm.*
fragata *nf.* frégate
frágil *adj.* fragile
fragilidad *nf.* fragilité
fragmentar *v. tr.* fragmenter
fragmento *nm.* fragment
fragor *nm.* fracas
fragua *nf.* forge
fraguar *v. tr.* forger
fraile *nm.* religieux
frambuesa *nf.* framboise
frambueso *nm.* framboisier
francés,-esa *adj.* français(e) • *nm/f.* Français(e)
francmasonería *nf.* franc-maçonnerie
franco,-a *adj.* franc(he) • *nm.* franc *(monnaie)*
franela *nf.* flanelle
franja *nf.* frange
franqueable *adj.* franchissable
franquear *v. tr.* franchir ; dégager ; affranchir
franqueo *nm.* affranchissement
franqueza *nf.* franchise, sincérité
franquicia *nf.* franchise, exemption
frasco *nm.* flacon
frase *nf.* phrase
fraternal *adj.* fraternel(le)

fraternidad *nf.* fraternité
fraterno,-a *adj.* fraternel(le)
fraude *nm.* fraude *nf.*
fraudulento,-a *adj.* frauduleux(euse)
freático,-a *adj.* phréatique
frecuencia *nf.* fréquence
frecuentar *v. tr.* fréquenter
frecuente *adj.* fréquent(e)
fregadero *nm.* évier
fregado *nm.* lavage ; nettoyage
fregar *v. tr.* laver, récurer
fregona *nf.* serpillière ; *(fam.)* plongeuse
freidora *nf.* friteuse
freír *v. tr.* faire frire
fréjol *nm.* haricot
frenar *v. intr.* freiner
frenazo *nm.* coup de frein
frenesí *nm.* frénésie *nf.*
frenético,-a *adj.* frénétique
freno *nm.* frein ; mors
frente *nf.* front *nm. (anatomie)* • front *nm. (première ligne)* ; façade *nf.*
fresa *nf.* fraise ; fraisier *nm.*
fresco,-a *adj.* frais (fraîche) • *nm.* fraîcheur • *nm.* fresque *nf.*
frescor *nm.* fraîcheur *nf.*
frescura *nf.* fraîcheur ; sans-gêne *nm.*
fresno *nm.* frêne
fresón *nm.* grosse fraise *nf.*
fresquera *nf.* garde-manger *nm.*
friabilidad *nf.* friabilité
friable *adj.* friable
frialdad *nf.* froideur
fricción *nf.* friction
friega *nf.* friction
frigidez *nf.* frigidité
frigorífoco,-a *adj.* frigorifique • *nm.* réfrigérateur
fríjol *nm. (h. am.)* haricot
frío,-a *adj.* froid(e) • *nm.* froid
friolero,-a *adj.* frileux(euse)
frisar *v. tr. et intr.* friser
friso *nm.* frise *nf.*
frito,-a *adj.* frit(e)
fritura *nf.* friture
frivolidad *nf.* frivolité
frívolo,-a *adj.* frivole
frondosidad *nf.* frondaison
frondoso,-a *adj.* touffu(e)
frontal *adj.* frontal(e)
frontalero,-a *adj.* frontalier(ière)
frontera *nf.* frontière
frontón *nm.* fronton
frotar *v. tr.* frotter • *v. pr.* se frotter
frote *nm.* frottement
fructífero,-a *adj.* fructueux(euse)
fructificar *v. intr.* fructifier
frugal *adj.* frugal(e)
frugalidad *nf.* frugalité
frunce *nm.* fronce *nf.*
fruncir *v. tr.* froncer
frustración *nf.* frustration
frustrar *v. tr.* frustrer ; échouer
fruta *nf.* fruits *nmpl. (à manger)*
frutal *adj.* fruitier(ière) • *nm.* arbre fruitier
frutería *nf.* magasin de fruits *nm.*
frutero,-a *adj.* fruitier(ière) • *nm.* marchand de fruits
fruto *nm.* fruit *(résultat)*
fuego *nm.* feu
fuelle *nm.* soufflet
fuente *nf.* source, fontaine
fuera *adv.* dehors ; ailleurs
fuero *nm.* privilège
fuerte *adj.* fort(e) ; dur(e) • *adv.* fort
fuerza *nf.* force
fuga *nf.* fuite ; fugue
fugaz *adj.* fugace
fugitivo,-a *adj. et nm/f.* fugitif(ive) ; en fuite
fular *nm.* foulard
fulgor *nm.* éclat
fulminante *adj.* foudroyant(e) ; fulminant(e)
fulminar *v. tr.* foudroyer • *v. intr.* fulminer
fullero,-a *adj.* tricheur(euse)
fumador,-a *nm/f.* fumeur(euse)
fumar *v. tr. et intr.* fumer
funámbulo *nm/f.* funambule
función *nf.* fonction ; représentation *(de théâtre)*

G

g *nf.* g *nm. inv.*
gabán *nm.* pardessus
gabardina *nf.* gabardine
gabarra *nf.* péniche
gacela *nf.* gazelle
gaceta *nf.* gazette
gafas *nfpl.* lunettes
gafe *nm. (fam)* oiseau de malheur
gaje *nm.* appointements *nmpl.*
gala *nf.* habit de fête *nm.* ; tenue de soirée *nf.*
galán *nm.* jeune premier ; chevalier servant
galante *adj.* galant(e)
galantear *v. tr.* faire la cour
galantería *nf.* galanterie
galardón *nm.* récompense *nf.*
galardonar *v. tr.* récompenser, donner un prix
galaxia *nf.* galaxie
galeón *nm.* galion
galera *nf.* galère
galería *nf.* galerie
galgo *nm.* lévrier
gálibo *nm.* gabarit
galicano,-a *adj.* gallican(e)
Galicia *n. prop. f.* Galice
galicismo *nm.* gallicisme
galimatías *nm.* galimatias
gallardamente *adv.* hardiment
gallardía *nf.* bravoure ; élégance
gallardo,-a *adj.* courageux(euse) ; qui a de l'allure
gallego,-a *adj. et nm/f.* galicien(ne) • *nm.* galicien *(langue)*
galleta *nf.* biscuit sec *nm.*
gallina *nf.* poule ; *(fam)* poule mouillée
gallinero *nm.* poulailler
gallo *nm.* coq ; *(fam)* petit chef
gama *nf.* gamme
gamba *nf.* bouquet *nm.* ; crevette rose *nf.*
gamberrada *nf.* acte de vandalisme *nm.*
gamberrismo *nm.* vandalisme
gamberro,-a *nm/f.* voyou
gamezno *nm.* faon
gamo *nm.* daim
gamuza *nf.* chamois *nm.* ; peau *nf.* de chamois
gana *nf.* envie • *nfpl.* désir *nm.*
ganadería *nf.* élevage *nm.* ; troupeau *nm.* ; cheptel *nm.*
ganadero,-a *adj.* d'élevage • *nm/f.* propriétaire d'un troupeau, éleveur
ganado *nm.* troupeau, bétail
ganador,-a *adj. et nm/f.* gagnant(e)
ganancia *nf.* gain *nm.*, profit *nm.*
ganancial *adj.* bénéficiaire
ganar *v. tr.* gagner ; être supérieur à ; conquérir • *v. intr.* gagner • *v. pr.* gagner ; mériter qqch.
ganchillo *nm.* crochet ; complice
gancho *nm.* crochet ; complice
gandul,-a *adj. et nm/f. (fam)* fainéant(e)
gandulería *nf. (fam)* fainéantise
gandulear *v. intr. (fam)* paresser
ganga *nf.* bonne affaire
ganglio *nm.* ganglion
gangoso,-a *adj.* nasillard(e)
gangrena *nf.* gangrène
gángster *nm.* gangster
gangsterismo *nm.* gangstérisme
ganso *nm.* oie *nf.* ; jars *nm.*
ganso,-a *adj.* abruti(e), idiot(e)
garabatear *v. intr.* griffonner
garabato *nm.* griffonnage
garaje *nm.* garage
garajista *nm.* garagiste
garante *adj.* garant(e)
garantía *nf.* garantie
garantizar *v. tr.* garantir
garapiñado,-a *adj.* praliné(e)
garbanzo *nm.* pois chiche
garbeo *nm. (fam)* balade *nf.*, virée *nf.*
garbo *nm.* aisance *nf.*, allure *nf.*, élégance *nf.*
garboso,-a *adj.* élégant(e), qui a de l'allure
gardenal *nm.* gardénal
gardenia *nf.* gardénia *nm.*
garganta *nf.* gorge

gargantilla *nf.* collier *nm.*
gárgara *nf.* gargarisme *nm.*
gárgola *nf.* gargouille
garita *nf.* guérite
garito *nm.* maison de jeux *nf.*, tripot *nm.*
garlito *nm. (fam)* arnaque *nf.*
garra *nf.* griffe, serre
garrafa *nf.* carafe
garrafal *adj.* énorme, monumental(e)
garrafón *nm.* grande carafe *nf.*
garrapata *nf.* tique
garroba *nf.* caroube
garrocha *nf.* pique *(tauromachie)*
garrote *nm.* gourdin ; garrot
garza *nf.* héron *nm.*
garzo,-a *adj.* pers(e)
gas *nm.* gaz
gasa *nf.* gaze
gaseosa *nf.* limonade
gaseoso,-a *adj.* gazeux(euse)
gasoducto *nm.* gazoduc
gasóleo *nm.* gazole
gasolina *nf.* essence
gasolinera *nf.* pompe à essence
gastable *adj.* consommable
gastado,-a *adj.* usé(e)
gastador,-a *adj. et nm/f.* dépensier(ière)
gastar *v. tr.* dépenser ; user ; consommer ; porter • *v. pr.* s'user ; se porter
gasto *nm.* dépense *nf.*, frais *nmpl.*
gástrico,-a *adj.* gastrique
gastritis *nf.* gastrite
gastronomía *nf.* gastronomie
gastrónomo *nm.* gastronome
gatas (a) *loc. adv.* à quatre pattes
gatear *v. intr.* marcher à quatre pattes
gatillo *nm.* gâchette *nf.*
gato,-a *nm/f.* chat(te) • *nm.* cric
gatuno,-a *adj.* félin(e)
gaucho,-a *nm/f.* gaucho
gaveta *nf.* tiroir *nm.*
gavilán *nm.* épervier
gavilla *nf.* fagot *nm.* ; gerbe *nf.*
gaviota *nf.* mouette
gazapera *nf.* terrier *nm.*
gazapo *nm.* lapereau
gaznate *nm.* gosier
gazpacho *nm.* gazpacho
géiser *nm.* geyser
gel *nm.* gel
gelatina *nf.* gelée
gelificar *v. tr.* gélifier
gema *nf.* gemme
gemelo,-a *adj. et nm/f.* jumeau, jumelle • *nmpl.* boutons de manchettes ; jumelles *nfpl.*
gemido *nm.* gémissement
gemir *v. intr.* gémir
gene *nm.* gène
genealogía *nf.* généalogie
genealógico,-a *adj.* généalogique
generación *nf.* génération
general *nm.* général
generala *nf.* générale
generalidad *nf.* généralité
Generalitat *nf.* gouvernement de la Catalogne *nm.*
generalización *nf.* généralisation
generalizar *v. tr.* généraliser • *v. pr.* se généraliser
generar *v. tr.* générer, engendrer
género *nm.* genre ; marchandise *nf.*
generosidad *nf.* générosité
generoso,-a *adj.* généreux(euse)
génesis *nf.* genèse
genética *nf.* génétique
genial *adj.* génial(e)
genio *nm.* caractère, humeur *nf.* ; génie *nm.*
genocidio *nm.* génocide
gente *nf.* gens *nmpl.*
gentil *adj.* gentil(le)
gentilhombre *nm.* gentilhomme
gentío *nm.* foule *nf.* ; monde *nm.*
gentuza *nf.* racaille
genuino,-a *adj.* authentique
geografía *nf.* géographie
geógrafo,-a *nm/f.* géographe
geología *nf.* géologie
geólogo,-a *nm/f.* géologue
geómetra *nm.* géomètre
geometría *nf.* géométrie
geométrico,-a *adj.* géométrique
geopolílica *nf.* géopolitique
geranio *nm.* géranium
gerencia *nf.* gérance
gerente *nm.* gérant
germánico,-a *adj. et nm/f.* germanique

germen *nm.* germe
germinación *nf.* germination
germinar *v. intr.* germer
gerundio *nm.* gérondif
gestación *nf.* gestation
gestar *v. tr.* concevoir
gesticular *v. intr.* gesticuler
gestión *nf.* démarche ; gestion
gestionar *v. tr.* faire des démarches ; gérer
gesto *nm.* grimace *nf.* ; mine *nf.*
gestor,-a *nm/f.* gérant(e), gestionnaire
gestoría *nf.* cabinet d'affaires *nm.*
giba *nf.* bosse
giboso,-a *adj.* bossu(e)
gigante *nm.* géant
gigantesco,-a *adj.* gigantesque
gimnasia *nf.* gymnastique
gimnasio *nm.* gymnase
gimnasta *nm/f.* gymnaste
gimotear *v. intr.* pleurnicher
ginebra *nf.* gin *nm.* ; genièvre *nm.*
ginecología *nf.* gynécologie
ginecólogo,-a *nm/f.* gynécologue
giralda *nf.* girouette
girar *v. intr.* tourner ; virer
girasol *nm.* tournesol
giro *nm.* tour ; virement *(postal)*
gitano,-a *adj. et nm/f.* gitan(e)
glacial *adj.* glacial(e)
glaciar *nm.* glacier • *adj.* glaciaire
gladiolo *nm.* glaïeul
glándula *nf.* glande
glandular *adj.* glandulaire
glauco,-a *adj.* glauque
glaucoma *nm.* glaucome
gleba *nf.* glèbe
glicerina *nf.* glycérine
glicina *nf.* glycine
global *adj.* global(e)
globo *nm.* globe, ballon
globulina *nf.* globuline
glóbulo *nm.* globule
gloria *nf.* gloire
glorieta *nf.* rond-point *nm.* ; tonnelle *nf.*
glorificar *v. tr.* glorifier • *v. pr.* se vanter
glorioso,-a *adj.* glorieux(euse)
glosa *nf.* glose
glosar *v. tr.* gloser
glosario *nm.* glossaire
glotis *nf.* glotte
glotón,-ona *adj.* gouton(ne)
glotonería *nf.* gloutonnerie
glucosa *nf.* glucose *nm.*
gobernable *adj.* gouvernable
gobernación *nf.* gouvernement *nm.*
gobernador,-a *nm/f.* gouverneur • *adj.* gouvernant(e)
gobernante *nm.* chef d'État, dirigeant
gobernar *v. tr.* gouverner ; diriger ; gérer
gobierno *nm.* gouvernement
goce *nm.* jouissance *nf.* ; plaisir *nm.*
goleta *nf.* goélette
golf *nm.* golf
golfista *nm/f.* golfeur(euse)
golfo *nm.* golfe ; voyou
golondrina *nf.* hirondelle ; bateau *nm.*
golosina *nf.* friandise, gourmandise
goloso,-a *adj.* gourmand(e)
golpe *nm.* coup
golpear *v. tr. et intr.* frapper
golpista *nm.* putschiste
gollete *nm.* goulot
goma *nf.* gomme ; caoutchouc *nm.* ; élastique *nm.*
góndola *nf.* gondole
gondolero *nm.* gondolier
gordo,-a *adj. et nm/f.* gros(se)
gordura *nf.* embonpoint *nm.*
gorgotear *v. intr.* gargouiller
gorila *nm.* gorille
gorjear *v. intr.* gazouiller
gorra *nf.* casquette
gorrión *nm.* moineau
gorro *nm.* bonnet
gota *nf.* goutte
gotear *v. intr.* goutter, tomber goutte à goutte
gotera *nf.* fuite d'eau ; gouttière
gótico,-a *adj.* gothique • *nm.* gothique
gozar *v. intr.* jouir, se réjouir, éprouver du plaisir
gozne *nm.* gond
gozo *nm.* plaisir, réjouissance *nf.*
gozoso,-a *adj.* joyeux(euse)
grabación *nf.* enregistrement *nm.*
grabado *nm.* gravure *nf.*
gravar *v. tr.* graver, enregistrer

gracia *nf.* charme *nm.*, grâce *nf.* ; plaisanterie *nf.* ; talent *nm.* • *nfpl.* merci
grácil *adj.* gracile
gracioso,-a *adj.* gracieux(euse) ; drôle ; bouffon
grada *nf.* marche, tribune
gradación *nf.* gradation
grado *nm.* degré ; grade ; gré ; taux
graduación *nf.* graduation, grade *nm.* ; titre *nm.* ; diplôme *nm.*
graduado,-a *adj.* gradué(e) ; diplômé(e)
graduar *v. tr.* mesurer ; graduer ; promouvoir ; donner un titre ; diplômer
grafía *nf.* graphie
gráfico,-a *adj.* graphique ; photographique
grafología *nf.* graphologie
grafólogo,-a *nm.* graphologue
gragea *nf.* dragée
grajo *nm.* corbeau
gramática *nf.* grammaire
gramo *nm.* gramme
gramola *nf.* phonographe *nm.*
gran *adj.* grand(e)
granada *nf.* grenade *(fruit et arme)*
Granada *n. prop. f.* Grenade
granadino,-a *adj.* de Grenade
granado *nm.* grenadier *(arbre)*
granar *v. intr.* monter en graine
grande *adj.* grand(e)
grandeza *nf.* grandeur
grandilocuencia *nf.* grandiloquence
grandioso,-a *adj.* grandiose
grandor *nm.* grandeur *nf.*
granero *nm.* grenier
granítico,-a *adj.* granitique
granito *nm.* granit
granizada *nf.* grêle ; volée de coups
granizado *nm.* granité *(rafraîchissement avec de la glace pilée)*
granizar *v. impers.* grêler
granja *nf.* ferme
granjero,-a *nm/f.* fermier(ière)
grano *nm.* grain, graine *nf.* ; bouton *nm.*
granuja *nm/f.* garnement, voyou
granulado,-a *adj. et nm.* granulé(e)
granuloso,-a *adj.* granuleux(euse)
grapa *nf.* agrafe
grapadora *nf.* agrafeuse
grapar *v. tr.* agrafer
grasa *nf.* graisse
grasiento,-a *adj.* graisseux(euse)
graso,-a *adj.* gras(se)
gratén *nm.* gratin *(cuisine)*
gratificación *nf.* gratification
gratificar *v. tr.* gratifier
gratis *adv.* gratis
gratitud *nf.* gratitude
grato,-a *adj.* agréable
gratuito,-a *adj.* gratuit(e)
gratuidad *nf.* gratuité
grava *nf.* gravier *nm.*
gravación *nf.* fiscalisation
gravamen *nm.* imposition *nf.* ; taxe *nf.*
gravar *v. tr.* imposer, taxer
grave *adj.* grave
gravedad *nf.* gravité
gravilla *nf.* gravillon *nm.*
gravitar *v. intr.* graviter ; peser sur
gravoso,-a *adj.* coûteux(euse)
graznido *nm.* croassement
greda *nf.* glaise
gregario,-a *adj.* grégaire
gremial *adj.* corporatif(ive)
gremio *nm.* corporation *nf.*
greña *nf.* *(fam)* tignasse
gres *nm.* grès
gresca *nf.* vacarme *nm.*
griego,-a *adj.* grec, grecque • *nm/f.* Grec, Grecque
grieta *nf.* gerçure ; fissure
grifería *nf.* robinetterie
grifo *nm.* robinet
grillo *nm.* grillon
grima *nf.* dégoût *nm.*
gringo,-a *adj. et nm/f.* étranger(ère) ; *(h. am.) (péjoratif)* yankee
gripe *nf.* grippe
gris *adj.* gris(e)
grisáceo,-a *adj.* grisâtre
gritar *v. tr. et intr.* crier, huer
grito *nm.* cri
grosella *nf.* groseille
grosellero *nm.* groseiller
grosería *nf.* grossièreté
grosero,-a *adj.* grossier(ière)
grosor *nm.* épaisseur *nf.*
grotesco,-a *adj.* grotesque

grúa *nf.* grue ; dépanneuse
grueso,-a *adj.* gros(se) ; épais(se) • *nm.* épaisseur *nf.*
grumo *nm.* grumeau
gruñido *nm.* grognement
gruñir *v. intr.* grogner
grupa *nf.* croupe
grupo *nm.* groupe
grupúsculo *nm.* groupuscule
gruta *nf.* grotte
guacamole *nm.* purée *nf.* d'avocats (Mexique)
guadaña *nf.* faux
guano *nm.* guano
guante *nm.* gant
guantera *nf.* boîte à gants
guapear *v. intr. (fam.)* faire le beau
guapo,-a *adj.* beau (belle)
guarda *nm/f.* gardien(ne)
guardabarrera *nm/f.* garde-barrière
guardabarros *nm. inv.* garde-boue
guardacostas *nm. inv.* garde-côte
guardador,-a *nm/f.* gardien(ne)
guardaespaldas *nm. inv.* garde du corps
guardameta *nm.* goal, gardien de but
guardamonte *nm.* garde-chasse
guardamuebles *nm. inv.* garde-meubles
guardar *v. tr.* garder ; ranger ; protéger • *v. pr.* se garder
guardarropa *nm.* vestiaire ; penderie *nf.* ; costumier(ière)
guardería *nf.* crèche, garderie
guardia *nf.* garde • *nm.* agent de police
guardián,-ana *nm/f.* gardien(ne)
guarecer *v. tr.* abriter, protéger
guarida *nf.* tannière ; repaire *nm.*
guarro,-a *nm/f.* cochon *nm.*, truie *nf.* • *adj.* dégoûtant(e)
guasón,-ona *adj. et nm/f.* farceur(euse)
guateado,-a *adj.* molletonné(e)
guateque *nm.* surprise-partie *nf.*
guayaba *nf.* goyave
gubernamental *adj.* gouvernemental(e)
guepardo *nm.* guépard
guerrear *v. intr.* faire la guerre
guerrero,-a *adj.* guerrier(ière)
guerilla *nf.* guérilla
guerrillero *nm.* guérrillero
guía *nf.* guide *nm. (livre)* ; annuaire *nm.* • *nm/f.* guide *(personne)*
guiar *v. tr.* guider, conduire
guijarro *nm.* caillou
guillotina *nf.* guillotine ; massicot *nm.*
guinda *nf.* griotte
guindilla *nf.* piment rouge *nm.*
guiñapo *nm.* guenille *nf.*
guiño *nm.* clin d'œil
guión *nm.* scénario ; croix *nf.* ; trait d'union *nm.*
guionista *nm/f.* scénariste
guirnalda *nf.* guirlande
guisa *nf.* guise
guisado *nm.* ragoût
guisante *nm.* petits pois
guisar *v. intr.* cuisiner
guiso *nm.* plat ; ragoût
guitarra *nf.* guitare
guitarrista *nf.* guitariste
gula *nf.* gourmandise
gurú *nm.* gourou
gusano *nm.* ver
gustar *v. tr.* goûter • *v. intr.* aimer, plaire
gusto *nm.* goût ; plaisir
gustoso,-a *adj.* savoureux(euse)
gutural *adj.* guttural(e)

H

h *nf.* h *nm. inv.*
haba *nf.* fève
habanero,-a *adj. et nm/f.* havanais(e)
habano,-a *adj.* havanais(e) • *nm.* havane
haber *auxil.* avoir, être ; y avoir • *nm.* avoir, crédit
habichuela *nf.* haricot *nm.*
hábil *adj.* habile
habilidad *nf.* habileté
habilitación *nf.* habilitation
habilitar *v. tr.* habiliter
habitable *adj.* habitable

habitación *nf.* chambre ; pièce
habitante *nm/f.* habitant(e)
habitar *v. tr.* habiter
hábitat *nm.* habitat
hábito *nm.* habitude *nf.*
habitual *adj.* habituel(le)
habitualmente *adv.* habituellement
habituar *v. tr.* habituer • *v. pr.* s'habituer
habla *nf.* parole ; langue ; parler *nm.*
hablar *v. tr. et intr.* parler ; discuter
hacendado *nm. (h. am.)* propriétaire terrien
hacer *v. tr.* faire ; rendre ; jouer le rôle • *v. intr.* faire • *v. pr.* se faire, devenir
hacha *nf.* hache ; torche
hachazo *nm.* coup de hache
hachís *nm.* haschisch
hacia *prép.* vers
hacienda *nf.* propriété rurale ; fortune
hada *nf.* fée
halagador,-a *adj.* flatteur(euse)
halagar *v. tr.* flatter
halago *nm.* flatterie *nf.*
halagüeño,-a *adj.* flatteur(euse)
halar *v. tr.* haler
halcón *nm.* faucon
hálito *nm.* souffle
hallar *v. tr.* trouver • *v. pr.* se trouver
hallazgo *nm.* découverte *nf.* ; trouvaille *nf.*
halógeno,-a *adj. et nm.* halogène
haltera *nf.* haltère *nm.*
halterofilia *nf.* haltérophilie
hamaca *nf.* hamac *nm.*
hambre *nf.* faim
hambriento,-a *adj.* affamé(e)
hambruna *nf.* famine
hamburguesa *nf.* hamburger *nm.*
hamburguesería *nf.* restauration rapide
hampa *nf.* pègre
handicap *nm.* handicap
harapiento,-a *adj.* déguenillé(e)
harapo *nm.* haillon
harén *nm.* harem
harina *nf.* farine
harpa *nf.* harpe
harpillera *nf.* serpillière
hartar *v. tr.* gaver ; rassasier ; lasser ; fatiguer • *v. pr.* se gaver ; se lasser
harto,-a *adj.* rassasié(e) ; fatigué(e)
hasta *prép.* jusqu'à • *conj.* même
hastiar *v. tr.* lasser, dégoûter
hastío *nm.* dégoût
hato *nm.* baluchon ; troupeau
haya *nf.* hêtre *nm.*
haz *nm.* faisceau, gerbe *nf.* ; fagot *nm.*
hazaña *nf.* exploit *nm.*
hazmerreír *nm.* risée *nf.*
hebilla *nf.* boucle *(de ceinture)*
hebra *nf.* brin *nm.* ; fil *nm.*
hecatombe *nf.* hécatombe
hectárea *nf.* hectare *nm.*
hectolitro *nm.* hectolitre
hechicería *nf.* sorcellerie
hechicero,-a *adj. et nm/f.* sorcier(ière) ; ensorceleur(euse)
hechizar *v. tr.* envoûter
hechizo *nm.* sortilège ; envoûtement
hecho,-a *adj.* fait(e) ; cuit(e) • *nm.* fait
hechura *nf.* façon
heder *v. intr.* puer
hedonista *adj. et nm/f.* hédoniste
hedor *nm.* puanteur *nf.*
hegemonía *nf.* hégémonie
helada *nf.* gelée
heladera *nf. (h. am.)* sorbetière ; réfrigérateur *nm.*
heladería *nf.* glacier *nm.* ; magasin *nm.* de glaces
helado,-a *adj.* gelé(e) ; glacé(e) • *nm.* glace *nf.*
helar *v. tr.* geler ; glacer • *v. pr.* se geler
helecho *nm.* fougère *nf.*
hélice *nf.* hélice
helicóptero *nm.* hélicoptère
helio *nm.* hélium
helipuerto *nm.* héliport
hematía *nm.* hématie *nf.*
hematoma *nm.* hématome
hembra *nf.* femelle ; *(fam.)* femme
hemiciclo *nm.* hémicycle
hemisferio *nm.* hémisphère
hemofilia *nf.* hémophilie
hemofílico,-a *adj. et nm/f.* hémophile
hemorragia *nf.* hémorragie
henchir *v. tr.* remplir ; gonfler
hender *v. tr.* fendre
hendidura *nf.* fente

heno *nm.* foin
hepático,-a *adj.* hépatique
hepatitis *nf.* hépatite
heraldo *nm.* héraut
herbaje *nm.* herbage
herbario *nm.* herbier
herbívoro,-a *adj.* herbivore
herbolario *nm.* herboriste
heredad *nf.* propriété
heredar *v. tr.* hériter
heredero,-a *adj.* héritier(ière)
hereditario,-a *adj.* héréditaire
herejía *nf.* hérésie
herencia *nf.* héritage *nm.*
herético,-a *adj.* hérétique
herida *nf.* blessure
herido,-a *adj. et nm/f.* blessé(e)
herir *v. tr.* blesser
hermafrodita *adj. et nm/f.* hermaphrodite
hermanar *v. tr.* rapprocher, jumeler, réunir • *v. pr.* s'assortir
hermano,-a *nm/f.* frère, sœur
hermético,-a *adj.* hermétique
hermetismo *nm.* hermétisme
hermoso,-a *adj.* beau (belle)
hermosura *nf.* beauté
hernia *nf.* hernie
héroe *nm.* héros
heroico,-a *adj.* héroïque
heroína *nf.* héroïne
herpe *nm.* herpès
herrador *nm.* maréchal-ferrant
herradura *nf.* fer à cheval *nm.*
herraje *nm.* ferrure *nf.*
herramienta *nf.* outillage *nm.*
herrar *v. tr.* ferrer
herrería *nf.* forge
herrero *nm.* forgeron
herrumbre *nf.* rouille
hervidero *nm.* bouillonnement ; fourmilière *nf.*
hervir *v. intr.* bouillonner
hervor *nm.* ébullition *nf.* ; fougue *nf.*
heteróclito,-a *adj.* hétéroclite
hexagonal *adj.* hexagonal(e)
hexágono *nm.* hexagone
hez *nf.* lie
hibernación *nf.* hibernation
hibernal *adj.* hivernal(e)
hibernar *v. intr.* hiberner
híbrido,-a *adj. et nm/f.* hybride
hidalgo *nm.* hidalgo • *adj.* noble
hidratación *nf.* hydratation
hidratante *adj.* hydratant(e)
hidratar *v. tr.* hydrater
hidráulico,-a *adj.* hydraulique
hidroavión *nm.* hydravion
hidrocarburo *nm.* hydrocarbure
hidroeléctrico,-a *adj.* hydro-électrique
hidrófilo *adj.* hydrophile
hidrógeno *nm.* hydrogène
hidrolisis *nf.* hydrolyse
hidrometría *nf.* hydrométrie
hidroplano *nm.* hydroglisseur
hiedra *nf.* lierre *nm.*
hiel *nf.* fiel *nm.*
hielo *nm.* glace *nf.* ; verglas *nm.*
hiena *nf.* hyène
hierba *nf.* herbe
hierbabuena *nf.* menthe
hierro *nm.* fer
hígado *nm.* foie
higiene *nf.* hygiène
higiénico,-a *adj.* hygiénique
higo *nm.* figue *nf.*
higuera *nf.* figuier *nm.*
hijastro,-a *nm/f.* beau-fils, belle-fille
hijo,-a *nm/f.* fils, fille ; enfant
hilado *nm.* filage
hilador,-a *nm/f.* fileur(euse)
hilar *v. tr.* filer
hilera *nf.* rangée
hilo *nm.* fil ; filet
hilvanar *v. tr.* faufiler ; relier ; tramer
himno *nm.* hymne
hincar *v. tr.* enfoncer, planter
hinchado,-a *adj.* gonflé(e)
hinchar *v. tr.* enfler ; gonfler
hinchazón *nf.* enflure
hiniesta *nf.* genêt *nm.*
hinojo *nm.* fenouil
hipérbola *nf.* hyperbole
hipermercado *nm.* hypermarché
hipersensible *adj.* hypersensible
hipertensión *nf.* hypertension
hípico,-a *adj.* hippique
hipismo *nm.* hippisme

hipnosis *nf.* hypnose
hipnotismo *nm.* hypnotisme
hipnotizar *v. tr.* hypnotiser
hipo *nm.* hoquet
hipocampo *nm.* hippocampe
hipocondríaco,-a *adj.* hypocondriaque
hipocresía *nf.* hypocrisie
hipócrita *adj. et nm/f.* hypocrite
hipódromo *nm.* hippodrome
hipopótamo *nm.* hippopotame
hipoteca *nf.* hypothèque
hipotecar *v. tr.* hypothéquer
hipótesis *nf.* hypothèse
hipotético,-a *adj.* hypothétique
hiriente *adj.* blessant(e)
hirsuto,-a *adj.* hirsute
hisopo *nm.* goupillon
hispánico,-a *adj.* hispanique
hispanismo *nm.* hispanisme
hispanista *adj. et nm/f.* hispaniste
hispano,-a *adj.* espagnol(e)
Hispanoamérica *n. prop. f.* Amérique latine
hispanoamericano,-a *adj.* hispano-américain(e)
hispanohablante *adj. et nm/f.* qui parle espagnol, hispanophone
histeria *nf.* hystérie
histérico,-a *adj.* hystérique
histerismo *nm.* hystérie *nf.*
historia *nf.* histoire
histograma *nm.* histogramme
historiador,-a *nm/f.* historien(ne)
historial *nm.* dossier ; historique ; parcours ; curriculum
histórico,-a *adj.* historique
historieta *nf.* bande dessinée ; histoire drôle
histrión *nm.* histrion
hito *nm.* borne *nf.*
hocico *nm.* museau, groin ; *(fam)* gueule *nf.*
hockey *nm.* hockey
hogar *nm.* foyer
hogareño,-a *adj.* familial(e) ; casanier(ière)
hogaza *nf.* miche *(de pain)*
hoguera *nf.* bûcher *nm.* ; feu *nm.*
hoja *nf.* feuille ; battant *nm. (de porte)*
hojalata *nf.* fer-blanc *nm.*
hojaldre *nm.* pâte feuilletée *nf.*
hojarasca *nf.* feuilles mortes *nfpl.*
hojear *v. tr.* feuilleter
hola *interj.* bonjour ; *(fam)* salut
Holanda *n. prop. f.* Hollande
holandés,-esa *adj.* hollandais(e) • *nm/f.* Hollandais(e)
holding *nm.* holding
holgado,-a *adj.* ample ; aisé(e)
holgar *v. intr.* être inutile
holgazán,-ana *adj. et nm/f.* paresseux(euse)
holgura *nf.* aisance ; ampleur
hollar *v. tr.* piétiner
hollín *nm.* suie *nf.*
holocausto *nm.* holocauste
hombre *nm.* homme
hombrera *nf.* épaulette
hombría *nf.* virilité
hombro *nm.* épaule *nf.*
hombruno,-a *adj.* hommasse
homenaje *nm.* hommage
homenajear *v. tr.* rendre hommage, honorer
homeopata *nm.* homéopathe
homeopatía *nf.* homéopathie
homicida *adj. et nm.* homicide
homicidio *nm.* homicide
homogeneidad *nf.* homogénéité
homogeneizar *v. tr.* homogénéiser
homogéneo,-a *adj.* homogène
homologación *nf.* homologation
homologar *v. tr.* homologuer
homónimo,-a *adj.* homonyme
homosexual *adj. et nm/f.* homosexuel(le)
homosexualidad *nf.* homosexualité
honda *nf.* fronde
hondo,-a *adj.* profond(e)
hondo *nm.* fond
hondura *nf.* profondeur
Honduras *n. prop. m.* Honduras
hondureño,-a *adj.* hondurien(ne) • *nm/f.* Hondurien(ne)
honesto,-a *adj.* honnête
hongo *nm.* champignon
honor *nm.* honneur
honorable *adj.* honorable
honorario,-a *adj.* honoraire • *nmpl.* honoraires

honorífico,-a *adj.* honorifique
honra *nf.* honneur *nm.*
honradez *nf.* honnêteté
honrado,-a *adj.* honnête
honrar *v. tr.* honorer
honroso,-a *adj.* honorable
hora *nf.* heure
horadación *nf.* forage *nm.*
horadadora *nf.* perceuse
horadar *v. tr.* forer ; percer
horario,-a *adj. et nm.* horaire
horca *nf.* potence
horcajadas (a) *loc. adv.* à califourchon
horchata *nf.* orgeat *nm.*
horda *nf.* horde
horizontal *adj.* horizontal(e)
horizonte *nm.* horizon
horma *nf.* forme *(à chaussures)*
hormiga *nf.* fourmi
hormigón *nm.* béton
hormiguear *v. intr.* fourmiller
hormiguero *nm.* fourmilière *nf.*
hormona *nf.* hormone
hormonal *adj.* hormonal(e)
hornada *nf.* fournée
hornillo *nm.* fourneau
horno *nm.* four ; fournaise *nf.*
horóscopo *nm.* horoscope
horquilla *nf.* épingle à cheveux
horrendo,-a *adj.* horrible
horrible *adj.* horrible
horripilante *adj.* horripilant(e)
horripilar *v. tr.* horripiler
horror *nm.* horreur *nf.*
horrorizar *v. tr.* horrifier • *v. pr.* être épouvanté(e) ; s'effrayer
horroroso,-a *adj.* horrible
hortaliza *nf.* légume *nm.* vert
hortelano,-a *adj. et nm/f.* maraîcher(ère)
hortensia *nf.* hortensia *nm.*
hortícola *adj.* horticole
horticultura *nf.* horticulture
hosco,-a *adj.* bourru(e), renfrogné(e)
hospedaje *nm.* hébergement
hospedar *v. tr.* héberger • *v. pr.* se loger
hospicio *nm.* orphelinat, hospice
hospital *nm.* hôpital
hospitalario,-a *adj.* hospitalier(ière)
hospitalidad *nf.* hospitalité
hospitalización *nf.* hospitalisation
hospitalizar *v. tr.* hospitaliser
hostal *nm.* auberge *nf.*
hostia *nf.* hostie
hostigamiento *nm.* harcèlement
hostigar *v. tr.* harceler
hostil *adj.* hostile
hostilidad *nf.* hostilité
hotel *nm.* hôtel
hotelero,-a *adj. et nm/f.* hôtelier(ière)
hoy *adv.* aujourd'hui
hoya *nf.* fosse
hoyo *nm.* trou
hoyuelo *nm.* fossette *nf.*
hoz *nf.* faucille
hucha *nf.* tirelire
hueco,-a *adj.* creux(euse) • *nm.* creux
huelga *nf.* grève
huelguista *nm/f.* gréviste
huella *nf.* trace
huérfano,-a *adj. et nm/f.* orphelin(e)
huerta *nf.* jardin potager *nm.* ; verger *nm.*
huerto *nm.* potager
hueso *nm.* os ; noyau
huésped,-a *nm/f.* hôte(esse)
huesudo,-a *adj.* osseux(euse)
huevera *nf.* coquetier *nm.*
huevo *nm.* œuf
huida *nf.* fuite
huidizo,-a *adj.* fuyant(e)
huir *v. intr.* s'enfuir, fuir
hule *nm.* toile cirée *nf.*
hulla *nf.* houille
humanidad *nf.* humanité
humanismo *nm.* humanisme
humanista *adj. et nm/f.* humaniste
humanitario,-a *adj.* humanitaire
humanización *nf.* humanisation
humanizar *v. tr.* humaniser
humano,-a *adj.* humain(e)
humarada *nf.* nuage de fumée *nm.*
humeante *adj.* fumant(e)
humear *v. intr.* fumer
humectador *nm.* humidificateur
humectar *v. tr.* humecter
humedad *nf.* humidité
humedecer *v. tr.* humecter, humidifier • *v. pr.* s'humecter

húmedo,-a *adj.* humide
húmero *nm.* humérus
humidificación *nf.* humidification
humildad *nf.* humilité
humilde *adj.* humble
humillación *nf.* humiliation
humillante *adj.* humiliant(e)
humillar *v. tr.* humilier • *v. pr.* s'humilier
humo *nm.* fumée *nf.* • *nmpl.* vanité *nf.*
humor *nm.* humeur *nf.* ; humour *nm.*
humorismo *nm.* humour
humorista *adj. et nm/f.* humoriste
humorístico,-a *adj.* humoristique
humoso,-a *adj.* fumeux(euse)
hundimiento *nm.* effondrement ; glissement
hundir *v. tr.* couler ; plonger ; effondrer • *v. pr.* s'effondrer
húngaro,-a *adj.* hongrois(e) • *nm/f.* Hongrois(e)
Hungría *n. prop. f.* Hongrie
huracán *nm.* ouragan
huraño,-a *adj.* bourru(e) ; farouche
hurgar *v. tr.* attiser ; fouiller
hurgonear *v. tr.* attiser
hurgonero *nm.* tisonnier
hurón *nm.* furet
hurra *interj.* hourra
hurraca *nf.* pie
hurtadillas (a) *loc. adv.* en cachette
hurtar *v. tr.* dérober, voler • *v. pr.* se dérober
hurto *nm.* larcin
husada *nf.* quenouille
húsar *nm.* hussard
husmear *v. tr.* flairer ; fouiner
husmeo *nm.* flair
huso *nm.* fuseau
huy *interj.* aïe

I

i *nf.* i *nm. inv.*
ibérico,-a *adj.* ibérique
iceberg *nm.* iceberg
icono *nm.* icône *nf.*
ida *nf.* aller *nm.*
idea *nf.* idée ; intention
ideal *adj.* idéal(e) • *nm.* idéal
idealismo *nm.* idéalisme
idealista *adj. et nm/f.* idéaliste
idear *v. tr.* concevoir, imaginer
idéntico,-a *adj.* identique
identidad *nf.* identité
identificar *v. tr.* identifier • *v. pr.* s'identifier
ideología *nf.* idéologie
idilio *nm.* idylle *nf.*
idioma *nm.* langue *nf.*
idiomático,-a *adj.* idiomatique
idiota *adj. et nm/f.* idiot(e)
idolatrar *v. tr. et intr.* idôlatrer
ídolo *nm.* idole *nf.*
iglesia *nf.* église
ignición *nf.* ignition
ignominia *nf.* ignominie
ignorancia *nf.* ignorance
ignorante *adj. et nm/f.* ignorant(e)
ignorar *v. tr.* ignorer
igual *adj.* égal(e) ; semblable
igualación *nf.* égalisation
igualar *v. tr.* égaliser
igualdad *nf.* égalité
igualitario,-a *adj.* égalitaire
igualmente *adv.* également
iguana *nf.* iguane *nm.*
ilegal *adj.* illégal(e)
ilegible *adj.* illisible
ilegítimo,-a *adj.* illégitime
ileso,-a *adj.* indemne
ilícito,-a *adj.* illicite
Illmitado,-a *adj.* illimité(e)
ilógico,-a *adj.* illogique
iluminación *nf.* éclairage *nm.* ; illumination *nf.*
iluminar *v. tr.* éclairer, illuminer
ilusión *nf.* illusion
ilusionar *v. tr.* illusionner • *v. pr.* s'illusionner

ilusionista *nm/f.* illusioniste
ilustración *nf.* illustration
ilustrado,-a *adj.* instruit(e) ; illustré(e)
ilustrar *v. tr.* illustrer ; éclairer
ilustre *adj.* illustre
imagen *nf.* image
imaginación *nf.* imagination
imaginar *v. tr.* imaginer • *v. pr.* s'imaginer, croire
imaginario,-a *adj.* imaginaire
imbécil *adj. et nm/f.* imbécile
imberbe *adj.* imberbe
imborrable *adj.* indélibile
imbricación *nf.* imbrication
imbuir *v. tr.* inculquer
imitación *nf.* imitation
imitar *v. tr.* imiter
impaciencia *nf.* impatience
impaciente *adj.* impatient(e)
impacto *nm.* impact
impalpable *adj.* impalpable
impar *adj.* impair(e)
imparcial *adj.* impartial(e)
impartir *v. tr.* donner, distribuer
impasible *adj.* impassible
impecable *adj.* impeccable
impedido,-a *adj.* infirme • *nm/f.* impotent(e)
impedimento *nm.* empêchement
impedir *v. tr.* empêcher
impenetrable *adj.* impénétrable
impenitencia *nf.* impénitence
imperar *v. intr.* dominer ; régner
imperdible *nm.* épingle de nourrice *nf.*
imperdonable *adj.* impardonnable
imperecedero,-a *adj.* impérissable
imperfecto,-a *adj.* imparfait(e)
imperial *adj.* impérial(e)
imperio *nm.* empire
imperioso,-a *adj.* impérieux(euse)
impermeable *adj. et nm.* imperméable
impersonal *adj.* impersonnel(le)
impertinente *adj. et nm/f.* impertinent(e)
imperturbable *adj.* imperturbable
ímpetu *nm.* élan, force *nf.*
impetuoso,-a *adj.* impétueux(euse)
impiedad *nf.* impiété
impiedoso,-a *adj.* impie
implacable *adj.* implacable
implantar *v. tr.* implanter
implicar *v. tr.* impliquer
implícito,-a *adj.* implicite
implorar *v. tr.* implorer
imponderable *adj. et nm.* impondérable
imponente *adj.* imposant(e)
imponer *v. tr.* imposer • *v. pr.* s'imposer
imponible *adj.* imposable
impopular *adj.* impopulaire
importación *nf.* importation
importador,-a *adj. et nm/f.* importateur(trice)
importancia *nf.* importance
importar *v. tr.* importer ; coûter • *v. intr.* importer ; ennuyer • *v. imp.* être important
importe *nm.* montant, somme *nf.*
importunar *v. tr.* importuner
importuno,-a *adj.* importun(e) ; inopportun(e)
imposibilidad *nf.* impossibilité
imposibilitar *v. tr.* rendre impossible, empêcher qqn de faire qqch
imposible *adj. et nm.* impossible
imposición *nf.* imposition
impostor,-a *adj. et nm.* imposteur
impotencia *nf.* impuissance
impotente *adj. et nm/f.* impuissant(e)
impreciso,-a *adj.* imprécis(e)
impregnar *v. tr.* imprégner
imprenta *nf.* imprimerie
imprescindible *adj.* indispensable
impresión *nf.* impression
impresionar *v. tr. et intr.* impressionner • *v. pr.* être impressionné(e)
impresionismo *nm.* impressionnisme
impreso,-a *adj.* imprimé(e) • *nm.* imprimé
impresor *nm.* imprimeur
impresora *nf.* imprimante
imprevisible *adj.* imprévisible
imprevisor,-a *adj. et nm/f.* imprévoyant(e)
imprevisto,-a *adj.* imprévu(e)
imprimir *v. tr.* imprimer
improbable *adj.* improbable
improcedente *adj.* irrecevable, inopportun(e)
improductivo,-a *adj.* improductif(ive)

impropiedad *nf.* impropriété
impropio,-a *adj.* impropre
improvisación *nf.* improvisation
improvisar *v. tr.* improviser
improviso,-a *adj.* imprévu(e)
imprudencia *nf.* imprudence
imprudente *adj. et nm/f.* imprudent(e)
impudente *adj.* impudent(e)
impúdico,-a *adj.* impudique
impudor *nm.* impudeur *nf.*
impuesto *nm.* impôt
impugnar *v. tr.* attaquer ; contester
impulsar *v. tr.* pousser ; inciter
impulsivo,-a *adj. et nm/f.* impulsif(ive)
impulso *nm.* élan, impulsion *nf.*
impune *adj.* impuni(e)
impunidad *nf.* impunité
impureza *nf.* impureté
impuro,-a *adj.* impur(e)
imputación *nf.* imputation
imputar *v. tr.* imputer
inacesible *adj.* inacessible
inaceptable *adj.* inacceptable
inacostumbrado,-a *adj.* inaccoutumé(e)
inacción *nf.* inaction
inactivo,-a *adj.* inactif(ive)
inadmisible *adj.* inadmissible
inadaptado,-a *adj.* inadapté(e)
inadvertencia *nf.* inadvertance
inadvertido,-a *adj.* distrait(e) ; inaperçu(e)
inagotable *adj.* inépuisable
inaguantable *adj.* insupportable
inalienable *adj.* inaliénable
inalterable *adj.* inaltérable
inamovible *adj.* inamovible
inanición *nf.* inanition
inanimado,-a *adj.* inanimé(e)
inapetencia *nf.* inappétence
inarrugable *adj.* infroissable
inasequible *adj.* inacessible
inaudito,-a *adj.* inouï(e)
inauguración *nf.* inauguration ; vernissage *nm.*
inaugural *adj.* inaugural(e)
inaugurar *v. tr.* inaugurer
inca *nm.* inca
incalificable *adj.* inqualifiable
incandescencia *nf.* incandescence
incansable *adj.* infatigable
incapacidad *nf.* incapacité
incapacitar *v. tr.* rendre incapable
incapaz *adj. et nm/f.* incapable
incautación *nf.* réquisition
incauto,-a *adj.* imprudent(e) ; naïf(ive)
incendio *nm.* incendie
incentivo *nm.* stimulant
incertidumbre *nf.* incertitude
incesante *adj.* incessant(e)
incidencia *nf.* incidence ; incident *nm.*
incidente *adj.* incident(e) ● *nm.* incident
incidir *v. intr.* tomber dans ; mettre l'accent sur
incienso *nm.* encens
incierto,-a *adj.* incertain(e)
incinerar *v. tr.* incinérer
incipiente *adj.* qui commence, naissant(e)
incisión *nf.* incision
inciso,-a *adj.* coupé(e) ● *nm.* incise *nf.*
incitar *v. tr.* encourager, inciter
inclasificable *adj.* inclassable
inclemencia *nf.* inclémence ; rigueur
inclinación *nf.* inclinaison ; inclination
inclinar *v. tr.* incliner ● *v. pr.* s'incliner
incluir *v. tr.* inclure ; comprendre
inclusivamente *adv.* y compris ; même
incluso,-a *adj.* inclus(e) ● *prép.* même, y compris
incógnito,-a *adj.* inconnu(e) ● *nm.* incognito ● *nf.* inconnue
incoherencia *nf.* incohérence
incoloro,-a *adj.* incolore
incomestible *adj.* immangeable
incomible *adj.* immangeable
incomodar *v. tr.* incommoder ; fâcher
incomodidad *nm.* incommodité ; gêne
incomparable *adj.* incomparable
incompatible *adj.* incompatible
incompetencia *nf.* incompétence
incompetente *adj.* incompétent(e)
incompleto,-a *adj.* incomplet(ète)
incomprendido,-a *adj. et nm/f.* incompris(e)
incomprensible *adj.* incompréhensible
inconcebible *adj.* inconcevable
inconcluso,-a *adj.* inachevé(e)
inconfesable *adj.* inavouable
incongruencia *nf.* incongruité

incongruente *adj.* incongru(e)
inconmensurable *adj.* incommensurable
inconsciente *adj. et nm/f.* inconscient(e)
inconsecuente *adj.* inconséquent(e)
inconsecuencia *nf.* inconséquence
inconsistente *adj.* inconsistant(e)
inconsolable *adj.* inconsolable
inconstancia *nf.* inconstance
incontable *adj.* innombrable ; indicible
incontestable *adj.* incontestable
incontinencia *nf.* incontinence
inconvenencia *nf.* inconvénient *nm.* ; inconvenance *nf.*
inconveniente *adj.* inconvenant(e) • *nm.* inconvénient
incorporar *v. tr.* incorporer ; soulever • *v. pr.* se redresser
incorrecto,-a *adj.* incorrect(e)
incorregible *adj.* incorrigible
incorruptible *adj.* incorruptible
incredulidad *nf.* incrédulité
incrédulo,-a *adj. et nm/f.* incrédule
increíble *adj.* incroyable
incremento *nm.* accroissement, augmentation *nf.*, développement *nm.*
incriminar *v. tr.* incriminer
incrustación *nf.* incrustation
incrustar *v. tr.* incruster • *v. pr.* s'incruster
inculcar *v. tr.* inculquer
inculpar *v. tr.* inculper
inculto,-a *adj.* inculte
incumbencia *nf.* charge ; ressort *nm.*
incumbir *v. intr.* incomber
incurable *adj. et nm/f.* incurable
incurrir *v. intr.* encourir ; commettre
incursión *nf.* incursion
indagar *v. tr.* rechercher, investiguer
indecente *adj.* indécent(e) ; infect(e)
indecible *adj.* indicible
indecisión *nf.* incertitude
indeciso,-a *adj.* indécis(e)
indefendible *adj.* indéfendable
indefinible *adj.* indéfinissable
indefinido,-a *adj.* indéfini(e)
indeleble *adj.* indélibile
indelicadeza *nf.* indélicatesse
indemne *adj.* indemne
indemnizar *v. tr.* indemniser
independencia *nf.* indépendance
indepediente *adj.* indépendant(e)
indescifrable *adj.* indéchiffrable
indescriptible *adj.* indescriptible
indeseable *adj. et nm/f.* indésirable
indestructible *adj.* indestructible
indeterminado,-a *adj.* indéterminé(e)
indicación *nf.* indication
indicar *v. tr.* indiquer, signaler
indicativo,-a *adj.* indicatif(ive) • *nm.* indicatif
índice *nm.* index *(doigt)* • *nm.* index ; indice ; taux
indicio *nm.* indice, trace *nf.*
indiferencia *nf.* indifférence
indiferente *adj.* indifférent(e)
indígena *adj. et nm/f.* indigène
indigencia *nf.* indigence
indigente *adj. et nm/f.* indigent(e)
indigestión *nf.* indigestion
indignación *nf.* indignation
indignar *v. tr.* indigner • *v. pr.* s'indigner
indio,-a *adj. et nm/f.* indien(ne)
indirecto,-a *adj.* indirect(e) • *nf.* insinuation, *(fam)* pique
indisciplina *nf.* indiscipline
indisciplinado,-a *adj.* indiscipliné(e)
indiscreción *nf.* indiscrétion
indiscreto,-a *adj.* indiscret(ète)
indiscutible *adj.* indiscutable
indispensable *adj.* indispensable
indisponer *v. tr.* indisposer • *v. pr.* se fâcher
individual *adj.* individuel(le)
indivisión *nf.* indivision
indocumentado,-a *adj.* sans pièce d'identité
índole *nf.* nature, naturel *nm.*
indolencia *nf.* indolence
indolente *adj.* indolent(e)
indoloro,-a *adj.* indolore
indomable *adj.* indomptable
inducción *nf.* induction
inducir *v. tr.* induire ; inciter
indudable *adj.* indubitable
indulgencia *nf.* indulgence

indulto *nm.* grâce *nf.* ; remise de peine *nf.*
industria *nf.* industrie
industrial *adj.* industriel(le) • *nm.* industriel
industrializar *v. tr.* industrialiser
industrioso,-a *adj.* industrieux(euse)
inédito,-a *adj.* inédit(e)
ineluctable *adj.* inéluctable
inepto,-a *adj.* inepte, incapable • *nm/f.* incapable
inercia *nf.* inertie
inerme *adj.* désarmé(e)
inerte *adj.* inerte
inesperado,-a *adj.* inattendu(e)
inestable *adj.* instable
inexacto,-a *adj.* inexact(e)
inexistente *adj.* inexistant(e)
inexorable *adj.* inexorable
inexperto,-a *adj.* inexpérimenté(e)
inexplicable *adj.* inexplicable
inexplorado,-a *adj.* inexploré(e)
inexpresivo,-a *adj.* inexpressif(ive)
inexpugnable *adj.* inexpugnable
inextricable *adj.* inextricable
infalible *adj.* infaillible
infamante *adj.* infamant(e)
infamar *v. tr.* déshonorer
infame *adj.* infâme
infamia *nf.* infamie
infancia *nf.* enfance
infanta *nf.* infante
infante *nm.* garçon en bas âge ; infant
infantería *nf.* infanterie
infanticidio *nm.* infanticide
infantil *adj.* infantile ; enfantin(e)
infarto *nm.* infarctus
infección *nf.* infection
infectar *v. tr.* infecter
infeliz *adj. et nm/f.* malheureux(euse)
inferencia *nf.* inférence
inferior *adj.* inférieur(e)
inferir *v. tr.* inférer, induire ; causer
infernal *adj.* infernal(e)
infestar *v. tr.* infester
infidelidad *nf.* infidélité
infiel *adj. et nm/f.* infidèle
infierno *nm.* enfer
infiltrar *v. tr.* infiltrer ; insinuer • *v. pr.* s'infiltrer
ínfimo,-a *adj.* infime
infinidad *nf.* infinité
infinitivo,-a *adj.* infinitif(ive) • *nm.* infinitif
infinito,-a *adj.* infini(e) • *adv.* infiniment
infirmar *v. tr.* infirmer
inflación *nf.* gonflement *nm.*, enflure *nf.* ; inflation *nf.*
inflamación *nf.* inflammation
inflamar *v. tr.* enflammer • *v. pr.* s'enflammer
inflar *v. tr.* gonfler ; exagérer
infligir *v. tr.* infliger
influencia *nf.* influence
influir *v. intr.* influer ; influencer
influyente *adj.* influent(e)
información *nf.* information ; enquête
informal *adj.* informel(le), peu sérieux(euse)
informar *v. tr.* informer • *v. intr.* faire un rapport • *v. pr.* s'informer, se renseigner
informática *nf.* informatique
informe *adj.* informe • *nm.* rapport
infortunado,-a *adj.* infortuné(e)
infracción *nf.* infraction
infraestrutura *nf.* infrastructure
infranqueable *adj.* infranchissable
infrarrojo,-a *adj. et nm.* infrarouge
infructuoso,-a *adj.* infructueux(euse)
infundado,-a *adj.* infondé(e)
infusión *nf.* infusion
ingeniar *v. tr.* inventer • *v. pr.* s'ingénier à
ingeniero *nm.* ingénieur
ingenio *nm.* esprit, ingéniosité *nf.* ; engin
ingenioso,-a *adj.* ingénieux(euse)
ingente *adj.* énorme
ingenuidad *nf.* ingénuité
ingenuo,-a *adj. et nm/f.* ingénu(e)
ingerencia *nf.* ingérence
ingerir *v. tr.* ingérer
ingestión *nf.* ingestion
inglés,-esa *adj.* anglais(e) • *nm/f.* Anglais(e)
ingratitud *nf.* ingratitude
ingrato,-a *adj. et nm/f.* ingrat(e)
ingrediente *nm.* ingrédient

ingresar *v. intr.* entrer • *v. tr.* déposer *(de l'argent)*
ingreso *nm.* entrée *nf.* • *(de l'argent) npl.* appointements, revenus
inhabitado,-a *adj.* inhabité(e)
inhalación *nf.* inhalation
inhalar *v. tr.* inhaler
inherente *adj.* inhérent(e)
inhibición *nf.* inhibition
inhibir *v. tr.* inhiber ; dessaisir
inhospitalario,-a *adj.* inhospitalier(ière)
inhumación *nf.* inhumation
inhumano,-a *adj.* inhumain(e)
inhumar *v. tr.* inhumer
iniciación *nf.* initiation
inicial *adj.* initial(e) • *nf.* initiale
iniciar *v. tr.* initier ; commencer
iniciativa *nf.* initiative
ininteligible *adj.* inintelligible
ininterrumpido,-a *adj.* ininterrompu(e)
iniquidad *nf.* iniquité
injerencia *nf.* ingérence
injerir *v. tr.* introduire ; insérer • *v. pr.* s'ingérer
injuriar *v. tr.* injurier
injuria *nf.* injure
injusticia *nf.* injustice
injustificado,-a *adj.* injustifié(e)
injusto,-a *adj.* injuste
inmanente *adj.* immanent(e)
inmatérial *adj.* immatériel(le)
inmediato,-a *adj.* immédiat(e) ; voisin(e)
inmejorable *adj.* parfait(e)
inmensidad *nf.* immensité
inmenso,-a *adj.* immense
inmersión *nf.* immersion
inmigración *nf.* immigration
inmigrante *adj. et nm/f.* immigrant(e)
inmigrar *v. intr.* immigrer
inminente *adj.* imminent(e)
inmiscuirse *v. pr.* s'immiscer
inmobiliario,-a *adj.* immobilier(ière)
inmolar *v. tr.* immoler • *v. pr.* s'immoler
inmoralidad *nf.* immoralité
inmortal *adj.* immortel(le)
inmortalizar *v. tr.* immortaliser
inmóvil *adj.* immobile
inmovilizar *v. tr.* immobiliser
inmueble *adj. et nm.* immeuble
inmundicia *nf.* immondice
inmundo,-a *adj.* immonde
inmunidad *nf.* immunité
inmunizar *v. tr.* immuniser
inmutable *adj.* immuable
inmutar *v. tr.* altérer • *v. pr.* se troubler
innato,-a *adj.* inné(e)
innegable *adj.* indéniable
innoble *adj.* ignoble
innovación *nf.* innovation
innovar *v. tr.* innover
innumerable *adj.* innombrable
inocencia *nf.* innocence
inocente *adj. et nm/f.* innocent(e)
inocuidad *nf.* innocuité
inofensivo,-a *adj.* inoffensif(ive)
inolvidable *adj.* inoubliable
inopinado,-a *adj.* inopiné(e)
inoportuno,-a *adj.* inopportun(e)
inquebrantable *adj.* inébranlable
inquietar *v. tr.* inquiéter • *v. pr.* s'inquiéter
inquieto,-a *adj.* inquiet(ète)
inquietud *nf.* inquiétude
inquilino,-a *adj. et nm/f.* locataire
inquirir *v. tr.* s'enquérir de
inquisición *nf.* inquisition ; enquête
inquisidor,-a *adj. et nm/f.* inquisiteur(trice)
insaciable *adj.* insatiable
insalubre *adj.* insalubre
insania *nf.* insanité
insano,-a *adj.* malsain(e) ; fou (folle)
insatisfecho,-a *adj.* insatisfait(e)
inscribir *v. tr.* inscrire • *v. pr.* s'inscrire
insecticida *adj. et nm.* insecticide
insecto *nm.* insecte
inseguridad *nf.* insécurité
inseguro,-a *adj.* peu sûr
insensato,-a *adj. et nm/f.* insensé(e)
insensible *adj.* insensible
inserción *nf.* insertion
insertar *v. tr.* insérer
insidioso,-a *adj.* insidieux(euse)
insignia *nf.* insigne *nm.* ; bannière *nf.*
insignificante *adj.* insignifiant(e)
insinuar *v. tr.* insinuer
insípido,-a *adj.* insipide
insistencia *nf.* insistance

insistir *v. intr.* insister
insociable *adj.* insociable
insolación *nf.* insolation
insolente *adj. et nm/f.* insolent(e)
insólito,-a *adj.* insolite
insoluble *adj.* insoluble
insolvencia *nf.* insolvabilité
insolvente *adj.* insolvable
insomnio *nm.* insomnie *nf.*
insoportable *adj.* insupportable
inspección *nf.* inspection
inspeccionar *v. tr.* inspecter
inspector,-a *adj. et nm/f.* inspecteur(trice)
inspiración *nf.* inspiration
inspirar *v. tr.* inspirer • *v. pr.* s'inspirer
instalación *nf.* installation
instalar *v. tr.* installer
instancia *nf.* instance ; requête
instantáneo,-a *adj.* instantané(e) • *nf.* instantané *nm. (photo)*
instante *nm.* instant
instaurar *v. tr.* instaurer
instigador,-a *nm/f.* instigateur(trice)
instigar *v. tr.* inciter
instintivo,-a *adj.* instinctif(ive)
instinto *nm.* instinct
institución *nf.* institution
instituir *v. tr.* instituer
instituto *nm.* institut ; lycée
institutriz *nf.* institutrice
instrucción *nf.* instruction
instructivo,-a *adj.* instructif(ive)
instruir *v. tr.* instruire
instrumentista *nm/f.* instrumentiste
instrumento *nm.* instrument
insubordinación *nf.* insubordination
insubordinado,-a *adj.* insubordonné(e) • *nm/f.* insurgé(e)
insuficiencia *nf.* insuffisance
insuficiente *adj.* insuffisant(e)
insular *adj. et nm/f.* insulaire
insultar *v. tr.* insulter
insulto *nm.* insulte *nf.*
insumiso,-a *adj. et nm/f.* insoumis(e)
insuperable *adj.* insurmontable ; imbattable
insurrección *nf.* insurrection
insurreccionarse *v. pr.* s'insurger
insustituible *adj.* irremplaçable
intacto,-a *adj.* intact(e)
intachable *adj.* irréprochable
intangible *adj.* intangible
integración *nf.* intégration
integral *adj.* intégral(e) ; complet(ète)
integrar *v. tr.* compléter ; constituer
integridad *nf.* intégrité
íntegro,-a *adj.* intégral(e) ; intègre
intelectual *adj. et nm/f.* intellectuel(le)
inteligencia *nf.* intelligence
inteligente *adj.* intelligent(e)
intemperia *nf.* intempérie
intención *nf.* intention
intencionado,-a *adj.* intentionné(e)
intendencia *nf.* intendance
intendente *nm.* intendant
intensidad *nf.* intensité
intensificar *v. tr.* intensifier
intensivo,-a *adj.* intensif(ive)
intenso,-a *adj.* intense
intentar *v. tr.* tenter, essayer de
intento *nm.* projet, tentative *nf.*
intercalar *adj.* intercalaire • *v. tr.* intercaler
intercambiable *adj.* interchangeable
intercambio *nm.* échange
interceder *v. intr.* intercéder
interceptar *v. tr.* intercepter
intercesión *nf.* intercession
interés *nm.* intérêt • *nmpl.* biens
interesante *adj.* intéressant(e)
interesar *v. tr.* intéresser • *v. pr.* s'intéresser à
interferencia *nf.* interférence
interino,-a *adj. et nm/f.* intérimaire
interiorismo *nm.* décoration d'intérieur *nf.*
interiorista *nm.* décorateur d'intérieur
interjección *nf.* interjection
interlínea *nf.* interligne *nm.*
interlocutor,-a *adj. et nm/f.* interlocuteur(trice)
intermediario,-a *adj. et nm/f.* intermédiaire
intermedio,-a *adj.* intermédiaire • *nm.* intermède ; intervalle
interminable *adj.* interminable

intermitente *adj.* intermittent(e) • *nm.* clignotant *(voiture)*
internacional *adj.* international(e)
internado,-a interné(e) • *nm.* internat
internar *v. tr.* interner ; hospitaliser
interno,-a *adj.* intérieur(e) • *nm/f.* interne
interpelación *nf.* interpellation
interpelar *v. tr.* interpeller
interponer *v. tr.* interposer ; interjeter • *v. pr.* s'interposer
interposición *nf.* interposition
interpretación *nf.* interprétation
interpretar *v. tr.* interpréter
intérprete *nm/f.* interprète
interrogación *nf.* interrogation
interrogante *nm.* point d'interrogation ; interrogation *nf.*
interrogar *v. tr.* interroger
interrogatorio *nm.* interrogatoire
interrumpir *v. tr.* interrompre • *v. pr.* s'interrompre
interrupción *nf.* interruption
interruptor *nm.* interrupteur
intersección *nf.* intersection
intersticio *nm.* interstice
intervalo *nm.* intervalle
intervención *nf.* intervention ; contrôle *nm.*
intervenir *v. intr.* participer • *v. tr.* contrôler
interventor,-a *nm/f.* contrôleur(euse)
interviú *nf.* interview
intimación *nf.* intimation
intimar *v. tr.* intimer ; sommer • *v. intr.* sympathiser avec
intimidad *nf.* intimité
intimidar *v. tr.* intimider
íntimo,-a *adj. et nm/f.* intime
intitular *v. tr.* intituler • *v. pr.* s'intituler
intolerable *adj.* intolérable
intolerancia *nf.* intolérance
intonación *nf.* intonation
intoxicar *v. tr.* intoxiquer
intranquilizar *v. tr.* inquiéter
intransferible *adj.* intransférable
intransigencia *nf.* intransigeance
intransitable *adj.* impraticable
intransitivo,-a *adj.* intransitif(ive)
intratable *adj.* intraitable
intrépido,-a *adj.* intrépide
intriga *nf.* intrigue
intrigante *adj. et nm/f.* intrigant(e)
intrigar *v. intr.* intriguer
intrincado,-a *adj.* compliqué(e)
intrínseco,-a *adj.* intrinsèque
introducción *nf.* introduction
introducir *v. tr.* introduire • *v. pr.* s'introduire
introductor,-a *adj. et nm/f.* introducteur(trice)
intrusión *nf.* intrusion
intruso,-a *adj. et nm/f.* intrus(e)
intuición *nf.* intuition
intuitivo,-a *adj. et nm/f.* intuitif(ive)
inundación *nf.* inondation
inundar *v. tr.* inonder
inusitado,-a *adj.* inusité(e)
inútil *adj. et nm/f.* inutile
inutilidad *nf.* inutilité
inutilizable *adj.* inutilisable
inutilizar *v. tr.* mettre hors d'état
invadir *v. tr.* envahir
inválido,-a *adj. et nm/f.* invalide
invasión *nf.* invasion
invasor,-a *adj.* envahissant(e) • *nm/f.* envahisseur(euse)
invectiva *nf.* invective
invencible *adj.* invincible
invención *nf.* invention
inventar *v. tr.* inventer
inventario *nm.* inventaire
invento *nm.* invention *nf.*
invernadero *nm.* serre *nf.*
invernal *adj.* hivernal(e)
inversión *nf.* inversion ; investissement *nm.*
inversor,-a *nm/f.* investisseur(euse)
invertir *v. tr.* inverser ; intervertir ; investir
investigación *nf.* investigation, recherche
invicto,-a *adj.* invaincu(e)
invierno *nm.* hiver
invisible *adj.* invisible
invitación *nf.* invitation
invitado,-a *adj. et nm/f.* invité(e)
invitar *v. tr.* inviter
invocar *v. tr.* invoquer

involuntario,-a *adj.* involontaire
inyección *nf.* injection ; piqûre
inyectar *v. tr.* injecter
ir *v. intr.* aller ; améliorer ; fonctionner ; intéresser, importer • *v. pr.* s'en aller, glisser ; se mettre à
ira *nf.* colère
Irán *n. prop. m.* Iran
iraní *adj.* iranien(ne) • *nm/f.* Iranien(ne)
Iraq, Irak *n. prop. m.* Iraq
iraquí *adj.* irakien(ne) • *nm/f.* Irakien(ne)
irascible *adj.* irascible
iris *nm.* iris
irisar *v. tr.* iriser
Irlanda *n. prop. f.* Irlande
irlandés,-esa *adj.* irlandais(e) • *nm/f.* Irlandais(e)
ironía *nf.* ironie
irónico,-a *adj.* ironique
irracional *adj.* irrationel(le)
irradiar *v. tr.* irradier
irreal *adj.* irréel(le)
irrealizable *adj.* irréalisable
irrebatible *adj.* irréfutable
irreductible *adj.* irréductible
irreflexivo,-a *adj.* irréfléchi(e)
irregular *adj.* irrégulier(ière)
irregularidad *nf.* irrégularité
irremediable *adj.* irrémédiable
irreprochable *adj.* irréprochable
irresistible *adj.* irrésistible
irresoluto,-a *adj.* irrésolu(e)
irrespetuoso,-a *adj.* irrespectueux(euse)
irrespirable *adj.* irrespirable
irresponsable *adj. et nm/f.* irresponsable
irreverencia *nf.* irrévérence
irrevocable *adj.* irrévocable
irrigación *nf.* irrigation
irritación *nf.* irritation
irritante *adj.* irritant(e)
irritar *v. tr.* irriter • *v. pr.* s'irriter
irrompible *adj.* incassable
irrupción *nf.* irruption
isla *nf.* île
isleño,-a *adj. et nm/f.* insulaire
islote *nm.* îlot
Israel *n. prop. m.* Israël
israelí *adj.* israélien(ne) • *nm/f.* Israélien(ne)
istmo *nm.* isthme
Italia *n. prop. f.* Italie
italiano,-a *adj.* italien(ne) • *nm/f.* Italien(ne)
itinerario *nm.* itinéraire
IVA (impuesto sobre el valor añadido) *nm.* TVA *nf.*
izar *v. tr.* hisser
izquierdo,-a *adj.* gauche

J

j *nf.* j *nm. inv.*
jabalí,-ina *nm/f.* sanglier, laie
jabalina *nf.* javelot *nm.*
jabón *nm.* savon
jabonar *v. tr.* savonner
jabonera *nf.* porte-savon *nm.*
jabonoso,-a *adj.* savonneux(euse)
jaca *nf.* bidet *nm. (cheval)*
jacinto *nm.* jacinthe *nf.*
jactarse *v. pr.* se vanter de
jadear *v. intr.* haleter
jadeo *nm.* halètement
jaguar *nm.* jaguar
jalea *nf.* gelée *(fruits)*
jalón *nm.* jalon
jalonar *v. tr.* jalonner
jamás *adv.* jamais
jamón *nm.* jambon
japonés,-esa *adj.* japonais(e) • *nm/f.* Japonais(e)
jaque *nm.* échec *(au jeu d'échecs)*
jaqueca *nf.* migraine
jarabe *nm.* sirop
jarana *nf. (fam)* bagarre
jardín *nm.* jardin *(d'agrément)*
jardinería *nf.* jardinage *nm.*

jardinero *nm.* jardinier
jarra *nf.* carafe ; jarre
jarro *nm.* pot ; pichet
jarrón *nm.* vase
jaula *nf.* cage
jauría *nf.* meute
jazmín *nm.* jasmin
jazz *nm.* jazz
jefatura *nf.* direction
jefe *nm.* chef ; patron
jenjibre *nm.* gingembre
jerarca *nm.* dignitaire
jerarquía *nf.* hiérarchie
jerez *nm.* xérès *(vin)*
jerga *nf.* jargon *nm.*
jerigonza *nf.* charabia *nm.* ; jargon *nm.*
jeringa *nf.* seringue
jersey *nm.* chandail ; pull-over
jesuita *adj. et nm.* jésuite
Jesús *n. prop.* Jésus
jibia *nf.* seiche
jilguero *nm.* chardonneret
jilipolla *nm. (fam)* couillon
jinete *nm.* cavalier
jirafa *nf.* girafe
jirón *nm.* lambeau
jocoso,-a *adj.* amusant(e) ; drôle
jofaina *nf.* cuvette, bassine
jolgorio *nm.* réjouissance *nf.* ; fête *nf.*
jornada *nf.* journée
jornal *nm.* salaire journalier
jornalero,-a *nm/f.* journalier(ière)
joroba *nf.* bosse
jota *nf.* lettre J ; jota *(danse)*
joven *adj.* jeune • *nm/f.* jeune homme, jeune fille
jovial *adj.* jovial(e)
jovialidad *nf.* jovialité
joya *nf.* bijou *nm.*
joyería *nf.* bijouterie
joyero,-a *nm/f.* bijoutier(ière) • *nm.* coffret à bijoux
jubilación *nf.* retraite
jubilado,-a *nm/f.* retraité(e)
jubilar *adj.* jubilaire
jubilar *v. tr.* mettre à la retraite • *v. pr.* prendre sa retraite
júbilo *nm.* jubilation *nf.*
judaísmo *nm.* judaïsme
judicial *adj.* judiciaire
judía *nf.* haricot *nm.*
judío,-a *adj. et nm/f.* juif, juive
juego *nm.* jeu ; service
jueves *nm.* jeudi
juez *nm.* juge
jugada *nf.* coup *nm.* ; action *nf.*
jugador,-a *adj. et nm/f.* joueur(euse)
jugar *v. intr.* jouer • *v. tr.* jouer, faire
juglar *nm.* jongleur, ménestrel
jugo *nm.* jus, suc
jugoso,-a *adj.* juteux(euse)
juguete *nm.* jouet
juguetear *v. intr.* jouer
juguetón,-ona *adj.* joueur(euse)
juicio *nm.* jugement ; raison *nf.*
juicioso,-a *adj.* judicieux(euse)
julio *nm.* juillet ; joule
junco *nm.* jonc ; jonque *nf.*
jungla *nf.* jungle
junio *nm.* juin
junquillo *nm.* jonquille *nf.* ; rotin *nm.*
junta *nf.* réunion, assemblée
juntar *v. tr.* joindre, assembler
junto,-a *adj.* uni(e) ; ensemble, côte à côte
juntura *nf.* jointure
jurado,-a *adj.* juré(e), assermenté(e) • *nm.* jury ; membre d'un jury
juramento *nm.* serment ; juron
jurar *v. tr.* jurer ; prêter serment
jurídico,-a *adj.* juridique
jurisconsulto *nm.* jurisconsulte
jurisdicción *nf.* juridiction
jurisprudencia *nf.* jurisprudence
jurista *nm/f.* juriste
justa *nf.* joute
justar *v. intr.* jouter
justicia *nf.* justice
justiciero,-a *adj. et nm/f.* justicier(ière)
justificante *nm.* attestation *nf.* ; justificatif *nm.*
justificar *v. tr.* justifier
justo,-a *adj. et nm/f.* juste
juvenil *adj.* juvénile
juventud *nf.* jeunesse
juzgado *nm.* tribunal, juridiction *nf.*
juzgar *v. tr.* juger

K

k *nf.* k *nm. inv.*
káiser *nm.* kaiser
kárate *nm.* karaté
kayac *nm.* kayak
kepí *nm.* képi *nm.*
kermese *nf.* kermesse
kilo *nm.* kilo
kilogramo *nm.* kilogramme
kilolitro *nm.* kilolitre
kilometraje *nm.* kilométrage
kilométrico,-ca *adj.* kilométrique
kilómetro *nm.* kilomètre
kilovatio *nm.* kilowatt
kimono *nm.* kimono
kinesiterapeuta *nm.* kinésithérapeute
kiosco *nm.* kiosque

L

l *nf.* l *nm. inv.*
la *art. déf. f.* la, l', le ; celle • *pron. pers.* la *nm. (mus.)* la
laberinto *nm.* labyrinthe
labia *nf. (fam)* bagout *nm.*
labial *adj.* labial(e)
labio *nm.* lèvre *nf.*
labor *nf.* travail *nm.* ; ouvrage *nm.*
laborable *adj.* ouvrable ; labourable
laboratorio *nm.* laboratoire
laborioso,-a *adj. et nm/f.* laborieux(euse)
laborista *adj. et nm/f.* travailliste
labrador,-a *nm/f.* cultivateur(trice) ; laboureur *nm.*
labranza *nf.* culture, labourage *nm.*
labrar *v. tr.* travailler ; labourer ; bâtir
labriego,-a *nm/f.* paysan(ne)
laca *nf.* laque
lacar *v. tr.* laquer
lacayo *nm.* laquais
lacerar *v. tr.* lacérer
lacio,-a *adj.* flétri(e) ; raide ; plat(e)
lacón *nm.* jambonneau salé
lacónico,-a *adj.* laconique
lacrar *v. tr.* cacheter à la cire
lacre *nm.* cire à cacheter *nf.*
lacrimoso,-a *adj.* larmoyant(e)
lactancia *nf.* allaitement *nm.*
lactar *v. tr.* allaiter ; têter
lácteo,-a *adj.* lacté(e)
lacustre *adj.* lacustre
ladear *v. tr.* incliner, pencher
ladera *nf.* pente
ladino,-a *adj.* rusé(e)
lado *nm.* côté ; endroit
ladrar *v. intr.* aboyer ; *(fam)* crier
ladrido *nm.* aboiement ; *(fam)* cri
ladrillo *nm.* brique *nf.*
ladrón,-ona *nm/f.* voleur(euse)
lagartija *nf.* petit lézard *nm.*
lagarto *nm.* lézard
lago *nm.* lac
lágrima *nf.* larme
lagrimal *adj.* lacrymal(e)
lagrimear *v. intr.* larmoyer
laguna *nf.* lagune, lac *nm.* ; lacune *nf.*
La Habana *n. prop. f.* La Havane
laico,-a *adj. et nm/f.* laïc, laïque
lama *nf.* limon *nm.* • *nm.* lama, moine
lamentable *adj.* lamentable
lamentar *v. tr.* déplorer ; regretter • *v. pr.* se lamenter
lamento *nm.* lamentation *nf.*
lamer *v. tr.* lécher • *v. pr.* se lécher
lámina *nf.* lame ; planche ; gravure
laminar *v. tr.* laminer ; stratifier

lámpara nf. lampe ; *(fam.)* tache
lamparilla *nf.* petite lampe
lampiño,-a *adj.* imberbe
lamprea *nf.* lamproie
lana *nf.* laine
lance *nm.* coup ; jet ; circonstance *nf.* ; duel *nm.*
lancha *nf.* barque, canot *nm.* ; pierre plate *nf.*
lanchero nm. batelier
landó *nm.* landau
lanería *nf.* lainerie
lanero,-a *adj.* lainier(ère) • *nm.* lainier
langosta *nf.* langouste ; sauterelle
langostino *nm.* bouquet, grosse crevette *nf.*
languidecer *v. intr.* languir
languidez *nf.* langueur ; fragilité
lánguido,-a *adj.* languissant(e) ; fragile
lanoso,-a *adj.* laineux(euse)
lanza *nf.* lance ; timon *nm.*
lanzadera *nf.* navette *(couture)*
lanzamiento *nm.* lancement
lanzar *v. tr.* lancer
lapicero *nm.* crayon ; porte-crayon
lápida *nf.* pierre tombale
lapidar *v. tr.* lapider
lapidario,-a *adj.* lapidaire
lápiz *nm.* crayon
lapsus *nm.* lapsus
largar *v. tr.* larguer ; lâcher • *v. pr. (fam.)* filer
largo,-a *adj.* long (longue) ; grand(e) • adv. longuement • *nm.* longueur
largura *nf.* longueur
laringe *nf.* larynx *nm.*
larva *nf.* larve
lascivia *nf.* lascivité
lascivo,-a *adj.* lascif(ive)
laser *nm.* laser
lasitud *nf.* lassitude, fatigue
lástima *nf.* pitié, peine ; dommage *nm.*
lastimar *v. tr.* faire mal ; offenser
lastrar *v. tr.* lester
lastre *nm.* lest
lata *nf.* boîte en fer blanc ; *(fam.)* chose ou personne ennuyeuse
latente *adj.* latent(e)
lateral *adj.* latéral(e) • *nm.* côté, bas-côté
latido *nm.* battement
latifundio *nm.* grande propriété agricole *nf.*, latifundium *nm.*
latifundista *nm.* grand propriétaire foncier
látigo *nm.* fouet
latín *nm.* latin *(langue)*
latino,-a *adj.* latin(e) • *nm/f.* Latin(e)
Latinoamérica *n. prop. f.* Amérique latine
latir *v. intr.* battre *(cœur)*
latitud *nf.* latitude ; largeur
laúd *nm.* luth
laureado,-a *adj.* et *nm/f.* lauréat(e)
laurear *v. tr.* récompenser d'un prix
laurel *nm.* laurier
lava *nf.* lave
lavabo *nm.* lavabo ; toilettes *nfpl.*
lavandería *nf.* blanchisserie, laverie automatique
lavadero *nm.* lavoir
lavado *nm.* lavage
lavaplatos *nm. inv.* plongeur ; lave-vaisselle
lavar *v. tr.* laver • *v. pr.* se laver
lavativa *nf.* lavement *nm.* ; poire à lavements *nf.*
lavavajillas *nm. inv.* lave-vaisselle
laxante *adj.* et *nm.* laxatif(ive)
lazada *nf.* nœud *nm.* ; rosette *nf.*
lazarillo *nm.* guide d'aveugle
lazo *nm.* nœud ; ruban ; lasso ; lacet
le *pr. pers. compl.* le, lui ; vous
leal *adj.* loyal(e)
lealtad *nf.* loyauté
leche *nf.* lait *nm.*
lechería *nf.* crémerie, laiterie
lechero,-a *adj. et nm/f.* laitier(ière)
lecho *nm.* lit, couche *nf.*, fond *nm.*
lechón *nm.* cochon de lait
lechoso,-a *adj.* laiteux(euse)
lechuga *nf.* laitue
lechuza *nf.* chouette
lectivo,-a *adj.* scolaire
lector,-a *nm/f.* lecteur(trice)
lectura *nf.* lecture
leer *v. tr.* lire
legacía *nf.* légation
legado *nm.* legs
legajo *nm.* dossier
legal *adj.* légal(e)

legar *v. tr.* léguer ; déléguer
legendario,-a *adj.* légendaire
legible adj. lisible
legión *nf.* légion
legionario *nm.* légionnaire
legislación *nf.* législation
legislador,-a *nm/f.* législateur(trice)
legislar *v. intr.* légiférer
legitimar *v. tr.* légitimer, légaliser
legítimo,-a *adj.* légitime ; véritable, authentique
lego,-a *adj.* profane, ignorant(e) ; laïque
legua *nf.* lieue
legumbre *nf.* légume *nm.*
leído,-a *adj.* instruit(e) ; lettré(e)
lejanía *nf.* éloignement *nm.*
lejano,-a *adj.* lointain(e)
lejía *nf.* eau de Javel ; lessive
lejos *adj.* loin
lema *nm.* devise *nf.*, épigraphe *nf.*
lencería *nf.* magasin *nm.* de lingerie ; lingerie *nf.*
lengua *nf.* langue
lenguado *nm.* sole *nf. (poisson)*
lenguaje *nm.* langage
lengüeta *nf.* languette
lente *nm. et f.* lentille *nf.* • *pl.* lorgnon *nm.* ; lunettes *nfpl.*
lenteja *nf.* lentille *(plante)*
lentejuela *nf.* paillette
lentilla *nf.* lentille, verre *nm.* de contact
lento,-a *adj.* lent(e)
leña *nf.* bois *nm. (de chauffage)*
leñador *nm.* bûcheron
león *nm.* lion
leonino,-a *adj.* léonin(e)
leopardo *nm.* léopard
leotardos *nmpl.* collants
lepra *nf.* lèpre
leproso,-a *adj.* lépreux(euse)
lerdo,-a *adj. (fam.)* empoté(e)
les *pron. pers. compl.* leur ; vous
lesbiano,-a *adj.* lesbien(ne) • *nf.* lesbienne
lesión *nf.* lésion ; dommage *nm.*
lesionar *v. tr.* blesser ; léser
letanía *nf.* litanie
letárgico,-a *adj.* léthargique
letra *nf.* lettre, caractère *nm. (d'imprimerie)* ; écriture *nf.*
letrado,-a *adj.* lettré(e) • *nm.* avocat
letrero *nm.* écriteau ; enseigne *nf.*
letrina *nf.* latrines *nfpl.*
leucemia *nf.* leucémie
levadura *nf.* levain *nm.* ; levure *nf.*
levantar *v. tr.* lever ; soulever ; relever ; arracher ; enlever
levante *nm.* levant ; vent d'est
Levante *n. prop. m.* Levant (*région d'Espagne)*
levitación *nf.* lévitation
léxico *nm.* lexique
ley *nf.* loi ; titre *nm. (d'un métal)*
leyenda *nf.* légende
liar *v. tr.* lier ; envelopper ; ficeler
Líbano *n. prop. m.* Liban
libélula *nf.* libellule
liberación *nf.* libération
liberal *adj.* libéral(e)
liberalismo *nm.* libéralisme
liberar *v. tr.* libérer
libertad *nf.* liberté
libertar *v. tr.* libérer
libertinaje *nm.* libertinage
Libia *n. prop. f.* Libye
libidinoso,-a *adj.* libidineux(euse)
libra *nf.* livre *(poids, monnaie)*
libranza *nf.* ordre de paiement *nm.*
librar *v. tr.* délivrer ; dispenser ; tirer *(une lettre de change)*
libre *adj.* libre
librecambio *nm.* libre-échange
librería *nf.* librairie ; bibliothèque *(meuble)*
librero,-a *nm/f.* libraire
libreta *nf.* livret *nm.*, carnet *nm.*
libreto *nm.* livre
libro *nm.* livre
licencia *nf.* licence ; permis *nm.* ; permission *nf.*
licenciado,-a *adj.* licencié(e) *(diplôme)* ; libéré(e) ; congédié(e)
licenciar *v. tr.* donner le diplôme de licence ; libérer ; congédier
licenciatura *nf.* licence *(diplôme)*
licitación *nf.* appel d'offres *nm.*
lícito,-a *adj.* licite
licor *nm.* liqueur *nf.*

licuar *v. tr.* liquéfier ; passer au mixer
líder *nm.* chef, leader
liderato, liderazgo *nm.* leadership
lidia *nf.* combat *nm.*
lidiar *v. intr.* lutter • *v. tr.* toréer
liebre *nf. lièvre nm.*
lienzo *nm.* toile *nf.*
liga *nf.* jarretière ; ligue
ligamento *nm.* ligament
ligar *v. tr.* attacher, lier, ficeler • *v. intr.* s'accorder (avec) ; *(fam.)* draguer
ligereza *nf.* légèreté
ligero,-a *adj.* léger(ère)
lija *nf.* roussette *(poisson)*
lila *nf.* lilas *nm.*
lima *nf.* lime
limadura *nf.* limage *nm.*
limar *v. tr.* limer
limitación *nf.* limitation
limitado,-a *adj.* limité(e)
limitar *v. tr.* limiter, délimiter • *v. pr.* se limiter, se borner
límite *nm.* limite *nf.*
limítrofe *adj.* limitrophe
limo *nm.* limon
limón *nm.* citron
limonada *nf.* citronnade
limonero *nm.* citronnier
limosna *nf.* aumône
limpia *nf.* nettoyage *nm.* ; *(h. am.)* défrichage *nm.*
limpiabotas *nm. inv.* cireur de chaussures
limpiaparabrisas *nm. inv.* essuie-glace
limpiador,-a *nm/f.* nettoyeur(euse)
limpiar *v. tr.* nettoyer ; *(fam.)* faucher
limpidez *nf.* limpidité
limpieza *nf.* propreté ; nettoyage *nm.*
limpio,-a *adj.* net(te) ; propre ; honnête ; pur(e)
linaje *nm.* lignée *nf.*
lince *nm.* lynx
linchar *v. tr.* lyncher
lindar *v. intr.* être contigu(ë)
linde *nf.* limite, lisière
lindo,-a *adj.* joli(e) ; gentil(le)
línea *nf.* ligne ; rangée ; lignée
lingote *nm.* lingot
lingüista *nm.* linguiste
lino *nm.* lin
linóleo *nm.* linoleum
linterna *nf.* lanterne ; lampe de poche
lío *nm.* paquet ; imbroglio
liquen *nm.* lichen
liquidación *nf.* liquidation ; règlement *nm.*
liquidar *v. tr.* résoudre, liquider
líquido,-a *adj.* liquide • *nm.* liquide
lira *nf.* lyre ; lire
lírico,-a *adj.* lyrique • *nf.* lyrique
lirio *nm.* iris
lirón *nm.* loir
lis *nf.* lis *nm.*
Lisboa *n. prop. f.* Lisbonne
liso,-a *adj.* lisse ; uni(e)
lisonja *nf.* flatterie
lista *nf.* liste, carte *(restaurant)*
listado,-a *adj.* rayé(e) • *nm.* listage
listín *nm.* annuaire
listo-a *adj.* malin, maligne
litera *nf.* litière ; couchette
literal *adj.* littéral(e)
literario,-a *adj.* littéraire
literato,-a *adj.* cultivé(e) • *nm/f.* écrivain
literatura *nf.* littérature
litigio *nm.* litige
litografía *nf.* lithographie
litoral *adj.* littoral(e) • *nm.* littoral
litro *nm.* litre
liturgia *nf.* liturgie
liviano,-a *adj.* léger(ère)
livrea *nf.* livrée
liza *nf.* lice ; combat *nm.*
llaga *nf.* plaie
llama *nf.* flamme ; lama *nm. (animal)*
llamada *nf.* appel *nm.* ; renvoi *nm. (à une note)*
llamamiento *nm.* appel
llamar *v. tr.* appeler ; nommer • *v. intr.* sonner, frapper • *v. pr.* s'appeler
llamativo,-a *adj.* voyant(e)
llaneza *nf.* simplicité
llano,-a *adj.* plat(e) ; modeste
llanta *nf.* jante
llanto *nm.* larmes *nfpl.*, pleurs *nmpl.*
llanura *nf.* plaine
llave *nf.* clef, clé ; robinet *nm.*
llavero *nm.* porte-clefs
llegada *nf.* arrivée

llegar *v. intr.* arriver ; venir ; atteindre ; parvenir • *v. pr.* se rendre
llenar *v. tr.* remplir ; combler • *v. pr.* se remplir
lleno,-a *adj.* plein(e)
llevar *v. tr.* porter ; emmener ; apporter ; supporter ; conduire ; tenir ; s'occuper de ; obtenir
llorar *v. intr. et tr.* pleurer
lloro *nm.* pleurs *nmpl.*
lloroso,-a *adj.* en larmes
llover *v. impers.* pleuvoir
llovizna *nf.* bruine
lluvia *nf.* pluie
lluvioso,-a *adj.* pluvieux(euse)
lo *art. neutre* le, l' • *pr. pers. m. et neutre* le
loa *nf.* éloge *nm.*, louange *nf.*
loable *adj.* louable
loar *v. tr.* louer
lobato *nm.* louveteau
lobo,-a *nm/f.* loup, louve
lóbrego,-a *adj.* sombre ; mélancolique
lóbulo *nm.* lobe
local *adj.* local(e) • *nm.* local
localidad *nf.* localité, place
localizar *v. tr.* localiser
loción *nf.* lotion
loco,-a *adj. et nm/f.* fou(folle)
locomoción *nf.* locomotion
locomotora *nf.* locomotive
locuaz *adj.* loquace
locución *nf.* locution
locura *nf.* folie
locutor,-a *nm/f.* présentateur(trice)
lodo *nm.* boue *nf.*
logicial *nm.* logiciel *(informatique)*
lógico,-a *adj.* logique • *nm/f.* logicien(ne) • *nf.* logique
logística *nf.* logistique
lograr *v. tr.* obtenir ; atteindre ; réussir
logro *nm.* obtention *nf.* ; réussite *nf.*
loma *nf.* colline, hauteur
lombriz *nf.* ver de terre *nm.*
lomo *nm.* entrecôte *nf.*, filet *nm.* ; dos *nm.* ; échine *nf.*
lona *nf.* toile, bâche
loncha *nf.* tranche
longevidad *nf.* longévité
longitud *nf.* longueur ; longitude
lonja *nf.* tranche ; parvis *nm.*
loro *nm.* perroquet
losa *nf.* dalle
losar *v. tr.* daller
lote *nm.* lot
lotería *nf.* loterie
loza *nf.* faïence
lozanía *nf.* fraîcheur, vigueur
lubina *nf.* bar *nm.*, loup de mer *nm.*
lubricación *nf.* lubrification
lubricante *adj.* lubrifiant(e) • *nm.* lubrifiant
lubricar *v. tr.* lubrifier
lucero *nm.* étoile *nf. (brillante)*
lúcido,-a *adj.* lucide
luciérnaga *nf.* ver luisant *nm.*
lucir *v. intr.* briller ; profiter • *v. tr.* montrer ; faire preuve de • *v. pr.* exceller ; briller
lucro *nm.* lucre, gain
lucha *nf.* lutte
luchar *v. intr.* lutter
luego *adv.* ensuite ; après, plus tard ; tout à l'heure
lugar *nm.* endroit ; lieu ; place *nf.*
lugareño,-a *adj. et nm/f.* villageois(e)
lúgubre *adj.* lugubre
lujo *nm.* luxe
lujuria *nf.* luxure
lumbago *nm.* lumbago
lumbar *adj.* lombaire
lumbre *nf.* feu *nm.*, lumière *nf.* ; éclat *nm.*
luminoso,-a *adj.* lumineux(euse)
luna *nf.* lune ; glace *(miroir)*
lunar *adj.* lunaire • *nm.* grain de beauté
lunático,-a *adj. et nm/f.* lunatique
lunes *nm.* lundi
lupa *nf.* loupe
lustrado *nm.* lustrage
lustrar *v. tr.* astiquer ; lustrer
lustro *nm.* lustre *(cinq années)*
lustroso,-a *adj.* brillant(e)
luto *nm.* deuil
luxación *nf.* luxation
luz *nf.* lumière ; lampe ; phare *nm.*

M

m *nf.* m *nm. inv.*
macabro,-a *adj.* macabre
macarrón *nm.* macaron
macarse *v. pr.* se gâter *(fruits)*
maceración *nf.* macération
macerar *v. tr.* faire macérer
maceta *nf.* pot de fleurs *nm.* ; petit marteau *nm.*
mácula *nf.* tache ; tromperie
macular *v. tr.* tacher
machaca *nf.* pilon *nm.* • *nm/f. (fam.)* raseur(euse)
machacar *v. tr.* piler • *v. intr.* insister, ressasser
machete *nm.* machette *nf.* ; coutelas *nm.*
macho *adj. et nm.* mâle
machucar *v. tr.* froisser ; bosseler
madeja *nf.* écheveau *nm.* ; pelote *nf.*
madera *nf.* bois *nm.* ; *(fam.)* nature *nf.*
maderero *nm.* marchand de bois
madero *nm.* madrier
madrastra *nf.* belle-mère, marâtre
madre *nf.* mère ; lit *(de rivière) nm.*
madreperla *nf.* huître perlière
madrépora *nf.* madrépore
madreselva *nf.* chèvrefeuille *nm.*
madrigal *nm.* madrigal
madriguera *nf.* tanière, terrier *nm.* ; repaire *nm.*
Madrid *n. prop. m.* Madrid
madrileño,-a *adj. et nm/f.* madrilène
madrina *nf.* marraine
madrugada *nf.* aube ; matin *nm.*
madrugar *v. intr.* se lever de bon matin ; prendre les devants
madurar *v. tr. et intr.* mûrir
madurez *nf.* maturité
maduro,-a *adj.* mûr(e)
maestría *nf.* maîtrise
maestro,-a *adj. et nm/f.* maître(sse) • instituteur(trice) • *nm.* maître ; maestro ; matador
magia *nf.* magie
magisterio *nm.* enseignement primaire ; profession d'instituteur ; corps des instituteurs
magistral *adj.* magistral(e)
magistratura *nf.* magistrature
magnanimidad *nf.* magnanimité
magnate *nm.* magnat
magnesia *nf.* magnésie
magnesio *nm.* magnésium
magnético,-a *adj.* magnétique
magnetizar *v. tr.* magnétiser
magnetófono *nm.* magnétophone
magnificar *v. tr.* magnifier
magnífico,-a *adj.* magnifique
magnitud *nf.* grandeur ; magnitude ; ampleur
magnolia *nf.* magnolia *nm.*, magnolier *nm.*
mago,-a *nm/f.* magicien(ne)
magro,-a *adj.* maigre
magullar *v. tr.* meurtrir ; abîmer
mahonesa *nf.* mayonnaise
maíz *nm.* maïs
majadero,-a *adj. et nm/f.* imbécile
majestad *nf.* majesté
majestuoso,-a *adj.* majestueux(euse)
majo,-a *adj.* joli(e), mignon(ne)
mal *nm.* mal ; maladie *nf.* • *adv.* mal
malabarista *nm/f.* jongleur(euse)
Málaga *nm.* Malaga
malagueño,-a *adj.* de Malaga
malaria *nf.* malaria
malaventurado,-a *adj.* malheureux(euse)
malcriado,-a *adj. et nm/f.* mal élevé(e)
maldad *nf.* méchanceté
maldecir *v. tr.* maudire • *v. intr.* médire
maldición *nf.* malédiction
maldito,-a *adj.* maudit(e)
maleable *adj.* malléable
maleante *adj.* qui corrompt, qui gâte, méchant(e), pervers(e)
malear *v. tr.* corrompre, pervertir • *v. pr.* se débaucher
malecón *nm.* jetée *nf.*
maléfico,-a *adj.* maléfique ; malfaisant(e)
malentendido *nm.* malentendu
malestar *nm.* malaise ; douleur *nf.*

maleta *nf.* valise
maletero *nm.* porteur *(de bagages)* ; coffre à bagages
malevolencia *nf.* malveillance
malévolo,-a *adj.* malveillant(e)
maleza *nf.* broussailles *nfpl.*, mauvaises herbes *nfpl.*
malgastar *v. tr.* gaspiller
malhablado,-a *adj.* grossier(ière)
malhechor,-ora *adj. et nm/f.* malfaisant(e)
malhumorado,-a *adj.* de mauvaise humeur
malicia *nf.* malice ; méchanceté
malicioso,-a *adj.* malicieux(euse) ; mauvais(e)
maligno,-a *adj.* malin(igne), méchant(e)
malla *nf.* filet *nm. ; (h. am.)* maillot *nm.*
Mallorca *n. prop. f.* Majorque
mallorquín,-ina *adj.* majorquin(e) • *nm/f.* Majorquin(e)
malo,-a *adj.* mauvais(e) ; difficile
malograr *v. tr.* perdre • *v. pr.* échouer
maloliente *adj.* malodorant(e)
malsano,-a *adj.* malsain(e)
malta *nf.* malt. *nm.*
Malta *n. prop.* Malte
maltés,-esa *adj.* maltais(e) • *nm/f.* Maltais(e)
maltratar *v. tr.* maltraiter, malmener
maltrecho,-a *adj.* en mauvais état
malva *adj. et nm.* mauve
malvado,-a *adj. et nm/f.* méchant(e)
malvender *v. tr.* mévendre
malversación *nf.* malversation
mama *nf.* mamelle ; sein *nm.*
mamá *nf. (fam.)* maman
mamar *v. tr.* téter
mamífero,-a *adj. et nm.* mammifère
mampara *nf.* paravent *nm.*
mampostería *nf.* maçonnerie
mamut *nm.* mammouth
manada *nf.* troupeau *nm.* ; bande *nf.* ; horde *nf.*
manantial *nm.* source *nf.*
manar *v. intr.* jaillir
mancha *nf.* tache ; souillure
Mancha *n. prop. f.* Manche
manchego,-ga *adj.* de la Manche
mancillar *v. tr.* tacher, souiller
manco,-a *adj. et nm/f.* manchot(e)
mancomunar *v. tr.* unir, associer • *v. pr.* s'unir, s'associer
mancomunidad *nf.* association ; fédération
mandamiento *nm.* ordre ; commandement
mandar *v. tr.* ordonner ; commander ; diriger ; envoyer
mandarín *nm.* mandarin
mandarina *nf.* mandarine
mandatario,-a *nm/f.* mandataire
mandato *nm.* ordre, mandat
mandíbula *nf.* mandibule
mandil *nm.* tablier
mandioca *nf.* manioc *nm.*
mando *nm.* commandement ; commande *nf.*
mandrágora *nf.* mandragore
manecilla *nf.* aiguille (de réveil) ; fermoir *nm.*
manejar *v. tr.* manier ; gérer ; diriger • *v. pr.* se conduire
manejo *nm.* maniement ; agissement ; conduite *nf.*
manera *nf.* façon, manière
manga *nf.* manche ; tuyau *nm.* ; filet *nm. (de chasse)*
manganeso *nm.* manganèse
mango *nm.* manche ; manguier ; mangue *nf.*
mangosta *nf.* mangouste
manguera *nf.* tuyau *nm.* ; lance *nf.*
manguito *nm.* manchon
manía *nf.* manie
maniatar *v. tr.* attacher les mains
maniático,-a *adj.* maniaque
manicomio *nm.* asile (d'aliénés)
manicuro,-a *nm/f.* manucure
manifestación *nf.* manifestation
manifestar *v. tr.* manifester • *v. pr.* se manifester ; manifester
manifiesto,-a *adj. et nm.* manifeste
maniobra *nf.* manœuvre
maniobrar *v. intr.* manœuvrer
manipulación *nf.* manipulation
manipular *v. tr.* manipuler
maniquí *nm.* mannequin ; pantin
manivela *nf.* manivelle
manjar *nm.* mets ; nourriture *nf.*

mano *nf.* main ; patte (de devant) ; *(route)* priorité ; couche ; manche *(sport)*
manojo *nm.* botte *nf.*, bouquet *nm.*
manómetro *nm.* manomètre
manopla *nf.* moufle ; gant de toilette, *nm.*
manosear *v. tr.* tripoter
mansedumbre *nf.* mansuétude ; douceur
mansión *nf.* demeure, logis *nm.*
manso,-a *adj.* calme ; doux (douce) ; apprivoisé(e)
manta *nf.* couverture
manteca *nf.* graisse ; beurre *nm.*
mantecada *nf.* petit gâteau au beurre *nm.*
mantecado *nm.* gâteau au saindoux ; glace à la vanille *nf.*
mantel *nm.* nappe *nf.*
mantelería *nf.* linge de table *nm.*
mantenimiento *nm.* entretien, maintenance *nf.*
mantener *v. tr.* maintenir ; soutenir ; entretenir ; nourrir • *v. pr.* se tenir, se maintenir ; vivre de
mantequilla *nf.* beurre *nm.*
mantilla *nf.* mantille ; lange *nm.*
manto *nm.* manteau ; cape *nf.* ; voile *nm.*
mantón *nm.* châle
manual *adj.* manuel(le) • *nm.* manuel
manubrio *nm.* manivelle *nf.*
manufactura *nf.* manufacture ; produit manufacturé *nm.*
manufacturar *v. tr.* manufacturer
manuscrito,-a *adj.* manuscrit(e) • *nm.* manuscrit
manutención *nf.* entretien *nm.* ; nourriture *nf.* ; manutention *nf.*
manzana *nf.* pomme ; pâté *nm.* de maisons
manzanilla *nf.* camomille ; manzanilla *nm. (vin)*
manzano *nm.* pommier
maña *nf.* adresse, habileté ; ruse
mañana *nf.* matin *nm.* ; matinée *nf.* • *adv.* demain
mañosa,-a *adj.* adroit(e)
mapamundi *nm.* mappemonde *nf.*
maqueta *nf.* maquette
maquiavélico,-a *adj.* machiavélique
maquillar *v. tr.* maquiller • *v. pr.* se maquiller
máquina *nf.* machine ; *(h. am.)* voiture
maquinal *adj.* machinal(e)
maquinista *nm.* mécanicien ; machiniste
mar *nm. et f.* mer *nf.*
maraña *nf.* broussaille ; enchevêtrement *nm.*
marasmo *nm.* marasme
maravilla *nf.* merveille ; étonnement *nm.* ; émerveillement *nm.*
maravilloso,-a *adj.* merveilleux(euse)
marca *nf.* marque ; marquage *nm.* ; trace *nf.*
marcar *v. tr.* marquer
marcha *nf.* marche ; départ *nm.* ; vitesse *nf.*
marchamo *nm.* cachet, marque *nf.*
marchar *v. intr.* marcher • *v. pr.* s'en aller, partir
marchitar *v. intr.* faner, flétrir • *v. pr.* se faner
marcial *adj.* martial(e)
marco *nm.* cadre ; encadrement ; mark
marea *nf.* marée
marear *v. tr.* conduire *(un bateau)* ; ennuyer ; faire tourner la tête • *v. pr.* avoir mal au cœur
marejada *nf.* houle ; effervescence
maremoto *nm.* raz-de-marée
mareo *nm.* mal de mer ; mal au cœur
marfil *nm.* ivoire
margarina *nf.* margarine
margarita *nf.* marguerite
margen *nm. et f.* marge *nf.* ; rive *nf.*
marginado,-a *adj.* marginalisé(e) • *nm/f.* marginal(e)
marginación *nf.* marginalisation
marica *nm. (fam.)* pédale *(homosexuel)*
marido *nm.* mari
marinero,-a *adj.* marinier(ière) ; marin(e) • *nm.* matelot, marin
marino,-a *adj.* marin(e) • *nm.* marin
mariposa *nf.* papillon *nm.* ; veilleuse
mariposear *v. intr.* papillonner
mariquita *nf.* coccinelle ; *(fam.)* homosexuel
marisco *nm.* coquillage • *nmpl.* fruits de mer
marisma *nf.* marais *nm.*
marital *adj.* marital(e)
marítimo,-a *adj.* maritime

marketing *nm.* marketing, mercatique *nf.*
marmita *nf.* marmite
mármol *nm.* marbre
marmota *nf.* marmotte
marqués,-esa *nm/f.* marquis(e)
marquetería *nf.* marqueterie
marrano *nm.* porc, *(fam)* cochon ; salaud
marrón *adj. et nm.* marron
marroquí *adj.* marocain(e) • *nm/f.* Marocain(e)
Marruecos *n. prop. m.* Maroc
marroquinería *nf.* maroquinerie
marta *nf.* martre
martes *nm.* mardi
martillar *v. tr.* marteler
martillo *nm.* marteau
mártir *nm/f.* martyr(e)
martirio *nm.* martyre
martirizar *v. tr.* martyriser
marzo *nm.* mars
mas *conj.* mais
más *adv.* plus ; davantage ; plus de ; le plus, la plus, les plus *(précédé d'un article)* • *nm.* plus
masa *nf.* masse ; pâte
masaje *nm.* massage
masajista *nm/f.* masseur(euse)
máscara *nf.* masque *nm.*
mascota *nf.* mascotte
masculino,-a *adj.* masculin(e)
masilla *nf.* mastic
masonería *nf.* franc-maçonnerie
masoquismo *nm.* masochisme
masoquista *adj. et nm/f.* masochiste
masticar *v. tr.* mastiquer ; ruminer
mástil *nm.* mât ; manche
mata *nf.* arbrisseau *nm. ;* buisson *nm.* touffe
matadero *nm.* abattoir
matamoros *nm. inv.* matamore
matamoscas *nm. inv.* tue-mouches, tapette *nf.* à mouches
matanza *nf.* tuerie, massacre *nm.* ; abattage *nm.*
matar *v. tr.* tuer ; briser ; adoucir ; ternir • *v. pr* se tuer
matasellos *nm. inv.* oblitérateur ; cachet
mate *adj.* mat(e) • *nm.* smash
matemáticas *nfpl.* mathématiques
matemático,-a *adj.* mathématique • *nm/f.* mathématicien(-ienne)
materia *nf.* matière
material *adj.* matériel(le) • *nm.* matériel
materialismo *nm.* matérialisme
maternal *adj.* maternel(le)
maternidad *nf.* maternité
matinal *adj.* matinal(e)
matiz *nm.* nuance *nf.*
matizar *v. tr.* nuancer
matorral *nm.* buisson, fourré
matraca *nf.* crécelle
matricular *v. tr.* immatriculer ; inscrire • *v. pr.* s'inscrire
matrimonio *nm.* mariage ; ménage
matriz *nf.* matrice ; souche
matrona *nf.* matrone ; sage-femme
matutino,-a *adj.* matinal(e)
maullar *v. intr.* miauler
maullido *nm.* miaulement
mausoleo *nm.* mausolée
máxima *nf.* maxime
máximo,-a *adj.* maximal(e), le plus grand, la plus grande • *nm.* maximum
mayonesa *nf.* mayonnaise
mayor *adj.* majeur(e) ; aîné(e) • *nm.* major
mayordomo *nm.* majordome, intendant
mayoría *nf.* majorité
mayorista *nm.* grossiste
mayúsculo,-a *adj.* très grand(e) ; énorme • *nf.* majuscule
maza *nf.* masse ; massue
mazapán *nm.* massepain
mazmorra *nf.* basse-fosse, oubliette
mazo *nm.* maillet ; paquet
me *pron. pers.* me, m'
meandro *nm.* méandre
mear *v. intr.* pisser *(fam)*
mecoachis *interj.* zut
mecánica *nf.* mécanique ; mécanisme *nm.*
mecánico,-a *adj.* mécanique • *nm.* mécanicien
mecanismo *nm.* mécanisme
mecanografía *nf.* dactylographie
mecenas *nm. inv.* mécène

mecer *v. tr.* remuer ; bercer • *v. pr.* se balancer
mecha *nf.* mèche ; lardon *nm.*
mechar *v. tr.* entrelarder
mechero *nm.* briquet
medalla *nf.* médaille
medallón *nm.* médaillon
media *nf.* moyenne
mediación *nf.* médiation
mediado,-a *adj.* à moitié rempli(e)
a mediados de au milieu de, à la mi...
mediador,-a *adj.* et *nm/f.* médiateur (trice) ; intermédiaire
mediano,-a *adj.* moyen(ne) • *nf.* médiane
medianoche *nf.* minuit *nm.*
mediante *prép.* grâce à
mediar *v. intr.* arriver à la moitié ; se trouver au milieu ; intercéder
mediatizar *v. tr.* médiatiser
medicamento *nm.* médicament
medicina *nf.* médecine ; médicament *nm.*
médico,-a *adj.* médical(e) • *nm.* médecin
medida *nf.* mesure, dimension
medieval *adj.* médiéval(e)
medio,-a *adj.* demi(e) ; moyen(ne) • *nm.* moyen • *adv.* à moitié, à demi
medioambiental *adj.* environnemental(e)
medioambiente *nm.* environnement
mediocre *adj.* médiocre
mediodía *nm.* midi
medir *v. tr.* mesurer
meditación *nf.* méditation
meditar *v. tr. et intr.* méditer
mediterráneo,-a *adj.* méditerranéen(ne) • *nm.* Méditerranée nf.
medrar *v. intr.* croître ; prospérer
médula, medula *nf.* moelle
megáfono *nm.* mégaphone
mejicano,-a *adj.* mexicain(e) • *nm/f.* Mexicain(e)
Méjico *n. prop. nm.* Mexico
mejilla *nf.* joue
mejillón *nm.* moule *nf.*
mejor *adj.* meilleur(e) • *adv.* mieux
mejora *nf.* amélioration ; augmentation
mejoramiento *nm.* amélioration *nf.*
mejorar *v. tr.* améliorer • *v. intr. et v. pr.* aller mieux ; s'améliorer
melancolía *nf.* mélancolie
melaza *nf.* mélasse
melcocha *nf.* miel cuit *nm.*, guimauve
melena *nf.* crinière ; longue chevelure
melenudo,-a *adj.* chevelu(e)
melindre *nm.* beignet (au miel)
mella *nf.* brèche ; dommage *nm.*
mellizo,-a *adj.* et *nm/f.* jumeau, jumelle
membrana *nf.* membrane
membrete *nm.* en-tête
membrillo *nm.* coing ; cognassier ; pâte de coing *nf.*
memo,-a *adj.* niais(e)
memorable *adj.* mémorable
memorándum *nm.* mémorandum, agenda
memoria *nf.* mémoire ; souvenir *nm.* ; rapport *nm.* ; inventaire *nm.*
menaje *nm.* mobilier (de cuisine) ; ustensiles *nmpl.*
mención *nf.* mention
mendicidad *nf.* mendicité
mendigar *v. tr.* mendier
mendigo,-a *nm/f.* mendiant(e)
mendrugo *nm.* croûton ; quignon de pain
menear *v. tr.* remuer ; balancer • *v. pr.* se balancer
menestral *nm.* artisan, ouvrier(ière)
menguado,-a *adj.* poltron(ne) ; imbécile ; mesquin(e) • *nm.* diminution *nf.*
menguante *adj.* décroissant(e)
menor *adj.* plus petit(e) ; moindre • *nm/f.* mineur(e)
Menorca *n. prop. f.* Minorque
menos *adv.* moins (de) ; excepté, sauf
menoscabo *nm.* détérioration *nf.*
menospreciar *v. tr.* mépriser ; sous-estimer
mensaje *nm.* message
mensajero,-a *adj.* avant-coureur, • *nm/f.* messager(ère)
menstruar *v. intr.* avoir ses règles
mensual *adj.* mensuel(le)
mensualidad *nf.* mensualité
mensurar *v. tr.* mesurer
menta *nf.* menthe
mental *adj.* mental(e)
mentalidad *nf.* mentalité
mente *nf.* esprit *nm.* ; intention *nf.*

mentir *v. intr.* mentir
mentira *nf.* mensonge *nm.*
mentiroso,-a *adj. et nm/f.* menteur(euse)
mentón *nm.* menton
menú *nm.* menu
menudencia *nf.* bagatelle, bricole
menudo.-a *adj.* menu(e) • *loc. adv. a menudo* souvent
mercader *nm.* marchand(e)
mercadería *nf.* marchandise
mercado *nm.* marché
mercancía *nf.* marchandise
mercante *adj.* marchand(e)
mercantil *adj.* mercantile
merced *nf.* faveur, grâce ; arbitre *nm.*, volonté *nf.*
mercería *nf.* mercerie
mercero,-a *nm/f.* mercier(ière)
merecer *v. tr. et intr.* mériter
merecido *nm.* dû
merendar *v. tr. et intr.* goûter
merendero *nm.* buvette *nf.*
merengue *nm.* meringue *nf.*
meridiano,-a *adj.* méridien(ne) ; lumineux(euse) • *nm.* méridien • *nf.* méridienne
meridional *adj.* méridional(e)
merienda *nf.* goûter *nm.*
mérito *nm.* mérite
meritorio,-a *adj.* méritoire
merluza *nf.* merlu *nm.*, colin *nm.*
mermar *v. intr.* diminuer • *v. tr.* diminuer, réduire
mermelada *nf.* confiture
mero,-a *adj.* pur(e) ; seul(e) • *nm.* mérou
merodear *v. intr.* marauder
merodeo *nm.* maraudage
mes *nm.* mois
mesa *nf.* table ; plateau *nm. (relief)*
mesada *nf.* mensualité
meseta *nf.* palier *nm.* ; plateau *nm. (relief)*
mesías *nm. inv.* messie
mesilla *nf.* petite table
mesón *nm.* auberge *nf.*
mesonero,-a *nm/f.* aubergiste, hôtelier(ière)
mestizar *v. tr.* métisser
mestizo,-a *adj. et nm/f.* métis(se)
mesura *nf.* mesure *(retenue)* ; politesse
meta *nf.* but *nm.* ; ligne d'arrivée
metafísico,-a *adj.* métaphysique • *nm/f.* métaphysicien(ne) • *nf.* métaphysique
metáfora *nf.* métaphore
metal *nm.* métal ; *(fig)* timbre *(de voix)*
metálico,-a *adj.* métallique • *nm.* espèces *nfpl.*, argent liquide *nm.*
metalurgia *nf.* métallurgie
metamorfosis *nf.* métamorphose
meteorito *nm.* météorite *nf.*
meteoro *nm.* météore
meteorología *nf.* météorologie
meteorológico,-a *adj.* météorologique
meter *v. tr.* mettre • *v. pr.* entrer ; se faire ; se mettre à
metódico,-a *adj.* méthodique
método *nm.* méthode *nf.*
metralla *nf.* mitraille
metro *nm.* mètre ; métro
metrópoli *nf.* métropole
mezcla *nf.* mélange *nm.* ; mixage *nm.*
mezclar *v. tr.* mélanger ; mêler • *v. pr.* se mêler de/à
mezquino,-a *adj.* mesquin(e) ; misérable
mezquita *nf.* mosquée
mi, mis *adj. poss.* mon, ma, mes
mí *pron. pers. compl.* moi
miasma *nm.* miasme
mico *nm.* singe
microbio *nm.* microbe
microcosmo *nm.* microcosme
microficha *nf.* microfiche
microfilm *nm.* microfilm
micrófono *nm.* microphone, micro
microonda *nm.* four à micro-ondes
microprocesador *nm.* microprocesseur
microscopio *nm.* microscope
miedo *nm.* peur *nf.*
miel *nf.* miel *nm.*
miembro *nm.* membre
mientras *adv.* cependant, pendant ce temps • *loc. conj.* tandis que, pendant que, tant que
miércoles *nm.* mercredi
mies *nf.* moisson • *nmpl.* semis *nm.*
miga *nf.* miette ; mie
migración *nf.* migration
mijo *nm.* millet

mil *adj.* mille, mil • *nm.* mille • *nmpl.* milliers
milagro *nm.* miracle
milenario,-a *adj.* millénaire • *nm.* millénaire
milicia *nf.* milice
miligramo *nm.* milligramme
mililitro *nm.* millilitre
milímetro *nm.* millimètre
militante *adj. et nm/f.* militant(e)
militar *adj. et nm.* militaire
militar *v. intr.* militer
militarizar *v. tr.* militariser
millar *nm.* millier
millón *nm.* million
millionario,-a *adj. et nm/f.* millionnaire
mimar *v. tr.* choyer ; gâter
mimbre *nm.* osier
mímico,-a *adj.* mimique • *nf.* mimique
mimo *nm.* mime ; caresse *nf.* ; câlin
mimosa *nf.* mimosa *nm.*
mimoso,-a *adj.* câlin(e)
mina *nf.* mine
mineral *adj.* minéral(e) • *nm.* minerai
mineralizar *v. tr.* minéraliser
minero,-a *adj.* minier(ière) • *nm.* mineur
miniatura *nf.* miniature
minifundio *nm.* petite propriété *nf.*
minimizar *v. tr.* minimiser
mínimo,-a *adj.* minime • *nm.* minimum • *nf.* température minimale
ministerio *nm.* ministère
ministro *nm.* ministre
minoría *nf.* minorité
minorista *nm.* détaillant
minucia *nf.* minutie
minucioso,-a *adj.* minutieux(euse)
minúsculo,-a *adj.* minuscule
minuta *nf.* minute *(d'un acte)* ; note ; catalogue *nm. ;* menu *nm.*
minuto *nm.* minute *nf. (durée)*
mío, mía *pr. poss.* mien(ne) • *adj. poss.* à moi ; mon, ma
miope *adj.* et *nm/f.* myope
mira *nf.* mire ; visée, dessein *nm.*
mirada *nf.* regard *nm.* ; coup d'œil *nm.*
mirar *v. tr.* regarder, considérer, envisager, veiller à
mirilla *nf.* judas *nm. (dans une porte)*
mirlo *nm.* merle
mirra *nf.* myrrhe
mirto *nm.* myrte
mirón,-ona *adj. et nm/f.* curieux(euse)
misa *nf.* messe
misal *nm.* missel
misántropo *adj. et nm.* misanthrope
miserable *adj. et nm/f.* misérable
miseria *nf.* misère ; avarice
misericordia *nf.* miséricorde
misión *nf.* mission
misionero,-a *adj. et nm/f.* missionnaire
misiva *nf.* missive
mismo,-a *adj.* même
misterio *nm.* mystère
misterioso,-a *adj.* mystérieux(euse)
místico,-a *adj. et nm/f.* mystique
mistral *nm.* mistral
mitad *nf.* moitié ; milieu *nm.*
mítico,-a *adj.* mythique
mitigar *v. tr.* mitiger
mito *nm.* mythe
mitología *nf.* mythologie
mitón *nm.* mitaine *nf.*
mitra *nf.* mitre
mixto,-a *adj.* mixte
mixtura *nf.* mixture
mobiliario *nm.* mobilier
moca *nm.* moka
mochila *nf.* sac à dos *nm.*
mocho,-a *adj.* écorné(e), émoussé(e)
moción *nf.* motion ; mouvement *nm.*
moco *nm.* morve *nf.*
moda *nf.* mode
modal *adj.* modal(e)
modalidad *nf.* modalité
modelar *v. tr.* modeler
modelo *adj. et nm/f.* modèle
moderación *nf.* modération
moderado,-a *adj. et nm/f.* modéré(e)
moderador,-ora *adj. et nm/f.* modérateur(trice) ; animateur(trice) *(d'un débat)*
moderar *v. tr.* modérer ; animer • *v. pr.* se modérer
modernizar *v. tr.* moderniser
moderno,-a *adj.* moderne
modestia *nf.* modestie
modesto,-a *adj.* modeste
módico,-a *adj.* modique

modificación *nf.* modification
modificar *v. tr.* modifier
modista *nm.* couturier
modo *nm.* manière *nf.*, façon *nf.*
modular *v. tr.* moduler
módulo *nm.* module
mofa *nf.* moquerie
mofar *v. intr.* bafouer • *v. pr.* se moquer de
moflete *nm.* grosse joue *nf.*
mofletudo,-a *adj.* joufflu(e)
mohín *nm.* grimace *nf.*
moho *nm.* moisi ; rouille *nf.*
mojar *v. tr.* mouiller, tremper • *v. pr.* se mouiller
mojigato,-a *adj. et nm/f.* hypocrite ; bigot(e)
mojón *nm.* borne *nf.*
molar *nm.* molaire *nf.*
molde *nm.* moule
moldear *v. tr.* mouler
molécula *nf.* molécule
moler *v. tr.* moudre ; fatiguer ; importuner
molestar *v. tr.* gêner, déranger ; ennuyer ; vexer • *v. pr.* se déranger ; se vexer
molestia *nf.* gêne ; dérangement *nm.*
molesto,-a *adj.* gênant(e) ; gêné(e)
molinero,-a *nm/f.* meunier(ière)
molinillo *nm.* moulin *(à café, à poivre)*
molino *nm.* moulin
molusco *nm.* mollusque
momentáneo,-a *adj.* momentané(e)
momento *nm.* moment, instant
momia *nf.* momie
monacal *adj.* monacal(e)
monaguillo *nm.* enfant de chœur
monarca *nm.* monarque
monarquía *nf.* monarchie
monárquico,-a *adj.* monarchique • *nm/f.* monarchiste
monasterio *nm.* monastère
monda *nf.* épluchage *nm.* ; épluchure *nf.*
mondadientes *nm. inv.* cure-dent
mondar *v. tr.* émonder ; éplucher, peler
moneda *nf.* monnaie ; pièce de monnaie
monedero *nm.* monnayeur ; porte-monnaie
monería *nf.* pitrerie
monetario,-a *adj.* monétaire
monigote *nm.* pantin
monitor *nm.* moniteur
monja *nf.* religieuse
monje *nm.* moine
mono,-a *adj.* joli(e), mignon(ne) • *nm.* singe
monóculo *nm.* monocle
monogamia *nf.* monogamie
monografía *nf.* monographie
monolito *nm.* monolithe
monólogo *nm.* monologue
monopatín *nm.* skate-board
monopolio *nm.* monopole
monopolizar *v. tr.* monopoliser
monosílabo,-a *adj. et nm.* monosyllabe
monoteísmo *nm.* monothéisme
monotonía *nf.* monotonie
monótono,-a *adj.* monotone
monseñor *nm.* monseigneur
monstruo *nm.* monstre
monstruoso,-a *adj.* monstrueux(euse)
monta *nf.* montant *nm.* ; importance *nf.*
montacargas *nm. inv.* monte-charge
montaje *nm.* montage
montaña *nf.* montagne
montañés,-esa *adj.* et *nm/f.* montagnard(e)
montañoso,-a *adj.* montagneux(euse)
montar *v. intr.* monter ; s'élever à ; avoir de l'importance
monte *nm.* mont ; montagne *nf.* ; bois
montepío *nm.* caisse *nf.* de secours
montés *adj.* sauvage ; *gato montés* chat sauvage *nm.*
montículo *nm.* monticule
monto *nm.* montant, total
montón *nm.* tas, monceau
montura *nf.* monture ; harnais *nm.*
monumental *adj.* monumental(e)
monumento *nm.* monument
monzón *nm.* mousson *nf.*
moño *nm.* chignon ; houppe *nf.*
moquear *v. intr.* avoir le nez qui coule
moqueta *nf.* moquette
mora *nf.* mûre
morado,-a *adj.* violet(te)
morador,-a *nm/f.* habitant(e)

moral *adj.* moral(e) • *nf.* morale ; moral *nm.*
moralidad *nf.* moralité
moralizar *v. intr.* moraliser
moratorio,-a *adj.* moratoire. • *nf.* moratoire *nm.*
morbosidad *nf.* morbidité
morboso,-a *adj.* morbide
morcilla *nf.* boudin noir *nm.*
mordaza *nf.* bâillon *nm.*
mordedura *nf.* morsure
morder *v. tr.* mordre
mordisco *nm.* morsure *nf.*
mordisquear *v. tr.* mordiller
moreno,-a *adj.* brun(e) • *nf.* murène
morera *nf.* mûrier *nm.*
morfina *nf.* morphine
morfología *nf.* morphologie
moribundo,-a *adj. et nm/f.* moribond(e)
morir *v. intr.* mourir • *v. pr.* mourir
moro,-a *adj. et nm/f.* maure, mauresque
moroso,-a *adj.* lent(e), nonchalant(e)
morriña *nf.* cafard *nm.*, mal du pays *nm.*
morro *nm.* extrémité arrondie *nf.* ; capot *nm.*
mortaja *nf.* linceul *nm.*
mortal *adj.* mortel(le)
mortalidad *nf.*, **mortandad** *nf.* mortalité
mortero *nm.* mortier
mortífero,-a *adj.* meurtrier(ière)
mortificación *nf.* mortification
mortuorio,-a *adj.* mortuaire
mosaico *nm.* mosaïque *nf.*
mosca *nf.* mouche
moscardón *nm.* frelon
moscatel *adj. et nm.* muscat
mosquear *v. tr.* chasser les mouches • *v. pr.* prendre la mouche
mosquetero *nm.* mousquetaire
mosquita *nf.* petite mouche
mosquitero *nm.* moustiquaire *nf.*
mosquito *nm.* moustique
mostaza *nf.* moutarde
mosto *nm.* moût de vin ; jus de raisin
mostrador *nm.* comptoir
mostrar *v. tr.* montrer, faire preuve de
mota *nf.* poussière, peluche
motín *nm.* mutinerie *nf.* ; émeute *nf.*
motivo *nm.* motif
motocicleta *nf.* motocyclette
motor,-a *adj.* moteur(trice) • *nm.* moteur
motorista *nm.* motocycliste
mover *v. tr.* mouvoir, remuer, déplacer, bouger ; susciter
móvil *adj.* mobile • *nm.* mobile
movimiento *nm.* mouvement
mozo-a *adj. et nm/f.* jeune homme, jeune fille ; célibataire • *nm.* garçon, domestique
muaré *nm.* moire *nf.*
mucosidad *nf.* mucosité
muchacho,-a *nm/f.* garçon, fillette ; jeune homme, jeune fille • *nf.* bonne, domestique
muchedumbre *nf.* foule
mucho,-a *adj.* beaucoup de
mucho *adv.* beaucoup, bien
muda *nf.* linge de rechange *nm.*
mudanza *nf.* déménagement *nm.*
mudar *v. tr.* changer de domicile • *v. pr.* déménager
mudo,-a *adj.* muet(te)
mueble *nm.* meuble
mueca *nf.* grimace, moue
muela *nf.* meule ; dent ; molaire
muelle *adj.* doux, douce, moelleux(euse) • *nm.* quai
muerte *nf.* mort ; meurtre *nm.*, homicide *nm.*
muerto,-a *adj. et nm/f.* mort(e)
muestra *nf.* enseigne ; échantillon *nm.* ; modèle *nm.* ; preuve *nf.*, témoignage *nm.*
muestrario *nm.* échantillonnage
mugido *nm.* mugissement
mugir *v. intr.* mugir, beugler
mugre *nf.* saleté
mujer *nf.* femme
mujeriego,-a *adj.* féminin(e) • *nm.* coureur de jupons
mújol *nm.* mulet *(poisson)*
mula *nf.* mule
mulato,-a *adj.* et *nm/f.* mulâtre
muleta *nf.* béquille ; soutien *nm.*
muletón *nm.* molleton
multa *nf.* amende
multar *v. tr.* condamner à une amende
multimillonario,-a *adj. et nm/f.* milliardaire

múltiple *adj.* multiple
multiplicar *v. tr.* multiplier • *v. pr.* se multiplier
multitud *nf.* foule, multitude
mundano,-a *adj.* mondain(e)
mundial *adj.* mondial(e)
mundo *nm.* monde ; globe terrestre
munición *nf.* munition
municipal *adj.* municipal(e)
municipio *nm.* commune *nf.* ; municipalité *nf.*
muñeca *nf.* poignet *nm.* ; poupée *nf.*
muñeco *nm.* poupée *nf.* ; marionnette *nf.*
muñón *nm.* moignon
mural *adj.* mural(e)
muralla *nf.* muraille
murciélago *nm.* chauve-souris *nf.*
murmullo *nm.* murmure
murmuración *nf.* médisance
murmurar *v. intr.* murmurer ; médire
muro *nm.* mur, muraille *nf.*
musa *nf.* muse
musaraña *nf.* musaraigne ; bestiole
muscular *adj.* musculaire
músculo *nm.* muscle
muselina *nf.* mousseline
museo *nm.* musée
musgo *nm.* mousse *nf. (plante)*
música *nf.* musique
musical *adj.* musical(e)
músico,-a *adj.* musical(e) • *nm/f.* musicien(ne)
muslo *nm.* cuisse *nf.*
mustio,-a *adj.* fané(e) ; mélancolique
mutilado,-a *adj. et nm/f.* mutilé(e)
mutilar *v. tr.* mutiler
mutismo *nm.* mutisme
mutual *adj.* mutuel(le)
mutuo,-a *adj.* mutuel(le)
muy *adv.* très

N

n *nf.* n *nm. inv.*
nabo *nm.* navet
nácar *nm.* nacre *nf.*
nacarado,-a *adj.* nacré(e)
nacer *intr.* naître
nacido,-a *adj.* né(e)
nacimiento *nm.* naissance *nf.* ; source *nf.* ; crèche *nf.*
nación *nf.* nation
nacional *adj.* national(e)
nacionalidad *nf.* nationalité
nacionalizar *v. tr.* nationaliser
nada *pron. indéf.* rien • *adv.* pas du tout ; • *nf.* rien *nm.* ; néant *nm.*
nadador,-a *nm/f.* nageur(euse)
nadar *v. intr.* nager
nadie *pron. indéf.* personne, nul
nado *nm.* nage *nf.*
naftalina *nf.* naphtaline
naipe *nm.* carte à jouer *nf.*
nalga *nf.* fesse
nana *nf.* berceuse
naranja *nf.* orange
naranjada *nf.* orangeade
naranjo *nm.* oranger
narcótico,-a *adj. et nm.* narcotique
narcotráfico *nm.* trafic de drogue
nariz *nf.* nez *nm.* ; naseau *nm.* ; odorat *nm.*
narración *nf.* narration, récit *nm.*
narrador,-a *nm/f.* narrateur(trice)
narrativa *nf.* narration, récit *nm.*
nasal *adj.* nasal(e)
nata *nf.* crème
natación *nf.* natation
natal *adj.* natal(e)
natalidad *nf.* natalité
natillas *nfpl.* crème renversée *nf.*
nativo,-a *adj.* natif(ve)
natural *adj.* naturel(le) • *nm.* nature *nf.* ; caractère *nm.*
naturaleza *nf.* nature
naturalidad *nf.* naturel *nm.*
naufragar *v. intr.* faire naufrage
naufragio *nm.* naufrage
náusea *nf.* nausée

náutico,-a *adj.* nautique
navaja *nf.* couteau (pliant) *nm.* ; canif *nm.*
naval *adj.* naval(e)
Navarra *n. prop. f.* Navarre
nave *nf.* navire *nm.* ; vaisseau *nm.*
navegación *nf.* navigation
navegar *v. intr.* naviguer
Navidad *nf.* Noël *nm.*
naviero,-a *adj.* naval
naviero *nm.* armateur
navío *nm.* vaisseau
neblina *nf.* brouillard *nm.* ; brume *nf.*
nebulosa *nf.* nébuleuse
necedad *nf.* sottise
necesario,-a *adj.* nécessaire
necesidad *nf.* nécessité ; besoin *nm.*
necesitado,-a *adj. et nm/f.* nécessiteux(euse)
necesitar *v. tr.* nécessiter ; avoir besoin de
necio,-a *adj.* ignorant(e)
necrología *nf.* nécrologie
necrópolis *nf.* nécropole
néctar *nm.* nectar
nefasto,-a *adj.* néfaste
negación *nf.* négation
negar *v. tr.* nier ; renier ; refuser ; interdire • *v. pr.* se refuser
negativo,-a *adj. et nm.* négatif(ive) • *nf.* refus *nm.*
negligencia *nf.* négligence
negociante *nm.* négociant
negociar *v. intr. et tr.* négocier
negocio *nm.* négoce ; affaire *nf.*
negro,-a *adj.* noir(e) • *nm/f.* noir(e)
negrura *nf.* noirceur
nene,-a *nm/f. fam.* bébé
neófito,-a *adj.* néophyte
neolatino,-a *adj.* néo-latin(e)
neolítico,-a *adj. et nm.* néolithique
neologismo *nm.* néologisme
nepotismo *nm.* népotisme
nereida *nf.* néréide
nervadura *nf.* nerf *nm.*, nervure *nf.*
nervio *nm.* nerf
nerviosidad *nf.* nervosité ; énervement *nm.*
nervioso,-a *adj.* nerveux(euse)
neto,-a *adj.* net(te)
neumático-a *adj. et nm.* pneu ; pneumatique
neuralgia *nf.* névralgie
neurastenia *nf.* neurasthénie
neurólogo *nm.* neurologue
neurona *nf.* neurone *nm.*
neurótico,-a *adj. et nm/f.* névrosé(e)
neutral *adj.* neutre
neutralidad *nf.* neutralité
neutralizar *v. tr.* neutraliser
neutro,-a *adj.* neutre
nevada *nf.* chute de neige
nevado,-a *adj.* neigeux(euse)
nevar *v. impers.* neiger
nevera *nf.* glacière, réfrigérateur *nm.*
nexo *nm.* nœud, lien
ni *conj.* ni
nicotina *nf.* nicotine
nicho *nm.* niche *nf.*
nido *nm.* nid ; repaire
niebla *nf.* brume ; brouillard *nm.*
nieto,-a *nm/f.* petit-fils, petite-fille
nieve *nf.* neige
nigromancia *nf.* nécromancie
nilón *nm.* nylon
nimbo *nm.* nimbe
nimiedad *nf.* petitesse ; bagatelle
nimio,-a *adj.* insignifiant(e)
ninfa *nf.* nymphe
ningún, ninguno,-a *adj. indéf.* aucun(e) • *pron. indéf.* personne
niña *nf.* petite fille ; pupille *(de l'œil)*
niñera *nf.* bonne d'enfant
niñez *nf.* enfance
niño,-a *nm/f.* enfant ; petit garçon *nm.* ; petite fille *nf.*
niquel *nm.* nickel
níspero *nm.* nèfle *nf.* ; néflier *nm.*
nitidez *nf.* netteté, limpidité
nítido,- a *adj.* net(te)
nitrato *nm.* nitrate
nitrógeno *nm.* nitrogène
nivel *nm.* niveau
nivelación *nf.* nivellement *nm.*
nivelar *v. tr.* niveler
nivoso,-a *adj.* neigeux(euse)
no *adv.* non ; ne... point, ne... pas
noble *adj. et nm/f.* noble
nobleza *nf.* noblesse

noción *nf.* notion
nocivo,-a *adj.* nocif(ive)
noctámbulo *adj. et nm/f.* noctambule
nocturno,-a *adj.* nocturne
noche *nf.* nuit, soir *nm.*
nochebuena *nf.* nuit de Noël
nochevieja *nf.* nuit de la Saint-Sylvestre
nodriza *nf.* nourrice
nogal *nm.* noyer
nómada *adj. et nm/f.* nomade
nombrado,-a *adj.* fameux(euse)
nombrar *v. tr.* nommer
nombre *nm.* nom ; renom *nm.*, réputation *nf.*
nomenclatura *nf.* nomenclature
nomeolvides *nm. inv.* myosotis
nordeste *nm.* nord-est
nórdico,-a *adj.* nordique
norma *nf.* nonne ; règle
normal *adj.* normal(e)
normalidad *nf.* normalité
noroeste *nm.* nord-ouest
norte *nm.* nord
norteamericano,-a *adj.* nord-américain(e) • *nm/f.* Nord-Américain(e)
nos *pron. pers. compl.* nous
nosotros,-as *pron. pers. suj. et compl.* nous
nostalgia *nf.* nostalgie
nota *nf.* note ; mention ; remarque
notable *adj.* notable • *nm.* mention bien *nf.*
notar *v. tr.* remarquer
notaría *nf.* notariat *nm.* ; étude de notaire *nf.*
notario *nm.* notaire
noticia *nf.* nouvelle ; connaissance
noticiero,-ra *nm/f.* reporter, journaliste • *nm.* journal
notificar *v. tr.* notifier, faire savoir
notorio,-a *adj.* notoire
novatada *nf.* brimade ; bizutage *nm.*
novecientos,-as *adj. et nm.* neuf cents
novedad *nf.* nouveauté ; changement *nm.* ; étonnement *nm.*
novel *adj.* novice
novela *nf.* roman *nm.*
novelista *nm/f.* romancier(ière)
noveno,-a *adj. et* nm/f. neuvième
noventa *adj. et nm. inv.* quatre-vingt-dix
noviazgo *nm.* fiançailles *nfpl.*
novicio-a *nm/f.* novice
noviembre *nm.* novembre
novillada *nf.* course de taurillons
novillo *nm.* taurillon
novio,-a *nm.* fiancé(e) ; jeune marié(e)
nubarrón *nm.* gros nuage
nube *nf.* nuage *nm.* ; nuée *nf.*
núbil *adj.* nubile
nublado,-a *adj.* nuageux(euse)
nuca *nf.* nuque
nuclear *adj.* nucléaire
núcleo *nm.* noyau
nudo *nm.* nœud
nuera *nf.* belle-fille
nuestro,-a, nuestros,-as *adj. poss.* notre, nos, à nous • *pron. poss.* nôtre, nôtres
nuevo,-a *adj.* neuf, neuve ; nouveau, nouvel(le)
nuez *nf.* noix
nulo,-a *adj.* nul(le)
numeración *nf.* numérotation
numerar *v. tr.* dénombrer ; numéroter
numérico,-a *adj.* numérique
número *nm.* nombre ; numéro
numeroso,-a *adj.* nombreux(euse)
numismático, -a *adj.* numismatique
nunca *adv.* jamais
nupcial *adj.* nuptial(e)
nutria *nf.* loutre
nutrición *nf.* nutrition
nutrido,-a *adj.* nourri(e)
nutrir *tr.* nourrir • *v. pr.* se nourrir
nutritivo,-a *adj.* nutritif(ive)

ñ *nf.* ñ (quinzième lettre de l'alphabet espagnol)
ñoñería *nf.* niaiserie
ñoño,-a *adj.* niais(e) ; insipide ; mièvre

O

o *nf.* o *nm. inv.*
oasis *nm.* oasis *nf.*
obcecar *v. tr.* aveugler • *v. pr.* être aveuglé(e)
obedecer *v. tr. et intr.* obéir
obediencia *nf.* obéissance
obediente *adj.* obéissant(e)
obelisco *nm.* obélisque
obesidad *nf.* obésité
obeso,-a *adj.* obèse
obispado *nm.* évêché
obispo *nm.* évêque
objeción *nf.* objection
objetivo,-a *adj. et nm.* objectif(ive)
objetar *v. tr.* objecter
objeto *nm.* objet
oblación *nf.* oblation
oblicuo,-a *adj.* oblique
obligación *nf.* obligation
obligar *v. tr.* obliger • *v. pr.* s'engager
obligatorio,-a *adj.* obligatoire
obnubilar *v. tr.* obnubiler
obra *nf.* œuvre ; ouvrage *nm.*
obrar *v. intr.* agir ; se trouver
obrero,-a *adj. et nm/f.* ouvrier(ière)
obscurecer *v. tr.* obscurcir • *v. intr.* commencer à faire nuit • *v. pr.* s'obscurcir
obscuridad *nf.* obscurité
obscuro,-a *adj.* obscur(e) ; sombre
obsequio *nm.* cadeau ; prévenance *nf.*
observación *nf.* observation
observar *v. tr.* observer, remarquer
observatorio *nm.* observatoire
obsesión *nf.* obsession
obsesionar *v. tr.* obséder
obsoleto,-a *adj.* obsolète
obstáculo *nm.* obstacle
obstante (no) *adv.* cependant, néanmoins
obstinarse *v. pr.* s'obstiner
obstinación *nf.* obstination
obstruir *v. tr.* obstruer, entraver
obtener *v. tr.* obtenir
obturación *nf.* obturation
obtuso,-a *adj.* obtus(e)
obús *nm.* obus
obvio,-a *adj.* évident(e)
oca *nf.* oie
ocasión *nf.* occasion
ocasionar *v. tr.* occasionner
ocaso *nm.* crépuscule, déclin
occidental *adj.* occidental(e)
occidente *nm.* occident
océano *nm.* océan
ochocientos,-as *adj. et nm.* huit cents
ocio *nm.* désœuvrement ; loisir
ocioso,-a *adj. et nm.* oisif(ive)
oclusión *nf.* occlusion
ocre *adj.* ocre
octogenario,-a *adj. et nm/f.* octogénaire
octogonal *adj.* octogonal(e)
octavo,-a *adj.* huitième • *nf.* octave
octubre *nm.* octobre
ocular *adj.* oculaire
oculista *nm/f.* oculiste
ocultar *v. tr.* dissimuler • *v. pr.* se cacher
ocultismo *nm.* occultisme
ocupación *nf.* occupation
ocupar *v. tr.* occuper • *v. pr.* s'occuper
ocurrencia *nf.* occasion ; trait d'esprit *nm.* ; idée
ocurrir *v. intr.* arriver, survenir
ochenta *adj. et nm. inv.* quatre-vingts

odiar *v. tr.* haïr, détester
odio *nm.* haine *nf.*
odisea *nf.* odyssée
oeste *nm.* ouest
ofender *v. tr.* offenser • *v. pr.* s'offenser
ofensa *nf.* offense
ofensivo,-a *adj.* offensif(ive)
ofensor,a *adj. et nm/f.* offenseur
oferta *nf.* offre
oficial *adj.* officiel(le) • *nm.* employé ; officier
oficiar *v. intr.* officier • *v. tr.* célébrer
oficina *nf.* bureau *nm.*
oficio *nm.* métier ; office
oficioso,-a *adj.* officieux(euse)
ofimática *nf.* bureautique
ofrecer *v. tr.* offrir • *v. pr.* s'offrir *(qqch.)*
ofrecimiento *nm.* offre *nf.*
oftalmología *nf.* ophtalmologie
ofuscar *v. tr.* offusquer
oído *nm.* ouïe *nf.*, oreille *nf.*
oír *v. tr.* entendre, écouter
ojal *nm.* boutonnière *nf.*
ojeada *nf.* coup d'œil *nm.*
ojear *v. tr.* examiner, regarder
ojera *nf.* cerne *nm.*
ojo *nm.* œil ; chas ; trou
ola *nf.* vague
oleaginoso,-a *adj.* oléagineux(euse)
oleaje *nm.* houle *nf.*
óleo *nm.* huile *nf.*
oleoducto *nm.* oléoduc
oler *v. tr.* sentir, flairer • *v. intr.* sentir • *v. pr.* pressentir, soupçonner
olfato *nm.* flair, odorat
oligarquía *nf.* oligarchie
olimpiada *nf.* olympiade
olímpico,-a *adj.* olympien(ne) ; olympique
oliva *nf.* olive
olivar *nm.* oliveraie *nf.*
olivo *nm.* olivier
olmo *nm.* orme
olor *nm.* odeur *nf.*
oloroso,-a *adj.* odorant(e)
olvidar *v. tr.* oublier
olvido *nm.* oubli
olla *nf.* marmite ; pot-au-feu *nm.*
ombligo *nm.* nombril
omisión *nf.* omission
omitir *v. tr.* omettre
ómnibus *nm* omnibus
omnipotencia *nf.* omnipotence
omóplato *nm.* omoplate *nf.*
once *adj. et nm. inv.* onze
onda *nf.* onde ; ondulation
ondeante *adj.* ondoyant(e)
ondear *v. intr.* ondoyer
ondulación *nf.* ondulation
ondular *v. tr.* onduler
oneroso,-a *adj.* onéreux(euse)
onírico,-a *adj.* onirique
onomatopeya *nf.* onomatopée
onza *nf.* once
opaco,-a *adj.* opaque
opalino,-a *adj.* opalin(e) • *nf.* opaline
ópalo *nm.* opale *nf.*
opción *nf.* choix *nm.*
ópera *nf.* opéra *nm.*
operación *nf.* opération
operar *v. tr.* opérer • *v. pr.* se faire opérer
operario,-a *nm/f.* ouvrier(ière)
opinar *v. intr.* penser ; donner son opinion
opinión *nf.* opinion
opio *nm.* opium
oponer *v. tr.* opposer • *v. pr.* s'opposer
oportunidad *nf.* opportunité ; occasion
oportunismo *nm.* opportunisme
oportuno,-a *adj.* opportun(e)
oposición *nf.* opposition, résistance ; concours *nm.*
opositor,-a *nm/f.* opposant(e) ; candidat(e) *(à un concours)*
opresión *nf.* oppression
oprimir *v. tr.* presser ; serrer ; oppresser ; opprimer
optar *v. tr.* choisir, opter
óptico,-a *adj. et nf.* optique • *nm/f.* opticien(ne)
optimismo *nm.* optimisme
opulencia *nf.* opulence
opulento,-a *adj.* opulent(e)
oración *nf.* prière ; *(grammaire)* proposition
orador,-a *nm/f.* orateur(trice)
oral *adj.* oral(e) • *nm.* oral
orangútan *nm.* orang-outan
orar *v. intr.* prier
oratoria *nf.* art oratoire *nm.*

oratorio,- a *adj.* oratoire
oratorio *nm.* oratoire ; oratorio
orbe *nm.* sphère *nf.* ; monde *nm.*
órbita *nf.* orbite
orden *nm.* ordre *(disposition, rangement)* • *nf.* ordre *nm.* *(commandement, religieux, militaire)*
ordenación *nf.* ordonnancement *nm.* ; aménagement *nm.*
ordenada *nf.* ordonnée
ordenador *nm.* ordinateur
ordenamiento *nm.* mise en ordre *nf.*
ordenar *v. tr.* ordonner ; ranger
ordeñar *v. tr.* traire
ordinario,-a *adj.* ordinaire ; vulgaire
orear *v. intr.* aérer
orégano *nm.* origan
oreja *nf.* oreille
orfanato *nm.* orphelinat
orfebre *nm.* orfèvre
orgánico,-a *adj.* organique
organillo *nm.* orgue de Barbarie
organismo *nm.* organisme
organista *nm/f.* organiste
organización *nf.* organisation
organizar *v. tr.* organiser
órgano *nm.* orgue ; organe
orgía *nf.* orgie
orgullo *nm.* fierté *nf.* ; orgueil *nm.*
orgulloso,-a *adj.* fier(ière) ; orgueilleux(euse)
orientación *nf.* orientation
oriental *adj. et nm/f.* oriental(e)
orientar *v. tr.* orienter • *v. pr.* s'orienter
oriente *nm.* orient
orificio *nm.* orifice
oriflama *nf.* oriflamme
origen *nm.* origine *nf.*
original *adj.* original(e) ; originel(le) • *nm/f.* original(e)
originalidad *nf.* originalité
originar *v. tr.* causer, provoquer
orilla *nf.* bord *nm.*, rive ; lisière
orina *nf.* urine
orinal *nm.* pot de chambre
orinar *v. intr. et tr.* uriner
oriundo,-a *adj.* originaire
ornamentación *nf.* ornementation
ornamentar *v. tr.* orner, ornementer
ornitología *nf.* ornithologie
ornitólogo *nm.* ornithologue
oro *nm.* or
orografía *nf.* orographie
oropel *nm.* oripeau
oropéndola *nf.* loriot *nm.*
orquesta *nf.* orchestre *nm.*
orquídea *nf.* orchidée
ortiga *nf.* ortie
ortodoxo,-a *adj. et nm/f.* orthodoxe
ortografía *nf.* orthographe
ortográfico,-a *adj.* orthographique
ortopedia *nf.* orthopédie
ortopédico,-a *adj.* orthopédique • *nm/f.* orthopédiste
oruga *nf.* chenille
orujo *nm.* marc *(de raisin, d'olive)*
orzuelo *nm.* orgelet ; piège
os *pr. pers. compl.* vous
osadía *nf.* audace
osamenta *nf.* ossature, squelette *nm.*
osar *v. intr.* oser
oscilación *nf.* oscillation
oscilar *v. intr.* osciller ; vaciller
óseo,-a *adj.* osseux(euse)
ósmosis *nf.* osmose
oso,-a *nm/f.* ours, ourse
ostentación *nf.* ostentation
ostentoso,-a *adj.* somptueux(euse)
ostra *nf.* huître
ostracismo *nm.* ostracisme
ostricultura *nf.* ostréiculture
otear *v. tr.* observer ; scruter
otero *nm.* tertre
otoñal *adj.* automnal(e)
otoño *nm.* automne
otorgamiento *nm.* octroi ; attribution *nf.* ; passation *nf.*
otorgar *v. tr.* octroyer ; conférer
otro,-a *adj. et pron. indéf.* autre
ovación *nf.* ovation
ovalado,- a *adj.* ovale
ovalar *v. tr.* ovaliser
óvalo *nm.* ovale
ovario *nm.* ovaire
oveja *nf.* brebis
ovillo *nm.* pelote *nf.*
ovíparo,-a *adj.* ovipare

ovoide *adj.* ovoïdal(e)
óvolo *nm.* ove
óvulo *nm.* ovule
oxidación *nf.* oxydation
oxidar *v. tr.* oxyder • *v. pr.* se rouiller
óxido *nm.* oxyde, rouille *nf.*
oxigenar *v. tr.* oxygéner • *v. pr.* s'oxygéner
oxígeno *nm.* oxygène
oyente *nm/f.* auditeur(trice)
ozono *nm.* ozone

P

p *nf.* p *nm. inv.*
pabellón *nm.* pavillon
pacer *v. intr.* paître
paciencia *nf.* patience
paciente *adj. et nm/f.* patient(e)
pacificación *nf.* pacification
pacificar *v. tr.* pacifier
pacifista *adj. et nm/f.* pacifiste
pacífico,-a *adj.* pacifique
pacotilla *nf.* pacotille
pactar *v. intr.* négocier ; pactiser • *v. tr.* convenir, pactiser
pacto *nm.* pacte, convention *nf.*
padecer *v. tr.* souffrir (de) ; supporter
padre *nm.* père ; prêtre, abbé • *nmpl.* parents
padrenuestro *nm.* Pater, Notre-Père
padrinazgo *nm.* parrainage
padrino *nm.* parrain ; témoin ; protecteur
padrón *nm.* recensement
paella *nf.* paella
paga *nf.* paie, paye
pagadero,-a *adj.* payable
paganismo *nm.* paganisme
pagano,-a *adj. et nm/f.* païen(ne)
pagar *v. tr.* payer ; rendre • *v. pr.* se payer ; être infatué(e) de soi-même
pagaré *nm.* billet à ordre
página *nf.* page
pagaya *nf.* pagaie
pago *nm.* paiement ; récompense *nf.*
país *nm.* pays
paisaje *nm.* paysage
paisajista *nm/f.* paysagiste
paisano,-a *adj. et nm/f.* compatriote • *nm.* civil *(personnel)*
paja *nf.* paille
pajar *nm.* grenier à paille
pajarero,-a *adj.* joyeux(euse) ; criard(e)
pajarita *nf.* nœud papillon *nm.* ; cocotte *(en papier)*
pájaro *nm.* oiseau
paje *nm.* page
pala *nf.* pelle ; battoir *nm.* ; raquette *nf.*
palabra *nf.* mot *nm.*, parole *nf.*
palabrería *nf. (fam.)* bavardage *nm.*
palabrota *nf.* gros mot *nm.*
palacio *nm.* palais ; château
palada *nf.* pelletée ; coup de pelle *nm.* ; coup de rame *nm.*
paladar *nm.* palais ; goût
paladear *v. tr.* savourer
paladín *nm.* paladin
palanca *nf.* plongeoir *nm.* ; levier *nm.*
palangana *nf.* bassine, cuvette
palanqueta *nf.* pince-monseigneur
palco *nm.* loge *(de théâtre)* ; tribune
palenque *nm.* palissade *nf.*, enceinte *nf.*
paleolítico,-a *adj.* paléolithique
paleontología *nf.* paléontologie
Palestina *n. prop. f.* Palestine
palestino,-na *adj.* palestinien(ne) • *nm/f.* Palestinien(ne)
paleta *nf.* petite pelle ; pale ; truelle
paletada *nf.* pelletée
paletilla *nf.* omoplate
paliar *v. tr.* pallier
palidecer *v. intr.* pâlir
palidez *nf.* pâleur
pálido,-a *adj.* pâle
palillero *nm.* boîte à cure-dents *nf.* ; porte-plume
palillo *nm.* bâtonnet ; cure-dents *nm. inv.* ; baguette *nf.*
palisandro *nm.* palissandre
paliza *nf. (fam.)* raclée

palma *nf.* palme ; palmier *nm.* ; paume *nf.* *(de la main)* • *nmpl.* applaudissements
palmada *nf.* tape, petit coup *nm.*
palmar *adj.* palmaire • *nm.* palmeraie *nf.*
palmera *nf.* palmier *nm.*
palmo *nm.* empan
palmoteo *nm.* applaudissement
palo *nm.* bâton ; poteau ; mât ; bois ; quille *(de billard)*
palomar *nm.* pigeonnier ; sorte de ficelle *nf.*
palomo,-a *nm/f.* pigeon(ne) • *nf.* colombe
palpable *adj.* palpable
palpar *v. tr.* palper ; tâtonner
palpitación *nf.* palpitation
palpitar *v. intr.* palpiter
paludismo *nm.* paludisme
pampa *nf.* pampa
pamplina *nf.* mouron *nm. ; (fam.)* baliverne *nf.*
pan *nm.* pain ; blé ; feuille *nf. (d'or)*
panacea *nf.* panacée
panadería *nf.* boulangerie
panadero,-a *nm/f.* boulanger(ère)
panadizo *nm.* panaris
panal *nm.* rayon (de ruche)
Panamá *n. prop. m.* Panama
panameño,-ño *adj.* panaméen(ne) • *nm/f.* Panaméen(ne)
pancarta *nf.* pancarte ; banderole
páncreas *nm.* pancréas
pandero *nm.* tambour de basque
pandilla *nf.* bande ; ligue
panecillo *nm.* petit pain
panegírico *nm.* panégyrique
panel *nm.* panneau
pánfilo,-a *adj.* et *nm/f.* flemmard(e), mou, molle
pánico *nm.* panique *nf.*
panificar *v. tr.* panifier
panoplia *nf.* panoplie
panorama *nm.* panorama
pantalla *nf.* abat-jour *nm. inv. ; é*cran *nm.*
pantalón *nm.* pantalon ; culotte *nf.*
pantano *nm.* marais ; réservoir
panteísmo *nm.* panthéisme
panteón *nm.* panthéon
pantera *nf.* panthère
pantomima *nf.* pantomime
pantorrilla *nf.* mollet *nm.*
pantufla *nf.* pantoufle
panza *nf.* panse
pañal *nm.* lange • *nmpl.* couches *nfpl.*
paño *nm.* drap ; compresse *nf.* ; tenture *nf.* ; pan *nm. (de mur)* • *nmpl.* vêtements
pañoleta *nf.* fichu *nm.*
pañuelo *nm.* mouchoir
papa *nm.* pape • *nf.* pomme de terre
papá *nm.* papa
papada *nf.* double menton *nm.*
papagayo *nm.* perroquet
papal *adj.* papal(e)
papel *nm.* papier ; rôle *(de théâtre)* • *nmpl.* papiers
papeleo *nm.* paperasserie *nf.*
papelera *nf.* corbeille à papier
papelería *nf.* papeterie
papeleta *nf.* billet *nm. ;* bulletin *nm.*
papera *nf.* goître *nm.* • *nfpl.* oreillons *nmpl.*
papilla *nf.* bouillie
papiro *nm.* papyrus
papo *nm.* jabot
paquete *nm.* paquet ; ensemble, train (de mesures)
paquidermo *nm.* pachyderme
par *adj.* pair(e) ; égal(e) ; pareil(-le) • *nm.* paire *nf.* ; couple
para *prép.* pour ; sur le point de ; à • *conj.* pour, afin de
parabrisas *nm. inv.* pare-brise
paracaídas *nm. inv.* parachute
parachoques *nm. inv.* pare-chocs
parado,-a *adj.* au chômage • *nm/f.* chômeur(euse) • *nf.* arrêt *nm.* ; station *nf.*
paradoja *nf.* paradoxe *nm.*
paradójico,-a *adj.* paradoxal(e)
parador *nm.* relais, auberge *nf.* de luxe
parafina *nf.* paraffine
parafrasear *v. tr.* paraphraser
paraguas *nm. inv.* parapluie
Paraguay *n. prop. m.* Paraguay
paraguayo,-a *adj.* paraguayen(ne) • *nm/f.* Paraguayen(ne)
paraíso *nm.* paradis
paraje *nm.* endroit, contrée *nf.*
paralelo,-a *adj.* parallèle • *nm.* parallèle • *nf.* parallèle

parálisis *nf.* paralysie
paralítico,-a *adj. et nm/f.* paralytique
paralizar *v. tr.* paralyser
paramento *nm.* ornement
páramo *nm.* lande *nf.* ; désert *nm.*
parar *v. intr.* s'arrêter ; arrêter ; arriver à son terme ; tomber ; loger • *v. tr.* arrêter, parer • *v. pr.* s'arrêter
pararrayo *nm. inv.* paratonnerre
parásito,-a *adj. et nm/f.* parasite
parasol *nm.* parasol
parcela *nf.* parcelle
parcelar *v. tr.* parcelliser
parche *nm.* emplâtre ; expédient
parcial *adj.* partiel(le) ; partial(e)
parco,-a *adj.* sobre ; avare
pardo,-a *adj.* brun(e)
parecer *nm.* avis ; opinion *nf.* ; apparence *nf.* ; aspect *nm.*
parecer *v. intr.* paraître, se montrer ; apparaître ; sembler • *v. pr.* ressembler
parecido,-a *adj.* ressemblant(e)
pared *nf.* mur *nm.*
pareja *nf.* couple *nm.* • *nm/f.* cavalier(ière), danseur(euse)
parejo,-a *adj.* pareil(le)
parentela *nf.* parenté, parentèle
paréntesis *nm. inv.* parenthèse *nf.*
paridad *nf.* parité
pariente,-a *adj. et nm/f.* parent(e)
parisiense *adj. et nm/f.* parisien(ne)
paritario,-a *adj.* paritaire
parlamentar *v. intr.* parlementer
parlamentario,-a *adj. et nm/f.* parlementaire
parlamento *nm.* parlement ; tirade *nf.* *(théâtre)*
parlante *adj.* parlant(e)
parlería *nf.* verbiage *nm.*
parlero,-a *adj.* bavard(e)
paro *nm.* mésange *nf.* ; arrêt *nm.* ; chômage *nm.*
parodia *nf.* parodie
parpadear *v. intr.* cligner des yeux
párpado *nm.* paupière *nf.*
parque *nm.* parc
parqué *nm.* parquet
parquedad *nf.* parcimonie
parquímetro *nm.* parcmètre
parra *nf.* treille
parranda *nf.* fête, noce, bringue
parricidio *nm.* parricide
parrilla *nf.* gril *nm.*
párroco *nm.* curé
parroquia *nf.* paroisse ; clientèle
parsimonia *nf.* parcimonie ; circonspection
parte *nf.* partie ; côté *nm.* ; endroit *nm.* • *nm.* communiqué ; rapport
participación *nf.* participation ; faire-part *nm.*
participar *v. intr.* participer
participio *nm.* participe
partícula *nf.* particule
particular *adj.* particulier(ière), personnel(le) • *nm.* sujet, matière *nf.*
particularidad *nf.* particularité
partida *nf.* départ *nm. ;* acte *nm.* article *nm.* ; bande *nf.* ; troupe *nf.*, lot *nm.*
partidario,- a *adj. et nm/f.* partisan(e)
partido,-a *adj.* divisé(e) • *nm.* parti ; partie *nf. ;* match *nm.*
partir *v. tr.* diviser ; couper ; partager
parto *nm.* accouchement
pasa *nf.* raisin sec *nm.*
pasado,-a *adj.* passé(e) • *nm.* passé • *nf.* passage *nm.*
pasador,-a *adj. et nm/f.* passeur(euse) • *nm.* broche *nf.*, agrafe *nf. ;* verrou *nm.*
pasaje *nm.* passage
pasajero,-a *adj. et nm/f.* passager(ère)
pasaporte *nm.* passeport
pasar *v. intr.* passer ; arriver, se produire dépasser ; endurer • *v. pr.* passer
pasarela *nf.* défilé de mode *nm.*
pasatiempo *nm.* passe-temps
pascua *nf.* pâque ; Pâques
pase *nm.* permis ; passe *nf.*
pasear *v. tr.* promener • *v. pr.* se promener
paseo *nm.* promenade *nf.*
pasillo *nm.* corridor, couloir
pasión *nf.* passion
pasivo,-a *adj.* passif(ive) • *nm.* passif
pasmar *v. tr.* glacer, transir ; geler • *v. pr.* s'étonner
pasmoso,-a *adj.* étonnant(e)
paso *nm.* pas ; démarche *nf.* ; allure *nf.*
pasota *nm/f. (fam.)* je-m'en-foutiste

pasta *nf.* pâte ; reliure
pastar *v. tr.* paître
pastel *nm.* gâteau ; pâté ; tourte *nf.*
pastelería *nf.* pâtisserie
pastelero,-a *nm/f.* pâtissier(ière)
pasterizar *v. tr.* pasteuriser
pastilla *nf.* cachet *nm.*, pilule *nf.*
pastillero *nm.* boîte à pilules *nf.*
pastizal *nm.* pâturage
pasto *nm.* pâturage ; pâture *nf.*
pastor,-a *nm/f.* berger(ère) • *nm.* pasteur
pastoso,-a *adj.* pâteux(euse)
pata *nf.* patte, pied *nm.*
patada *nf.* coup de pied *nm.*
patalear *v. intr.* trépigner
patata *nf.* pomme de terre
patear *v. tr.* donner un coup de pied • *v. intr.* piétiner, trépigner
patentar *v. tr.* breveter, patenter
patente *adj.* évident(e) • *nf.* brevet *nm.*, patente *nf.*
paternal *adj.* paternel(le)
paternidad *nf.* paternité
patético,-a *adj.* pathétique
patilla *nf.* favori *nm.* ; branche *(de lunettes)*
patín *nm.* patin
patinaje *nm.* patinage
patinar *v. intr.* patiner ; déraper
patinazo *nm.* patinage ; dérapage ; bévue *nf.*
patio *nm.* cour *nf.* ; patio *nm.*
pato,-a *nm/f.* canard, cane
patología *nf.* pathologie
patoso,-a *adj.* pataud(e)
patria *nf.* patrie
patriarca *nm.* patriarche
patrimonio *nm.* patrimoine ; apanage
patriota *nm/f.* patriote
patriótico,-a *adj.* patriotique
patriotismo *nm.* patriotisme
patrocinar *v. tr.* patronner, parrainer
patrocinio *nm.* patronage, parrainage
patrón,-ona *mn/f.* patron(ne)
patronal *adj.* patronal(e) • *nf.* direction ; patronat *nm.*
patronato *nm.* patronage
patrono,-a *nm/f.* patron(ne)
patrulla *nf.* patrouille
paulatino,-a *adj.* lent(e)
pauta *nf.* règle ; modèle *nm.*
pavero,-a *nm/f.* poseur(euse)
pavimentar *v. tr.* paver
pavimento *nm.* pavage, pavement
pavo,-va *nm/f.* dindon, dinde
pavonearse *v. pr.* se pavaner
pavor *nm.* frayeur *nf.*
pavoroso,-a *adj.* effrayant(e)
payasada *nf.* clownerie, pantalonnade
payaso *nm.* clown, pitre
payés,-esa *nm/f.* paysan(ne)
paz *nf.* paix
peaje *nm.* péage
peatón *nm.* piéton
peatonal *adj.* piétonnier(ière)
peca *nf.* tache de rousseur
pecado *nm.* péché
pecar *v. intr* pécher
pecera *nf.* aquarium *nm.*
pectoral *adj.* pectoral(e)
peculiar *adj.* particulier(ière)
pechera *nf.* plastron *nm.* ; jabot *nm.*
pechero,-a *adj. et nm/f.* roturier(ière)
pecho *nm.* poitrine *nf. ;* cœur *nm.* ; courage *nm.* ; gorge *nf. ;* sein *nm.*
pechuga *nf.* blanc de volaille *nm.*
pedagogía *nf.* pédagogie
pedal *nm.* pédale *nf.*
pedalear *v. intr.* pédaler
pedante *adj.* pédant(e)
pedantería *nf.* pédanterie
pedazo *nm.* morceau
pedestal *nm.* piédestal, socle
pedido *nm.* commande *nf.* ; demande *nf.*
pedir *v. tr.* demander, exiger
pedrada *nf.* coup de pierre *nm.*
pedregal *nm.* terrain pierreux
pedrera *nf.* carrière
pedrería *nf.* pierres précieuses *nfpl.*
pedrisco *nm.* grêle *nf.*
pega *nf.* collage *nm.* ; colle *nf.*
pegadizo,-a *adj.* collant(e)
pegar *v. tr.* coller ; fixer ; frapper, battre
pegatina *nf.* autocollant *nm.*
pegote *nm.* emplâtre
peinado *nm.* coiffure *nf.*

peinador,-a *adj. et nm/f.* coiffeur(euse) • *nm.* peignoir
peine *nm.* peigne
peladilla *nf.* dragée
pelado,-a *adj.* pelé(e) ; tondu(e)
pelaje *nm.* pelage, robe *nf.*
pelar *v. tr.* tondre, peler ; dépouiller
peldaño *nm.* marche *nf.* ; échelon *nm.*
pelea *nf.* combat *nm.* ; dispute *nf.*
pelear *v. intr.* combattre ; lutter • *v. pr.* se battre ; se disputer
pelele *nm.* mannequin ; pantin
peletería *nf.* pelleterie
pelicano *nm.* pélican
película *nf.* pellicule ; film *nm.*
peligro *nm.* danger, péril
peligroso,-a *adj.* dangereux(euse)
pellejo *nm.* peau *nf.*
pellizco *nm.* pincement ; pinçon
pelo *nm.* poil ; cheveux *nmpl.*
pelota *nf.* balle ; ballon *nm.* ; pelote *nf.* basque
pelotón *nm.* peloton
peluca *nf.* perruque
peludo,-a *adj.* poilu(e)
peluquería *nf.* salon de coiffure *nm.*
peluquero,-a *nm/f.* coiffeur(euse)
pelusa *nf.* duvet *nm. (plantes) ;* peluche
pena *nf.* peine
penal *adj.* pénal(e) • *nm.* pénitencier
penar *v. tr.* punir • *v. intr.* souffrir
pender *v. intr.* pendre
pendiente *adj.* pendant(e) • *nm.* boucle d'oreilles *nf.* • *nf.* pente
péndulo *nm.* pendule, balancier
pene *nm.* pénis
penetrante *adj.* pénétrant(e)
penetrar *v. tr. et intr.* pénétrer • *v. pr.* se pénétrer
península *nf.* péninsule, presqu'île
penitencia *nf.* pénitence
penitente *adj. et nm/f.* pénitent(e)
penoso,-a *adj.* pénible
pensamiento *nm.* pensée *nf.*
pensar *v. tr. et v. intr.* penser
pensativo,-a *adj.* pensif(ive)
pensión *nf.* pension ; bourse
pensionista *nm/f.* pensionnaire
penúltimo,-a *adj.* avant-dernier(ière)
penumbra *nf.* pénombre
peña *nf.* rocher *nm.* ; bande *nf.* d'amis
peñón *nm.* rocher
peón *nm.* manœuvre ; ouvrier agricole ; pion
peonza *nf.* toupie
peonía *nf.* pivoine
peor *adj.* pire • *adv.* pis ; pire
pepinillo *nm.* cornichon
pepino *nm.* concombre
pepita *nf.* pépin *nm. (de fruit)* ; pépite *nf. (d'or)*
pequeño,-a *adj. et nm/f.* petit(e)
pera *nf.* poire
peral *nm.* poirier
percance *nm.* contretemps, incident
percatarse *v. pr.* s'apercevoir de qqch.
percibo *nm.* perception *nf.*
percusión *nf.* percussion
percutir *v. tr.* percuter
percha *nf.* perche ; cintre *nm. ;* porte-manteau *nm.*
perdedor,-a *adj. et nm/f.* perdant(e)
perder *v. tr.* perdre ; rater • *v. intr.* perdre ; déteindre ; baisser • *v. pr.* se perdre ; manquer
pérdida *nf.* perte
perdido,-a *adj.* perdu(e) • *nm.* voyou
perdigón *nm.* plomb *(de chasse) ;* perdreau
perdiz *nf.* perdrix
perdón *nm.* pardon
perdonar *v. tr.* pardonner
perdurable *adj.* éternel(le) ; durable
perdurar *v. intr.* durer ; perdurer
perecer *v. intr.* périr
peregrinación *nf.* pèlerinage *nm.*
peregrinar *v. intr.* partir en pèlerinage
peregrino,-a *adj. et nm/f.* pèlerin
perejil *nm.* persil
perenne *adj.* perpétuel(le), permanent(e)
pereza *nf.* paresse
perfección *nf.* perfection
perfeccionar *v. tr.* perfectionner • *v. pr.* se perfectionner
perfecto,-a *adj.* parfait(e)
perfil *nm.* profil ; délié *(d'une lettre)*
perfilar *v. tr.* profiler ; affiner ; parfaire • *v. pr.* se profiler

perforación *nf.* perforation ; forage *nm.*
perforar *v. tr.* perforer
perfumador *nm.* brûle-parfum
perfumar *v. tr.* parfumer
perfume *nm.* parfum
perfumería *nf.* parfumerie
pergamino *nm.* parchemin • *nmpl.* parchemins, peau *nf.* d'âne
pericia *nm.* compétence, habileté
perico *nm.* perruche *nf.*
periferia *nf.* périphérie
perífrasis *nf.* périphrase
perilla *nf.* barbiche, bouc *nm.*
perímetro *nm.* périmètre
periódico,-a *adj.* périodique • *nm.* journal
periodismo *nm.* journalisme
periodista *nm/f.* journaliste
período *nm.* période *nf.*
peripecia *nm.* péripétie
periplo *nin.* périple
periquete (en un) *loc. adv. (fam.)* en un clin d'œil
periquito *nm.* perruche *nf.*
peritación *nf.* expertise
perito,-a *adj.* expert(e) • *nm.* expert
perjudicar *v. tr.* porter préjudice
perjuicio *nm.* dommage, préjudice
perjurio *nm.* parjure
perla *nf.* perle
permanecer *v. intr.* demeurer, rester
permanencia *nf.* permanence ; séjour *nm.*
permanente *adj.* permanent(e)
permeable *adj.* perméable
permiso *nm.* autorisation *nf.* ; permission *nf.*
permitir *v. tr.* permettre
pernicioso,-a *adj.* pernicieux(euse)
pernil *nm.* cuisse *nf.* *(d'animal)* ; jambon
pero *conj.* mais • *nm.* *(fam.)* défaut
perol *nm.* casserole *nf.* ; marmite *nf.*
perorata *nf.* laïus *nm.*
perpendicular *adj. et nf.* perpendiculaire
perpetua *nf.* immortelle *(fleur)*
perpetuidad *nf.* perpétuité
perpetuo,-a *adj.* perpétuel(le) ; éternel(le)
perplejidad *nf.* perplexité
perrera *nf.* chenil *nm.*, fourgon *nm.* de fourrière
perro,-a *nm.* chien(ne)
persecución *nf.* poursuite ; persécution
perseguir *v. tr.* poursuivre ; persécuter
perseverancia *nf.* persévérance
perseverar *v. intr.* persévérer
persiana *nf.* persienne ; store *nm.*
persignar *v. tr.* faire le signe de croix • *v. pr.* se signer
persistente *adj.* persistant(e)
persistir *v. intr.* persister
persona *nf.* personne
personaje *nm.* personnage
personal *adj.* personnel(le) • *nm.* personnel
personalidad *nf.* personnalité
perspicaz *adj.* perspicace
persuadir *v. tr.* persuader • *v. pr.* se persuader de
persuasión *nf.* persuasion
pertenecer *v. intr.* appartenir
pertenencia *nf.* appartenance • *nfpl.* biens *nmpl.*
pértiga *nf.* perche
pertinente *adj.* pertinent(e)
perturbación *nf.* perturbation ; émotion ; trouble *nm.*
perturbar *v. tr.* perturber ; émouvoir ; toucher
Perú *n. prop. m.* Pérou
peruano,-a *adj.* péruvien(ne) • *nm/f.* Péruvien(ne)
pervertir *v. tr.* pervertir
pesa *nf.* poids *nm.* *(balance, horloge)* • *nfpl.* haltères *nmpl.*
pesadez *nf.* pesanteur ; lourdeur
pesadilla *nf.* cauchemar *nm.*
pesado,-a *adj.* lourd(e) ; ennuyeux(se) ; pénible
pesadumbre *nf.* chagrin *nm.*
pésame *nm.* condoléances *nfpl.*
pesar *v. tr.* peser ; regretter ; • *v. intr.* peser • *nm.* chagrin ; regret • *loc. prép.* ***a pesar de*** malgré • *loc. conj.* ***a pesar de que*** bien que
pesca *nf.* pêche
pescadería *nf.* poissonnerie
pescadilla *nf.* merlan *nm.*

pescado *nm.* poisson
pescador,-a *adj. et nm/f.* pêcheur(se)
pescar *v. tr.* pêcher ; attraper
pesebre *nm.* mangeoire *nf.* ; crèche *nf.*
peseta *nf.* peseta
pesimismo *nm.* pessimisme
pésimo,-a *adj.* très mauvais(e)
peso *nm.* poids ; balance ; peso *(monnaie)*
pesquisa *nf.* enquête, recherche
pestaña *nf.* cil *nm.*
pestañear *v. intr.* ciller, cligner des yeux
peste *nf.* peste ; invasion ; *(fam.)* puanteur
pestilencia *nf.* pestilence
pestillo *nm.* targette *nf. ;* verrou
petaca *nf.* blague *(à tabac) ;* flasque ; *(h. am.)* malle
pétalo *nm.* pétale
petardo *nm.* pétard
petición *nf.* demande ; pétition
peto *nm.* plastron ; bavette *nf.* ; salopette *nf.*
petrificar *v. tr.* pétrifier
petróleo *nm.* pétrole
petrolero,-a *adj.* pétrolier(ière) • *nm.* pétrolier
petulante *adj.* outrecuidant(e)
peyorativo,-a *adj.* péjoratif(ive)
pez *nm.* poisson • *nf. poix*
pezuña *nf.* sabot *nm. (d'animal) ;* pied *nm.* fourchu *(d'animaux)*
piadoso,-a *adj.* pieux(euse)
pianista *nm/f.* pianiste
piano *nm.* piano
piar *v. intr.* piailler
pica *nf.* pique ; pic *nm. (outil)*
picado,-da *adj.* piqué(e) ; carié(e) haché(e) ; *(fam.)* vexé(e) • *nf.* coup de bec *nm.* ; piqûre *nf.*
picador *nm.* picador ; dresseur de chevaux
picante *adj.* piquant(e)
picaporte *nm.* heurtoir ; loquet
picar *v. tr* piquer ; hacher ; piler ; grignoter ; picorer ; composter • *v. intr.* piquer ; picorer ; *(fam.)* se faire avoir • *v. pr.* se piquer, se fâcher
picardía *nf.* malice
pícaro *adj. et nm/f.* vaurien(ne) ; voyou ; malin(igne)
pico *nm.* bec ; pointe *nf.* ; sommet, pic *nm.*
picotear *v. tr.* picorer ; grignoter
pictórico,-a *adj.* pictural(e)
pie *nm.* pied
piedad *nf.* pitié ; piété
piedra *nf.* pierre ; calcul *nm.*
piel *nf.* peau ; fourrure
pierna *nf.* jambe ; cuisse ; gigot *nm.*
pieza *nf.* pièce
pigmento *nm.* pigment
pijama *nm.* pyjama
pila *nf.* pile ; bassin *nm.* ; évier *nm.*
pilar *nm.* pilier • *v. tr.* broyer, piler
pillada *nf.* filouterie *(fam.)*
pillaje *mn.* pillage
pillar *v. tr.* piller ; attraper • *v. pr.* se prendre ; se coincer
pillo,-a *adj. et nm/f.* coquin(e)
pimentón *nm.* piment rouge ; poivron
pimiento *nm.* piment ; poivron
pimpollo *nm.* pousse *nf.* ; bouton *nm. (fleur) (fam.)* ; beau garçon, belle fille
pinar *nm.* pinède *nf.*
pincel *nm.* pinceau
pincelada *nf.* coup de pinceau *nm.*
pinchar *v. tr.* piquer ; crever ; • *v. pr.* se faire faire une piqûre
pinchazo *nm.* piqûre *nf.* ; crevaison *nf.*
pinche *nm.* marmiton
pincho *nm.* pointe *nf.* ; épine *nf.*
pingüe *adj.* graisseux(euse) ; abondant(e)
pingüino *nm.* pingouin
pino *nm.* pin
pintado,-a adj. peint(e) ; tacheté(e) ; maquillé(e) • *nf.* pintade ; graffiti *nm.*
pintar *v. tr.* peindre ; décrire, dépeindre • *v. intr.* avoir de l'importance • *v. pr.* se maquiller
pintor,-a *nm/f.* peintre *nm.*
pintoresco,-a *adj.* pittoresque
pintura *nf.* peinture
pinza *nf.* pince
pinzón *nm.* pinson
piña *nf.* pomme de pin ; ananas *nm.*
piñón *nm.* pignon *(graine)*
pío,-a *adj.* pieux(euse) • *nm.* pépiement

piojo *nm.* pou
pipa *nf.* pipe ; tonneau *nm.* ; pépin *nm.* grain *nm.*
pipí *nm.* pipi
piquete *nm.* piquet ; piqûre *nf.*
piragua *nf.* pirogue ; canoë *nm.*
piragüismo *nm.* canoë-kayak
pirámide *nf.* pyramide
pirata *nm.* pirate
piratería *nf.* piraterie
piropo *nm.* *(fam.)* galanterie *nf.* ; compliment *nm.*
pirueta *nf.* pirouette
pisada *nf.* pas *nm.* ; foulée *nf.*
pisapapeles *nm. inv.* presse-papiers
pisar *v. tr.* marcher sur ; fouler ; appuyer sur
piscina *nf.* piscine
piso *nm.* étage ; appartement ; plancher
pisotear *v. tr.* piétiner ; bafouer
pista *nf. piste*
pistacho *nm.* pistache *nf.*
pistola *nf.* pistolet *nm.*
pistolero *nm.* bandit
pistón *nm.* piston
pitada *nf.* coup de sifflet *nm.*
pitar *v. intr.* siffler
pitillera *nf.* porte-cigarettes *nm. inv.*
pitillo *nm.* cigarette *nf.*
pito *nm.* sifflet
pitón *nm.* python
pizarra *nf.* ardoise ; tableau *nm.* noir
placa *nf.* plaque ; panneau *nm.*
pláceme *nm.* félicitation *nf.*
placentero,-a *adj.* plaisant(e)
placer *nm.* plaisir • *v. tr.* plaire
plácido,-a *adj.* placide
plaga *nf.* fléau *nm.*, plaie *nf.*
plan *nm.* plan ; projet
plana *nf.* page
plancha *nf.* plaque ; fer à repasser *nm.* ; planche *nf.*
planchado *nm.* repassage
planchar *v. tr.* repasser
planear *v. tr.* planer ; planifier ; faire des projets
planeta *nm.* planète *nf.*
planicie *nf.* plaine
planisferio *nm.* planisphère
plano,-a *adj.* plat(e) ; plan(e)
planta *nf.* plante ; étage *nm.* ; usine *nf.*
plantar *v. tr.* planter ; *(fam.)* flanquer ; plaquer *(qqn)* • *v. pr.* se planter ; arriver
plantear *v. tr.* poser, projeter, envisager
plantilla *nf.* semelle ; patron *nm.* *(modèle)* ; effectif *nm.*
plasmar *v. tr.* exprimer • *v. pr.* se concrétiser
plástico,-a *adj.* plastique • *nm.* plastique • *nf.* plastique
plata *nf.* argent *nm.* ; argenterie *nf.* ; *(h. am.)* argent *nm.* *(monnaie)*
plataforma *nf.* plate-forme
plátano *nm.* bananier ; banane *nf.* ; platane
plateado,-a *adj.* argenté(e)
platería *nf.* orfèvrerie
platero *nm.* orfèvre
plática *nf.* conversation
platija *nf.* limande
platillo *nm.* soucoupe *nf.* ; plateau *nm.* • *nmpl.* cymbales *nfpl.*
platina *nf.* platine
platino *nm.* platine *(métal)*
plato *nm.* assiette *nf.* ; plat *nm.* *(mets)*
plató *nm.* plateau *(de cinéma)*
plausible *adj.* plausible
playa *nf.* plage
plaza *nf.* place
plazo *nm.* délai ; échéance *nf.*
plebe *nf.* plèbe
plebiscito *nm.* plébiscite
plegable *adj.* pliant(e)
plegar *v. tr.* plier ; plisser • *v. pr.* se soumettre
plegaria *nf.* prière
pleitear *v. tr.* plaider
pleito *nm.* litige
plenario,-a *adj.* plénier(ière)
plenitud *nf.* plénitude
pleno,-a *adj.* plein(e) • *nm.* séance plénière *nf.*
pliego *nm.* feuille *(de papier) nf.* ; pli *nm.*
pliegue *nm.* pli
plomada *nf.* fil à plomb *nm.*
plomero *nm.* plombier
plomizo,-a *adj.* plombé(e)
plomo *nm.* plomb

pluma *nf.* plume
plumaje *nm.* plumage
plumero *nm.* plumeau ; plumier
plumón *nm.* duvet ; édredon
plural *adj.* pluriel(le) • *nm.* pluriel
pluriempleo *nm.* cumul d'emplois
plus *nm.* prime *nf. ;* supplément *nm.*
plusvalía *nf.* plus-value
pluvial *adj.* pluvial(e)
población *nf.* peuplement *nm.,* population ; localité
poblado *nm.* localité *nf. ;* village *nm.*
poblador,-a *adj. et nm/f.* habitant(e)
poblar *v. tr.* peupler
pobre *adj. et nm/f.* pauvre
pobreza *nf.* pauvreté
poco,-a *adj.* peu de • *adv.* peu
podadera *nf.* serpe ; sécateur *nm.*
podar *v. tr.* élaguer, tailler
poder *v. tr.* pouvoir • *v. impers.* être possible • *v. intr.* supporter, venir à bout
poder *nm.* pouvoir ; puissance *nf.*
poderoso,-a *adj. et nm/f.* puissant(e)
podio *nm.* podium
poema *nm.* poème
poesía *nf.* poésie
poeta *nm.* poète
poetisa *nf.* poétesse
polea *nf.* poulie
polémico,-a *adj. et nf.* polémique
polen *nm.* pollen
polichinela *nm.* polichinelle
policía *nf.* police ; politesse • *nm/f.* policier
policromo,-a *adj.* polychrome
polifonía *nf.* polyphonie
poligamia *nf.* polygamie
poligloto,-a *adj. et nm/f.* polyglotte
polígono *nm. polygone*
polilla *nf.* mite
pólipo *nm.* polype
politeísmo *nm.* polythéisme
política *nf.* politique
político,-a *adj.* politique • *nm/f.* homme, femme politique
póliza *nf.* police *(assurances) ;* timbre fiscal *nm.*
polizón *nm.* passager clandestin
pollera *nf.* chariot d'enfant *nm. ; (h. am.)* jupe *nf.*
pollino *nm.* âne, baudet ; imbécile
pollo,-a *nm.* poulet, poule
polo *nm.* pôle ; polo
poltrón,-ona *adj.* paresseux(se) • *nf.* bergère *(fauteuil)*
polvareda *nf.* nuage de poussière *nm.*
polvera *nf.* poudrier *nm.*
polvo *nm.* poussière *nf.* ; poudre *nf.* ; prise *nf. (de tabac)*
pólvora *nf.* poudre *(explosif)*
polvoriento,-a *adj.* poussiéreux(se)
pomelo *nm.* pamplemousse ; pamplemoussier
pompa *nf.* apparat *nm.,* pompe
pómulo *nm.* pommette *nf.*
ponderar *v. tr.* examiner ; pondérer ; vanter
ponencia *nf.* rapport *nm. ;* exposé *nm.* charge de rapporteur
poner *v. tr.* mettre, placer, poser ; rendre ouvrir *(un magasin) ;* appeler *;* supposer • *v. pr.* se mettre, devenir, tomber
pontificado *nm.* pontificat
pontífice *nm.* pontife
popular *adj.* populaire
popularizar *v. tr.* populariser
por *prép.* par ; pour, à cause de ; comme ; afin de
porcelana *nf.* porcelaine
porcentaje *nm.* pourcentage
porcino,-a *adj.* porcin(e) • *nm.* porcelet
porción *nf.* portion ; part
pordiosero,-a *adj.* qui demande l'aumône • *nm/f.* mendiant(e)
porfiado,-a *adj.* obstiné(e)
pormenor *nm.* détail
pornografía *nf.* pornographie
poroso,-a *adj.* poreux(euse)
porque *conj.* parce que
porqué *nm.* pourquoi
porquería *nf.* cochonnerie
porra *nf.* massue ; matraque
porrazo *nm.* coup *(de massue)*
porro *nm. (fam.)* joint *(haschisch)*
portaaviones *nm. inv.* porte-avions
portada *nf.* frontispice *nm. ;* page de titre *nf.* ; portail *nm.*

portador,-a *adj. et nm/f.* porteur(euse)
portaequipajes *nm.* inv. porte-bagages
portal *nm.* entrée *nf.* ; vestibule *nm.* ; portique
portarse *v. pr.* se comporter, se conduire
portátil *adj.* portable
portavoz *nm.* porte-voix ; porte-parole *nm/f. inv.*
porte *nm.* allure *nf.*, port, maintien ; transport, port
portería *nf.* loge *(de concierge)* ; cage, but *nm. (sport)*
portero,-a *nm.* concierge ; portier(ière) • *nm.* huissier ; gardien de but *nm.*
portezuela *nf.* portillon *nm.* ; portière *nf.*
pórtico *nm.* portique
portorriqueño,-a *adj.* portoricain(e) • *nm/f.* Portoricain(e)
portugués,-esa *adj.* portugais(e) • *nm/f.* Portugais(e)
porvenir *nm.* avenir
posada *nf.* auberge ; hébergement *nm.* ; hospitalité *nf.*
posar *v. intr.* poser • *v. pr.* se poser
posdata *nf.* post-scriptum *nm. inv.*
poseer *v. tr.* posséder
posesión *nf.* possession
posible *adj.* possible
posición *nf.* position ; situation *(sociale)*
positivo,-a *adj.* positif(ive)
posponer *v. tr.* faire passer après ; reporter
posta *nf.* relais *nm. (de chevaux) ;* chevrotine *nf.*
postal *adj.* postal(e) • *nf.* carte postale
poste *nm.* poteau
postergar *v. tr.* ajourner, repousser
posterior *adj.* postérieur(e)
postigo *nm.* volet ; guichet
postizo,-a *adj.* faux (fausse) • *nm.* postiche
postración *nf.* prostration ; prosternation
postrar *v. tr.* abattre • *v. pr.* se prosterner
postre *nm.* dessert
postulado *nm.* postulat
postular *v. tr.* postuler ; réclamer
póstumo,-a *adj.* posthume
postura *nf.* posture ; position *(opinion)* ; enchère ; offre
potable *adj.* potable
potaje *nm.* plat de légumes secs
pote *nm.* marmite *nf.*
potencia *nf.* puissance
potencial *adj. et nm.* potentiel(le) • *nm.* conditionnel *(grammaire)*
potenciar *v. tr.* renforcer
potente *adj.* puissant(e)
potestad *nf.* puissance, pouvoir *nm.*
potro *nm.* poulain ; cheval d'arçon
pozo *nm.* puits
práctica *nf.* pratique ; méthode • *nfpl.* travaux pratiques *nmpl.* ; stage *nm.*
practicante *adj. et nm/f.* pratiquant(e) ; aide-soignant(e)
practicar *v. tr.* pratiquer ; faire • *v. intr.* faire un stage
práctico,-a *adj.* pratique, expérimenté(e)
pradera *nf.* prairie
pragmático,-a *adj. et nf.* pragmatique
preámbulo *nm.* préambule
precario,-a *adj.* précaire
precaución *nf.* précaution
precavido,-a *adj.* prévoyant(e)
precedente *adj. et nm.* précédent(e)
precepto *nm.* précepte
preceptor,-a *nm/f.* précepteur(trice)
preciar *v. tr.* apprécier • *v. pr.* se vanter
precio *nm.* prix
preciosidad *nf.* beauté, merveille
precioso,-a *adj.* précieux(euse) ; ravissant(e)
precipicio *nm.* précipice
precipitación *nf.* précipitation
precipitar *v. tr.* précipiter
precisar *v. tr.* préciser ; avoir besoin de ; obliger • *v. impers.* falloir
preciso,-a *adj.* précis(e) ; nécessaire
precocidad *nf.* précocité
precolombino,-a *adj.* précolombien(ne)
preconizar *v. tr.* préconiser
precoz *adj.* précoce
precursor,-a *adj.* précurseur, avant-coureur • *nm.* précurseur
predecesor,-a *nm/f.* prédécesseur *nm.*
predecir *v. tr.* prédire
predestinar *v. tr.* prédestiner
predicador,-a *nm/f.* prêcheur(euse)
predicar *v. tr.* prêcher

predicción *nf.* prédiction
predilecto,-a *adj.* préféré(e)
predisponer *v. tr.* prédisposer
predominio *nm.* prédominance *nf.*
preestablecido,-a *adj.* préétabli(e)
prefacio *nm.* préface *nf.*
prefecto *nm.* préfet
prefectura *nf.* préfecture
preferencia *nf.* préférence ; priorité
preferir *v. tr.* préférer
prefijo *nm.* préfixe ; indicatif
pregón *nm.* annonce *(publique) nf.* ; discours *nm.*
pregonar *v. tr.* annoncer publiquement
pregunta *nf.* question, demande
preguntar *v. tr.* demander ; questionner
prehistoria *nf.* préhistoire
prejuicio *nm.* préjugé
prejuzgar *v. tr.* préjuger
prelado *nm.* prélat
preliminar *adj. et nm.* préliminaire
prematuro,-a *adj.* prématuré(e)
premeditación *nf.* préméditation
premeditar *v. tr.* préméditer
premiar *v. tr.* récompenser
premio *nm.* prix ; récompense *nf.;* prime *nf.*
premisa *nf.* prémisse
premura *nf.* urgence
prenda *nf.* gage *nm.* ; vêtement *nm.* ; personne *nf.* très aimée
prender *v. tr.* prendre ; faire prisonnier ; accrocher • *v. intr.* prendre
prensa *nf.* presse
prensar *v. tr.* presser
preñado,-a *adj.* plein(e) ; enceinte
preocupación *nf.* préoccupation
preocupar *v. tr.* préoccuper
preparación *nf.* préparation
preparar *v. tr.* préparer • *v. pr.* se préparer
preparativos *nmpl.* préparatifs
preponderar *v. intr.* prédominer
preposición *nf.* préposition
presa *nf.* prise ; proie ; barrage *nm.* • *nfpl.* crocs *nmpl.* ; serres *nfpl.*
presagiar *v. tr.* présager
presbítero *nm.* prêtre
prescindir *v. intr.* se passer de ; faire abstraction de
prescribir *v. tr.* prescrire
presencia *nf.* présence ; prestance
presentación *nf.* présentation
presentador,-a *nm/f.* présentateur(trice)
presentar *v. tr.* présenter ; déposer • *v. pr.* se présenter
presente *adj. et nm.* présent(e)
presentir *v. tr.* pressentir
presidencia *nf.* présidence
presidente *nm.* président
presidio *nm.* bagne ; travaux forcés *nmpl.*
presidir *v. tr.* présider
presilla *nf.* bride
presión *nf.* pression
preso,-a *adj.* pris(e) • *nm/f.* prisonnier(ière)
préstamo *nm.* prêt ; emprunt
prestancia *nf.* prestance
prestatario,-a *nm/f.* prestataire ; emprunteur(euse)
prestar *v. tr.* prêter
prestidigitación *nf.* prestidigitation
prestigio *nm.* prestige
presumido,-a *adj.* présomptueux(euse) ; coquet(te)
presumir *v. tr.* présumer • *v. intr.* faire l'important(e)
presunción *nf.* présomption
presuntuoso,-a *adj.* présomptueux(euse)
presuponer *v. tr.* présupposer
presupuesto *nf.* budget, devis • supposition *nf.*
pretender *v. tr.* solliciter ; prétendre
pretensión *nf.* prétention
pretexto *nm.* prétexte
prevaler *v. intr.* prévaloir • *v. pr.* se prévaloir
prevención *nf.* préjugé *nm.*, prévention *nf.*, précaution *nf.*
prevenir *v. tr.* prévenir • *v. pr.* se préparer
prever *v. tr.* prévoir
previo,-a *adj.* préalable
previsión *nf.* prévision
primario,-a *adj. et nm.* primaire
primavera *nf.* printemps *nm.* ; primevère *nf.*

primero *adv.* premièrement, d'abord
primero,-a *adj. et nm/f.* premier(ière)
primitivo,-a *adj. et nm/f.* primitif(ve)
primo,-a *adj.* premier(ière) • *nm/f.* cousin(e) • *nf.* prime
primor *nm.* délicatesse *nf.* ; splendeur *nf.*
primordial *adj.* primordial(e)
princesa *nf.* princesse
principado *nm.* principauté *nf.*
principal *adj.* principal(e)
príncipe *nm.* prince
principiar *v. tr. et intr.* commencer
principio *nm.* commencement ; principe
priori (a) *loc. adv.* a priori
prioridad *nf.* priorité
prisa *nf.* hâte
prisión *nf.* prison
prisionero,-a *nm/f.* prisionnier(ière)
prisma *nm.* prisme
privación *nf.* privation
privado,-a *adj.* privé(e) ; particulier(ière)
privar *v. tr.* priver, interdire • *v. pr.* se priver
privilegio *nm.* privilège
proa *nf.* proue
probabilidad *nf.* probabilité
probable *adj.* probable
probador *nm.* cabine d'essayage *nf.*
probar *v. tr.* prouver ; éprouver ; goûter ; essayer
probeta *nf.* éprouvette
problema *nm.* problème
procedencia *nf.* origine, provenance
proceder *nm.* procédé, comportement
proceder *v. intr.* procéder ; provenir ; convenir
procedimiento *nm.* procédé, méthode *nf.* ; procédure *nf.*
procesión *nf.* procession
proceso *nm.* procès ; processus ; procédé
proclama *nf.* proclamation
proclamar *v. tr.* proclamer
proclive *adj.* enclin(e)
procrear *v. tr.* procréer
procurador *nm.* procureur ; avoué
procurar *v. tr.* s'efforcer de, essayer de procurer • *v. pr.* se procurer
prodigar *v. tr.* prodiguer
producción *nf.* production
producir *v. tr.* produire • *v. pr.* se produire
productividad *nf.* productivité
producto *nm.* produit
productor,-a *adj. et nm/f.* producteur(trice)
proeza *nf.* prouesse
profanar *v. tr.* profaner
profano,-a *adj.* profane
profecía *nf.* prophétie
profesar *v. tr.* professer
profesión *nf.* profession
profesional *adj. et nm/f.* professionnel(le)
profesor,-a *nm/f.* professeur
prófugo,-a *adj. et nm/f.* fugitif(ive)
profundidad *nf.* profondeur
profundo,-a *adj.* profond(e)
profusión *nf.* profusion
programa *nm.* programme
programador,-a *nm/f.* programmateur *nm.* ; programmeur *nm.*
progresar *v. intr.* progresser
progresivo,-a *adj.* progressif(-ive)
progreso *nm.* progrès
prohibir *v. tr.* défendre, interdire
prohijamiento *nm.* adoption *nf.*
prohijar *v. tr.* adopter
prójimo *nm.* autrui, prochain
proletariado *nm.* prolétariat
prolífico,-a *adj.* prolifique
prolijo,-a *adj.* prolixe
prólogo *nm.* préface *nf.* ; prologue *nm.*
prolongación *nf.* prolongation *nf.*, prolongement *nm.*
prolongar *v. tr.* prolonger
promedio *nm.* milieu ; moyenne *nf.*
promesa *nf.* promesse
prometer *v. tr. et intr.* promettre • *v. pr.* se fiancer
prominente *adj.* proéminent(e)
promiscuidad *nf.* prosmiscuité
promoción *nf.* promotion
promotor,-a *adj. et nm/f.* promoteur(trice)
promover *v. tr.* promouvoir
promulgar *v. tr.* promulguer
pronombre *nm.* pronom
pronosticar *v. tr.* pronostiquer

pronóstico *nm.* pronostic ; prévision *nf.*
pronto,-a *adj.* prompt(e) ; rapide ; prêté(e) • *nm.* mouvement d'humeur • *adv.* vite, tôt, bientôt
pronunciar *v. tr.* prononcer • *v. pr.* s'insurger
propicio,-a *adj.* propice
propiedad *nf.* propriété
propietario,-a *adj. et nm/f.* propriétaire
propina *nf.* pourboire *nm.*
propio,-a *adj.* propre ; lui-même, elle-même
proponer *v. tr.* proposer
proporción *nf.* proportion
propuesta *nf.* proposition
propugnar *v. tr.* défendre, soutenir
propulsor *nm.* propulseur
prórroga *nf.* prorogation ; prolongation
prosa *nf.* prose
proscenio *nm.* avant-scène *(de théâtre)*
proscribir *v. tr.* proscrire
proseguir *v. tr. et intr.* continuer
proselitismo *nm.* prosélytisme
prospeccionar *v. tr.* prospecter
prospecto *nm.* prospectus
prosperar *v. intr.* prospérer
prosperidad *nf.* prospérité
próstata *nf.* prostate
protagonismo *nm.* rôle
protagonista *nm/f.* protagoniste ; héros *nm.*, héroïne *nf.*
protección *nf.* protection
proteccionisino *nm.* protectionnisme
protector,-a *adj. et nm/f.* protecteur(trice)
proteger *v. tr.* protéger
proteína *nf.* protéine
prótesis *nf.* prothèse
protesta, protestación *nf.* protestation
protestante *adj. et nm/f.* protestant(e) protestataire
prostituir *v. tr.* prostituer • *v. pr.* se prostituer
prostituta *nf.* prostituée
protocolo *nm.* protocole
prototipo *nm.* prototype
provecho *nm.* profit
provechoso,-a *adj.* profitable
proveer *v. tr.* fournir, pourvoir
provenir *v. intr.* provenir
proverbio *nm.* proverbe
providencia *nf.* providence ; disposition
provincia *nf.* province ; département *nm.*
provincial *adj.* provincial(le)
provisión *nf.* provision
provisional *adj.* provisoire
provocar *v. tr.* provoquer
provocativo,-a *adj.* provocant(e)
proximidad *nf.* proximité
próximo,-a *adj.* proche ; prochain(e)
proyectar *v. tr.* projeter ; envisager
proyectil *nm.* projectile
proyecto *nm.* projet
prudencia *nf.* prudence
prudente *adj.* prudent(e)
psicoanálisis *nm.* psychanalyse *nf.*
psicología *nf.* psychologie
psicólogo,-a *nm/f.* psychologue
psicosis *nf.* psychose
psiquiatría *nf.* psychiatrie
psíquico,-a *adj.* psychique
pubertad *nf.* puberté
publicación *nf.* publication
publicar *v. tr.* publier
publicidad *nf.* publicité
público,-a *adj.* public(que) • *nm.* public
puchero *nm.* marmite *nf.*, pot-au-feu *nm.*
pudor *nm.* pudeur *nf.*
pudrir *v. tr.* pourrir, putréfier • *v. pr.* pourrir
pueblerino,-a *adj. et nm/f.* villageois(e)
pueblo *nm.* village ; peuple
puente *nm.* pont
puerco,-a *adj.* dégoûtant(e) • *nm/f.* porc, truie
puerro *nm.* poireau
puerta *nf.* porte
pues *conj.* car ; puisque ; donc ; eh bien !
puesto,-a *adj.* mis(e) • *nm.* poste, situation *nf.* ; étal *nm.* ; kiosque *nm.* • *nf.* coucher *nm.* *(du soleil)*
pugna *nf.* lutte
pujar *v. tr.* enchérir, surenchérir ; lutter
pulga *nf.* puce *(animal)*
pulido,-a *adj.* poli(e), beau (belle), élégant(e), soigné(e)
pulir *v. tr.* polir, peaufiner
pulmón *nm.* poumon

pulmonía *nm.* pneumonie
pulpa *nf.* pulpe
púlpito *nm.* chaire *nf.*
pulpo *nm.* poulpe, pieuvre *nf.*
pulsación *nf.* pulsation
pulsar *v. tr.* tâter le pouls ; appuyer sur ; sonder
pulsera *nf.* bracelet *nm.*
pulverizador *nm.* pulvérisateur
puma *nm.* puma
punta *nf.* pointe
puntada *nf.* point *nm. (couture)*
puntapié *nm.* coup de pied
puntear *v. tr.* pointer ; pincer
puntera *nf.* bout *nm.*
puntiagudo,-a *adj.* pointu(e)
puntilla *nf.* dentelle fine
punto *nm.* lieu ; instant ; but
puntual *adj.* ponctuel(le)
puntuar *v. tr.* ponctuer
punzada *nf.* point *nm.* de côté
punzar *v. tr.* piquer
puñado *nm.* poignée *nf.*
puñalada *nf.* coup *nm.* de poignard
puñetazo *nm.* coup de poing
puño *nm.* poing ; poignet
pupa *nf.* bouton *nm. (sur la peau), (fam.)* bobo *nm.*
pupila *nf.* pupille ; prunelle
pupitre *nm.* pupitre
puré *nm.* purée *nf.*
pureza *nf.* pureté
purgar *v. tr.* purger
purgatorio *nm.* purgatoire
purificación *nf.* purification
purificar *v. tr.* purifier
puritano,- a *adj. et nm/f.* puritain(e)
puro,-a *adj.* pur(e) • *nm.* cigare
púrpura *nf.* pourpre *nm.*
purulento,-a *adj.* purulent(e)
pus *nm.* pus
pusilánime *adj.* pusillanime
pústula *nf.* pustule
putrefacción *nf.* putréfaction
pútrido,-a *adj.* putride
puyazo *nm.* coup de pique

Q

q *nf.* q *nm. inv.*
que *pron. rel.* ; qui ; que quel(le) quels(lles) ; quoi • *conj.* que ; de ; car
quebrada *nf.* ravin *nm.*
quebrado,-a *adj.* brisé(e) ; affaibli(e) ; accidenté(e)
quebradura *nf.* brisure ; hernie
quebrantamiento *nm.* brisement ; concassage ; *(fig)* transgression *nf.* infraction *nf.* ; violation *nf.*
quebrantar *v. tr.* casser, rompre ; broyer ; transgresser, enfreindre ; abattre
quebrar *v. tr.* casser, rompre ; plier ; adoucir ; faire faillite • *v. pr.* se briser ; se casser
queda *nf.* couvre-feu *nm.*
quedar *v. tr.* rester ; devenir ; décider ; prendre • *v. pr.* garder
quehacer *nm.* travail, occupation *nf.*
queja *nf.* plainte
quejarse *pr.* se plaindre
quejido *nm.* plainte *nf.*
quemar *v. tr.* brûler ; dilapider ; griller • *v. pr.* brûler ; se brûler ; être exaspéré
quepis *nm.* képi
querella *nf.* plainte
querer *nm.* amour
querer *v. tr.* vouloir ; aimer
querido,-a *adj.* cher, chère • *nm/f.* amant, maîtresse
quesera *nf.* fromagerie ; cloche à fromage
quesería *nf.* fromagerie
queso *nm.* fromage
quevedos *nmpl.* lorgnon *nm.*
quicio *nm.* gond
quid pro quo *nm.* quiproquo
quiebra *nf.* brisure ; faillite
quien, quienes *pron. rel.* que, dont • *pron. interr./exclamat.* qui

quienquiera *pron. indéf.* quiconque
quieto,-a *adj.* calme ; immobile
quilate *nm.* carat
quilo *nm.* kilo
quilla *nf.* quille *(bateau)*
quimera *nf.* chimère
química *nf.* chimie
químico,-a *adj.* chimique • *nm/f.* chimiste
quince *adj. et nm. inv.* quinze
quincena *nf.* quinzaine
quincenal *adj.* bimensuel(le)
quinientos,-as *adj. et nm.* cinq cents
quinina *nf.* quinine
quinquenal *adj.* quinquennal(e)
quinquenio *nm.* quinquennat
quintaesencia *nf.* quintessence
quintal *nm.* quintal
quinteto *nm.* quintette
quinto,-a *adj. et nm.* cinquième • *nm.* recrue *nf.* ; conscrit *nm.* • *nf.* maison de campagne
quíntuplo,-a *adj. et nm.* quintuple
quiosco *nm.* kiosque
quiquiriquí *nm.* cocorico
quirófano *nm.* bloc opératoire
quiromancia *nf.* chiromancie
quirúrgico,-a *adj.* chirurgical(e)
quisquilloso,-a adj. pointilleux(euse)
quiste *nm.* kyste
quitamanchas *nm. inv.* détachant
quitar *v. tr.* enlever ; empêcher ; libérer • *v. pr.* enlever ; renoncer à
quitasol *nm.* parasol
quite *nm.* parade *nf.* *(escrime)*
quizá, quizás *adv.* peut-être

R

r *nf.* r *nm. inv.*
rábano *nm.* radis
rabia *nf.* rage ; colère
rabieta *nf.* accès de colère *nm.*
rabioso,-a *adj.* enragé(e) ; furieux(euse)
rabo *nm.* queue *nf.*
racial *adj.* racial(e)
raciocinio *nm.* raison *nf.* ; raisonnement *nm.*
ración *nf.* ration
racional *adj.* raisonnable ; rationnel(le)
radar *nm.* radar
radiación *nf.* radiation
radiactivo,-a *adj.* radioactif(ive)
radiador *nm.* radiateur
radical *adj. et nm.* radical(e)
radicar *v. intr.* être situé(e) ; résider dans
radiodifusión *nf.* radiodiffusion
radiofonía *nf.* radiophonie
radiografía *nf.* radiographie
radiólogo *nm.* radiologue
radioyente *nm/f.* auditeur(trice)
raer *v. tr.* racler
ráfaga *nf.* rafale
rafia *nf.* raphia *nm.*
raído,-a *adj.* râpé(e)
raíz *nf.* racine
raja *nf.* fente ; fissure ; tranche, rondelle
rajar *v. tr.* fendre ; fissurer • *v. pr.* se fendre, se fissurer
rallador *nm.* râpe *nf.*
rallar *v. tr.* râper
rama *nf.* branche
ramaje *nm.* branchage
rambla *nf.* ravin *nm.* ; cours *nm.*, avenue *nf.*
ramificación *nf.* ramification
ramificarse *v. pr.* se ramifier
ramo *nm.* rameau ; bouquet ; branche *nf.*
rampa *nf.* crampe ; rampe
rana *nf.* grenouille
rancio,-a *adj.* aigre ; rance ; ancien(ne)
ranura *nf.* fente, rainure
rapacidad *nf.* rapacité
rapadura, rapamiento *nm.* rasage *nm.*, tonte *nf.*
rapar *v. tr.* raser ; tondre
rapé *nm.* tabac à priser
rape *nm.* baudroie *nf.* ; lotte *nf.*
rapidez *nf.* rapidité
rápido,-a *adj.* rapide
rapiña *nf.* rapine

rapsodia *nf.* rhapsodie
raptar *v. tr.* enlever, kidnapper
rapto *nm.* rapt, enlèvement
raqueta *nf.* raquette ; râteau *nm.*
raquídeo,-a *adj.* rachidien(ne)
raquitismo *nm.* rachitisme
rareza *nf.* rareté, curiosité
raro,-a *adj.* rare ; bizarre
rasante *adj.* rasant(e)
rascacielos *nm. inv.* gratte-ciel
rascar *v. tr.* gratter, racler
rasera *nf.* écumoire
rasgar *v. tr.* déchirer
rasgo *nm.* trait • *nmpl.* traits du visage
rasguñar *v. tr.* égratigner ; griffer
rasguño *nm.* égratignure *nf.*
raso,-a *adj.* ras(e), plat(e) ; dégagé(e)
raspadura *nf.* râpage *nm.* ; raclure *nf.* ; éraflure *nf.*
raspar *v. tr.* gratter, racler
rasera *nf.* herse ; râteau *nm.*
rastrear *v. tr.* suivre la trace ; sonder ; râtisser
rastrillo *nm.* râteau
rastrojo *nm.* chaume
rasurar *v. tr. raser* • *v. pr.* se raser
rata *nf.* rat *nm.*
ratificación *nf.* ratification
ratificar *v. tr.* ratifier
rato *nm.* instant, moment
ratón *nm.* souris *nf.*
ratonera *nf.* ratière, souricière
raudal *nm.* torrent ; flot
rayado,-a *adj.* rayé(e)
rayar *v. tr.* rayer ; souligner
rayo *nm.* rayon ; foudre *nf.*
raza *nf.* race
razón *nf.* raison
razonable *adj.* raisonnable
razonamiento *nm.* raisonnement
razonar *v. intr.* raisonner • *v. tr.* justifier
reacción *nf.* réaction
reactivación *nf.* reprise ; réactivation
reajuste *nm.* réajustement ; remaniement
real *adj.* réel(le) ; royal(e)
realeza *nf.* royauté ; faste *nm.*
realidad *nf.* réalité
realismo *nm.* réalisme
realización *nf.* réalisation
realizador,-a *adj. et nm/f.* réalisateur(trice) ; metteur en scène
realizar *v. tr.* réaliser
realzar *v. tr.* rehausser ; mettre en valeur
reanimar *v. tr.* ranimer, réanimer
reanudar *v. tr.* renouer • *v. pr.* reprendre
reapertura *nf.* réouverture, rentrée
rebaja *nf.* rabais *nm.* • *nfpl.* soldes *nmpl.*
rebajar *v. tr.* solder • *v. pr.* s'abaisser
rebanada *nf.* tranche ; tartine
rebaño *nm.* troupeau
rebasar *v. tr.* dépasser
rebatir *v. tr.* repousser ; réfuter
rebato *nm.* tocsin
rebelarse *v. pr.* se rebeller
rebelde *adj. et nm/f.* rebelle
rebeldía *nf.* rébellion, révolte
rebelión *nf.* rébellion, révolte
reblandecer *v. tr.* ramollir
reborde *nm.* rebord
rebotar *v. intr.* rebondir
rebote *nm.* rebond, rebondissement
rebuscar *v. tr.* rechercher ; glaner
rebuznar *v. intr.* braire
recadero *nm.* coursier
recado *nm.* message ; commission *nf.* ; course *nf.*
recaer *v. intr.* retomber
recaída *nf.* rechute
recalcar *v. tr.* presser ; insister sur
recalentar *v. tr.* réchauffer
recámara *nf.* garde-robe ; *(h. am.)* chambre *(à coucher)*
recambio *nm.* rechange
recapacitar *v. tr.* réfléchir
recapitular *v. tr.* récapituler
recargar *v. tr.* recharger ; surcharger ; majorer
recargo *nm.* majoration *nf.* ; surcharge *nf.*
recato *nm.* pudeur *nf.* ; honnêteté *nf.*
recaudador *nm.* receveur, percepteur
recelo *nm.* crainte *nf.*
recesión *nf.* récession
recepción *nf.* réception
receptor,-a *adj.* récepteur(trice) • *nm.* récepteur
receta *nf.* ordonnance ; recette
rechazar *v. tr.* rejeter ; repousser
rechazo *nm.* refus ; rejet

rechiflar *v. tr.* huer
rechinar *v. intr.* grincer
recibir *v. tr. et intr.* recevoir
recibo *nm.* réception *nf.* ; reçu *nm.* ; quittance *nf.*
recién *adv.* récemment, nouvellement
reciente *adj.* récent(e)
recio,-a *adj.* fort(e), robuste
reciclaje *nm.* recyclage
reciclar *v. tr.* recycler
recipiente *nm.* récipient
recíproco,-a *adj.* réciproque
recitar *v. tr.* réciter
reclamación *nf.* réclamation
reclamar *v. tr. et intr.* réclamer
reclamo *nm.* réclame *nf.*, appeau *nm.*
recluir *v. tr.* enfermer
recobrar *v. tr.* recouvrer, reprendre • *v. pr.* se remettre de
recoger *v. tr.* reprendre ; recueillir ; ramasser ; récolter • *v. pr.* se recueillir
recogida *nf.* saisie ; récolte ; levée
recogimiento *nm.* recueillement, retraite *nf.*
recolección *nf.* récolte ; collecte
recolectar *v. tr.* collecter ; récolter
recomendar *v. tr.* recommander
recompensa *nf.* récompense
recompensar *v. tr.* récompenser
recomponer *v. tr.* réparer
reconcentrar *v. tr.* concentrer • *v. pr.* se concentrer
reconciliar *v. tr.* réconcilier • *v. pr.* se réconcilier
reconocer *v. tr.* reconnaître ; examiner
reconocimiento *nm.* reconnaissance *nf.* ; vérification *nf.*
reconquistar *v. tr.* reconquérir
reconstituir *v. tr.* reconstituer
reconstruir *v. tr.* reconstruire
reconvenir *v. tr.* reprocher
recopilación *nf.* compilation ; collecte
récord *nm.* record
recordar *v. tr.* se rappeler, se souvenir
recorrer *v. tr.* parcourir
recorrido *nm.* parcours
recortar *v. tr.* couper ; découper
recorte *nm.* découpage ; coupure *nf.*
recostar *v. tr.* appuyer • *v. pr.* se caler
recrear *v. tr.* recréer ; distraire • *v. pr.* se distraire
recreo *nm.* récréation *nf.*
recriminar *v. tr.* récriminer, reprocher
rectificar *v. tr.* rectifier
rectitud *nf.* rectitude ; droiture
recto,-a *adj.* droit(e) ; recto • *nm.* rectum
rectorado *nm.* rectorat
recuento *nm.* dénombrement ; décompte
recuerdo *nm.* souvenir
recuperación *nf.* récupération ; reprise
recuperar *v. tr.* recupérer • *v. pr.* se remettre
red *nf.* filet *nm.* ; réseau *nm.*
redacción *nf.* rédaction
redactar *v. tr.* rédiger
redactor,-a *nm/f.* rédacteur(trice)
rededor *nm.* alentours *nmpl.*
redención *nf.* rédemption
redil *nm.* bercail
redimir *v. tr.* racheter ; libérer
redoblar *v. tr.* redoubler • *v. intr.* battre le tambour
redoble *nm.* redoublement ; roulement *(de tambour)*
redondear *v. tr.* arrondir
redondel *nm.* rond ; arène *nf.*
redondez *nf.* rondeur
redondo,-a *adj.* rond(e) ; clair(e) • *nm.* rond
reducción *nf.* réduction
reducido,-a *adj.* réduit(e)
reducir *v. tr.* réduire
reelegir *v. tr.* réélire
reembolso *nm.* remboursement
reemplazar *v. tr.* remplacer
reemplazo *nm.* remplacement
referéndum *nm.* référendum
referente *adj.* relatif(ive)
refinado,-a *adj.* raffiné(e)
refinado *nm.* raffinement
refinar *v. tr.* raffiner
refinería *nf.* raffinerie
reflector,-a *adj.* réfléchissant(e) • *nm.* réflecteur
reflejar *v. tr.* réfléchir, refléter • *v. pr.* se refléter
reflejo,-a *adj.* réflexe • *nm.* reflet ; réflexe
reflexión *nf.* réflexion

reflexionar *v. intr. et tr.* réfléchir
reflujo *nm.* reflux
reforma *nf.* réforme
reformatorio,-a *adj.* réformateur(trice) • *nm.* maison de redressement *nf.*
reforzar *v. tr.* renforcer
refractorio,-a *adj.* réfractaire
refrán *nm.* proverbe
refrendo *nm.* contreseing ; visa
refrescante *adj.* rafraîchissant(e)
refrescar *v. tr.* rafraîchir • *v. intr. et pr.* se rafraîchir
refresco *nm.* rafraîchissement
refrigerador *adj. et nm.* réfrigérateur (trice)
refrigerar *v. tr.* réfrigérer
refuerzo *nm.* renfort
refugiado,-a *nm/f.* réfugié(e)
refugio *nm.* abri ; refuge
refulgir *v. intr.* resplendir
refundir *v. tr.* refondre
refutación *nf.* réfutation
regadera *nf.* arrosoir *nm.*
regadío,-a *adj.* irrigable • *nm.* terrain irrigable ; arrosage *nm.*
regalar *v. tr.* faire cadeau de, offrir
regaliz *nm.* réglisse *nf.*
regalo *nm.* cadeau
regañar *v. intr.* gronder ; se disputer
regar *v. tr.* arroser
regata *nf.* régate
regatear *v. tr.* marchander
regazo *nm.* giron
regencia *nf.* régence
regeneración *nf.* régénération
regidor *nm.* conseiller municipal ; régisseur
regimiento *nm.* régiment
región *nf.* région
regir *v. tr.* régir • *v. intr.* être en vigueur
registrar *v. tr.* fouiller ; enregistrer
registro *nm.* fouille *nf.*, perquisition *nf.* ; registre *nm.* ; enregistrement *nm.*
regla *nf.* règle
reglamento *nm.* règlement
regocijar *v. tr.* amuser, réjouir • *v. pr.* s'amuser
regresar *v. intr.* revenir, retourner
regulación *nf.* régulation ; réglage *nm.*
regular *adj.* régulier(ière) ; moyen(ne)
regular *v. tr.* régler ; contrôler
regularizar *v. tr.* régulariser
rehabilitar *v. tr.* réhabiliter
rehacer *v. tr.* refaire • *v. pr.* se reprendre, se ressaisir
rehén *nm.* otage
rehuir *v. tr.* fuir ; refuser
rehusar *v. tr.* refuser
reimprimir *v. tr.* réimprimer
reina *nf.* reine
reinado *nm.* règne
reinar *v. intr.* régner
reincorporar *v. intr.* réincorporer • *v. pr.* rejoindre
reino *nm.* royaume ; règne *(animal, végétal)*
reintegrar *v. intr.* réintégrer ; rendre
reintegro *nm.* remboursement ; réintégration *nf.*
reír *v. intr.* rire • *v. tr.* trouver drôle • *v. pr.* rire de ; se moquer de
reivindicación *nf.* revendication
reivindicar *v. tr.* revendiquer
reja *nf.* grille
rejilla *nf.* grillage *nm.* ; cannage *nm.*
rejoneo *nm.* corrida *nf.* à cheval
relación *nf.* relation ; rapport *nm.* ; récit *nm.*
relacionar *v. tr.* rapporter ; mettre en rapport • *v. pr.* se rattacher, se rapporter à
relajar *v. tr.* relâcher • *v. pr.* se décontracter, se détendre
relamer *v. tr.* lécher • *v. pr.* se pourlécher
relámpago *nm.* éclair
relatar *v. tr.* raconter, relater
relatividad *nf.* relativité
relativo,-a *adj.* relatif(ive)
relato *nm.* récit ; compte rendu
relevar *v. tr.* dispenser ; relever ; relayer
relieve *nm.* relief
religión *nf.* religion
rellano *nm.* palier
rellenar *v. tr.* remplir ; farcir
relleno,-a *adj.* farci(e) ; fourré(e) • *nm.* farce *nf.* ; garniture *nf.*
reloj *nm.* horloge *nf. ;* montre *nf.*
reluciente *adj.* brillant(e) ; reluisant(e)

relucir *v. intr.* briller ; étinceler
remar *v. intr.* ramer
rematar *v. tr.* achever ; adjuger • *v. intr.* tirer au but *(football)*
remate *nm.* fin *nf.* ; achèvement *nm.* ; couronnement *nm.* ; adjudication *nf.* ; tir au but *nm. (football)*
remediar *v. tr.* remédier à ; réparer ; éviter
remedio *nm.* remède ; recours
remendar *v. tr.* raccommoder, rapiécer
remesa *nf.* renvoi *nm.* ; livraison *nf.* ; remise *nf.*
remitir *v. tr.* envoyer, expédier • *v. intr.* s'apaiser ; faiblir
remodelar *v. tr.* rénover ; remanier
remojar *v. tr.* tremper
remolacha *nf.* betterave
remolino *nm.* remous, tourbillon
remolque *nm.* remorquage ; remorque *nf.*
remontar *v. tr.* élever ; gravir • *v. pr.* s'élever
remonte *nm.* remontée *nf.*
remordimiento *nm.* remords
remover *v. tr.* déplacer ; remuer
remozar *v. tr.* rajeunir
remunerar *v. tr.* rémunérer ; récompenser
renacer *v. intr.* renaître
renacimiento *nm.* renaissance *nf.*
renacuajo *nm.* têtard • *(fam.)* petit enfant
renal *adj.* rénal(e)
rencilla *nf.* querelle
rencor *nm.* rancune *nf.*
rendición *nf.* reddition
rendido,-a *adj.* soumis(e) ; épuisé(e)
rendija *nf.* fente
rendimiento *nm.* fatigue *nf. ;* épuisement *nm.* ; soumission *nf.* ; rendement *nm.*
rendir *v. tr.* vaincre ; rendre • *v. pr.* se rendre, se soumettre
renegar *v. tr.* nier • *v. intr.* renier
renglón *nm.* ligne *nf.*
reno *nm.* renne
renombre *nm.* renom ; renommée *nf.*
renovar *v. tr.* rénover ; renouveler
renta *nf.* rente ; revenu *nm.*
renuncia *nf.* renonciation ; démission
renunciar *v. tr.* renoncer (à)
reñir *v. intr.* se disputer ; se fâcher
reparación *nf.* réparation
reparar *v. tr.* réparer • *v. tr. et intr.* remarquer
reparo *nm.* réparation *nf.* ; objection *nf. ;* remarque *nf.*
repartir *v. tr.* partager, répartir
reparto *nm.* répartition *nf.* ; partage *nm.* ; division *nf.*
repasar *v. tr.* réviser, revoir
repaso *nm.* révision *nf.*
repatriar *v. tr.* rapatrier
repecho *nm.* raidillon
repente (de) *loc. adv.* soudain
repentino,-a *adj.* soudain(e)
repercusión *nf.* répercussion
repercutir *v. tr.* répercuter • *v. intr. et pr.* se répercuter
repertorio *nm.* répertoire
repetir *v. tr.* répéter
repique *nm.* carillonnement
replegar *v. tr.* replier
repleto,-a *adj.* plein(e) ; repu(e)
réplica *nf.* réplique
replicar *v. tr.* répliquer
repliegue *nm.* repli
repoblación *nf.* repeuplement *nm.* ; reboisement *nm.*
repoblar *v. tr.* repeupler ; reboiser
reponer *v. tr.* replacer ; reprendre *(théâtre)* ; répondre
reportero,-a *nm/f.* reporter
reposacabezas *nm. inv.* appui-tête
reposado,-a *adj.* calme, réfléchi(e)
reposar *v. intr.* reposer • *v. pr.* se reposer
reposición *nf.* reposition ; reprise *(théâtre)*
repostar *v. pr.* se ravitailler
repostería *nf.* pâtisserie
repostero *nm.* pâtissier
reprensión *nf.* réprimande
representación *nf.* représentation
representante *adj.* représentatif(ive) • *nm/f.* représentant(e)
representar *v. tr.* représenter ; paraître
representativo,-a *adj.* représentatif(ive)
represión *nf.* répression ; refoulement *nm.*
reprimir *v. tr.* réprimer ; refouler
reprobar *v. tr.* réprouver

reprocesamiento *nm.* retraitement
reproche *nm.* reproche
reproducir *v. tr.* reproduire • *v. pr.* se reproduire
reptar *v. intr.* ramper
reptil *nm.* reptile
república *nf.* république
republicano,-a *adj. et nm/f.* républicain(e)
repudiar *v. tr.* répudier
repugnante *adj.* répugnant(e)
repugnar *v. intr.* répugner
repujar *v. tr. nf.* repousser
repulsa *nf.* rejet *nm.* ; répulsion *nf.* ; désapprobation *nf.*
repulsivo,-a *adj.* répulsif(ive)
reputación *nf.* réputation
requerir *v. tr.* requérir ; exiger
requesón *nm.* lait caillé ; fromage blanc
requisar *v. tr.* réquisitionner
requisito *nm.* condition requise *nf.*
resarcir *v. tr.* dédommager
resbalar *v. intr. et tr.* glisser
resbalón *nm.* glissade *nf.* ; dérapage, faux pas
rescatar *v. tr.* racheter ; sauver
rescate *nm.* rachat ; délivrance *nf.* ; sauvetage
rescindir *v. tr.* résilier
rescisión *nf.* résiliation
reseco,-a *adj.* desséché(e)
resentimiento *nm.* ressentiment
resentirse *v. pr.* se ressentir ; se dégrader ; se fâcher
reseña *nf.* description ; compte rendu *nm.*
reserva *nf.* réserve ; réservation
reservar *v. tr.* réserver
resfriado *nm.* rhume
resfriar *v. tr. et intr.* refroidir • *v. pr.* s'enrhumer
resguardo *nm.* abri, protection *nf.* ; reçu *nm.*
residencia *nf.* résidence
residente *adj. et nm/f.* résidant(e)
residir *v. intr.* résider
residual *adj.* résiduel(le)
residuo *nm.* déchet, résidu
resignación *nf.* résignation
resignar *v. tr.* résigner • *v. pr.* se résigner
resistencia *nf.* résistance
resistir *v. intr. et tr.* résister (à)
resollar *v. intr.* souffler
resolución *nf.* résolution ; décision
resolver *v. tr.* résoudre ; décider de
resonancia *nf.* résonance ; retentissement *nm.*
resonar *v. intr.* retentir, résonner
resorte *nm.* ressort
respaldar *v. tr.* soutenir ; protéger ; garantir • *v. pr.* s'adosser
respaldo *nm.* dossier ; soutien
respectivo,-a *adj.* respectif(ive)
respecto (al) *loc.* à ce sujet
respetable *adj.* respectable
respetar *v. tr.* respecter
respeto *nm.* respect
respiradero *nm.* soupirail
respirar *v. intr. et tr.* respirer
respiro *nm.* respiration *nf.* ; répit *nm.*
resplandecer *v. intr.* resplendir
resplandor *nm.* éclat
responder *v. tr. et intr.* répondre
responsabilidad *nf.* responsabilité
responsable *adj.* responsable
respuesta *nf.* réponse
resquebrajar *v. tr.* fendre, fêler • *v. pr.* se fêler
resta *nf.* soustraction
restablecer *v. tr.* rétablir
restante *adj.* restant(e)
restar *v. tr.* soustraire
restauración *nf.* restauration
restaurante *nm.* restaurant
restaurar *v. tr.* restaurer
restituir *v. tr.* restituer
resto *nm.* reste
restringir *v. tr.* restreindre ; rationner • *v. pr.* se restreindre
resuello *nm.* souffle
resulta *nf.* suite, conséquence ; ***de resultas de*** à la suite de
resultado *nm.* résultat
resultante *adj.* qui résulte de
resultar *v. intr.* résulter, revenir ; réussir
resumir *v. tr.* résumer • *v. pr.* se résumer à
resurgir *v. intr.* réapparaître
resurrección *nf.* résurrection

retablo *nm.* retable
retama *nf.* genêt *nm.*
retardar *v. tr.* retarder
retardo *nm.* retard
retener *v. tr.* retenir
reticencia *nf.* réticence
reticente *adj.* réticent(e)
retina *nf.* rétine
retirada *nf.* retraite ; retrait *nm.*
retirar *v. tr.* retirer ; prendre sa retraite
retiro *nm.* retraite *nf.*
reto *nm.* défi
retocar *v. tr.* retoucher
retoque *nm.* retouche *nf.*
retorcer *v. tr.* tordre ; déformer • *v. pr.* se tordre
retornar *v. tr.* rendre • *v. intr.* revenir, retourner
retorno *nm.* retour
retozar *v. intr.* gambader, batifoler
retractar *v. tr.* rétracter • *v. pr.* se rétracter
retraer *v. tr.* détourner ; rétracter • *v. pr.* se retirer, se rétracter
retraído,-a *adj.* retiré(e) ; renfermé(e)
retrasar *v. tr. et intr.* (se) retarder • *v. pr.* s'attarder
retraso *nm.* retard
retratar *v. tr.* faire le portrait de, dépeindre
retrato *nm.* portrait
retrete *nm.* toilettes *nfpl.* ; cabinets *nmpl.*
retribuir *v. tr.* rétribuer
retroceder *v. intr.* reculer
retroceso *nm.* recul
retrógrado,-a *adj.* rétrograde
retrovisor *nm.* rétroviseur
retumbar *v. intr.* retentir
reunión *nf.* réunion
reunir *v. tr.* réunir, rassembler
revalidar *v. tr.* confirmer
revalorizar *v. tr.* revaloriser
revaluación *nf.* réévaluation
revaluar *v. tr.* réevaluer
revelación *nf.* révélation
revelar *v. tr.* révéler • *v. pr.* se révéler
reventar *v. intr.* crever, éclater • *v. tr.* crever, faire éclater • *v. pr.* crever ; s'épuiser
reventón *nm.* crevaison *nf.* ; éclatement *nm.*
reverberar *v. tr.* réverbérer
reverencia *nf.* révérence
reverso *nm.* envers, revers
revés *nm.* revers ; dos, envers
revestir *v. tr.* revêtir
revisar *v.* tr. réviser ; contrôler
revisión *nf.* révision
revista *nf.* revue
revocar *v. tr.* révoquer, annuler
revolcar *v. tr.* renverser • *v. pr.* se rouler
revoltijo *nm.* mélange, fouillis
revolución *nf.* révolution
revólver *nm.* revolver
revolver *v. tr.* agiter, remuer ; fouiller dans • *v. pr.* remuer
revoque *nm.* crépi
revuelta *nf.* révolte
revuelto,-a *adj.* agité(e) ; barbouillé(e)
rey *nm.* roi
reyerta *nf.* rixe
rezar *v. tr.* réciter • *v. intr.* prier
rezo *nm.* prière *nf.*
rezongar *v. intr.* ronchonner
ría *nf.* estuaire *nm.*
riada *nf.* crue, inondation ; ruée
ribera *nf.* rive, rivage *nm.*
ribete *nm.* liséré
rico,-a *adj.* riche ; délicieux(euse)
ridiculizar *v. tr.* ridiculier
ridículo,-a *adj.* ridiculiser
riego *nm.* arrosage ; irrigation *nf.*
riel *nm.* rail
riesgo *nm.* risque
rifa *nf.* tombola
rigidez *nf.* rigidité
rígido,-a *adj.* rigide
rigor *nm.* rigueur *nf.*
riguroso,-a *adj.* rigoureux(euse)
rima *nf.* rime
rincón *nm.* coin, recoin
rinoceronte *nm.* rhinocéros
riña *nf.* querelle ; dispute
riñón *nm.* rein ; rognon
río *nm.* fleuve
riqueza *nf.* richesse
risa *nf.* rire *nm.*
risueño,-a *adj.* souriant(e), riant(e)
rítmico,-a *adj.* rythmique

ritmo *nm.* rythme
rito *nm.* rite
ritual *adj. et nm.* rituel(le)
rival *adj. et nm/f.* rival(e)
rizado,-a *adj.* frisé(e)
rizar *v. tr.* friser ; plisser
robar *v. tr.* voler
roble *nm.* chêne
roblón *nm.* rivet
robo *nm.* vol
robot *nm.* robot
robótica *nf.* robotique
robusto,-a *adj.* robuste
roca *nf.* roche, roc *nm.*
rocalla *nf.* rocaille
roce *nm.* frottement ; frôlement
rociar *v. tr.* arroser, asperger
rocío *nm.* rosée *nf.*
rocoso,-a *adj.* rocheux(euse)
rodaballo *nm.* turbot
rodaja *nf.* tranche, rondelle
rodaje *nm.* rouage ; rodage
rodar *v. intr.* rouler • *v. tr.* tourner
rodear *v. tr.* entourer ; contourner ; faire tourner
rodeo *nm.* détour, crochet
rodilla *nf.* genou *nm.*
rodillera *nf.* genouillère
rodillo *nm.* rouleau
roedor,-a *adj.* rongeur(euse) • *nmpl.* rongeurs
roer *v. tr.* ronger
rogar *v. tr.* prier, demander
rojo,-a *adj.* rouge ; roux, rousse
rol *nm.* rôle
rollizo,-a *adj.* dodu(e)
romance *adj.* roman(e) • *nm.* langue espagnole *nf.*
romanticismo *nm.* romantisme
romería *nf.* pèlerinage *nm.*
romo,-a *adj.* émoussé(e) ; camus *(nez)*
rompecabezas *nm. inv.* casse-tête ; puzzle
romper *v. tr.* casser, briser ; abîmer ; rompre • *v. intr.* s'épanouir *(fleurs)*
ron *nm.* rhum
roncar *v. intr.* ronfler
roncha *nf.* cloque, ecchymose
ronco,-a *adj.* rauque ; enroué(e)
ronda *nf.* ronde ; tournée
rondar *v. intr.* faire une ronde ; donner des sérénades
ronquera *nf.* enrouement *nm.*
ronquido *nm.* ronflement
ronronear *v. intr.* ronronner
ropa *nf.* vêtements *nmpl. ;* linge *nm.*
ropero *nm.* armoire *nf.*
roqueño,-a *adj.* rocheux(euse)
rosa *nm. et adj.* rose
rosado,-a *adj.* rose ; rosé(e)
rosal *nm.* rosier
rosaleda *nf.* roseraie
rosario *nm.* chapelet ; rosaire
rostro *nm.* visage
rotación *nf.* rotation
rotatorio,-a *adj.* rotatoire
roten *nm.* rotin
roto,-a *adj.* brisé(e) ; cassé(e) ; éreinté(e)
rotulador *nm.* feutre, marqueur
rótulo *nm.* enseigne *nf.* ; écriteau *nm.*
rotundo,-a *adj.* complet(ète) ; catégorique
rotura *nf.* rupture ; déchirure
rozadura *nf.* frôlement *nm.* ; éraflure *nf.*
rozar *v. tr.* frôler, effleurer, érafler • *v. intr.* frotter • *v. pr.* s'écorcher
rubí *nm.* rubis
rubio,-a *adj. et nm/f.* blond(e)
rubor *nm.* rougeur *nf.* ; honte *nf.*
rubricar *v. tr.* parapher ; conclure
rudeza *nf.* rudesse ; grossièreté
rudimentario,-a *adj.* rudimentaire
rudo,-a *adj.* rude grossier(ière)
rueda *nf.* roue ; cercle *nm.* ; ronde *nf.* tranche *nf.*, rondelle *nf.*
ruedo *nm.* cercle ; arène *nf.*
ruego *nm.* prière *nf.*, demande *nf.*
rugir *v. intr.* rugir
rugoso,-a *adj.* rugueux(euse)
ruido *nm.* bruit
ruidoso,-a *adj.* bruyant(e)
ruin *adj.* vil ; avare
ruina *nf.* ruine
ruinoso,-a *adj.* délabré(e) ; ruineux(euse)
ruiseñor *nm.* rossignol
ruleta *nf.* roulette
rumbo *nm.* cap *;* orientation *nf.*
rumor *nm.* rumeur *nf.*

rupia *nf.* roupie *(monnaie)*
ruptura *nf.* rupture
rural *adj.* rural(e)
ruta *nf.* chemin *nm.* ; route *nf.*
rutina *nf.* routine

S

s *nf.* s *nm. inv.*
sábado *nm.* samedi
sábana *nf.* drap *nm.*
sabana *nf.* savane
sabandija *nf.* bestiole ; vermine
sabañón *nm.* engelure *nf.*
sabático,-a *adj.* sabbatique
saber *v. tr. et intr.* savoir
saber *nm.* acquis, savoir
sabiduría *nf.* savoir *nm.* ; sagesse *nf.*
sabio,-a *adj.* savant(e) ; sage
sable *nm.* sabre
sabor *nm.* goût, saveur *nf.*
saborear *v. tr.* savourer
sabotaje *nm.* sabotage
sabroso,-a *adj.* savoureux(euse)
sabueso *nm.* limier
sacacorchos *nm. inv.* tire-bouchon
sacamanchas *nm. inv.* détachant
sacapuntas *nm. inv.* taille-crayon
sacar *v. tr.* tirer, extraire ; enlever ; sortir ; arracher ; gagner ; conclure ; résoudre ; créer
sacarina *nf.* saccharine
sacerdocio *nm.* sacerdoce
sacerdote *nm.* prêtre
saciar *v. tr.* assouvir
saco *nm.* sac
sacramento *nm.* sacrement
sacrificar *v. tr.* sacrifier, tuer
sacrificio *nm.* sacrifice
sacrilegio *nm.* sacrilège
sacristán *nm.* sacristain
sacristía *nf.* sacristie
sacro,-a *adj.* sacré(e)
sacudida *nf.* secousse
sacudir *v. tr.* secouer ; battre • *v. pr.* se débarrasser de
sádico,-a *adj.* sadique
saeta *nf.* flèche ; aiguille *(de montre)*
sagacidad *nf.* sagacité
sagaz *adj.* sagace
sagrado,-a *adj.* sacré(e)
sahumar *v. tr.* parfumer
sainete *nm.* saynète *nf.*
saíno *nm.* pécari
sal *nf.* sel *nm.*
sala *nf.* salle
saladar *nm.* marais salant
salado,-a *adj.* salé(e)
salar *v. tr.* saler
salario *nm.* salaire
salazón *nf.* salaison
salchicha *nf.* saucisse
salchichería *nf.* charcuterie
salchichón *nm.* saucisson
saldo *nm.* solde
salero *nm.* salière *nf.* ; charme *nm.*, esprit *nm.*
saleroso,-a *adj.* gracieux(euse) ; charmant(e)
salida *nf.* sortie ; départ *nm.*
salina *nf.* marais salant *nm.*
salir *v. intr.* sortir ; partir ; se montrer ; se révéler ; se montrer, paraître
saliva *nf.* salive
salivar *v. intr.* saliver
salmón *nm.* saumon
salmuera *nf.* saumure
salobre *adj.* saumâtre
salón *nm.* salon ; salle *nf.*
salpicadura *nf.* éclaboussement *nm.*
salpicar *v. tr.* éclabousser
salpimentar *v. tr.* assaisonner de sel et de poivre
salsa *nf.* sauce
salsifí *nm.* salsifis
saltamontes *nm. inv.* criquet ; sauterelle *nf.*
saltar *v. intr.* sauter ; jaillir • *v. pr.* sauter
saltear *v. tr.* attaquer

salto *nm.* saut ; bond
salubre *adj.* salubre
salud *nf.* santé
saludable *adj.* salutaire
saludar *v. tr.* saluer
saludo *nm.* salut
salva *nf.* salve
salvación *nf.* salut *nm.*
salvador,-a *adj. et nm.* sauveur
salvaguardar *v. tr.* sauvegarder
salvaje *adj. et nm/f.* sauvage
salvamiento *nm.* sauvetage
salvar *v. tr.* sauver ; franchir ; éviter
salvavidas *nm. inv.* bouée de sauvetage *nf.*
salvedad *nf.* réserve ; exception
salvia *nf.* sauge
salvo,-a *adj.* sauf, sauve • *adv.* sauf, hormis
salvoconducto *nm.* sauf-conduit
sanar *v. tr. et intr.* guérir
sanatorio *nm.* sanatorium ; clinique *nf.*
sanción *nf.* sanction
sancionar *v. tr.* sanctionner
sandalia *nf.* sandale
sandía *nf.* pastèque
sanear *v. tr.* assainir
sangrar *v. tr. et intr.* saigner • *v. pr.* se faire saigner
sangre *nf.* sang *nm.*
sangría *nf.* saignée ; sangria
sangriento,-a *adj.* sanglant(e)
sanguijuela *nf.* sangsue
sanguinario,-a *adj.* sanguinaire
sanguíneo,-a *adj.* sanguin(e)
sanidad *nf.* santé ; salubrité
sanitario,-a *adj. et nm.* sanitaire
sano,-a *adj.* sain(e)
santateresa *nf.* mante religieuse
santidad *nf.* sainteté
santificar *v. tr.* sanctifier
santiguar *v. tr.* faire le signe de croix • *v. pr.* se signer
santísimo,-a *adj.* très saint(e) • *nm.* le saint sacrement
santo,-a *adj.* saint(e) • *nm.* statue de saint ; fête *nf. (de qqn)*
santón *nm.* santon
santuario *nm.* sanctuaire *nf.*
saña *nf.* acharnement *nm.*, rage *nf.*
sapiencia *nf.* sagesse, savoir *nm.*
sapo *nm.* crapaud
saquear *v. tr.* piller
saqueo *nm.* pillage
sarampión *nm.* rougeole *nf.*
sarcasmo *nm.* sarcasme
sarcófago *nm.* sarcophage
sardana *nf.* sardane
sardina *nf.* sardine
sardónico,-a *adj.* sardonique
sargento *nm.* sergent
sarna *nf.* gale
sarro *nm.* tartre ; dépôt
sarta *nf.* chapelet *nm.* ; collier *nm.*
sartén *nf.* poêle
sastre *nm.* tailleur
satánico,-a *adj.* satanique
satélite *adj. et nm.* satellite
satén *nm.* satin
satinar *v. tr.* satiner
sátira *nf.* satire
satisfacer *v. tr.* satisfaire
satisfecho,-a *adj.* satisfait(e)
saturar *v. tr.* saturer
sauce *nm.* saule
savia *nf.* sève
saxófono *nm.* saxophone
saya *nf.* jupe ; jupon *nm.*
sayo *nm.* casaque *nf.*
sazón *nm.* maturité *nf.* ; saveur *nf.*
sazonar *v. tr.* assaisonner ; mûrir ; mettre au point • *v. pr.* mûrir
se *pron.* se ; lui, leur ; on
sebo *nm.* graisse *nf.* ; suif *nm.*
secador *nm.* séchoir, sèche-cheveux *inv.*
secano *nm.* terrain sec
secar *v. tr.* sécher ; dessécher
sección *nf.* section ; rayon *nm.*
secesión *nf.* sécession
seco,-a *adj.* sec, sèche
secreción *nf.* sécrétion
secretaría *nf.* secrétariat *nm.*
secretariado *nm.* secrétariat
secretario,-a *nm/f.* secrétaire
secreter *nm.* secrétaire *(meuble)*
secreto,-a *adj.* secret(ète)
secta *nf.* secte
sector *nm.* secteur

secuencia *nf.* séquence
secuestrar *v. tr.* séquestrer ; enlever
secular *adj.* séculaire • *adj. et nm/f.* séculier(ière)
secundar *v. tr.* seconder
secundario,-a adj. secondaire
sed *nf. soif*
seda *nf.* soie
sedante *adj. et nm.* sédatif(ive)
sede *nf.* siège *nm.*, maison mère *nf.*
sedimento *nm.* sédiment
sedoso,-a *adj.* soyeux(euse)
seducir *v. tr.* séduire
seductor,-a *adj.* séduisant(e) • *adj. et nm/f.* séducteur(trice)
segar *v. tr.* faucher
segmento, *nm.* segment • *(fig.)* créneau
seguida *nf.* suite
seguido,-a *adj.* suivi(e) ; ininterrompu(e)
seguir *v. tr.* suivre ; poursuivre • *v. intr.* continuer à • *v. pr.* s'ensuivre
según *prép.* selon, d'après
segundero *nm.* trotteuse *(de montre) nf.*
segundo,-a *adj.* second(e), deuxième • *nm.* seconde *nf.*
seguridad *nf.* sûreté, sécurité
seguro,-a *adj.* sûr(e) • *nm.* sécurité *nf.* assurance *nf.*
seis *adj. et nm. inv.* six
seiscientos *adj. et nm.* six cents
seísmo *nm.* séisme
selección *nf.* sélection ; choix *nm.*
seleccionar *v. tr.* sélectionner
selva *nf.* forêt
sellar *v. tr.* sceller ; cacheter
sello *nm.* cachet, sceau ; timbre
semáforo *nm.* sémaphore ; feux de signalisation *nmpl.*
semana *nf.* semaine
semanal *adj.* hebdomadaire
semanario,-a *adj. et nm.* hebdomadaire
semblanza *nf.* portrait *nm.*
sembrar *v. tr.* semer, ensemencer
semejante *adj.* semblable
semejanza *nf.* ressemblance
semen *nm.* sperme; semence *nf.*
semilla *nf.* graine, semence
semillero *nm.* pépinière *nf.*
seminario *nm.* séminaire
seminarista *nm.* séminariste
sémola *nf.* semoule
senado *nm.* sénat
senador *nm.* sénateur
sencillez *nf.* simplicité
sencillo-a *adj.* simple
senda *nf.* sentier *nm.*
senectud *nf.* vieillesse
seno *nm.* sein
sensación *nf.* sensation
sensacional *adj.* sensationnel(le)
sensato,-a *adj.* sensé(e)
sensibilidad *nf.* sensibilité
sensible *adj.* sensible
sensitivo,-a *adj.* sensitif(ive)
sensorial *adj.* sensoriel(le)
sensual *adj.* sensuel(le)
sensualidad *nf.* sensualité
sentar *v. tr.* asseoir ; établir • *v. pr.* s'asseoir
sentencia *nf.* sentence ; jugement *nm. ;*
sentimiento *nm.* sentiment
sentir *nm.* sentiment
sentir *v. tr.* sentir ; éprouver ; regretter ; entendre
seña *nf.* signe *nm.* • *nfpl.* adresse *sing.*
señal *nf.* signe *nm.* ; marque *nf.* ; signal *nm.*
señalar *v. tr.* montrer, indiquer ; annoncer
señor,-a *nm/f.* monsieur, madame ; maître(sse) • *nm.* seigneur
señoría *nf.* seigneurie
señorita *nf.* demoiselle ; mademoiselle
separación *nf.* séparation
separar *v. tr.* séparer, écarter • *v. pr.* se séparer ; s'écarter
sepia *nf.* seiche
septentrional *adj.* septentrional(e)
séptico,-a *adj.* septique
septiembre *nm.* septembre
séptimo,-a *adj. et nm.* septième
sepulcral *adj.* sépulcral(e)
sepulcro *nm.* sépulcre
sepultar *v. tr.* enterrer
sepultura *nf.* sépulture
séquito *nm.* cortège
ser *nm.* être
ser *v. intr.* être ; arriver, se produire
sera *nf.* couffin *nm.*
serenata *nf.* sérénade

sereno,-a *adj.* serein(e) • *nm.* veilleur de nuit
serie *nf.* série
seriedad *nf.* gravité ; sérieux *nm.*
sermón *nm.* sermon
serpiente *nf.* serpent *nm.*
serrado,-a *adj.* dentelé(e)
serrallo *nm.* sérail
serrano,-a *adj.* montagnard(e) ; de montagne
serrar *v. tr.* scier
serrín *nm.* sciure *nf.*
serrucho *nm.* scie à main *nf.*
servicio *nm.* service • *pl.* toilettes *nfpl.*
servidor,-a *nm/f.* serviteur, servante
servidumbre *nf.* servitude
servilleta *nf.* serviette de table
servir *v. tr. et intr.* servir • *v. pr.* se servir ; bien vouloir
sesenta *adj. et nm. inv.* soixante
sesión *nf.* séance ; session
seso *nm.* cerveau, cervelle *nf.*
seta *nf.* champignon *nm.*
setecientos,-as *adj. et nm.* sept cents
setenta *adj. et nm. inv.* soixante-dix
setiembre *nm.* septembre
seto *nm.* haie *nf.*
severidad *nf.* sévérité
severo,-a *adj.* sévère
sevillano,-a *adj.* sévillan(e) • *nm/f.* Sévillan(e)
sexo *nm.* sexe
sexto,-a *adj. et nm.* sixième
sexual *adj.* sexuel(le)
si *conj.* si, s' • *nm.* si *(note)*
sí *pron. pers.* soi • *adv.* oui
sicoanálisis *nm.* psychanalyse *nf.*
sicosis *nf.* psychose
sicoterapia *nf.* psychothérapie
siderurgia *nf.* sidérurgie
sidra *nf.* cidre *nm.*
siega *nf.* moisson
siembra *nf.* semailles *nfpl.*
siempre *adv.* toujours
sien *nf.* tempe
sierra *nf.* scie
siesta *nf.* sieste
siete *adj. et nm. inv.* sept
sífilis *nf.* syphilis
sigla *nf.* sigle *nm.*
siglo *nm.* siècle
significación *nf.* signification
significado,-a *adj.* important(e) • *nm.* signification *nf.*
significar *v. tr.* signifier
signo *nm.* signe
siguiente *adj.* suivant(e)
sílaba *nf.* syllabe
silábico,-a *adj.* syllabique
silbato *nm.* sifflet
silbido *nm.* sifflement
silencio *nm.* silence
silencioso,-a *adj.* silencieux(euse)
sílex *nm.* silex
silueta *nf.* silhouette
silla *nf.* chaise ; siège *nm.* ; selle *nf.*
sillón *nm.* fauteuil
simbólico,-a *adj.* symbolique
símbolo *nm.* symbole
simetría *nf.* symétrie
simiente *nf.* semence
similitud *nf.* similitude
simio *nm.* singe
simpatía *nf.* sympathie
simpático,-a *adj.* sympathique
simpatizar *v. intr.* sympathiser
simple *adj.* simple
simplicidad *nf.* simplicité
simplificar *v. tr.* simplifier
simulación *nf.* simulation
simulacro *nm.* simulacre
simultaneidad *nf.* simultanéité
sin *prép.* sans
sinceridad *nf.* sincérité
sincero,-a *adj.* sincère
síncopa *nf.* syncope
sincronizar *v. tr.* synchroniser
sindicalismo *nm.* syndicalisme
sindicato *nm.* syndical
síndico *nm.* syndic
sinfín *nm.* infinité *nf.*
sinfonía *nf.* symphonie
sinfónico,-a *adj.* symphonique
singular *adj.* singulier(ière)
singularizar *v. tr.* singulariser • *v. pr.* se distinguer
siniestra *nf.* gauche ; main gauche
siniestro,-a *adj.* gauche • *nm.* sinistre

sino *nm.* destin, sort
sino *conj.* mais ; sinon
sinónimo,-a *adj. et nm.* synonyme
sinrazón *nf.* injustice, tort *nm.*
sintaxis *nf.* syntaxe
síntesis *nf.* synthèse
sintético,-a *adj.* synthétique
sintetizar *v. tr.* synthétiser
síntoma *nm.* symptôme
sinuoso,-a *adj.* sinueux(euse)
sinusitis *nf.* sinusite
siquiera *adv.* au moins • *conj.* même si
sirena *nf.* sirène
sirviente,-a *adj. et nm/f* domestique
sísmico,-a *adj.* sismique
sistema *nm.* système
sitiar *v. tr.* assiéger
sitio *nm.* endroit, place *nf.*
situación *nf.* situation
situar *v. tr.* placer, situer
so *prép.* sous
sobaco *nm.* aisselle *nf.*
sobar *v. tr.* masser, pétrir ; tripoter
soberanía *nf.* souveraineté
soberbia *nf.* orgueil *nm. ;* colère *nf.*
sobornar *v. tr.* suborner
soborno *nm.* corruption *nf.*
sobrado,-a *adj.* de trop
sobrante *adj.* restant, en trop
sobrar *v. intr.* être de trop
sobre *nm.* enveloppe *nf.*
sobre *prép.* sur ; au-dessus de ; au sujet de ; vers
sobrecama *nf.* dessus-de-lit *nm.*
sobrecarga *nf.* surcharge
sobrecoger *v. tr.* surprendre
sobredosis *nf.* surdose
sobrehumano,-a *adj.* surhumain(e)
sobrellevar *v. tr.* endurer
sobrenatural *adj.* surnaturel(le)
sobrenombre *nm.* surnom
sobrepasar *v. tr.* excéder, surpasser
sobreponer *v. tr.* superposer • *v. pr.* se dominer ; surmonter
sobreprecio *nm.* augmentation de prix *nf.*
sobrepuesto,-a *adj.* superposé(e)
sobrepujar *v. tr.* surpasser, dépasser ; surenchérir
sobresaliente *adj.* qui dépasse ; remarquable
sobresalir *v. intr.* surpasser, dépasser
sobresaltar *v. tr.* attaquer ; effrayer
sobresalto *nm.* émotion *nf.* ; soubresaut *nm.*
sobretasa *nf.* surtaxe
sobretodo *nm.* pardessus
sobrevivir *v. intr.* survivre
sobrino,-a *nm/f.* neveu, nièce
sobrio,-a *adj.* sobre
socavar *v. tr.* creuser
sociable *adj.* sociable
social *adj.* social(e)
socialismo *nm.* socialisme
socialista *adj. et nm/f.* socialiste
sociedad *nf.* société
socio,-a *nm/f.* associé(e)
sociología *nf.* sociologie
socorrer *v. tr.* secourir
socorro *nm.* aide *nf.* ; secours *nm.*
sodio *nm.* sodium
sofá *nm.* canapé, sofa
sofisticado,-a *adj.* sophistiqué(e)
sofocación *nf.* suffocation ; étouffement *nm.*
sofocar *v. tr.* suffoquer, étouffer ; faire rougir • *v. pr.* rougir
sofoco *nm.* suffocation *nf.* ; étouffement *nm.* ; rougeur *nf.* ; contrariété *nf.*
soga *nf.* corde
soja *nf.* soja *nm.*
sojuzgar *v. tr.* subjuguer
sol *nm.* soleil
solamente *adv.* seulement
soldada *nf.* salaire *nm. ;* solde *nf.*
soldado *nm.* soldat
soldadura *nf.* soudure
soldar *v. tr.* souder
soleado,-da *adj.* ensoleillé(e)
soledad *nf.* solitude
solemne *adj.* solennel(le)
solemnidad *nf.* solennité
soler *v. intr.* avoir coutume de
solfeo *nm.* solfège
solicitar *v. tr.* demander, solliciter
solicitud *nf.* demande, sollicitude
solidaridad *nf.* solidarité
solidario,-a *adj.* solidaire
solidez *nf.* solidité

solidificar *v. tr.* solidifier
sólido,-a *adj.* solide
solista *nm/f.* soliste
solitario,-a *adj.* solitaire • *nm.* solitaire
sollozar *v. intr.* sangloter
sollozo *nm.* sanglot
solo,-a *adj.* seul(e) • *nm.* solo
sólo *adv.* seulement
soltar *v. tr.* détacher ; lâcher ; libérer • *v. pr.* se détacher ; se débrouiller ; commencer à
soltero,-a *adj. et nm/f.* célibataire
soltura *nf.* aisance
soluble *adj.* soluble
solución *nf.* solution
solvencia *nf.* solvabilité
solventar *v. tr.* régler, résoudre
solvente *adj.* solvable
sombra *nf.* ombre
sombrerero *nm.* chapelier
sombrero *nm.* chapeau
somero,-a *adj.* sommaire
someter *v. tr.* soumettre
somier *nm.* sommier
somnolencia *nf.* somnolence
son *nm.* son ; manière *nf.*
sonajero *nm.* hochet
sonante *adj.* sonnant(e)
sonar *v. intr.* sonner ; être mentionné(e) • *v. pr.* se moucher
sonata *nf.* sonate
sondeo *nm.* sondage
sonido *nm.* son
sonoro,-a *adj.* sonore
sonreír *v. intr. et pr.* sourire
sonriente *adj.* souriant(e)
sonrisa *nf.* sourire *nm.*
sonrojar *v. tr.* faire rougir • *v. pr.* rougir
soñar *v. tr.* et *intr.* rêver
soñolencia *nf.* somnolence
soñoliento,-a *adj.* somnolent(e)
sopa *nf.* soupe
sopera *nf.* soupière
soplete *nm.* chalumeau
soplido *nm.* souffle
soplo *nm.* souffle
sopor *nm.* assoupissement ; torpeur *nf.*
soportable *adj.* supportable
soportar *v. tr.* supporter
soporte *nm.* support ; soutien
sorber *v. tr.* boire ; absorber
sorbete *nm.* sorbet
sorbo *nm.* gorgée *nf.*
sordera *nf.* surdité
sordo,-a *adj.* sourd(e)
sórdido,-a *adj.* sordide
sordomudo,-a *adj.* sourd-muet, sourde-muette
sorna *nf.* goguenardise
sorprender *v. tr.* surprendre • *v. pr.* s'étonner
sorpresa *nf.* surprise
sortear *v. tr.* tirer au sort
sorteo *nm.* tirage au sort
sortija *nf.* anneau *nm.* ; bague *nf.*
sosa *nf.* soude
sosegar *v. tr.* calmer • *v. pr.* se calmer
sosia *nm.* sosie
sosiego *nm.* calme, tranquillité *nf.*
soso,-a *adj.* fade
sospecha *nf.* soupçon *nm.*
sostén *nm.* soutien ; soutien-gorge
sostener *v. tr.* soutenir
sótana *nf.* soutane
sótano *nm.* cave *nf.* ; sous-sol *nm.*
su, sus *adj. poss.* son, sa, ses ; leur(s) votre, vos
suave *adj.* doux, douce
suavidad *nf.* douceur, suavité
suavizar *v. tr.* adoucir
subarriendo *nm.* sous-location *nf.*
subasta *nf.* vente aux enchères
subcontratación *nf.* sous-traitance
subcontratar *v. tr.* sous-traiter
subdesarrollo *nm.* sous-développement
subcutáneo,-a *adj.* sous-cutané(e)
súbdito,-a *nm/f.* ressortissant(e)
subdividir *v. tr.* subdiviser
subida *nf.* montée ; hausse ; crue
subido,-a *adj.* fort(e) ; vif, vive
subir *v. intr.* monter • *v. tr.* monter, gravir ; augmenter
súbito,-a *adj.* subit(e) • *adv.* soudain
subjetivo,-a *adj.* subjectif(ive)
sublevación *nf.* soulèvement *nm.*
sublevar *v. tr.* soulever, révolter • *v. pr.* se révolter
sublime *adj.* sublime

submarinismo *nm.* plongée sous-marine *nf.*
suboficial *nm.* sous-officier
subordinación *nf.* subordination
subrayar *v. tr.* souligner
subsanar *v. tr.* réparer
subscribir *v. tr.* souscrire • *v. pr.* souscrire à ; s'abonner
subsiguiente *adj.* subséquent(e)
subsistencia *nf.* subsistance
subsistir *v. intr.* subsister
substancia *nf.* substance
substancioso,-a *adj.* substantiel(le)
substitución *nf.* substitution
substituir *v. tr.* substituer
substraer *v. tr.* soustraire ; voler
subsuelo *nm.* sous-sol
subtítulo *nm.* sous-titre
suburbio *nm.* faubourg
subvención *nf.* subvention
subyugar *v. tr.* subjuguer
succión *nf.* succion
suceder *v. intr.* succéder ; se produire, arriver
sucesión *nf.* succession
sucesivo,-a *adj.* successif(ive)
suceso *nm.* événement ; fait divers
sucesor,-a *nm/f.* successeur
suciedad *nf.* saleté
sucio,-a *adj.* sale
sucursal *nf.* succursale
sudadera *nf.* vêtement de sport *nm.*
sudamericano,-a *adj.* sud-américain(e) • *nm/f.* Sud-Américain(e)
sudar *v. intr. et tr.* transpirer • *v. tr.* mouiller de sueur
sudor *nm.* sueur *nf.*
suegro,-a *nm/f.* beau-père, belle-mère
suela *nf.* semelle
sueldo *nm.* salaire
suelo *nm.* sol ; plancher
suelto,-a *adj.* détaché(e) ; libre ; dépareillé(e)
sueño *nm.* sommeil
suerte *nf.* sort *nm.* ; chance *nf.*
sufragar *v. tr.* aider ; payer
sufragio *nm.* suffrage ; prière *nf.*
sufrido,-a *adj.* résistant(e)
sufrimiento *nm.* souffrance *nf.* ; patience *nf.*
sufrir v. tr. souffrir ; subir
sugerir *v. tr.* suggérer
sugestión *nf.* suggestion
suicidio *nm.* suicide
sujetador *nm.* soutien-gorge
sujetar *v. tr.* assujettir ; retenir ; attacher
sujeto,-a *adj.* assujetti(e) ; exposé(e) • *nm.* sujet
sultán,-ana *nm/f.* sultan(e)
suma *nf.* somme
sumar *v. tr.* additionner ; totaliser • *v. pr.* se joindre
sumergir *v. tr.* submerger • *v. pr.* plonger, se plonger
suministrar *v. tr.* fournir, pourvoir
suministro *nm.* fourniture *nf.*
sumisión *nf.* soumission
sumo,-a *adj.* suprême ; extrême
suntuoso,-a *adj.* somptueux(euse)
supeditar *v. tr.* assujettir ; soumettre • *v. pr.* se soumettre
superable *adj.* surmontable
superar *v. tr.* surpasser ; surmonter • *v. pr.* se surpasser
superávit *nm.* excédent
superficial *adj.* superficiel(le)
superficie *nf.* surface, superficie
superfluo,-a *adj.* superflu(e)
superioridad *nf.* supériorité
surperlativo,-a *adj.* superlatif(ive) • *nm.* superlatif
supermercado *nm.* supermarché
superpoblación *nf.* surpopulation
superponer *v. tr.* superposer
superproducción *nf.* surproduction
superservicio *nm.* supérette *nf.*
superstición *nf.* superstition
supersticioso,-a *adj.* superstitieux(euse)
supervivencia *nf.* survie
superviviente *adj. et nm/f.* survivant(e)
súplica *nf.* requête, supplique
suplicar *v. tr.* supplier ; solliciter
suplicio *nm.* supplice
suplir *v. tr.* suppléer
suponer *v. tr.* supposer
suposición *nf.* supposition
supositorio *nm.* suppositoire
supremacía *nf.* suprématie

supremo,-a *adj.* suprême
suprimir *v. tr.* supprimer
supuesto,-a *adj.* supposé(e) ; prétendu(e) • *nm.* supposition *nf.* ; hypothèse *nf.*
surco *nm.* sillon ; ride *nf.*
surgir *v. intr.* surgir ; jaillir
surtido,-a *adj.* assorti(e) ; approvisionné(e)
surtido *nm.* assortiment, choix
surtir *v. tr.* fournir, pourvoir • *v. intr.* jaillir • *v. pr.* s'approvisionner
suscitar v. *tr.* susciter
suscribir *v. tr.* souscrire • *v. pr.* s'abonner
suscriptor,-a *nm/f.* souscripteur *nm.* ; abonné(e)
susodicho,-a *adj.* susdit(e)
suspender *v. tr.* suspendre ; refuser
suspensión *nf.* suspension
suspirar *v. intr.* soupirer
suspiro *nm.* soupir
sustentar *v. tr.* soutenir ; nourrir
sustento *nm.* subsistance *nf.* ; soutien *nm.*
sustituir *v. tr.* substituer, remplacer
susto *nm.* peur *nf.*
susurrar *v. intr.* parler bas, murmurer
susurro *nm.* chuchotement
sutileza *nf.* subtilité
sutura *nf.* suture
suyo, suya, suyos, suyas *adj. poss.* à lui, à elle, à eux, à elles, à vous ; un de ses, un de leurs, un de vos • *pron. poss.* le sien, la sienne, le leur, la leur, le vôtre, la vôtre

T

t *nm.* t *nm. inv.*
tabaco *nm.* tabac ; cigare ; cigarette *nf.*
tabaquera *nf.* tabatière
tabaquismo *nm.* tabagisme
taberna *nf.* bistrot *nm.,* café *nm.*
tabernero,-a *nm/f.* patron(ne) de café
tabique *nm.* cloison *nf.*
tabla *nf.* planche; plaque ; étal *nm.*
tablado *nm.* plancher ; tréteaux *nmpl.* estrade *nf.*
tablero *nm.* échiquier ; tableau noir ; tableau de bord
tabú *nm.* tabou
taburete *nm.* tabouret
tacita *nf.* petite tasse
taco *nm.* taquet ; pile *nf.* ; cube
tacón *nm.* talon *(de chaussure)*
taconear *v. intr.* frapper du talon
táctica *nf.* tactique
tacto *nm.* tact ; toucher
tacha *nf.* tache ; défaut *nm.*
tachadura *nf.* rature
tachar *v. tr.* accuser ; raturer
tafetán *nm.* taffetas
tafiletería *nf.* maroquinerie
tajada *nf.* tranche
tajante *adj.* cassant(e), tranchant(e)
tajar *v. tr.* couper, trancher
tajo *nm.* coupure *nf.* ; escarpement *nm.*
tal *adj.* tel(le) ; pareil(le) ; • *pron. dém.* ceci, cela • *adv.* ainsi, de telle sorte
tala *nf.* élagage *nm.*
taladradera *nf.* perceuse
talco *nm.* talc
talento *nm.* talent
talión *nm.* talion
talismán *nm.* talisman
talla *nf.* taille ; toise
tallar *v. tr.* tailler ; sculpter ; toiser ; mesurer
tallarín *nm.* nouille *nf.*
talle *nm.* taille *nf.* ; silhouette *nf.*
taller *nm.* atelier
talón *nm.* talon ; chèque ; étalon *(monnaie)*
talonario *nm.* registre à souche ; chéquier
tamaño,-a *adj.* pareil(le) • *nm.* grandeur *nf.* ; taille *nf.*
también *adv.* aussi
tambor *nm.* tambour
tamboril *nm.* tambourin
tamborilear *v. intr.* tambouriner

tamiz *nm.* tamis
tamizar *v. tr.* tamiser ; trier
tampoco *adv.* non plus
tan *adv.* aussi, si
tanda *nf.* groupe *nm.* ; série *nf.*
tanino *nm.* tanin
tanque *nm.* tank ; citerne *nf.*, réservoir *nm.*
tanteo *nm.* essai, sondage
tanto,-a *adj.* tant de, tellement de • *adv.* tant, autant • *nm.* jeton ; point ; but *(sports)*
tapa *nf.* couvercle *nm.* ; couverture *nf.* • *nfpl.* amuse-gueule *nm.*
tapadera *nf.* couvercle *nm.* ; couverture *nf.*
tapar *v. tr.* boucher, fermer ; couvrir ; cacher
taparrabo *nm.* cache-sexe, pagne
tapete *nm.* tapis ; napperon
tapiar *v. tr.* murer
tapicería *nf.* tapisserie ; magasin *nm.* de tapissier
tapiz *nm.* tapisserie *nf.*, tapis *nm.*
tapizar *v. tr.* tapisser
tapón *nm.* bouchon *(de bouteille)*
taponar *v. tr.* boucher
taquillero,-a *nm/f.* employé(e) de guichet, guichetier(ière)
taracea *nf.* marqueterie
tarántula *nf.* tarantule
tararear *v. tr.* fredonner
tardanza *nf.* retard *nm.*
tardar *v. intr.* tarder ; mettre du temps
tarde *nf.* après-midi *nm.* • *adv.* tard ***buenas tardes*** bonjour, bonsoir
tarea *nf.* travail *nm.*
tarifa *nf.* tarif *nm.*
tarima *nf.* estrade
tarjeta *nf.* carte *(visite, crédit)*
tarro *nm.* pot
tarta *nf.* tarte, gâteau *nm.*
tartamudear *v. intr.* bégayer
tartamudeo *nm.* bégaiement
tasa *nf.* taxe ; mesure
tasación *nf.* taxation
tasca *nf.* bistrot *nm.*
tatuaje *nm.* tatouage
tauromaquia *nf.* tauromachie
taxi *nm.* taxi
taxímetro *nm.* taximètre
taxista *nf.* chauffeur de taxi *nm.*
taza *nf.* tasse ; cuvette
tazón *nm.* bol
te *pron. pers.* te, t'
té *nm.* thé
teatro *nm.* théâtre
tecla *nf.* touche *(d'un clavier)*
teclado *nm.* clavier
teclear *v. intr.* tambouriner *(avec les doigts)* ; taper à la machine
técnico,-a *adj.* technique • *nm/f.* technicien(ne) • *nf.* technique
tecnología *nf.* technologie
techo *nm.* plafond ; toit
tedio *nm.* ennui ; dégoût
teja *nf.* tuile
tejado *nm.* toit, toiture *nf.*
tejer *v. tr.* tisser ; tresser
tejido,-a *adj.* tissé(e) • *nm.* tissu
tela *nf.* tissu *nm.*, étoffe *nf.* ; toile *nf.* ; membrane *nf.* ; pellicule *nf.* ; pelure *nf.*
telaraña *nf.* toile d'araignée
telearrastre *nm.* remonte-pente
teleférico.-a *adj.* téléphérique
telefonear *v. intr. et tr.* téléphoner
telefonista *nm/f.* standardiste
teléfono *nm.* téléphone
telegrama *nm.* télégramme
telemática *nf.* télématique
telenovela *nf.* téléfilm *nm.*
telepatía *nf.* télépathie
telescopio *nm.* télescope
telesilla *nm.* télésiège
telesquí *nm.* téléski
televidente *nm/f.* téléspectateur(trice)
televisión *nf.* télévision
televisor *nm.* poste de télévision, téléviseur
télex *nm.* télex
tema *nm.* thème, sujet ; manie *nf.*
temblar *v. intr.* trembler ; trembloter
temblor *nm.* tremblement ; frisson
temer *v. tr.* craindre, redouter
temeroso,-a *adj.* effrayant(e)
temor *nm.* crainte *nf.* ; peur *nf.*
temperamento *nm.* tempérament
temperatura *nf.* température
tempestad *nf.* tempête
templado,-a *adj.* modéré(e) ; tempéré(e) ; tiède

temple *nm.* température *nf.* ; humeur *nf.* vaillance *nf.*
templo *nm.* temple
temporada *nf.* saison ; époque
temprano,-a *adj.* précoce, prématuré(e) • *adv.* de bonne heure, tôt
tenacidad *nf.* ténacité
tenaz *adj.* tenace
tenaza *nf.* tenaille ; pince
tendencia *nf.* tendance
tender *v. tr.* étendre, tendre • *v. intr.* tendre
tenderete *nm.* étalage
tendón *nm.* tendon
tenedor *nm.* fourchette *nf.* ; possesseur *nm.*
tener *v. tr.* avoir ; tenir • *v. pr.* se tenir • ***tener que*** *(+ infinitif)* falloir, être obligé de
tenis *nm.* tennis
tenista *nm/f.* joueur(euse) de tennis
tensión *nf.* tension
tenso,-a *adj.* tendu(e)
tentación *nf.* tentation
tentar *v. tr.* tâter ; tenter
tentativa *nf.* tentative
teñido,-a *adj.* teint(e) • *nm.* teinture *nf.*, teinte *nf.*
teñir v. tr. teindre
teología *nf.* théologie
teólogo *nm.* théologien
teorema *nm.* théorème
teoría *nf.* théorie
teórico,-a *adj.* théorique • *nm/f.* théoricien(ne)
tercero,-a *adj.* troisième • *nm.* tiers
tercio,-a *adj.* troisième • *nm.* tiers
terciopelo *nm.* velours
terco,-a *adj.* têtu(e)
termas *nfpl.* thermes *nmpl.*
térmico,-a *adj.* thermique
terminación *nf.* terminaison ; fin
terminal *adj.* terminal(e) • *nm.* terminus, aérogare *nf.*
terminar *v. tr.* terminer, achever • *v. intr. et v. pr.* se terminer
término *nm.* terme ; limite *nf.* ; terminus *nm.*
termita *nf.* termite
termómetro *nm.* thermomètre
termostato *nm.* thermostat
ternera *nf.* génisse *(animal) ; veau nm. (viande)*
ternero *nm.* veau *(animal)*
terneza *nf.* tendresse
ternura *nf.* tendresse ; tendreté *(d'un aliment)*
terraza *nf.* terrasse
terrateniente *nm.* propriétaire terrien
terremoto *nm.* tremblement de terre
terrestre *adj.* terrestre
terrible *adj.* terrible
territorio *nm.* territoire
terror *nm.* terreur *nf.*
terrorismo *nm.* terrorisme
terrorista *nm/f.* terroriste
terso,-a *adj.* poli(e), lisse
tersura *nf.* lustre *nm.*
tertulia *nf.* réunion
tesis *nf.* thèse
tesón *nm.* inflexibilité *nf.* ; persévérance *nf.*
tesorería *nf.* trésorerie
tesorero,-a *nm/f.* trésorier(ière)
tesoro *nm.* trésor
test *nm.* test
testamento *nm.* testament
testar *v. intr.* tester
testarudez *nf.* entêtement *nm. ;* obstination *nf.*
testarudo,-a *adj.* têtu(e)
testificar *v. tr.* attester • *v. intr.* témoigner
testigo *nm.* témoin
testimonial *adj.* testimonial(e)
testimoniar *v. tr.* témoigner
testimonio *nm.* témoignage
teta *nf.* mamelle ; sein *nm.* ; mamelon *nm.*
tetera *nf.* théière
tetilla *nf.* mamelle ; tétine
texto *nm.* texte
tez *nf.* teint *nm.*
ti *pron. pers. compl.* toi
tiara *nf.* tiare
tibio,-a *adj.* tiède • *nf.* tibia *nm.*
tiburón *nm.* requin
tiempo *nm.* temps
tienda *nf.* tente ; boutique *nf.*, magasin *nm.*
tiento *nm.* toucher ; bâton d'aveugle ; doigté
tierno,-a *adj.* tendre

tierra *nf.* terre ; patrie
tieso,-a *adj.* raide
tiesto *nm.* tesson *(de verre)* ; pot à fleurs
tifón *nm.* typhon
tigre *nm.* tigre
tijeras *nfpl.* ciseaux *nmpl.*
tila *nf.* tilleul *nm.*
tilo *nm.* tilleul *(arbre)*
timador,-a *nm/f.* escroc
timar *v. tr.* escroquer ; *(fam.)* rouler
timbrar *v. tr.* timbrer
timbre *nm.* timbre fiscal ; sonnette *nf.* ; timbre *nm. (son)*
timidez *nf.* timidité
tímido,-a *adj.* timide
timo *nm.* escroquerie *nf.*
timón *nm.* limon ; gouvernail
timonel *nm.* timonier
timorato,-a *adj.* timoré(e)
tímpano *nm.* tympan
tinaja *nf.* jarre
tinglado *nm.* hangar ; stratagème
tinieblas *nfpl.* ténèbres
tinta *nf.* encre ; teinte
tinte *nm.* teinte *nf.*
tinto,-a *adj.* teint(e) ; rouge ; ***vino tinto*** vin rouge
tintorería *nf.* teinturerie
tintura *nf.* teinture
tío *nm.* oncle ; *(fam.)* père
tíovivo *nm.* manège
típico,-a *adj.* typique
tipo *nm.* type ; aspect ; genre ; taux ; ***un tipo raro*** un drôle de type
tira *nf.* bande, lanière
tiranía *nf.* tyrannie
tirano,-a *adj.* tyrannique • *nm/f.* tyran *nm.*
tirantez *nf.* tension
tirar *v. tr.* jeter ; tirer ; gaspiller • *v. intr.* tirer ; avoir une tendance • *v. pr.* se jeter, s'élancer
tirita *nf.* pansement adhésif *nm.*
tiritar *v. intr.* grelotter
tiro *nm.* tir ; coup de feu ; portée *nf.* ; attelage *nm.* ; tirage *(de cheminée) nm.* ; longueur *nf.*
tiroteo *nm.* fusillade *nf.*
tisana *nf.* tisane
titán *nm.* titan
títere *nm.* marionnette *nf.* ; pantin
titilar *v. intr.* frémir, trembloter, scintiller
titulación *nf.* diplôme *nm.*
título *nm.* titre ; diplôme
tiza *nf.* craie
tizón *nm.* tison
toalla *nf.* serviette de toilette
toallero *nm.* porte-serviettes *inv.*
tobillo *nm.* cheville *nf.*
toca *nf.* coiffe ; toque
tocadiscos *nm. inv.* tourne-disque
tocar *v. tr.* toucher ; jouer de *(un instrument)* • *v. intr.* toucher ; incomber ; revenir • *v. impers.* être le tour de
tocinería *nf.* charcuterie
tocino *nm.* lard
tocón *nm.* souche *nf. (d'arbre)*
todavía *adv.* encore
todo *pron.* tout • *nm.* tout
todo,-a, todos,-as *adj. et pron.* tout, toute, tous, toutes
todopoderoso,-a *adj.* tout(e)-puissant(e)
toga *nf.* toge
toldo *nm.* bâche *nf.* ; banne *nf.* ; store *nm.*
tolerancia *nf.* tolérance
tolerar *v. tr.* tolérer
toma *nf.* prise
tomador,-a *nm/f.* bénéficiaire
tomar *v. tr. et intr.* prendre
tomate *nm.* tomate *nf.*
tómbola *nf.* tombola
tomillo *nm.* thym
tomo *nm.* tome
tonalidad *nf.* tonalité
tonel *nm.* fût, tonneau
tonelada *nf.* tonne ; tonneau *nm.*
tónico,-a *adj.* tonique • *nm.* fortifiant
tono *nm.* ton
tontería *nf.* bêtise, sottise
tonto,-a *adj. et nm/f.* idiot(e)
topacio *nm.* topaze *nf.*
topar *v. tr.* heurter • *v. tr. et intr.* trouver, rencontrer • *v. pr.* se heurter
tope *nm.* butoir ; tampon
tópico *nm.* cliché, lieu commun
topo *nm.* taupe *nf.*
toque *nm.* touche *nf.* ; attouchement *nm.* sonnerie *nf.*

tórax *nm.* thorax
torbellino *nm.* tourbillon
torcedura *nf.* entorse
torcer *v. tr.* tordre, courber ; dévier ; fausser ; faire céder • *v. intr.* tourner • *v. pr.* se tordre
torear *v. intr. et tr.* toréer
toreo *nm.* tauromachie *nf.*
torero *nm.* toréador, torero
torete *nm.* taurillon
torna *nf.* restitution ; retour *nm.*
tornado *nm.* tornade *nf.*
tornar *v. tr.* retourner ; rendre • *v. intr.* revenir • *v. pr.* devenir
tornasol *nm.* tournesol
tornear *v. intr.* participer à un tournoi
torneo *nm.* tournoi ; tournis
tornero *nm.* tourneur
tornillo *nm.* vis *nf.*
torno *nm.* tour ; treuil ; rouet ; roulette *nf.* *(de dentiste)*
toro *nm.* taureau
torpe *adj.* lent(e) ; maladroit(e) ; stupide
torpedo *nm.* torpille *nf.*
torpeza *nf.* lourdeur ; maladresse ; stupidité
torre *nf.* tour ; clocher *nm.*
torreón *nm.* grande tour *nf.*
tórrido,-a *adj.* torride
torsión *nf.* torsion
torso *nm.* torse
torta *nf.* galette ; *(h. am.)* sandwich *nm. ; (fam.)* gifle *nf.*
tortilla *nf.* omelette
tortuga *nf.* tortue
tortura *nf.* torture
torturar *v. tr.* torturer
tos *nf.* toux
tosco,-a *adj.* grossier(ière)
toser *v. intr.* tousser
tostada *nf.* pain grillé *nm*
tostado,-a *adj.* grillé(e) ; hâlé(e)
tostadura *nf.* torréfaction
tostar *v. tr.* griller, torréfier ; bronzer
total *adj.* total(e) • *nm.* total • *adv.* en résumé
totalidad *nf.* totalité
tóxico,-a *adj.* toxique
tozudo,-a *adj.* têtu(e)
trabajador,-a *adj. et nm/f.* travailleur(euse)
trabajar *v. intr. et tr.* travailler
trabajo *nm.* travail • *nmpl.* difficultés *nf.*
trabar *v. tr.* entraver ; lier ; engager
tractor *nm.* tracteur
tradición *nf.* tradition
traducir *v. tr.* traduire
traductor,-a *adj. et nm/f.* traducteur(trice)
traer *v. tr.* apporter, amener ; porter ; causer ; attirer
traficante *nm.* trafiquant
traficar *v. intr.* trafiquer
tráfico *nm.* trafic ; circulation *nf.*
tragaperras *nm. inv.* machine à sous *nf.*
tragar *v. tr.* avaler ; absorber ; *(fam.)* croire
tragedia *nf.* tragédie
tragicomedia *nf.* tragi-comédie
traición *nf.* trahison
traicionar *v. tr.* trahir
traidor,-a *adj. et nm/f* traître(esse)
traje *nm.* vêtement, costume, robe *nf.*
trajín *nm.* transport ; remue-ménage
trajinar *v. tr.* transporter ; s'agiter
trama *nf.* trame
tramar *v. tr.* tramer • *v. pr.* se tramer
trámite *nm.* formalité *nf.* ; démarche *nf.*
tramo *nm.* travée *nf.* ; section *nf.*
tramontana *nf.* tramontane
trampa *nf.* trappe, piège *nm.* ; traquenard *nm.* ; tricherie *nf.*
trampolín *nm.* tremplin ; plongeoir
tranco *nm.* enjambée *nf.*
tranquilidad *nf.* tranquillité
tranquilizar *v. tr.* rassurer, tranquilliser
tranquilo,-a *adj.* tranquille
transbordador *nm.* ferry-boat
transbordar *v. tr.* transborder
transbordo *nm.* transbordement
transcribir *v. tr.* transcrire
transcripción *nf.* transcription
transcurrir *v. intr.* s'écouler
transcurso *nm.* cours
transferencia *nf.* transfert *nm.* ; virement *nm.*
transferir *v. tr.* transférer
transformación *nf.* transformation

transformar *v. tr.* transformer • *v. pr.* se transformer
transfusión *nf.* transfusion
transgredir *v. tr.* transgresser
transición *nf.* transition
transigir *v. intr.* transiger
transitable *adj.* praticable
tránsito *nm.* passage ; transit
transitorio,-a *adj.* transitoire
transmisión *nf.* transmission
transmitir *v. tr.* transmettre
transpaleta *nm.* chariot élévateur
transparencia *nf.* transparence
transparente *adj.* transparent(e) • *nm.* transparent
transpiración *nf.* transpiration
transpirar *v. intr.* transpirer
transponer *v. tr.* transposer
transportar *v. tr.* transporter
transposición *nf.* transposition
transvasar *v. tr.* transvaser
transversal *adj.* transversal(e)
transverso,-a *adj.* transverse
tranvía *nm.* tramway
trapacear *v. intr.* ruser ; frauder
trápala *nf.* tapage *nm.* ; vacarme *nm.*
trapatiesta *nf.* bagarre, dispute ; tapage *nm.*
trapecio *nm.* trapèze
trapillo *nm.* chiffon
trapo *nm.* chiffon; toile *nf.* ; voilure *nf.*
tráquea *nf.* trachée
traquetear *v. intr.* éclater • *v. tr.* agiter, secouer
traqueteo *nm.* pétarade *nf.*, secousse *nf.*
tras *prép.* après ; derrière ; non seulement, non content de
trasegar *v. tr.* changer de place ; transvaser
trasero,-a *adj.* arrière, postérieur(e) • *nm.* derrière
trashumar *v. intr.* transhumer
trasiego *nm.* remue-ménage ; transvasement
trasladar *v. tr.* changer de place, déplacer ; transférer ; ajourner
traslado *nm.* transport, transfert ; copie *nf.* ; mutation *nf.*
trasnochar *v. intr.* passer une nuit blanche ; découcher
traspapelar *v. tr.* égarer
traspaso *nm.* traversée *nf.* ; passage *nm.* ; cession *nf.* ; reprise *nf.*
traspié *nm.* faux pas
trasplantar *v. tr.* transplanter ; greffer
trasplante *nm.* greffe *nf.*
traspuntín *nm.* strapontin
trastera *nf.* débarras *nm.*
trastienda *nf.* arrière-boutique ; ruse, savoir-faire *nm.*
trasto *nm.* saleté *nf.*, vieillerie *nf.* ; *nm.* truc, machin
trastornar *v. tr.* bouleverser
trastorno *nm.* bouleversement ; trouble
trata *nf.* traite
tratable *adj.* traitable ; aimable
tratado *nm.* traité
tratar *v. tr. et intr.* fréquenter ; traiter • *v. intr.* essayer de • *v. impers.* s'agir de
trato *nm.* fréquentation *nf.*, relations *nfpl.* ; façons *nfpl.* ; marché *nm.*
traumatismo *nm.* traumatisme
traumatizar *v. tr.* traumatiser • *v. pr.* se tourmenter
través *nm.* travers
travesura *nf.* espièglerie
traviesa *nf.* traverse
travieso,-a *adj.* mis(e) en travers ; espiègle
trayecto *nm.* parcours, trajet
trazado *nm.* tracé ; plan
trazo *nm.* tracé, dessin
trébol *nm.* trèfle
trece *adj. et nm. inv.* treize
tregua *nf.* trêve
treinta *adj. et nm. inv.* trente
treintena *nf.* trentaine ; trentième *nm.*
tremendo,-a *adj.* formidable ; énorme
tren *nm.* train
trenza *nf.* natte, tresse
trepado,-a *adj.* vigoureux(euse)
trepador,-a *adj.* grimpant(e)
trepar *v. intr.* grimper ; escalader
tres *adj. et nm. inv.* trois
trescientos,-as *adj. et nm.* trois cents
treta *nf.* ruse
tría *nf.* tri *nm.*
tríada *nf.* triade

triangular *adj.* triangulaire
triángulo,-a *adj.* triangulaire • *nm.* triangle
triar *v. tr.* trier
tribu *nf.* tribu
tribuna *nf.* tribune
tribunal *nm.* tribunal ; jury
tribuno *nm.* tribun
tributar *v. tr.* payer un tribut ; témoigner
tributo *nm.* impôt, tribut
tricolor *adj.* tricolore
trienal *adj.* triennal(e)
trifulca *nf.* dispute, querelle
trigal *nm.* champ de blé
trigésimo,-a *adj. et nm.* trentième
trigo *nm.* blé
trilogía *nf.* trilogie
trimestre *nm.* trimestre
trinchar *v. tr.* découper
trinchera *nf.* tranchée ; trench-coat *nm.*
trineo *nm.* traîneau ; luge *nf.*
trinidad *nf.* trinité
trío *nm.* trio
tripa *nf.* tripe, boyau *nm. ; (fam.)* ventre *nm.*
triple *adj. et nm.* triple
triplicar *v. tr.* tripler
trípode *nm.* trépied
triscar *v. intr.* trépigner ; gambader
triste *adj.* triste
tristeza *nf.* tristesse
triturar *v. tr.* triturer, malmener
triunfar *v. intr.* triompher
triunfo *nm.* triomphe
trivial *adj.* banal(e), insignifiant(e)
triza *nf.* petit morceau *nm.*
trocar *v. tr.* troquer ; changer
trocear *v. tr.* couper en morceaux
trocha *nf.* sentier *nm.*
trofeo *nm.* trophée
tromba *nf.* trombe
trompa *nf.* trompe ; cor *nm.*
trompeta *nf.* trompette • *nm.* trompettiste
trompo *nm.* toupie *nf.*
tronco *nm.* tronc, souche *nf.*
tronchar *v. tr.* briser, casser
tronera *nf.* vasistas *nm.*
trono *nm.* trône
tropa *nf.* troupe
tropel *nm.* cohue *nf.* ; hâte *nf.*
tropezar *v. intr.* buter, trébucher ; se heurter ; s'opposer à
tropical *adj.* tropical(e)
trotamundos *nm.* globe-trotter
trotar *v. intr.* trotter
trote *nm.* trot *(fam.)* ; travail fatigant
trovador,-a *nm/f.* poète, poétesse
trozo *nm.* morceau ; passage
trucaje *nm.* trucage, truquage
truculencia *nf.* truculence
trucha *nf.* truite
trueque *nm.* troc, échange
trufa *nf.* truffe
truncar *v. tr.* tronquer ; briser
tú *pron. pers. suj.* toi
tu, tus *adj. poss.* ton, ta, tes
tubérculo *nm.* tubercule
tuberculosis *nf.* tuberculose
tubería *nf.* tuyauterie ; conduite
tubo *nm.* tube, tuyau
tucán *nm.* toucan
tueste *nm.* torréfaction *nf.*
tuétano *nm.* moelle *nf.*
tugurio *nm.* taudis
tul *nm.* tulle
tulipán *nm.* tulipe *nf.*
tumba *nf.* tombeau *nm.*
tumbar *v. tr.* renverser ; jeter à terre ; s'allonger
tumbo *nm.* cahot
tumor *nm.* tumeur *nf.*
tumulto *nm.* tumulte
tunante *adj. et nm/f.* vagabond(e) ; coquin(e)
tunda *nf.* raclée
túnel *nm.* tunnel
túnica *nf.* tunique
tupido,-a *adj.* épais(se), serré(e)
tupir *v. tr.* comprimer, serrer
turbación *nf.* trouble *nm.*
turbante *nm.* turban
turbar *v. tr.* troubler ; décontenancer
turbina *nf.* turbine
turbio,-a *adj.* trouble, suspect(e)
turbulencia *nf.* turbulence
turbulento,-a *adj.* turbulent(e)

turismo *nm.* tourisme ; voiture particulière *nf.*
turista *nm/f.* touriste
turnar *v. intr.* alterner • *v. pr.* se relayer
turno *nm.* tour
turquesa *nf.* turquoise
turrón *nm.* nougat, touron
tutear *v. tr.* tutoyer
tutela *nf.* tutelle
tuteo *nm.* tutoiement
tutoría *nf.* tutelle, tutorat *nm.*
tuyo, tuya *pron. poss.* tien, tienne • *adj. poss.* à toi

U

u *nf.* u *nm. inv.*
u *conj.* ou
ubicación *nf.* position
ubicar *v. intr et pr.* se trouver
ubre *nf.* mamelle ; pis *nm. (vache)*
ufanarse *v. pr.* se vanter
ufano,-a *adj.* fier(ière) ; orgueilleux(euse)
ujier *nm.* huissier
úlcera *nf.* ulcère *nm.*
ultimar *v. tr.* achever, terminer
ultimátum *nm.* ultimatum
último,-a *adj. et nm/f.* dernier(ière) ; *loc. adv.* ***por último*** finalement
ultraderecha *nf.* extrême droite
ultraizquierda *nf.* extrême gauche
ultrajar *v. tr.* outrager
ultranza (a) *loc. adv.* à outrance
ultratumba *nf.* outre-tombe
umbilical *adj.* ombilical(e)
umbral *nm.* seuil
un, una *art. indéf.* un, une
unánime *adj.* unanime
unanimidad *nf.* unanimité
undécimo,-a *adj. et nm/f.* onzième
ungüento *nm.* onguent
único,-a *adj.* unique ; seul(e)
unicornio *nm.* licorne *nf.*
unidad *nf.* unité
uniformar *v. tr.* uniformiser
unión *nf.* union
unir *v. tr.* unir ; joindre ; lier • *v. pr.* s'unir
unísono *nm.* unisson
unitario,-a *adj.* unitaire
universal *adj.* universel(le)
universidad *nf. université*
universo *nm.* univers
uno, una *num.* un, une • *art.* un, une • *adj. indéf. pl.* des, quelques, environ • *pron. indéf.* quelqu'un, l'un, l'une
untuoso,-sa *adj.* gras(se), onctueux(euse)
uña *nf.* ongle *nm.* ; griffe *nf.* ; bec *nm.*
uñero *nm.* panaris
uranio *nm.* uranium
urbanidad *nf.* courtoisie, politesse
urbanización *nf.* lotissement *nm.*
urbanizar *v. tr.* urbaniser ; civiliser
urbano,-a *adj.* urbain(e) ; courtois(e)
urbe *nf.* ville, métropole
urgencia *nf.* urgence
urgente *adj.* urgent(e)
urgir *v. intr.* être urgent
urna *nf.* urne
urología *nf.* urologie
urticaria *nf.* urticaire
usado,-a *adj.* usagé(e), usé(e), usité(e)
usanza *nf.* usage *nm.*
usar *v. tr.* utiliser ; employer
uso *nm.* usage ; coutume *nf.*
usted, ustedes *pron. pers.* vous
usual *adj.* usuel(le)
usuario *nm.* usager
usurero,-a *nm/f.* usurier(ière)
usurpar *v. tr.* usurper
utensilio *nm.* ustensile
útil *adj. utile* • *nm.* outil
utilidad *nf.* utilité
utilitario,-a *adj.* utilitaire
utilización *nf.* utilisation
utilizar *v. tr.* utiliser
utopía *nf.* utopie
uva *nf.* raisin *nm.* ; grain de raisin *nm.*

V

v *nf.* v *nm. inv.*
vaca *nf.* vache ; bœuf *nm. (boucherie)*
vacaciones *nfpl.* vacances
vacante *adj.* vacant(e)
vaciadero *nm.* dépotoir ; égoût
vaciar *v. tr.* vider ; évider
vacilante *adj.* vacillant(e) ; hésitant(e)
vacilar *v. intr.* vaciller ; hésiter
vacuna *nf.* vaccin *nm.*
vacunar *v. tr.* vacciner
vacuno,-a *adj.* bovin(e) • *nm.* bovins *nmpl.*
vado *nm.* gué
vagabundear *v. intr.* vagabonder
vagabundo,-a *adj. et nm/f.* vagabond(e)
vagar *v. intr.* errer ; être oisif(ive)
vagido *nm.* vagissement
vagar *v. intr.* errer, flâner
vagón *nm.* wagon
vaho *nm.* vapeur *nf.* ; buée *nf.*
vaina *nf.* étui *nm.* ; fourreau *nm.* ; gousse *nf.*, cosse *nf.*
vainilla *nf.* vanille ; vanillier *nm.*
vaivén *nm.* va-et-vient *inv.*
vajilla *nf.* vaisselle
vale *nm.* bon ; reçu ; billet gratuit
valenciano,-a *adj.* valencien(ne) • *nm/f.* Valencien(ne)
valentía *nf.* bravoure ; action héroïque
valer *v. intr.* valoir ; coûter ; servir ; être valable • *v. pr.* se servir de qqch/qqn
validar *v. tr.* valider
validez *nf.* validité
válido,-a *adj.* valide, valable
valiente *adj.* courageux(euse) • *adj. et nm/f.* brave
valija *nf.* valise
valioso,-a *adj.* précieux(euse)
valla *nf.* clôture ; haie
valle *nm.* vallée *nf.*
valor *nm.* valeur *nf.* ; courage *nm.*
valorar *v. tr.* estimer, évaluer
valorizar *v. tr.* valoriser
vals *nm.* valse *nf.*
válvula *nf.* valve, clapet *nm.* ; soupape *nf.*
vampiro *nm.* vampire
vándalo *nm.* vandale
vanguardia *nf.* avant-garde
vanidad *nf.* vanité
vanidoso,-a *adj. et nm/f.* vaniteux(euse)
vano,-a *adj.* vain(e) ; vide
vapor *nm.* vapeur *nf.*
vaporizador *nm.* vaporisateur
vaporizar *v. tr.* vaporiser
vaporoso,-a *adj.* vaporeux(euse)
vaquero,-a *adj. nm/f.* vacher(ère) • *nmpl.* jeans
vara *nf.* baguette ; bâton *nm.* ; brancard *nm.* ; pique *nf. (de toréador)*
varec *nm.* varech
vareta *nf.* baguette
variación *nf.* variation
variante *nf.* variante
variar *v. tr.* varier
varice *nf.* varice
varicela *nf.* varicelle
variedad *nf.* variété
varilla *nf.* baguette ; tringle
vario,-a *adj.* divers(e) ; différent(e)
varita *nf.* baguette
varón *nm.* homme ; garçon
vaselina *nf.* vaseline
vasija *nf.* pot *nm.*
vaso *nm.* verre ; vase
vaticano,-a *adj.* du Vatican • ***el Vaticano*** *n. prop. m.* le Vatican
vaticinar *v. tr.* prédire, vaticiner
vecindad *nf.* voisinage *nm.*
vecindario *nm.* habitants d'une ville *nmpl.* ; voisinage *nm.*
vecino *adj. et nm/f.* voisin(e) ; habitant(e)
vector *nm.* vecteur
vedado *nm.* chasse gardée *nf.*
vegetación *nf.* végétation
vegetar *v. intr.* végéter
vegetariano.-a *adj. et nm/f.* végétarien (ne)
vehículo *nm.* véhicule
veinte *adj. et nm. inv.* vingt
veinteavo,-va *num.* vingtième
veintena *nf.* vingtaine

veintidós, veintitrés, veinticuatro, etc. *adj. et nm.* vingt-deux, vingt-trois, vingt-quatre, etc.
veintiuno,-a *adj. et nm.* vingt et un
vejar *v. tr.* vexer
vejez *nf.* vieillesse
vejiga *nf.* vessie ; ampoule *(sur la peau)*
vela *nf.* veille ; bougie ; voile
velada *nf.* veillée
velador,-a *adj. et nm/f.* veilleur(euse) surveillant(e) • *nm.* guéridon
velatorio *nm.* veillée funèbre *nf.*
veleidad *nf.* velléité
veleta *nf.* girouette
vello *nm.* duvet
velo *nm.* voile ; voilette *nf.*
velocidad *nf.* vitesse
velocista *nm/f.* sprinter, sprinteuse
veloz *adj.* rapide, véloce
vena *nf.* veine ; nervure
venablo *nm.* javelot
venado *nm.* cerf
venal *adj.* vénal(e)
vencer *v. tr.* vaincre • *v. intr.* expirer, arriver à échéance
vencimiento *nm.* victoire *nf.* ; défaite *nf.* échéance *nf.*
venda *nf.* bande
vendaje *nm.* bandage
vendedor,-a *adj. et nm/f.* vendeur(euse)
vender *v. tr.* vendre
vendimia *nf.* vendange
vendimiador,-a *nm/f.* vendangeur(euse)
vendimiar *v. tr.* vendanger
veneno *nm.* poison, venin
venenoso,-a *adj.* vénéneux(euse),venimeux(euse)
venerar *v. tr.* vénérer
venganza *nf.* vengeance
vengar *v. tr.* venger
venir *v. intr. et pr.* venir
venta *nf.* vente ; auberge
ventaja *nf.* avantage *nm.*
ventajoso,-a *adj.* avantageux(se)
ventana *nf.* fenêtre
ventilador *nm.* ventilateur
ventilar *v. tr.* aérer, ventiler
ventisca *nf.* tempête *(de vent et neige)*
ventoso,-a *adj.* venteux(euse) ; venté(e)
ventura *nf.* hasard *nm.*
ver *v. tr.* voir • *v. pr.* se voir
veracidad *nf.* véracité
veraneante *nm.* vacancier
veranear *v. intr.* passer ses vacances d'été
verano *nm.* été
veras (de) *loc. adv.* vraiment, sérieusement
veraz *adj.* véridique
verbal *adj.* verbal(e)
verbena *nf.* verveine ; fête populaire
verbo *nm.* verbe
verdad *nf.* vérité
verdadero,-a *adj.* véritable ; vrai(e) ; sincère
verde *adj.* vert(e) ; grivois(e) • *nm.* vert
verdugo *nm.* bourreau, tortionnaire
verdulería *nf.* boutique de légumes
verdura *nf.* verdure ; légumes verts *nmpl.*
veredicto *nm.* verdict
vergel *nm.* verger
vergonzoso,-a *adj.* honteux(euse) • *adj. et nm/f.* timide
vergüenza *nf.* honte ; honneur *nm.*
verídico,-a *adj.* véridique
verificar *v. tr.* vérifier ; effectuer • *v. pr.* avoir lieu
verja *nf.* grille
verruga *nf.* verrue
versar *v. intr.* tourner autour ; porter sur
versículo *nm.* verset
versión *nf.* version
verso *nm.* vers
vertebra *nf.* vertèbre
vertebral *adj.* vertébral(e)
vertedero *nm.* décharge *nf.*
verter *v. tr.* verser ; renverser ; exprimer ; débiter
vértice *nm.* sommet
vertido *nm.* rejet ; déchet ; décharge *nf.*
vértigo *nm.* vertige
vesícula *nf.* vésicule
vestido.-a *adj.* habillé(e) • *nm.* vêtement ; costume
vestir *v. tr.* habiller ; recouvrir ; orner • *v. intr.* s'habiller, être habillé(e)
vestuario *nm.* garde-robe *nf.* ; vestiaire *nm.*
veterano,-a *adj.* vieux (vieille) • *nm.* vétéran

veterinario,-a *adj. et nm/f.* vétérinaire
veto *nm.* veto
vetusto,-a *adj.* vétuste
vez *nf.* fois ; tour *nm.* • ***a veces*** *loc. adv.* parfois • ***tal vez*** *loc. adv.* peut-être
vía *nf.* voie
viable *adj.* viable
viaducto *nm.* viaduc
viajante *nm.* voyageur de commerce, représentant
viajar *v. intr.* voyager
viaje *nm.* voyage
viajero,-a *nm/f.* voyageur(euse)
víbora *nf.* vipère
vibración *nf.* vibration
vibrar *v. intr.* vibrer
vicario *nm.* vicaire
vicio *nm.* vice ; manie *nf.* ; gâterie *nf.*
vicioso,-a *adj.* vicieux(euse)
víctima *nf.* victime
victoria *nf.* victoire
vicuña *nf.* vigogne
vid *nf.* vigne
vida *nf.* vie
vidente *nm/f.* voyant(e)
vídeo *nf.* vidéo
videocámara *nm.* caméscope
video(casete) *nm.* magnétoscope
vidriera *nf.* vitrage *nm.* ; vitrail *nm.* ; verrière *nf.*
vidrio *nm.* verre *(matière)*
viejo,-a *adj.* vieux, vieille
viento *nm.* vent
vientre *nm.* ventre
viernes *nm.* vendredi
vigencia *nf.* vigueur
vigilante *adj.* vigilant(e) • *nm.* veilleur
vigilar *v. intr.* veiller • *v. tr.* surveiller
vigilia *nf.* veille ; vigile *nm.*
vigorizar *v. tr.* fortifier
vigoroso,-a *adj.* vigoureux(euse)
vil *adj.* vil(e), lâche
vileza *nf.* bassesse
villa *nf.* bourg *nm.* ; ville *nf.* ; villa *nf.*
vinagre *nm.* vinaigre
vinagrera *nf.* vinaigrier *nm.* • *nfpl.* huilier
vinagreta *nf.* vinaigrette
vincular *v. tr.* lier, attacher
vínculo *nm.* lien
vinícola *adj.* vinicole
vino *nm.* vin
viña *nf.* vigne
viñedo *nm.* vignoble
violar *v. tr.* violer
violencia *nf.* violence
violentar *v. tr.* violenter, violer • *v. pr.* se forcer
violento,-a *adj.* violent(e)
violeta *nf.* violette
violetera *nf.* marchande de violettes
violín *nm.* violon
violoncelo *nm.* violoncelle
viraje *nm.* virage
virar *v. intr.* virer
virgen *adj. et nm/f.* vierge • ***la Virgen*** *n. prop. f.* la Vierge
virginidad *nf.* virginité
viril *adj.* viril(e)
virilidad *nf.* virilité
virtual *adj.* virtuel(le)
virtuoso,-a *adj.* vertueux(euse) • *nm.* virtuose
viruela *nf.* variole, petite vérole
virulencia *nf.* virulence
virus *nm.* virus
viruta *nf.* copeau *nm.*
visado *nm.* visa
viscoso,-a *adj.* visqueux(euse)
visera *nf.* visière
visible *adj.* visible
vision *nf.* vision
visita *nf.* visite
visitar *v. tr.* visiter
vislumbrar *v. tr.* entrevoir ; deviner
viso *nm.* reflet
visón *nm.* vison
visor *nm.* viseur
vista *nf.* vue ; coup d'œil *nm.* ; regard *nm.* ; perspicacité *nf.* ; intention *nf.* ; aspect *nm.*
vistoso,-a *adj.* voyant(e)
visual *adj.* visuel(le)
visualización *nf.* visualisation
vital *adj.* vital(e)
vitalidad *nf.* vitalité
vitícola *adj.* viticole • *nm.* viticulteur
viticultura *nf.* viticulture
vitorear *v. tr.* acclamer

vítreo,-a *adj.* vitreux(euse) ; vitré(e)
vitrificar *v. tr.* vitrifier
vitrina *nf.* vitrine
viudez *nf.* veuvage *nm.*
vivencia *nf.* vécu *nm.*
vivero *nm.* pépinière *nf.* ; vivier *nm.*
viveza *nf.* vivacité
vivienda *nf.* logement *nm.* ; habitation *nf.*
viviente *adj.* vivant(e)
vivir *v. intr.* vivre, habiter
vivo,-a *adj.* vivant(e) ; vif, vive • *nm.* vivant
vocablo *nm.* mot, vocable
vocabulario *nm.* vocabulaire
vocación *nf.* vocation
vocalizar *v. intr.* faire des vocalises ; articuler
vocería *nf.* cris *nmpl.*
vodevil *nm.* vaudeville
volador,-a *adj.* volant(e)
volante *adj.* volant(e) • *nm.* volant
volar *v. intr.* voler ; s'envoler
volátil *adj.* qui vole ; inconstant(e) ; volatil(e) • *nm.* volatile
volatilizar *v. tr.* volatiliser
volcán *nm.* volcan
volcánico,-a *adj.* volcanique
volcar *v. tr.* renverser ; faire changer d'avis • *v. intr.* verser • *v. pr.* se démener
voltaje *nm.* voltage
voltear *v. tr.* faire voltiger ; renverser
voltereta *nf.* cabriole, pirouette
voltio *nm.* volt
voluble *adj.* versatile, inconstant(e)
volumen *nm.* volume
voluminoso,-a *adj.* volumineux(euse)
voluntad *nf.* volonté
voluntario,-a *adj. et nm/f.* volontaire
voluntarioso,-a *adj.* volontaire, obstiné(e)
voluptuosidad *nf.* volupté
voluptuoso,-a *adj.* voluptueux(euse)
volver *v. tr.* tourner ; rendre ; revenir • *v. pr.* devenir
vomitar *v. tr.* vomir
vómito *nm.* vomissement
voracidad *nf.* voracité
vos *pron. pers.* vous ; tu *(Amérique latine)*
vosotros,-as *pron. pers.* vous
votación *nf.* vote *nm.* ; scrutin *nm.*
votante *adj. et nm/f.* votant(e)
votar *v. intr. et tr.* voter, ***votar a un candidato*** voter pour un candidat
voto *nm.* vote ; voix *nf.* ; vœu *nm.*
voz *nf.* voix ; cri *nm.*
vuelco *nm.* renversement, retournement
vuelo *nm.* vol ; envolée *nf.* ; ampleur *nf.*
vuelta *nf.* tour *nm.* ; tournant *nm.* ; retour *nm.* ; monnaie *nf.* ; envers *nm.* ; changement *nm.*
vuestro,-a, -os, -as *adj. poss.* votre, vos • *pron. poss.* vôtre, vôtres
vulgar *adj.* vulgaire ; banal(e)
vulgarizar *v. tr.* vulgariser
vulgo *nm.* peuple
vulnerable *adj.* vulnérable
vulnerar *v. tr.* porter atteinte à, enfreindre, violer
vulva *nf.* vulve

W

w *nm.* w *nm. inv.*
wat *nm.* watt
water *nm.* water-closet
water-polo *nm.* water-polo
week-end *nm.* fin de semaine
western *nm.* film américain
whisky *nm.* whisky
whist *nm.* whist

X

x *nf.* x *nm. inv.*
xenofilia *nf.* xénophilie
xenofobia *nf.* xenophobie
xenófobo,-a *adj. et nm/f.* xénophobe
xenón *nm.* xénon (gaz)
xerografía *nf.* xérographie
xilófono *nm.* xylophone

Y

y *nf.* y *nm. inv.*
y *conj.* et
ya *adv.* déjà ; maintenant ; enfin • *conj.* tantôt..., tantôt, soit... soit • *loc. conj.* ***ya que*** puisque
yacimiento *nm.* gisement
yanqui *adj. et nm/f.* yankee
yate *nm.* yacht
yedra *nf.* lierre *nm.*
yegua *nf.* jument
yeguada *nf.* troupeau de chevaux *nm.*
yema *nf.* bourgeon *nm.* ; jaune d'œuf *nm.* ; confiserie *nf.* au jaune d'œuf ; bout *nm.* *(du doigt)*
yermo.-a *adj.* désert(e), stérile • *nm.* désert
yerno *nm.* gendre
yerto,-a *adj.* raide
yesca *nf.* amadou *nm.*
yesería *nf.* platrerie
yesero *nm.* plâtrier
yeso *nm.* gypse, pierre à plâtre *nf. ;* plâtre *nm.*
yo *pron. pers. suj.* je ; moi
yodo *nm.* iode
yoga *nm.* yoga
yogur *nm.* yoghourt, yaourt
yuca *nf.* yucca *nm.* ; manioc *nm.*
yudo *nm.* judo
yugo *nm.* joug
yugular *adj.* jugulaire
yunque *nm.* enclume *nf.*
yute *nm.* jute
yuxtaponer *v. tr.* juxtaposer
yuxtaposición *nf.* juxtaposition

Z

z *nf.* z *nm. inv.*
zafarancho *nm.* branle-bas ; dispute *nf.*
zafio,-a *adj.* grossier(ière)
zafiro *nm.* saphir
zaga *nf.* arrière *nm.* ; derrière *nm.*
zagal *nm.* garçon, gars ; jeune berger
zaguán *nm.* entrée *nf,* vestibule *nm.*
zaherir *v. tr.* critiquer, railler
zahorí *nm.* sourcier ; devin
zalamero,- a *adj. et nm/f.* flatteur(euse)
zamarrear *v. tr.* secouer ; malmener
zambo,-a *adj.* cagneux(euse) • *nm.* babouin
zambullida *nf.* plongeon *nm.*
zambullir *v. tr.* plonger
zampar *v. tr.* fourrer ; avaler • *v. pr.* se fourrer
zampatortas *nm/f.* goinfre
zampoña *nf.* chalumeau *nm.* ; flûte de Pan
zanahoria *nf.* carotte
zanca *nf.* patte *(d'oiseau)*
zancadilla *nf.* croc-en-jambe *nm.*
zanco *nm.* échasse *nf.*
zángano *nm.* faux bourdon ; fainéant
zanguango,-a *adj. et nm/f.* fainéant(e)
zanja *nf.* fosse ; tranchée
zapar *v. tr.* saper

zapatear *v. tr.* frapper du pied ; • *v. intr.* accompagner une musique en donnant des coups de talon
zapatería *nf.* cordonnerie ; magasin de chaussures
zapatero,-a *nm/f.* cordonnier(ière)
zapatilla *nf.* pantoufle, chausson *nm.*
zapato *nm.* chaussure *nf.*, soulier *nm.*
zar *nm.* tsar
zarabanda *nf.* sarabande ; tintamarre *nm.*
zarandear *v. tr.* cribler • *v. pr.* se démener ; se trémousser
zarina *nf.* tsarine
zarpa *nf.* patte griffue
zarpada *nf.* coup de griffe *nm.*
zarpar *v. intr.* lever l'ancre, appareiller
zarpazo *nm.* coup de griffe
zarrapastroso,-a *adj. et nm/f.* malpropre
zarza *nf.* ronce
zarzamora *nf.* mûre sauvage ; ronce
zenit *nm.* zénith
zigzag *nm.* zigzag ; lacet
zigzaguear *v. intr.* zigzaguer
zinc *nm.* zinc
zócalo *nm.* soubassement ; socle
zoco *nm.* sabot ; socle
zodiaco *nm.* zodiaque
zona *nf.* zone
zoo *nm.* zoo
zoológico,-a *adj.* zoologique
zopo,-a *adj.* contrefait(e)
zorrero,-a *adj.* rusé(e)
zorro,-rra *adj.* rusé(e) • *nm/f.* renard(e) • *nf.* personne rusée
zozobra *nf.* naufrage *nm.* ; angoisse *nf.*
zozobrar *v. intr.* chavirer ; couler ; échouer
zueco *nm.* sabot
zulo *nm.* cache *nf.*, cachette *nf.*
zulú *adj. et nm/f.* zoulou ; sauvage
zumbar *v. intr.* bourdonner ; tinter ; vrombir • *v. pr.* se moquer
zumbido *nm.* bourdonnement ; ronflement ; vrombissement
zumo *nm.* jus ; suc
zurcir *v. tr.* repriser
zurdo,-a *adj.* gauche • *adj. et nm/f.* gaucher(ère) • *nf.* main gauche
zurrón *nm.* gibecière *nf.*

CONJUGAISONS

1. Verbes réguliers

tomar, prendre (verbe régulier en **ar**)

Indicatif présent	Subjonctif présent	Indicatif futur	Conditionnel présent
je prends	*que je prenne*	*je prendrai*	*je prendrais*
tomo	tome	tomaré	tomaría
tomas	tomes	tomarás	tomarías
toma	tome	tomará	tomaría
tomamos	tomemos	tomaremos	tomaríamos
tomáis	toméis	tomaréis	tomaríais
toman	tomen	tomarán	tomarían

Passé simple	Subjonctif imparfait 1re forme	2e forme	Indicatif imparfait
je pris		*que je prisse*	*je prenais*
tomé	tomara	tomase	tomaba
tomaste	tomaras	tomases	tomabas
tomó	tomara	tomase	tomaba
tomamos	tomáramos	tomásemos	tomábamos
tomasteis	tomarais	tomaseis	tomabais
tomaron	tomaran	tomasen	tomaban

Gérondif : tomando — Participe passé : tomado

comer, manger (verbe régulier en **er**)

Indicatif présent	Subjonctif présent	Indicatif futur	Conditionnel présent
je mange	*que je mange*	*je mangerai*	*je mangerais*
como	coma	comeré	comería
comes	comas	comerás	comerías
come	coma	comerá	comería
comemos	comamos	comeremos	comeríamos
coméis	comáis	comeréis	comeríais
comen	coman	comerán	comerían

Passé simple	Subjonctif imparfait 1re forme	2e forme	Indicatif imparfait
je mangeai	*que je mangeasse*		*je mangeais*
comí	comiera	comiese	comía
comiste	comieras	comieses	comía
comió	comiera	comiese	comía
comimos	comiéramos	comiésemos	comíamos
comisteis	comierais	comieseis	comíais
comieron	comieran	comiesen	comían

Gérondif : comiendo — Participe passé : comido

vivir, habiter, vivre (verbe régulier en **ir**)

Indicatif présent	Subjonctif présent	Indicatif futur	Conditionnel présent
je vis	*que je vive*	*je vivrai*	*je vivrais*
vivo	viva	viviré	viviría
vives	vivas	vivirás	vivirías
vive	viva	vivirá	viviría
vivimos	vivamos	viviremos	viviríamos
vivís	viváis	viviréis	viviríais
viven	vivan	vivirán	vivirían

Passé simple	Subjonctif imparfait 1re forme	Subjonctif imparfait 2e forme	Indicatif imparfait
je vécus	*que je vécusse*		*je vivais*
viví	viviera	viviese	vivía
viviste	vivieras	vivieses	vivías
vivió	viviera	viviese	vivía
vivimos	viviéramos	viviésemos	vivíamos
vivisteis	vivierais	vivieseis	vivíais
vivieron	vivieran	viviesen	vivían

Gérondif : viviendo — Participe passé : vivido

2. Verbes à diphtongue

cerrar, fermer (verbe à diphtongue, **e** → **ie**)

Indicatif présent	Subjonctif présent	Indicatif futur	Conditionnel présent
je ferme	*que je ferme*	*je fermerai*	*je fermerais*
cierro	cierre	cerraré	cerraría
cierras	cierres	cerrarás	cerrarías
cierra	cierre	cerrará	cerraría
cerramos	cerremos	cerraremos	cerraríamos
cerráis	cerréis	cerraréis	cerraríais
cierran	cierren	cerrarrán	cerrarían

Passé simple	Subjonctif imparfait 1re forme	Subjonctif imparfait 2e forme	Indicatif imparfait
je fermai	*que je fermasse*		*je fermais*
cerré	cerrara	cerrase	cerraba
cerraste	cerraras	cerrases	cerrabas
cerró	cerrara	cerrase	cerraba
cerramos	cerráramos	cerrásemos	cerrábamos
cerrasteis	cerrarais	cerraseis	cerrabais
cerraron	cerraran	cerrasen	cerraban

Gérondif : cerrando — Participe passé : cerrado

volver, revenir (verbe à diphtongue, **o → ue**)

Indicatif présent	Subjonctif présent	Indicatif futur	Conditionnel présent
je reviens	*que je revienne*	*je reviendrai*	*je reviendrais*
vuelvo	vuelva	volveré	volvería
vuelves	vuelvas	volverás	volverías
vuelve	vuelva	volverá	volvería
volvemos	volvamos	volveremos	volveríamos
volvéis	volváis	volveréis	volveríais
vuelven	vuelvan	volverán	volverían

Passé simple	Subjonctif imparfait 1re forme	2e forme	Indicatif imparfait
je revins	*que je revinsse*		*je revenais*
volví	volviera	volviese	volvía
volviste	volvieras	volvieses	volvías
volvió	volviera	volviese	volvía
volvimos	volviéramos	volviésemos	volvíamos
volvisteis	volvierais	volvieseis	volvíais
volvieron	volvieran	volviesen	volvían
Gérondif : volviendo		Participe passé : vuelto	

3. Verbes du type sentir et pedir

sentir, sentir, regretter, ressentir, entendre

Indicatif présent	Subjonctif présent	Indicatif futur	Conditionnel présent
je regrette	*que je regrette*	*je regretterai*	*je regretterais*
siento	sienta	sentiré	sentiría
sientes	sientas	sentirás	sentirías
siente	sienta	sentirá	sentiría
sentimos	sintamos	sentiremos	sentiríamos
sentís	sintáis	sentiréis	sentiríais
sienten	sientan	sentirán	sentirían

Passé simple	Subjonctif imparfait 1re forme	2e forme	Indicatif imparfait
je regrettai	*que je regrettasse*		*je regrettais*
sentí	sintiera	sintiese	sentía
sentiste	sintieras	sintieses	sentía
sintió	sintiera	sintiese	sentía
sentimos	sintiéramos	sintiésemos	sentíamos
sentisteis	sintierais	sintieseis	sentíais
sintieron	sintieran	sintiesen	sentían
Gérondif : sintiendo		Participe passé : sentido	

pedir, demander, exiger

Indicatif présent	Subjonctif présent	Indicatif futur	Conditionnel présent
je demande	*que je demande*	*je demanderai*	*je demanderais*
pido	pida	pediré	pediría
pides	pidas	pedirás	pedirías
pide	pida	pedirá	pediría
pedimos	pidamos	pediremos	pediríamos
pedís	pidáis	pediréis	pediríais
piden	pidan	pedirán	pedirían

Passé simple	Subjonctif imparfait 1re forme	Subjonctif imparfait 2e forme	Indicatif imparfait
je demandai	*que je demandasse*		*je demandais*
pedí	pidiera	pidiese	pedía
pediste	pidieras	pidieses	pedías
pidió	pidiera	pidiese	pedía
pedimos	pidiéramos	pidiésemos	pedíamos
pedisteis	pidierais	pidieseis	pedíais
pidieron	pidieran	pidiesen	pedían

Gérondif : pidiendo — Participe passé : pedido

dormir, dormir

Indicatif présent	Subjonctif présent	Indicatif futur	Conditionnel présent
je dors	*que je dorme*	*je dormirai*	*je dormirais*
duermo	duerma	dormiré	dormiría
duermes	duermas	dormirás	dormirías
duerme	duerma	dormirá	dormiría
dormímos	durmamos	dormiremos	dormiríamos
dormís	durmáis	dormiréis	dormiríais
duermen	duerman	dormirán	dormirían

Passé simple	Subjonctif imparfait 1re forme	Subjonctif imparfait 2e forme	Indicatif imparfait
je dormis	*que je dormisse*		*je dormais*
dormí	durmiera	durmiese	dormía
dormiste	durmieras	durmieses	dormías
durmió	durmiera	durmiese	dormía
dormimos	durmiéramos	durmiésemos	dormíamos
dormisteis	durmierais	durmieseis	dormíais
durmieron	durmieran	durmiesen	dormían

Gérondif : durmiendo — Participe passé : dormido

construir, construire

Indicatif présent	Subjonctif présent	Indicatif futur	Conditionnel présent
je construis	*que je construise*	*je construirai*	*je construirais*
construyo	construya	construiré	construiría
construyes	construyas	construirás	construirías
construye	construya	construirá	construiría
construimos	construyamos	construiremos	construiríamos
construís	construyáis	construiréis	construiríais
construyen	construyan	construirán	construirían
Passé simple	Subjonctif imparfait 1re forme	2e forme	Indicatif imparfait
je construisis	*que je construisisse*		*je construisais*
construí	construyera	construyese	construía
construiste	construyeras	construyeses	construías
construyó	construyera	construyese	construía
construimos	construyéramos	construyésemos	construíamos
construisteis	construyerais	construyeseis	construíais
construyeron	construyeran	construyesen	construían
Gérondif : construyendo		Participe passé : construido	

4. Les verbes en ~acer, ~ecer, ~ocer et ~ducir

conocer, connaître

Indicatif présent	Subjonctif présent	Indicatif futur	Conditionnel présent
je connais	*que je connaisse*	*je connaîtrai*	*je connaîtrais*
conozco	conozca	conoceré	conocería
conoces	conozcas	conocerás	conocerías
conoce	conozca	conocerá	conocería
conocemos	conozcamos	conoceremos	conoceríamos
conocéis	conozcáis	conoceréis	conoceríais
conocen	conozcan	conocerán	conocerían
Passé simple	Subjonctif imparfait 1re forme	2e forme	Indicatif imparfait
je connus	*que je connusse*		*je connaissais*
conocí	conociera	conociese	conocía
conociste	conocieras	conocieses	conocías
conoció	conociera	conociese	conocía
conocimos	conociéramos	conociésemos	conocíamos
conocisteis	conocierais	conocieseis	conocíais
conocieron	conocieran	conociesen	conocían
Gérondif : conociendo		Participe passé : conocido	

conducir, conduire

Indicatif présent	Subjonctif présent	Indicatif futur	Conditionnel présent
je conduis	*que je conduise*	*je conduirai*	*je conduirais*
cond**uzc**o	cond**uzc**a	conduci**ré**	conduci**ría**
cond**uc**es	cond**uzc**as	conduci**rás**	conduci**rías**
cond**uc**e	cond**uzc**a	conduci**rá**	conduci**ría**
conduc**i**mos	conduzc**a**mos	conduci**re**mos	conduci**ría**mos
conduc**ís**	conduzc**áis**	conduci**réis**	conduci**ríais**
cond**uc**en	cond**uzc**an	conduci**rán**	conduci**rían**

Passé simple	Subjonctif imparfait 1re forme	2e forme	Indicatif imparfait
je conduisis	*que je conduisisse*		*je conduisais*
cond**uj**e	conduj**e**ra	conduj**e**se	conduc**ía**
conduj**i**ste	conduj**e**ras	conduj**e**ses	conduc**ías**
cond**uj**o	conduj**e**ra	conduj**e**se	conduc**ía**
conduj**i**mos	conduj**é**ramos	conduj**é**semos	conduc**ía**mos
conduj**i**steis	conduj**e**rais	conduj**e**seis	conduc**ía**is
conduj**e**ron	conduj**e**ran	conduj**e**sen	conduc**ía**n
Gérondif : conduc**ie**ndo		Participe passé : conduc**i**do	

5. Les verbes irréguliers indépendants

andar, marcher

Indicatif présent	Subjonctif présent	Indicatif futur	Conditionnel présent
je marche	*que je marche*	*je marcherai*	*je marcherais*
ando	**a**nde	anda**ré**	anda**ría**
andas	**a**ndes	anda**rás**	anda**rías**
anda	**a**nde	anda**rá**	anda**ría**
and**a**mos	and**e**mos	anda**re**mos	anda**ría**mos
and**á**is	and**é**is	anda**ré**is	anda**ría**is
andan	**a**nden	anda**rán**	anda**rían**

Passé simple	Subjonctif imparfait 1re forme	2e forme	Indicatif imparfait
je marchai	*que je marchasse*		*je marchais*
and**uv**e	anduv**ie**ra	anduv**ie**se	and**a**ba
anduv**i**ste	anduv**ie**ras	anduv**ie**ses	and**a**bas
and**uv**o	anduv**ie**ra	anduv**ie**se	and**a**ba
anduv**i**mos	anduv**ié**ramos	anduv**ié**semos	and**á**bamos
anduv**i**steis	anduv**ie**rais	anduv**ie**seis	and**a**bais
anduv**ie**ron	anduv**ie**ran	anduv**ie**sen	and**a**ban
Gérondif : andando		Participe passé : andado	

caber, tenir dans, être contenu

Indicatif présent	Subjonctif présent	Indicatif futur	Conditionnel présent
je tiens	*que je tienne*	*je tiendrai*	*je tiendrais*
quepo	quepa	cabré	cabría
cabes	quepas	cabrás	cabrías
cabe	quepa	cabrá	cabría
cabemos	quepamos	cabremos	cabríamos
cabéis	quepáis	cabréis	cabríais
caben	quepan	cabrán	cabrían

Passé simple	Subjonctif imparfait 1re forme	2e forme	Indicatif imparfait
je tins	*que je tinsse*		*je tenais*
cupe	cupiera	cupiese	cabía
cupiste	cupieras	cupieses	cabías
cupo	cupiera	cupiese	cabía
cupimos	cupiéramos	cupiésemos	cabíamos
cupisteis	cupierais	cupieseis	cabíais
cupieron	cupieran	cupiesen	cabían

Gérondif : cabiendo — Participe passé : cabido

caer, tomber

Indicatif présent	Subjonctif présent	Indicatif futur	Conditionnel présent
je tombe	*que je tombe*	*je tomberai*	*je tomberais*
caigo	caiga	caeré	caería
caes	caigas	caerás	caerías
cae	caiga	caerá	caería
caemos	caigamos	caeremos	caeríamos
caéis	caigáis	caeréis	caeríais
caen	caigan	caerán	caerían

Passé simple	Subjonctif imparfait 1re forme	2e forme	Indicatif imparfait
je tombai	*que je tombasse*		*je tombais*
caí	cayera	cayese	caía
caíste	cayeras	cayeses	caías
cayó	cayera	cayese	caía
caímos	cayéramos	cayésemos	caíamos
caísteis	cayerais	cayeseis	caíais
cayeron	cayeran	cayesen	caían

Gérondif : cayendo — Participe passé : caído

dar, donner

Indicatif présent	Subjonctif présent	Indicatif futur	Conditionnel présent
je donne	*que je donne*	*je donnerai*	*je donnerais*
doy	dé	daré	daría
das	des	darás	darías
da	dé	dará	daría
damos	demos	daremos	daríamos
dais	deis	daréis	daríais
dan	den	darán	darían

Passé simple	Subjonctif imparfait 1re forme	2e forme	Indicatif imparfait
je donnai	*que je donnasse*		*je donnais*
di	diera	diese	daba
diste	dieras	dieses	dabas
dio	diera	diese	daba
dimos	diéramos	diésemos	dábamos
disteis	dierais	dieseis	dabais
dieron	dieran	diesen	daban

Gérondif : dando — Participe passé : dado

decir, dire

Indicatif présent	Subjonctif présent	Indicatif futur	Conditionnel présent
je dis	*que je dise*	*je dirai*	*je dirais*
digo	diga	diré	diría
dices	digas	dirás	dirías
dice	diga	dirá	diría
decimos	digamos	diremos	diríamos
decís	digáis	diréis	diríais
dicen	digan	dirán	dirían

Passé simple	Subjonctif imparfait 1re forme	2e forme	Indicatif imparfait
je disai	*que je disse*		*je disais*
dije	dijera	dijese	decía
dijiste	dijeras	dijeses	decías
dijo	dijera	dijese	decía
dijimos	dijéramos	dijésemos	decíamos
dijisteis	dijerais	dijeseis	decíais
dijeron	dijeran	dijesen	decían

Gérondif : diciendo — Participe passé : dicho

estar, être, se trouver

Indicatif présent	Subjonctif présent	Indicatif futur	Conditionnel présent
je suis	*que je sois*	*je serai*	*je serais*
estoy	esté	estaré	estaría
estás	estés	estarás	estarías
está	esté	estará	estaría
estamos	estemos	estaremos	estaríamos
estáis	estéis	estaréis	estaríais
están	estén	estarán	estarían
Passé simple	**Subjonctif imparfait 1re forme**	**2e forme**	**Indicatif imparfait**
je fus	*que je fusse*		*je faisais*
estuve	estuviera	estuviese	estaba
estuviste	estuvieras	estuvieses	estabas
estuvo	estuviera	estuviese	estaba
estuvimos	estuviéramos	estuviésemos	estábamos
estuvisteis	estuvierais	estuvieseis	estabais
estuvieron	estuvieran	estuviesen	estaban
Gérondif : estando		Participe passé : estado	

haber, *avoir, être* (auxiliaire)

Indicatif présent	Subjonctif présent	Indicatif futur	Conditionnel présent
j'ai	*que j'aie*	*j'aurai*	*j'aurais*
he	hayas	habré	habría
has	hayas	habrás	habrías
ha	haya	habrá	habría
hemos	hayamos	habremos	habríamos
habéis	hayáis	habréis	habríais
han	hayan	habrán	habrían
Passé simple	**Subjonctif imparfait 1re forme**	**2e forme**	**Indicatif imparfait**
j'eus	*que j'eusse*		*j'avais*
hube	hubiera	hubiese	había
hubiste	hubieras	hubieses	habías
hubo	hubiera	hubiese	había
hubimos	hubiéramos	hubiésemos	habíamos
hubisteis	hubierais	hubieseis	habíais
hubieron	hubieran	hubiesen	habían
Gérondif : habiendo		Participe passé : habido	

hacer, faire

Indicatif présent	Subjonctif présent	Indicatif futur	Conditionnel présent
je fais	*que je fasse*	*je ferai*	*je ferais*
hago	haga	haré	haría
haces	hagas	harás	harías
hace	haga	hará	haría
hacemos	hagamos	haremos	haríamos
hacéis	hagáis	haréis	haríais
hacen	hagan	harán	harían

Passé simple	Subjonctif imparfait 1re forme	Subjonctif imparfait 2e forme	Indicatif imparfait
je fis	*que je fisse*		*je faisais*
hice	hiciera	hiciese	hacía
hiciste	hicieras	hicieses	hacías
hizo	hiciera	hiciese	hacía
hicimos	hiciéramos	hiciésemos	hacíamos
hicisteis	hicierais	hicieseis	hacíais
hicieron	hicieran	hiciesen	hacían

Gérondif : haciendo — Participe passé : hecho

ir, aller

Indicatif présent	Subjonctif présent	Indicatif futur	Conditionnel présent
je vais	*que j'aille*	*j'irai*	*j'irais*
voy	vaya	iré	iría
vas	vayas	irás	irías
va	vaya	irá	iría
vamos	vayamos	iremos	iríamos
vais	vayáis	iréis	iríais
van	vayan	irán	irían

Passé simple	Subjonctif imparfait 1re forme	Subjonctif imparfait 2e forme	Indicatif imparfait
j'allai	*que j'allasse*		*j'allais*
fui	fuera	fuese	iba
fuíste	fueras	fueses	ibas
fue	fuera	fuese	iba
fuimos	fuéramos	fuésemos	íbamos
fuisteis	fuerais	fueseis	ibais
fueron	fueran	fuesen	iban

Gérondif : yendo — Participe passé : ido

oír, entendre

Indicatif présent	Subjonctif présent	Indicatif futur	Conditionnel présent
j'entends	*que j'entende*	*j'entendrai*	*j'entendrais*
oigo	oiga	oiré	oiría
oyes	oigas	oirás	oirías
oye	oiga	oirá	oiría
oímos	oigamos	oiremos	oiríamos
oís	oigáis	oiréis	oiríais
oyen	oigan	oirán	oirían
Passé simple	**Subjonctif imparfait 1re forme**	**2e forme**	**Indicatif imparfait**
j'entendis	*que j'entendisse*		*j'entendais*
oí	oyera	oyese	oía
oíste	oyeras	oyeses	oías
oyó	oyera	oyese	oía
oímos	oyéramos	oyésemos	oíamos
oísteis	oyerais	oyeseis	oíais
oyeron	oyeran	oyesen	oían
Gérondif : oyendo		Participe passé : oído	

poder, pouvoir

Indicatif présent	Subjonctif présent	Indicatif futur	Conditionnel présent
je peux	*que je puisse*	*je pourrai*	*je pourrais*
puedo	pueda	podré	podría
puedes	puedas	podrás	podrías
puede	pueda	podrá	podría
podemos	podamos	podremos	podríamos
podéis	podáis	podréis	podríais
pueden	puedan	podrán	podrían
Passé simple	**Subjonctif imparfait 1re forme**	**2e forme**	**Indicatif imparfait**
je pus	*que je pusse*		*je pouvais*
pude	pudiera	pudiese	podía
pudiste	pudieras	pudieses	podías
pudo	pudiera	pudiese	podía
pudimos	pudiéramos	pudiésemos	podíamos
pudisteis	pudierais	pudieseis	podíais
pudieron	pudieran	pudiesen	podían
Gérondif : pudiendo		Participe passé : podido	

poner, mettre, poser

Indicatif présent	Subjonctif présent	Indicatif futur	Conditionnel présent
je mets	*que je mette*	*je mettrai*	*je mettrais*
pongo	ponga	pondré	pondría
pones	pongas	pondrás	pondrías
pone	ponga	pondrá	pondría
ponemos	pongamos	pondremos	pondríamos
ponéis	pongáis	pondréis	pondríais
ponen	pongan	pondrán	pondrían
Passé simple	Subjonctif imparfait 1re forme	2e forme	Indicatif imparfait
je mis	*que je misse*		*je mettais*
puse	pusiera	pusiese	ponía
pusiste	pusieras	pusieses	ponías
puso	pusiera	pusiese	ponía
pusimos	pusiéramos	pusiésemos	poníamos
pusisteis	pusierais	pusieseis	poníais
pusieron	pusieran	pusiesen	ponían
Gérondif : poniendo		Participe passé : puesto	

querer, vouloir, aimer

Indicatif présent	Subjonctif présent	Indicatif futur	Conditionnel présent
je veux	*que je veuille*	*je voudrai*	*je voudrais*
quiero	quiera	querré	querría
quieres	quieras	querrás	querrías
quiere	quiera	querrá	querría
queremos	queramos	querremos	querríamos
queréis	queráis	querréis	querríais
quieren	quieran	querrán	querrían
Passé simple	Subjonctif imparfait 1re forme	2e forme	Indicatif imparfait
je voulus	*que je voulusse*		*je voulais*
quise	quisiera	quisiese	quería
quisiste	quisieras	quisieses	querías
quiso	quisiera	quisiese	quería
quisimos	quisiéramos	quisiésemos	queríamos
quisisteis	quisierais	quisieseis	queríais
quisieron	quisieran	quisiesen	querían
Gérondif : queriendo		Participe passé : querido	

saber, savoir

Indicatif présent	Subjonctif présent	Indicatif futur	Conditionnel présent
je sais	*que je sache*	*je saurai*	*je saurais*
sé	sepa	sabré	sabría
sabes	sepas	sabrás	sabrías
sabe	sepa	sabrá	sabría
sabemos	sepamos	sabremos	sabríamos
sabéis	sepáis	sabréis	sabríais
saben	sepan	sabrán	sabrían
Passé simple	Subjonctif imparfait		Indicatif imparfait
	1re forme	2e forme	
je sus	*que je susse*		*je savais*
supe	supiera	supiese	sabía
supiste	supieras	supieses	sabías
supo	supiera	supiese	sabía
supimos	supiéramos	supiésemos	sabíamos
supisteis	supierais	supieseis	sabíais
supieron	supieran	supiesen	sabían
Gérondif : sabiendo		Participe passé : sabido	

salir, sortir, partir

Indicatif présent	Subjonctif présent	Indicatif futur	Conditionnel présent
je sors	*que je sorte*	*je sortirai*	*je sortirais*
salgo	salga	saldré	saldría
sales	salgas	saldrás	saldrías
sale	salga	saldrá	saldría
salimos	salgamos	saldremos	saldríamos
salís	salgáis	saldréis	saldríais
salen	salgan	saldrán	saldrían
Passé simple	Subjonctif imparfait		Indicatif imparfait
	1re forme	2è forme	
je sortis	*que je sortisse*		*je sortais*
salí	saliera	saliese	salía
saliste	salieras	salieses	salías
salió	saliera	saliese	salía
salimos	saliéramos	saliésemos	salíamos
salisteis	salierais	salieseis	salíais
salieron	salieran	saliesen	salían
Gérondif : saliendo		Participe passé : salido	

ser, être

Indicatif présent	Subjonctif présent	Indicatif futur	Conditionnel présent
je suis	*que je sois*	*je serai*	*je serais*
soy	sea	seré	sería
eres	seas	serás	serías
es	sea	será	sería
somos	seamos	seremos	seríamos
sois	seáis	seréis	seríais
son	sean	serán	serían
Passé simple	Subjonctif imparfait 1re forme	2e forme	Indicatif imparfait
je fus	*que je fusse*		*j'étais*
fui	fuera	fuese	era
fuiste	fueras	fueses	eras
fue	fuera	fuese	era
fuimos	fuéramos	fuésemos	éramos
fuisteis	fuerais	fueseis	erais
fueron	fueran	fuesen	eran
Gérondif : siendo		Participe passé : sido	

tener, avoir, posséder

Indicatif présent	Subjonctif présent	Indicatif futur	Conditionnel présent
j'ai	*que j'aie*	*j'aurai*	*j'aurais*
tengo	tenga	tendré	tendría
tienes	tengas	tendrás	tendrías
tiene	tenga	tendrá	tendría
tenemos	tengamos	tendremos	tendríamos
tenéis	tengáis	tendréis	tendríais
tienen	tengan	tendrán	tendrían
Passé simple	Subjonctif imparfait 1re forme	2e forme	Indicatif imparfait
j'eus	*que j'eusse*		*j'avais*
tuve	tuviera	tuviese	tenía
tuviste	tuvieras	tuvieses	tenías
tuvo	tuviera	tuviese	tenía
tuvimos	tuviéramos	tuviésemos	teníamos
tuvisteis	tuvierais	tuvieseis	teníais
tuvieron	tuvieran	tuviesen	tenían
Gérondif : teniendo		Participe passé : tenido	

traer, apporter, amener

Indicatif présent	Subjonctif présent	Indicatif futur	Conditionnel présent
j'apporte	*que j'apporte*	*j'apporterai*	*j'apporterais*
traigo	traiga	traeré	traería
traes	traigas	traerás	traerías
trae	traiga	traerá	traería
traemos	traigamos	traeremos	traeríamos
traéis	traigáis	traeréis	traeríais
traen	traigan	traerán	traerían

Passé simple	Subjonctif imparfait 1re forme	Subjonctif imparfait 2e forme	Indicatif imparfait
j'apportai	*que j'apportasse*		*j'apportais*
traje	trajera	trajese	traía
trajiste	trajeras	trajeses	traías
trajo	trajera	trajese	traía
trajimos	trajéramos	trajésemos	traíamos
trajisteis	trajerais	trajeseis	traíais
trajeron	trajeran	trajesen	traían
Gérondif : trayendo		Participe passé : traído	

valer, valoir

Indicatif présent	Subjonctif présent	Indicatif futur	Conditionnel présent
je vaux	*que je vaille*	*je vaudrai*	*je vaudrais*
valgo	valga	valdré	valdría
vales	valgas	valdrás	valdrías
vale	valga	valdrá	valdría
valemos	valgamos	valdremos	valdríamos
valéis	valgáis	valdréis	valdríais
valen	valgan	valdrán	valdrían

Passé simple	Subjonctif imparfait 1re forme	Subjonctif imparfait 2e forme	Indicatif imparfait
je valus	*que je valusse*		*je valais*
valí	valiera	valiese	valía
valiste	valieras	valieses	valías
valió	valiera	valiese	valía
valimos	valiéramos	valiésemos	valíamos
valisteis	valierais	valieseis	valíais
valieron	valieran	valiesen	valían
Gérondif : valiendo		Participe passé : valido	

venir, venir

Indicatif présent	Subjonctif présent	Indicatif futur	Conditionnel présent
je viens	*que je vienne*	*je viendrai*	*je viendrais*
vengo	venga	vendré	vendría
vienes	vengas	vendrás	vendrías
viene	venga	vendrá	vendría
venimos	vengamos	vendremos	vendríamos
venís	vengáis	vendréis	vendríais
vienen	vengan	vendrán	vendrían

Passé simple	Subjonctif imparfait 1re forme	2e forme	Indicatif imparfait
je vins	*que je vinsse*		*je venais*
vine	viniera	viniese	venía
viniste	vinieras	vinieses	venías
vino	viniera	viniese	venía
vinimos	viniéramos	viniésemos	veníamos
vinisteis	vinierais	vinieseis	veníais
vinieron	vinieran	viniesen	venían

Gérondif : viniendo — Participe passé : venido

ver, voir

Indicatif présent	Subjonctif présent	Indicatif futur	Conditionnel présent
je vois	*que je voie*	*je verrai*	*je verrais*
veo	vea	veré	vería
ves	veas	verás	verías
ve	vea	verá	vería
vemos	veamos	veremos	veríamos
veis	veáis	veréis	veríais
ven	vean	verán	verían

Passé simple	Subjonctif imparfait 1re forme	2e forme	Indicatif imparfait
je vis	*que je visse*		*je voyais*
vi	viera	viese	veía
viste	vieras	vieses	veías
vio	viera	viese	veía
vimos	viéramos	viésemos	veíamos
visteis	vierais	vieseis	veíais
vieron	vieran	viesen	veían

Gérondif : viendo — Participe passé : visto

Imprimé en France sur Presse Offset par

BRODARD & TAUPIN

GROUPE CPI

La Flèche (Sarthe), le 12-06-2001.
N° d'imprimeur : 8056 – Dépôt légal : juin 2001